TINO ROSSI

DU MÊME AUTEUR

La Véritable Joséphine Baker, Éditions Pygmalion, Paris, 2000 ;
Éditions Corps 16, Paris 2000.

La Véritable Romy Schneider, Éditions Pygmalion, Paris, 2001 ;
Éditions Corps 16, Paris 2002 ; Éditions « J'ai Lu », Paris, 2003
(à paraître).

Joséphine Baker, 100 images pour une légende, Éditions de la
Lauze, Périgueux, 2001.

EMMANUEL BONINI

TINO ROSSI

ÉDITIONS DU
ROCHER
Jean-Paul Bertrand

Collaboration technique
François Bagnaud

© Éditions du Rocher, 2003.

ISBN 2-268-04770-9.

À Elle, la petite fille espiègle et épanouie du beau Rosazia de jadis.

À Lui, le chef de bande de la rue des Trois-Marie, à Ajaccio.

Les pieds nus, ils ont passé ensemble un peu de leur enfance.

Puis, il est parti se battre en Indochine. Elle l'a attendu et la vie en a fait mes parents, les seuls dont j'aurais jamais accepté d'être le fils.

Ils sont mes seules vraies idoles. Que leurs vieux jours soient bénis.

À ma sœur Danielle, à mes frères Simon et José, parce qu'ils sont formidables et que je les aime.

À Ange-François, Serena, Natale et Andria, leurs enfants, parce qu'ils leur ressemblent.

À mes grand-parents adorés, parce que ce n'est pas vrai qu'ils sont morts.

« Il y a trois périodes dans la vie : le passé
qui ne revient plus, le présent qui ne dure
jamais et l'avenir que tu ne connais pas. »

Pensée orientale

« Comme le temps passe ! Et que je suis
heureux qu'il soit passé ainsi. J'ai été
tellement fêté ! Quel beau cadeau m'a fait
le ciel le jour de ma naissance ! »

Tino Rossi, 1975

PROLOGUE
UNE IDOLE MENACÉE ?

> « Béni par les dieux, Tino Rossi possède
> le plus beau timbre de voix populaire que
> je connaisse. Son succès, il l'a gagné sans
> aucune intrigue, c'est à noter. »
>
> MAURICE CHEVALIER

« Nos deux plus grands music-halls de revue ont, à 48 heures d'intervalle, renouvelé leur affiche. La production 1936 de monsieur Paul Derval vaut celle de monsieur Henri Varna et réciproquement. Impossible après cette double expérience, de soutenir que la revue à grand spectacle, n'est pas un genre périmé qui doit disparaître dans un proche avenir. Aux Folies-Bergère, Joséphine Baker a gentiment tiré son épingle du jeu. Elle n'a rien appris de neuf durant son séjour aux USA, mais on l'a revue avec plaisir. Il lui a suffi de montrer de nouveau son derrière aux Parisiens pour reconquérir leur cœur.

Au Casino de Paris, par contre, monsieur Tino Rossi sort de l'affaire en piteux état ! Le premier soir, sa chanson d'entrée passa tout juste et les efforts de la claque ne réussirent point à imposer la seconde. Le chanteur ayant manqué sa note et ayant eu de surcroît la maladresse de laisser voir au public sa mauvaise humeur, la moitié de la salle rigola franchement durant toute la fin du tour de chant de monsieur Tino Rossi. Et la chose eut été très drôle si l'on n'avait aperçu dans une avant-scène une gentille petite dame qui pleurait toutes les larmes de son corps. Madame Tino Rossi qui, jusqu'à ce soir-là, s'imaginait peut-être avoir épousé un grand artiste ! »

Ce décret de démolition paru au soir du 10 octobre 1936 donne le ton de la campagne lancée contre Tino dès le début de ses grandes apparitions publiques. Un signe qui ne trompe pas. Sylvie Vartan ou encore Jean-Jacques Goldman subiront le même traitement de la part de ceux qui n'auraient pas misé un kopeck sur leur devenir artistique.

Preuve que la critique n'a, en valeur et en importance, que ce qu'on veut bien lui accorder, lorsqu'il met le point final à son article, le journaliste du *Voltaire* est loin d'imaginer qu'en secret le dieu du spectacle a d'ores et déjà décidé d'offrir à Tino une place à sa droite, et laquelle! Cinquante années durant, la fortune frayera avec cet illustre insulaire né comme l'Empereur, au cœur de la fière cité d'Ajaccio. Fait extraordinaire et sans équivalent; les éclipses et les revers, triste sort des idoles livrées à la foule, dont le destin vogue inexorablement entre fanatisme d'un jour et désamour du lendemain, seront épargnés à un Tino toujours en parfaite osmose avec son personnage et la gloire sans écailles qu'elle lui vaudra.

Mais ne nous y trompons pas, la gloire est une gueuse et se donne souvent pour trois fois rien! Enfant du voyage, elle ne reste jamais bien longtemps à la même place. Aussi, pour conserver une chance de la retenir après l'avoir saisie, faut-il parfois savoir lui ressembler. Parler son langage, faire mine d'éprouver les mêmes envies aux mêmes moments, et comme un gigolo traite sa maîtresse, se laisser ensuite désirer par elle sans qu'elle puisse jamais vous brûler un jour.

Parce qu'à travers ses chants, Tino fit l'amour à l'universel, alors l'universel se mit à l'aimer. Derrière ses faux airs de bel indifférent, cet adultère avec la masse qui ne va jamais sans une monstrueuse dose d'ego, il sut le maîtriser avec beaucoup plus d'intelligence qu'on ne le croit, alliée à une intégrité jamais prise en défaut. Né dans la gêne mais privilégié cependant, entre une mer de légende et un ciel d'opaline, il prit un jour son envol pour cingler vers le rêve, et grimpa vers le ciel pour décrocher les étoiles une à une.

Tête de Turc, Tino Rossi le fut et plus souvent qu'à son tour, tout au long de sa carrière pharaonique. On se moqua de son accent, plus tard de sa corpulence, on tiqua sur son manque d'expression en scène – « Un monsieur ventripotent, au front dégarni, au sourire incertain, qui se balance à la façon d'un éléphant mendiant une cacahuète » (Claude Sarraute *Dixit*).

Devenu riche, il ne changea rien à ses habitudes, et on lui en tint rigueur. N'eut-il pas en définitive le courage de vivre comme il aimait, et non comme l'on attendait qu'il vive? Comme il fallait absolument en découdre avec cet homme de la rue hissé au rang d'immortel, on s'attaqua à sa valeur intrinsèque – « Il est incapable d'articuler clairement trois phrases à la suite! » (Françoise Giroud).

Or, s'il est une chose que l'on est en droit d'attendre et d'espérer d'un chanteur, bien au-delà des grandes déclarations, des belles idées et des prosélytismes éventés et calculateurs, c'est à tout le moins qu'il sache chanter, le reste n'étant que petite philosophie pour mortels en sursis. Un principe que les nouveaux « ténors » de la variété française qui, lorsqu'ils ne s'abritent pas derrière leur play-back, osent nous imposer leur opinions politiques ou leur avis sur la nouvelle marque de lessive, seraient bien inspirés de prendre en considération.

On ne traverse pas impunément les époques en fascinant les générations, sans recueillir sa part de sarcasmes et de rebuffades, indissociables parents pauvres de toute réussite. Nul mieux que Tino, sensible et instinctif à l'extrême, ne pouvait l'ignorer. Aussi, loin de l'élitisme parisien, cette « Petite province malsaine », c'est à la chaleur des gens, à la chaleur du bois qu'il aimait à se réchauffer. Il y trouvait la force de continuer pour ces millions de personnes à travers le monde, suspendues au philtre de cette voix dont Vincent Scotto disait qu'elle restait un mystère. L'illustre compositeur de *Marinella* et de *Ô Corse, île d'amour*, qui fut au music-hall le levier initial de tant de carrières fulgurantes, avait pris la juste mesure de ses propos le jour où il déclara : « Une chanson embellit la vie, Tino embellit tout ce qu'il chante... »

De son côté, comme un testament qui ne dit pas son nom, avant de partir, Tino avait émis le souhait de laisser à la postérité des chansons fédératrices «d'évasion, de féerie, d'espoir et de rêve». Au pays des étoiles, *Petit Papa Noël* peut dormir tranquille sur sa barbe blanche ; son vœu a été éminemment exaucé.

Aussi, le temps d'un livre et de quelques pages, heureux et éclairés par son souvenir, faisons chanter encore une fois la vie de l'Absent, un artiste unique souvent imité mais jamais égalé, à travers son parcours, ses refrains, ceux que fredonnaient nos grands-parents, ceux que nos mères nous chantaient, ceux que les enfants de nos enfants redécouvriront un jour, peut-être, parce qu'ils sont intemporels. Parce que aussi, quand le rêve sera passé, même si le mouvement de la vie doit rester le plus fort, il nous restera toujours le sourire de Tino. Dans la lignée des Mistinguett, Baker et Trenet, le bougre avait compris que «pour ne pas vieillir, il faut se faire un très beau sourire»...

1.

L'ÂME CORSE

« On n'est pas assassiné en Corse, comme on l'est en France, par le premier échappé des galères, qui ne trouve pas de meilleur moyen pour voler votre argenterie, on est assassiné par ses ennemis. »

PROSPER MÉRIMÉE

— Allons-nous laisser ces enfants se massacrer? C'est criminel!

— C'est criminel, mais l'usage interdit aux pères d'intervenir dans ces engagements, faute de quoi les hommes se battraient et non les enfants! Et ce serait plus grave... et ce le fut déjà. Demeurons, et regardons! Nous porterons secours aux éclopés lorsque ces armées auront cessé leurs jeux cruels.

Nous sommes en 1778, sur une plage d'Ajaccio, probablement celle de Saint-François. Les deux hommes qui opposent ainsi leur éthique devant une horde de rejetons en train de s'écharper et prêts à tout pour ravir, fut-ce dans le sang, la victoire à l'adversité, ne sont autres que Charles de Buonaparte et un hôte continental envoyé en observateur dans l'île. Très vite, le spectacle de ce massacre de petites personnes devient insupportable à la vue du Français. Et comme il menace de réagir, d'un geste le signor de Buonaparte freine son élan en lui expliquant l'incongruité d'une telle intervention :

— Subissons les effets de cette affreuse tradition. Les enfants des faubourgs se battent ainsi chaque année avec ceux de la ville. Gamin, je fus de ces guerriers, et tout ce que je puis faire, père de famille, c'est de garder mes fils à la maison lorsque les camarades partent en guerre. Encore n'y ai-je pas toujours réussi, car pour ce petit monde où le plus âgé n'a pas douze ans, celui qui ne défend pas l'honneur du quartier est un lâche.

Surpris et soulagé à la fois de ne pas avoir repéré la présence de son fils Nabulione, Charles de Buonaparte se ravise lorsque soudain, sorti de la mêlée, tel Pandore de sa boîte, un enfant pâle et maigrichon lui annonce, la phalange victorieuse :

– Papa, c'est moi qui commandais !

Passé le premier moment d'une fureur mâtinée d'admiration non feinte, le père demande enfin à celui de ses enfants qui devait accomplir la prophétie de Rousseau en «étonnant l'Europe» :

– Qui était avec toi ?

– Toute la «Cathédrale», Masseria, Folacci, Levie, Péraldi, Rossi...

Ah, la castagne ! En Corse, on a toujours aimé ça. On ne traverse pas des siècles de luttes armées à défendre un pays de tout temps convoité par des envahisseurs de tous bords, sans en garder au moins quelques séquelles, comme ce goût inné pour la liberté sans partage.

Des plus sourdes aux moins explosives, les coutumes ont ici la vie dure. Le petit Constantin Rossi ne le sait que trop, qui, un siècle après la fulgurance du règne de celui dont l'île reste encore imprégnée, en subit les assauts.

Membre de la bande des «Trois Marie», *u banditu* (le bandit) n'a-t-il pas bataillé hier encore, aux côtés de son aîné, contre ceux de la «Cathédrale» ? Eh quoi ! à six ans, il est plus que temps de faire ses preuves en allant se mesurer à l'ennemi.

– *A barrié sanguineglia* (Le quartier de la Barrière est en sang).

– *I tre Mari batti focu* (Celui des «Trois Marie» met le feu partout).

– *Alza lù palaghio !* (Levez votre drapeau).

En rapportant ce slogan guerrier dans un premier livre de souvenirs, paru très tôt, dès 1937, «l'Empereur de la chanson» plante le décor d'une enfance dominée par les traditions. « Qu'on ne croie pas que je parle d'un simple divertissement, explique-t-il le plus sérieusement du monde. C'était bel et bien la guerre mais sans armes à feu ni épées. Cailloux et bâtons suffisent à se faire du mal. Et la preuve en est que je porte au front, à la naissance des cheveux, une cicatrice qui me vient de ces batailles-là. »

Et puis, parmi les compagnons de combat du petit *Nabulione* de Buonaparte, ne se trouvait-il pas déjà des Rossi ? Moins de cent cinquante ans après, les fils ont pris la relève, cette fois dans le clan adverse, les enfants Rossi étant passés à l'ennemi puisque servant désormais sous la bannière des « Trois Marie » au détriment de la « Cathédrale » défendue autrefois par leurs aïeux...

Napoléon... « Dans la Corse d'alors, on ne plaisantait pas avec la mémoire de l'Empereur ! raconte Antoine Pinelli. Avant la guerre de 14-18, existait déjà un haras du côté de Castelvecchio. Son directeur était toujours recruté parmi les anciens officiers d'Artillerie et on le voyait de temps à autre se promener dans la ville, affublé de son uniforme. Un jour, la nouvelle se répandit dans tout Ajaccio que l'homme s'était rendu sur la place du Diamant devant le socle de granit rose conçu en 1865 par Viollet-Leduc et sur lequel, entouré de ses quatre frères, Napoléon trône sur son cheval. Là, ses yeux dans ceux du glorieux, il avait lancé : "Lâche, descend de ton cheval !" Lâche, descend de ton cheval... *Diasphèmu !* (blasphème !) Les pêcheurs du *Borgo* (le quartier du port), les premiers, mirent le feu aux poudres : *"Annu insultati a Nabulione !"* (ils ont insulté Napoléon !) les autres prirent le relais et l'émeute fut à la hauteur du canular, car c'en était un ! Un *monta seiguè* (un farceur) avait sciemment tout inventé, histoire de rigoler un peu. Le fait est que le directeur du haras, un *pinzutu* (un « continental »), fut contraint de plier bagage et de rentrer chez lui. »

Si de sa vie il n'a jamais renié son admiration pour Napoléon, dans le fond, le goût pour la rixe n'est que l'un des aspects du caractère de Tino, trempé malgré lui dès son plus jeune âge dans le chaudron des traditions. Tino est avant tout un rêveur, tendre et sensible. Le sentiment de douce fièvre éprouvé chaque fois qu'on l'emmène au cinématographe pourrait en témoigner. Ange Bastia, un camarade de classe qui deviendra maire honoraire du XVIIIe arrondissement de Paris se souviendra que le fils Rossi était « si doux de caractère et si gentil que la maîtresse le tutoyait alors qu'elle disait "vous" à tous les élèves ». Un autre encore, Toussaint Péraldi : « Quoiqu'il ne fut pas dans ma classe, je l'avais souvent remarqué dans la cour de récréation pour son teint très mat et pour ses manières très douces et très agréables. » Sa matité lui valut d'ailleurs le surnom de *Moru* (Maure)...

Souvent l'enfant délaisse toute compagnie pour aller se mêler seul aux cistes et aux fougères. Qu'y cherche-t-il ? Sa mère racontera plus tard que Tino avait pour compagnon de jeu et néanmoins ami un jeune coq qui lui avait été offert. Jusqu'au jour où il fut décidé de faire du malheureux gallinacé un compagnon de bouche... « Quand il a vu qu'on prendrait son coq pour le tuer, Tino s'est sauvé en criant comme un fou et en pleurant, semble s'étonner la bonne Genia en décrivant la scène à un journaliste du Continent. On ne pouvait plus le consoler ! Il a été impossible de lui en faire manger une bouchée ! »

Promenez-vous aujourd'hui dans la célèbre rue Fesch qui, jamais pressée, prend sa source à hauteur de la place Abatucci, tantôt droite, tantôt serpentine, et plonge dans le *Borgo*. Là, dans cette ruelle, bien plus que sur le cours Napoléon, boulevard de la frime, bat la tripaille de la ville. Ici encore, les souvenirs d'un certain Ajaccio se rassemblent et s'ils s'égarent parfois, toujours ils savent revenir vers qui sait goûter les saveurs d'autrefois. Oubliez-y les néons du présent, les musiques qui agressent et les modes chinoises et glissez plutôt vos regards sur les façades fatiguées mais encore debout. Habituées qu'elles sont à repousser sans cesse le caprice des siècles, ces vieilles dames que sont les pierres ne semblent pas prêtes à la reddition. Les mêmes émotions qu'hier, intactes, transpirent toujours de leurs jointures fissurées et pour un peu, dans un pays où se taire est vertu, elles troqueraient presque leur mémoire contre un brin de sollicitude ou un petit air de guitare ancien...

Personne n'y fait plus attention
Mis à part quelques réveillons, elle est là pour décoration
La Vieille guitare
Comme le font souvent les vieux fatigués par leurs mauvais yeux
Elle se repose au coin du feu
La Vieille guitare
Elle en a tellement joué
De ces lamenti et de ces airs bizarres
Où se mêlaient la joie le désespoir
Des voisins qui venaient veiller le soir...

Pourquoi faire semblant de croire aux fantômes ?

Parce que sans eux nous serions bien seuls, livrés à un avenir qui ne dit jamais son nom et dont nous avons tout à redouter. Parce qu'aussi tel est notre destin : hanter les générations à venir pour leur rappeler qu'avant elles, nous fûmes de l'aventure terrestre, cette *Divine Comédie* chère à Dante...

À la lumière de tout ceci, ne tardons plus maintenant et fermons doucement les yeux. Un autre voyage nous attend...

2.

LORSQUE L'ENFANT PARAÎT

> « Être Méditerranéen, c'est attendre un
> ailleurs, le chercher, l'espérer. »

1907. En Corse comme dans l'ensemble de la République, depuis peu, sous l'impulsion des « francs-macs » (voir le scandale
de « l'Affaire des fiches »), qui en d'autres temps avait déjà
réclamé et obtenu la tête du roi, le catholicisme a perdu son
statut de religion d'État. Qu'importe, ici le Christ Roi et la
Vierge Marie règnent encore sur les cœurs et dans les foyers
et bien hardi *u scrianzatu* (un païen) qui tenterait de bouleverser
l'ordre des choses établies !

Ailleurs, à la suite d'une première alerte révolutionnaire,
Nicolas II a repris les rênes de sa sainte Russie ; dans la
Vienne impériale du mari de Sissi tombée dix ans plus tôt sous
la main d'un anarchiste, Sigmund Freud s'apprête à réveiller
l'inconscient ; et il n'y a pas si longtemps, peu après la création
en France du Tour cycliste, comme pour mieux démontrer que
l'avenir de l'homme ne saurait se réduire à du pain et des jeux,
ce vieux fou d'Einstein a lancé sa célèbre formule.

Partout, de la vieille Europe postvictorienne à la grande
Amérique de Buffalo Bill, grâce aux progrès de la technique,
le monde moderne et « civilisé » bouge et évolue à la vitesse de
l'éclair. « À ce rythme, le vieux fantasme de conquête lunaire
de Jules Verne, fera bientôt figure d'anachronisme », extra-
polent les plus farfelus.

Ces hommes... Toujours à penser à la colonisation !

La lune n'est-elle pas rassembleuse et ne s'offre-t-elle pas à tous sans impôt à verser ? D'où que l'on soit, il n'est que de la regarder chaque soir dans les yeux pour s'en convaincre et se sentir alors appartenir à une même et belle famille. Or, l'heure venue, les fadas chantant auront beau gazouiller que la lune fait des siennes et que le soleil l'attend, ici en Méditerranée, la plénitude des êtres ne peut aller sans le mariage, fut-il imaginaire, de ces deux béguins célestes. Les enfants et les fous le savent bien, et les poètes, qui s'en inspirent pour donner une vie à leurs songes.

La lune, l'enfant qui naît le 29 avril au numéro 43 de la rue Fesch à *Aiacciu,* la chantera souvent. De la même manière qu'il incantera le soleil sous les projecteurs de la chic planète. C'est un garçon, dont on décide qu'il se prénommera Constantin, comme des dizaines d'autres Constantin qui écument les registres d'état civil, parmi les quelque 22 000 âmes d'Ajaccio-la-Belle, Cité Impériale devant Dieu et les hommes. Un matinal que ce bambin Rossi, qui a attendu la révérence de Dame lune pour se présenter dès le premier soleil de 7 heures...

Constantin, ou « Tintin » (c'est plus court) n'est pas le premier fruit de l'union sans histoires entre *Larenzu e Genia*, Laurent et Eugénie Rossi, née Guglielmi et originaire de Campo. Ni le dernier... Si l'on exclut de cette petite comptabilité Constantin 1er, mort en bas âge, à la fin de 1906 (pour cette raison, on appellera Tintin, « le consolateur ») la famille comptera tantôt une tribu de huit enfants, un chiffre qui n'effraie personne dans le contexte social de l'époque. Joseph, Constantin, Antoine, Dominique, Isabelle, Nina, Rose, Laurence... Dans le désordre ou savamment additionnés, leurs prénoms forment une jolie guirlande colorée, comme celles qui n'ornent pas ici les pins de Noël parce que c'est cher, païen et superflu. Les mandarines accrochées aux arbres que l'on est allé couper en montagne remplacent avantageusement tous ces flonflons à la frontière du blasphème. *Ié amigu* (oui, l'ami) au pays de Sampiero et de l'immense Paoli, dont la lumière éclaira le monde sans que le monde s'en souvienne, on ne badine pas avec les notions du sacré.

L'appartement des Rossi est juché sur le palier gauche du quatrième et avant-dernier étage de l'un de ces vieux immeubles de la rue Fesch, dont nous avons déjà fait connaissance. Tintin est né dans ces murs. Madame veuve Agostini qui, elle, y poussa son premier cri en 1909, dans une chambre contiguë à celle où naquit le chanteur, se souvient que les deux pièces n'étaient séparées que par une porte : « En ce temps-là, on vivait dans peu de pièces. Et souvent les appartements étaient partagés. Mes parents habitaient une partie. Ceux de Tintin vivaient avec huit enfants dans les trois autres pièces. On comprend alors que notre enfance ait été commune. Nous avons grandi ensemble, pratiquement les uns chez les autres. À l'époque, la communication était beaucoup plus facile qu'aujourd'hui ; c'était le temps désormais révolu où personne ne fermait sa porte à clé. On se faisait confiance. »

Chez les Rossi, même en dehors des dimanches et des jours de *pranzi* (bombance), l'ambiance y est garantie... Huit enfants, vous pensez ! Aussi, pour calmer les ardeurs, trois fois par semaine, Genia délègue-t-elle à sa bouillonnante progéniture la corvée de l'eau. Nous sommes au début du siècle dans un quartier très populaire et si tu ne vas pas à elle, l'*acqua putana* (l'eau) ne viendra pas à toi ! Une leçon à retenir car sa signification est large...

Pendant ce temps, à quelques bonds de chèvre de là, « Laurent le Maire », surnommé ainsi par ses amis – un Corse sans surnom est un Corse incomplet – se tue à la tâche dans son atelier de tailleur.

Un jour, le Premier citoyen en titre de la ville lui aurait lancé en passant devant chez lui : « Quelle chance tu as d'être maire à vie ! »

Comme tout Ajaccien qui se respecte, Laurent Rossi est un fieffé bonapartiste, et n'a pas hésité à voter pour Dominique Pugliesi-Conti lorsque celui-ci a fait acte de candidature aux élections municipales de 1904. C'est que le député-maire d'Ajaccio n'est pas moins que l'époux de Madeleine Campiglia, arrière-petite-fille de la *signora* Angela-Maria Ramolino, elle-même cousine germaine de Laëtizia, mère de l'Empereur !

La porte grande ouverte de la boutique de *Larenzu* donne sur la rue Fesch, animée chaque jour que Dieu fait par le mouvement des charrettes et des cabriolets qui circulent au milieu des cris et des chants. Car chanter c'est respirer et lorsqu'on sait ce qu'oublier de respirer signifie...

Qui ne pousse pas la sienne, la nuit tombée, par exemple, quand tout devient surnaturel et que la seule ambition est de séduire les tourterelles en cage ? Avec plus ou moins de bonheur, certes, mais Coubertin, petit baron continental, à raison quand il jure que l'important est de concourir. Or, dans ce genre de discipline, Constantin se révèle un esprit particulièrement sportif ! « Parfois, nos romances désertaient la rue Fesch pour d'autres quartiers de la cité, racontera-t-il. Roméo en culottes courtes, nous allions porter des sérénades aux belles. Dans l'ombre complice, nous leur parlions d'amour. Le plus souvent, jouant les Cyrano, je poussais la romance pour les autres. Mes camarades avaient recours à moi pour conquérir le cœur d'une belle. Je me souviens qu'un soir, chantant si je puis dire pour mon propre compte, je fus cruellement déçu. J'étais amoureux de Colette, une blonde à la beauté du diable. C'était la fille du commandant de marine, un homme peu commode, au caractère irascible. Il n'appréciait guère les sérénades, surtout lorsqu'on les donnait sous le balcon de son domicile. Je n'avais pas encore achevé mon premier couplet que la fenêtre s'ouvrit violemment et un seau d'eau me tomba sur la tête ! Ce que le marin ne sut sans doute jamais, ce fut que le lendemain, Colette emprunta à vélo la route des Sanguinaires pour un rendez-vous que j'avais obtenu d'elle, sous les pins du Scudo. À l'endroit même, coïncidence, où j'ai aujourd'hui ma résidence ajaccienne. »

Par la suite, la même Colette devait obtenir un rôle dans l'un des films de Tino, devenu « de Dunkerque à Tamanrasset » la coqueluche des petites françaises.

En mars 1949, pour *Cinémonde* Stéphane Pizella, ami d'enfance de Tino, se souviendra de ces temps bénis où le travail était une notion totalement étrangère au jeune Tintin. S'il faut l'en croire, à l'opposé de son frère Joseph, il n'était jamais prompt à aller donner un coup de main à son pauvre père, parce que son truc à lui c'était chanter. Ah! chanter...

Laurent le Maire n'aimait pas beaucoup les fréquentations de sa cigale de fils : « Il s'imaginait que c'était nous qui l'empêchions d'être tailleur et de travailler, relate Pizella. Il avait raison. Nous aussi ! Car si Tino était devenu tailleur, qui aurait chanté pour nous ? Par sa voix, c'est nous qui chantions. On chantait pour les filles du cours secondaire. On les voyait, en chemise, aux fenêtres du dortoir. Combien de cœurs a-t-elle fait battre là-bas, sa voix ? Combien de désirs a-t-elle fait naître dans ces poitrines aux seins fermes dont nous avons tous rêvé ? »

L'amour, Tintin en fait l'apprentissage de la même manière qu'il s'est livré au chant. Précoce et instinctif, parce qu'en Méditerranée la demi-mesure est une étrangère, il se laisse aller à sa découverte, sans bouclier ni protection, seulement armé de sa sincérité et de sa petite force de conviction : « À quatorze ans, j'étais sentimental, j'écrivais des lettres d'amour sur du beau papier couleur parme à une petite fille de mon âge. Je ne savais pas qu'elle était fiancée à un garçon de vingt ans. Il a trouvé une de mes lettres... il est venu sans colère, j'ai dû m'incliner devant la loi du plus fort. J'ai eu de la peine. Les filles sont promises de bonne heure, chez nous... »

Qu'importe si la guerre qui vient de s'achever, par le nombre de ses fils tombés au combat, a saigné et endeuillé la Corse comme aucun autre département français ; la nuit fera toujours peur aux enfants et pas aux voleurs. Cette autre certitude que le soleil n'en continuera pas moins de se lever le matin avant de s'étaler de toute sa langueur purpurine, chaque soir, de la même façon, là-bas, au-dessus des Sanguinaires, remporte toutes les batailles dans le cœur de l'adolescent Rossi, seulement épris de rêves et de chansons. À cet âge, la force de croire que le plus beau reste à venir est comme une seconde peau. Alors, il chante, Tintin ! Pour cela, le Bar

André reste un inévitable autre centre de ralliement. À cet endroit, Laurent Rossi avait installé son premier atelier de couture. Depuis son déménagement un peu plus loin en face, dans la même rue Fesch, le maître des lieux s'appelle Louis Togni et il sert des pastis à tous ceux qui viennent écouter les guitaristes jouer et chanter.

– À toi, Tintin !

Si le gosse n'aime pas être pris au dépourvu, il n'est jamais bien long à se lancer, accompagné par Paul Bozzi, « u banditu » (le bandit), qui deviendra l'un de ses premiers musiciens, au temps de la première gloire. Une querelle les divisera ensuite et Tino se séparera de son guitariste. Dans les années 50, un autre Bozzi (Jean) sera amené à travailler pour l'Idole. Il se souvient qu'au début, celui-ci ne lui adressait jamais la parole. « Il croyait tout simplement que j'étais le fils de Paul, explique Jean Bozzi. Le malentendu aplani, Tino vint me présenter des excuses et nous devînmes très amis jusqu'à la fin. »

> *J'avais 20 ans, pour les yeux d'une femme*
> *Un mot d'amour faisait battre mon cœur ;*
> *Pour être aimé, j'aurais donné mon âme*
> *Et de mon sang j'eus payé ce bonheur...*
>
> *[...]*
>
> *Plus je vieillis, plus je vous vois charmantes,*
> *Plus je voudrais... mais je n'ai plus 20 ans.*

Cette chanson dont Jean Tavera composa la musique, Tino l'accrochera plus tard à son répertoire de vedette. En 1973, au cours d'un Musicorama, mi-joueur, mi-ému, le vieil homme fera à son fidèle public la confession suivante : « Mon père et tous les hommes de l'âge de mon père écoutaient *J'avais 20 ans* avec beaucoup d'émotion. Je dois dire que vu mon très jeune âge... (un long silence)... pourquoi riez-vous ? Vu mon très jeune âge à l'époque forcément, pas maintenant. Vu mon très jeune âge... à l'époque donc, je ne partageais pas cette émotion, mais aujourd'hui que je n'ai plus vingt ans, je la comprends d'autant mieux... »

Cette vocation de Rossignol, « Laurent le Maire » n'en est pas peu responsable. « Tel est planté l'arbuste, tel pousse l'arbre ! » N'est-ce pas ce père, amateur de bel canto et d'opéra, qui traîne son fils au théâtre municipal d'Ajaccio, aussi souvent qu'il le peut, pour applaudir le grand ténor corse César Vezzani, dans *Carmen* ou la *Catolica Rusticana* ? « Dois-je l'avouer ? révélera Tino, je m'endormais régulièrement et je ne me réveillais que pour me mêler aux applaudissements. »

N'empêche que le pli est pris et qu'à chaque occasion, en dehors de la sérénade, une institution dans le pays, Laurent le Maire met son fils à contribution. Ainsi, des *Pêcheurs de perles* aux *Millions d'Arlequin*, à la fin du repas, dans la maison de campagne du Vitulu, commune à plusieurs familles, Tintin offre-t-il son organe aux amis de *Larenzu*. C'est lui et personne d'autre que l'on réclame. Un peu timide, il doit parfois se faire prier, mais le charme opère. Tant et si bien que le directeur du théâtre d'Ajaccio, un voisin des Rossi, s'éprend un jour de ce prodige : « Dieu que sa voix est belle ! » Mais si le théâtre Saint-Gabriel, détruit par un incendie criminel le 4 octobre 1927, est resté fameux pour avoir accueilli entre autres la Scala de Milan ou encore Sarah Bernhardt dans *L'Aiglon* – au beau milieu de la représentation, le comédien interprétant le rôle de Metternich échappera de justesse au couteau d'un spectateur révolté par son personnage – mais surtout pour avoir servi du Verdi à Leurs très Impériales Majestés, Napoléon III et Eugénie en avril 1862, de conservatoire il n'y a guère ici et l'affaire ne va pas plus loin que l'éloge. Fier, mais pas plus que ça, Tintin s'en moque un peu. Quand il ne descend pas nu-pieds sur le port pour taquiner l'araignée de mer ou écouter siffler les pêcheurs qui démêlent leurs filets, quand il ne tape pas le ballon – un morceau de carton attaché avec une ficelle – en compagnie de Noël Rogani ou d'Antoine Fornacciari, c'est à l'atelier de son père qu'on le retrouve. Là, Serena, Minette, Antoinette et Lucia, les quatre cousettes qui taillent et qui reprisent dans une «ambiance de ruche bourdonnante» ne manquent jamais de gratifier le «petit» d'un sourire plein d'une grâce qui en dit long sans trop en dire. Et puis, surtout, ces demoiselles sont toujours à la pointe des derniers succès du disque et si leurs mœurs n'ont souvent rien de bien répréhensible, elles savent les adoucir en reprenant en cœur les chansons de Vincent Scotto, le petit marseillais qui monte, monte et dont les refrains s'accordent si bien avec les indéracinables airs traditionnels corses. Il est un air que Constantin devenu Tino n'oubliera jamais : *Quand on aime on voit tout en rose,* une composition tout droit sortie du piano de ce diable d'homme de Scotto.

À Ajaccio, un couple d'aveugles reprenait souvent cette mélodie, et recevait quand ils la jouaient, une généreuse moisson de sous lancés depuis les fenêtres et les balcons. Silhouettes familières de son quotidien, jamais le petit Constantin ne pourra gommer le souvenir de ces artistes touchants et singuliers et lorsque, plus tard, il reviendra dans la Cité impériale nimbé de sa jeune gloire, il recevra comme le plus bouleversant des hommages le fait d'entendre ses propres refrains chantés par *i dui ceghi* (les deux aveugles).

Avec Scotto et Delmet, René de Buxeuil fut l'autre compositeur de prédilection que les deux non-voyants de la rue Fesch inscrivirent régulièrement à leur programme. Buxeuil, né Jean-Baptiste Chevrier avait connu lui aussi le drame de la cécité lorsqu'à l'âge de onze ans, à la défaveur d'un stupide accident, ce natif des bords de Creuse reçut en plein visage une rafale de plombs de carabine cendrée tirés par un simplet qui s'amusait à tuer des moineaux sur le bord d'une route. Devenu célèbre, Tino retrouvera de Buxeuil, et en 1956, pour les besoins d'un livre-hommage au «compositeur aveugle», il lui dédiera ces quelques mots :

«À René de Buxeuil,

Dont j'admire le talent et déjà tout enfant je savourais sa célèbre chanson *Ferme tes jolis yeux*, un modèle du genre de la chanson de charme.»

[...]
Et tout en berçant la gamine,
La mère lui chante câline :
Ferme tes jolis yeux,
Car les heures sont brèves
Au pays merveilleux
Au beau pays du rêve...
(Paroles de Virgile Thomas et René de Buxeuil)

Après la mort de Tino, l'une des cousettes de « Monsieur Laurent » se souviendra pour un éditorial parisien : « Comme nous chantions toute la journée en tirant l'aiguille, Tintin joignait sa voix aux nôtres. Les chansons d'amour l'émouvaient autant que nous. Il lui arrivait de pleurer, tant il était sensible à ces histoires d'amour malheureux. Il réagissait exactement comme nous. Et nous avions avec lui une merveilleuse complicité, que nous ne pouvions partager avec les autres gamins trop grossiers. Un jour, à l'heure de la pause de midi, nous l'avons déguisé en fille. Il s'est laissé faire. Cela l'amusait beaucoup. À la fin, il nous a dit :

– Que c'est étrange de porter une robe ! On se sent tout drôle, plus fragile, plus coquet... Évidemment, je suis un garçon et cela m'est interdit. Mais je crois que je comprends mieux maintenant ce que c'est qu'être une femme ! »

Dans la même édition, un vieil ajaccien, proche de la famille, donc soucieux de son anonymat, tint les propos suivants : « Quand Tino est venu au monde, ses parents attendaient une petite fille. Oh ! Ils n'ont certainement pas été déçus d'avoir un petit garçon. Mais enfin... disons que Tino, parce qu'il venait à la place d'une petite fille, a été élevé plus douillettement que ses frères. Il n'a pas été éduqué virilement comme eux. Et cela a certainement influencé son développement affectif. Disons que la part de sensibilité féminine qu'il y a en tout homme, à l'origine, n'a pas été tout à fait étouffée chez lui. Mais qu'on ne se méprenne pas sur ce que je dis là ! Il n'y a jamais rien eu d'ambigu en Tino. Simplement, il était plus délicat, plus fragile, plus sensible que les autres garçons. Même s'il était capable, en même temps, de la conduite la plus masculine. »

Et encore et toujours les sacro-saintes sérénades vespérales... « Aussi loin que je me souvienne de mon enfance, j'ai toujours chanté, confiera Tino à la journaliste Caro Canaille. Nous autres, les petits d'Ajaccio, on copiait les grands, on jouait de la guitare et on chantait. »

Las, il y a toujours des lendemains de fête et en semaine, le quotidien de Tintin ressemble davantage aux quatre murs d'une prison baptisée « collège cardinal Fesch ». Oh, nous ne partons pas pour les lointaines Amériques, puisqu'en un mouvement de jambes, on se retrouve dans la cour de l'ancien palais de l'oncle de l'Empereur, mais le lugubre de l'endroit et surtout ce à quoi l'on s'y consacre, déplaît souverainement au gamin des clairs de lune.

Que de combats pourtant les Ajacciens auront-ils menés pour l'avènement de cet établissement ! Puisque ici tout finit et tout recommence avec Napoléon, c'est l'ex « Petit Caporal » qui, par un décret de 1805, jeta les bases d'un premier collège communal, dans une autre rue de la vieille ville. Une entreprise que les Bourbons, la Restauration venue, s'empressèrent de réduire à néant pour punir la cité d'Ajaccio d'avoir été le berceau de « l'Usurpateur ». Aussi, dans le souci légitime de voir leurs enfants recevoir une éducation digne de tout citoyen désireux de s'insérer dans la société française, les municipaux entreprirent-ils à leurs frais la construction d'un petit séminaire, secondé en 1845 par le collège Fesch. La mort du cardinal qui, en disparaissant, léguait à la ville non seulement sa fabuleuse collection de peintures italiennes, mais encore la totalité de ses propriétés rurales et urbaines, favorisa les choses. Sans oublier le coup de pouce royal et citoyen de Louis-Philippe.

Pour autant, aucun effort ne fut entrepris pour donner au collège Fesch une réelle qualité d'enseignement, les différents ministères de la République en charge du dossier n'ayant jamais daigné déléguer des professeurs suffisamment diplômés dans un pays de « barbares ». Un rapport constitué à l'époque de Tino par un inspecteur d'académie du Var, ancien vice-recteur de la Corse, en dit long sur l'état des lieux : « L'immeuble actuellement occupé par le collège Fesch réalise le maximum d'insuffisance et d'inconfortable qu'on puisse concevoir. Les études et les classes y sont, à de rares exceptions près, de véritables taudis. Les dortoirs, mal éclairés, mal aménagés, donnent l'impression d'un vrai campement d'émigrants ou d'un entrepont d'un navire après 15 jours de traversée. »

Rien d'étonnant dans une telle conjoncture à ce que le jeune Constantin, qui s'ennuie à périr pendant les cours, éprouve de furieuses envies d'évasion. Comment faire ? Facile : une fois dans l'enceinte du bâtiment, il suffira de monter la garde le temps nécessaire devant la porte jamais verrouillée qui donne accès au port, de l'ouvrir ensuite d'un geste vif, et adieu Pythagore ! Constantin avait simplement négligé un détail : son père fut élève avant lui et au même endroit ! Les méthodes employées alors par les parents pour détourner leur tendre progéniture de ces fâcheuses habitudes, elles non plus, n'avaient guère évoluées... Tino le confirmera : « Ce jour-là, ce fut ma fête ! »

Cela ne l'empêche pas, notre Caruso, d'aller parfois en reconnaissance du côté du cours Grandval – du nom de l'aïeul de la future Brigitte Bardot – le quartier des nantis, ou des *Sgiò* (les « seigneurs »). Là-bas, à l'emplacement de l'ancien petit séminaire, se dressent, déjà hors d'eau, les premiers pans de ce qui est appelé à devenir le nouveau collège. Mais les travaux arrêtés au début de la guerre n'ont pas repris leur cours et, à ce rythme, Tintin et tous ceux de sa génération pourraient bien ne jamais avoir la relative opportunité de frotter leurs culottes sur les bancs de ce qui ne deviendra qu'en 1936 le nouveau collège Fesch, puis le lycée Fesch un peu plus tard, par la volonté du maréchal Pétain.

C'est certain que là-bas, avec la mer pour voisine immédiate, piquée de sa promenade de palmiers alignés comme à la parade, Tintin aurait été mieux loti. Rien que le seul bruit des vagues par la fenêtre ouverte vous ferait plonger jusque dans les profondeurs du Golfe, ce concentré de Méditerranée qui laisse toujours groggy le plus flegmatique des riches touristes britanniques en villégiature dans le coin !

« Aussi vrai que Stromboli est soumise à l'Etna, Naples au Vésuve, le personnage le plus important, la divinité la plus autoritaire de cette région, c'est le Golfe ! » Très péremptoire dans son estimation tenue en 1778, l'hôte continental de Charles de Buonaparte démontre qu'il a su percer pour partie l'âme ajaccienne et par la suite de sa confession, celle de la Corse tout entière : « Messieurs les Ajacciens, vous n'avez pas d'autre origine que votre Golfe, vous n'avez pas d'autre amour que ce Golfe. Le Golfe crée cette sorte d'authenticité que les Mahométans expriment par la formule : "Le ventre fait la race." Eh bien ! Je vous le dis car je cherchais depuis mes premiers contacts ajacciens à exprimer ces pensées confuses : le Golfe fait la race ! Les Bastiais n'ont point vos sautes d'humeur, ni les Balanins vos paresses, ni les Sartenais vos élégances. La montagne durcit et noue les muscles et la mer les délie. La montagne pèse sur l'esprit et la mer le délivre. Le montagnard médite et le marin rêve. »

Souvent, la pensée de Constantin se tourne vers ce qui n'existe pas ou que la plupart ne voient pas avec les mêmes yeux que lui.

Déjà il se cherche un ailleurs. Et cet ailleurs pour tous les insulaires de tous les pays, c'est tout ce que l'horizon cache et que la mer permet d'atteindre. Ailleurs, c'est le Continent, un mot que l'on prononce ici avec grandeur et respect, car le Continent c'est l'étranger et l'inconnu, certes, mais c'est surtout la première terre d'évasion, un Eldorado qui ramasse les songes de tous les fous en mal de vivre et autres aventuriers en herbe qui s'ignorent encore.

3.

TINO SE CHERCHE

« L'homme sage n'est jamais seul. »
Proverbe oriental

Le maquis sauvage et impérieux, avec pour seules armoiries la myrte et l'arbousier, la fougère et la lentisque. Chaque soir, ses effluves descendent jusque sur le port sans intention belliqueuse, parce que la marine aime à recevoir ces cadeaux célestes et sucrés. Parce qu'aussi, en échange, la Grande Bleue en repos dans le Golfe sait renvoyer dans les hauts tout le mystère de son parfum iodé. Et puis, Ajaccio, ses ruelles étroites distribuant les bâtisses de la vieille ville tournées vers l'Est ; les abords tortueux de la citadelle, intemporel terrain de jeu de tous les petits citadins des siècles écoulés, qu'ils se fussent prénommés Nabulione, Dominique, Antoine ou Constantin ; la sobre et imposante maison natale de l'Empereur ; la grotte du Casone, où son jeune cerveau déjà en ébullition se préparait au monde. Et tout là-haut, planté comme un orgueil qui ne rachètera jamais la trahison de Moscou, le château de la Punta, fief des Pozzo-di-Borgo. Le Bar André, en face du 43 rue Fesch. Sans oublier l'église Saint-Roch, là où fut baptisé le fils Rossi et où ses cantiques dédiés à la Madone doivent toujours résonner...

C'est à tout cela et plus encore que Constantin rêve la nuit venue. Même entouré de ses camarades de chambrée, il se sent seul, seul car exilé.

Le Continent, il l'a voulu, il l'a eu ! Mais plus fort que tout, loin de sa patrie et des siens, revient le hanter comme un ressac le souvenir frais mais révolu des sérénades de clair de lune, celui des vieilles mamas de la rue Fesch qui par leur sagesse et la science de leurs *lamenti* (complaintes) faisaient un peu son apprentissage. Chaque jour, en venant s'enquérir de ses nouvelles auprès de sa mère, elles ont beau faire montre d'optimisme, elles n'en sont pas moins en deuil de la douceur un peu à part de Constantin. La famille, dans l'île, c'est sacré et tous ceux que l'on aime en sont membres *ad vitam aeternam*. Le petit, elles l'ont vu grandir, vous comprenez! Son avenir leur appartient comme il leur est important de le savoir en harmonie avec lui-même où qu'il soit. Et il est si loin... à Menton précisément, où il s'est vu incorporer au 25e régiment de chasseurs alpins.

Pourquoi Menton? À cause d'Annie Marlan. Annie, une jolie blondinette, Premier prix du Conservatoire au violon, dont Constantin est tombé amoureux en allant l'écouter au café Napoléon d'Ajaccio à la tête de son quintette pour la direction duquel elle avait abandonné l'opéra de Dijon. Avec l'ami Pizella, combien de fois Tino s'est-il restreint en cigarettes, en poker et en bien d'autres « vices » pour venir prendre l'apéritif à la terrasse de ce petit Fouquet's ajaccien? La jeune femme y attirait tous les regards, mais c'est Tintin qui décrocha la timbale. Jusqu'à ce qu'un nouvel engagement appelle Annie sur la Côte d'Azur. Sincèrement épris, Tintin l'a suivie, en espérant dégoter lui aussi un travail plus sérieux que celui d'employé au service des hypothèques d'Ajaccio. Les bureaux, la paperasserie et les chefaillons, il avait déjà donné! Seulement voilà; les jours passèrent et, sans emploi, ses maigres économies fondirent comme neige sur le Renoso. Provisoire, la solution vint de la Grande Muette qui l'inséra dans ses rangs. Dix-huit mois aux frais de Marianne, c'est toujours bon à prendre pour tout ingénu n'ayant encore jamais expérimenté les joies de l'enfermement républicain...

Sur son lit de militaire, il déprime sec Tintin. Et il rêve, il rêve sans répit de la Corse, de sa lointaine libération prévue pour le printemps 1927, de ce jour où il ira rejoindre Annie à Toulon pour lui annoncer qu'il veut l'épouser et avoir un enfant d'elle, pourquoi pas une fille qu'ils appelleraient Pierrette?

Ainsi fut fait !

Seulement, quand on a vingt ans et qu'on se retrouve sans un sou à la tête d'une petite famille dont il faut assurer la survie, on a beau abriter en soi, omniprésente, la petite flamme de l'optimisme, dans le cœur les sentiments naviguent et tanguent rapidement de l'espoir à son contraire. Se sentant diminué et impropre à tenir comme il le voudrait les rênes de la situation, sa fierté de mâle ramasse quelques mauvais plombs dans le blanc de l'aile !

« Quand j'étais pauvre, je n'avais pas les moyens d'être heureux, ça m'a laissé une méfiance de chien battu, confessera-t-il en 1954 à Caro Canaille. Je me suis marié à vingt ans. J'aimais ma femme avec toute la passion de mon âge, c'est pour elle que je suis venu sur le Continent. Au début, c'était merveilleux, mais le plus bel amour ne résiste pas à la misère. Je l'ai quittée et je suis retourné au pays. Napoléon a dit : "La plus grande victoire en amour, c'est la fuite." »

Voici donc notre Constantin revenu dans son décor naturel où à la joie se mêle la désagréable sensation de n'être qu'un figurant qui aurait raté le premier rôle. Il fait bon retrouver le pays mais amer est le sentiment de l'échec. Tintin revisite alors l'ancienne prédiction de « madame Sylvie », une parisienne mariée à un Corse, dont l'appartement se situe juste en dessous de celui des Rossi. « Cette femme tirait les cartes, racontera le chanteur dans ses Mémoires. Elle ne monnayait pas ce don, le réservant à ses amis et à ses voisins. Ma mère croyait profondément aux réussites et aux prédictions de "madame Sylvie". Un jour, elle revint à la maison fort troublée. La voyante lui avait fait d'étranges révélations : "Je vois pour votre Constantin un destin extraordinaire, on parlera de lui dans le monde entier !" Ma mère eut un haut-le-corps et se signa précipitamment. Si le nom de son fils devait s'étaler sur la place publique, ce ne pouvait être que pour le pire... »

« Il suffit qu'une chose soit incroyable pour qu'une femme en soit sûre », a écrit un dénommé Spencer. Le pire, Tino pourrait bien le redouter ; et si toute sa vie il ne devait être qu'un *smanciulatu* (bon à rien) ?

Un emploi de changeur au casino municipal, obtenu par piston, quelques brunettes à faire semblant d'aimer et dont une seule, Faustine Fratani, elle-même secrétaire au casino, lui laissera quelque souvenir ; tout cela n'est pas de nature à sustenter les rêves d'un être appelé par le destin. Et voilà que le casino maintenant prend feu ! Étrange cette facilité avec laquelle depuis quelque temps dans une région encore dépourvue de paillotes les bâtiments s'embrasent...

Alors, à nouveau désœuvré, flanqué de Faustine – elle deviendra son épouse à Paris cinq ans plus tard, le 29 janvier 1934 – avec qui il s'était déjà installé dans un appartement de l'hôtel Miramar d'Ajaccio, Tintin reprend la mer. Direction : Marseille. Il n'y reste pas longtemps, préférant aller frayer avec la communauté estudiantine corse d'Aix-en-Provence où il compte plusieurs amis. Là, sans plus de sous vaillants en poche autres que ce que peuvent rapporter un emploi de plongeur dans un bouge, il y mène une vie de bâton de chaise, chantant jusqu'à des heures indues au café du Terminus, en compagnie de ses compatriotes.

« Je ne me doutais pas alors, en croisant le regard brillant de Dominique Stefanaggi ou le sourire moqueur de Raymond Filippi, que j'avais en face de moi, en la personne de ces chanteurs enthousiastes, de futurs grands avocats », écrira Tino, ajoutant d'une plume que l'on sent revancharde : « Pas plus qu'ils ne se doutaient que le Constantin qui les entraînait à la redécouverte de notre folklore serait un jour plusieurs fois millionnaire en disques ! »

Ce qu'ignore surtout le beau Constantin, c'est la rencontre prochaine et imminente avec un homme qui pourrait bien bouleverser le cours pour l'heure encore tranquille, de sa fraîche existence...

4.

LA CROISÉE DES CHEMINS

« Un disque, c'est trois minutes de silence
décoré par un artiste. »

CHARLES CROS

À peu de choses près, Petit Louis fut à Tino Rossi ce que Louis Leplée fut à Édith Piaf ; le révélateur essentiel d'un talent universel qui ne demandait qu'à éclore et à se répandre. Quand on réfute la notion de hasard, on parle alors de destin. Tino, n'importe quelle « madame Sylvie » aussi douée que la nôtre aurait pu lui prédire un avenir impérial, tant ces êtres dissemblables aux autres portent en eux l'empreinte du *destinu,* comme on l'appelle « là-bas ».

« La gloire se donne seulement à ceux qui l'ont toujours rêvée », a écrit en toute connaissance de cause le général de Gaulle. De son côté, une autre lauréate au tableau des Éternels, établira publiquement un jour de désespoir le constat suivant : « Gloire, je t'ai voulue, je t'ai eue, mais j'ai toujours su que tu ne valais rien. » Elle s'appelait Norma Jean Baker. Entre les ambitions démesurées du premier et les désillusions neurasthéniques de la seconde, Tino, fils du peuple et du bon sens, aux racines solidement ancrées, aura pour tâche de négocier sa propre fortune sans verser dans l'un de ces deux extrêmes.

Tout commença de façon très banale, parce que la fortune, madame, si elle n'est jamais pressée, ne s'encombre pas de chichis dès lors qu'elle a jeté son dévolu sur le candidat de son cœur. Petit Louis, un organisateur de tournée artistique dans le pays aixois, Constantin le rencontre un soir au Casino d'Aix, où il lui est présenté par le pianiste Vadon, un ami commun. D'emblée, le professionnel flaire le bon coup, et lorsque Constantin se met à chanter, le verdict tombe, définitif et sans bémol : « Bravo, petit ! Ta voix est un bijou, il ne faut pas la forcer... »

Depuis toujours rompu au compliment, le jeune corse écarquille les yeux ; cette fois il s'agit de quelqu'un d'important dans la mesure où il peut lui ouvrir bien des portes et le révéler à lui-même. En outre, Petit Louis est un « môssieur » et la valeur de son jugement ne se discute pas. Très vite, il comprend que la place du jeune homme n'est pas à l'opéra mais au music-hall. Ainsi, en un soir décide-t-il de toute la carrière de Tino Rossi en lui offrant même son nom de scène. Pourquoi Tino ? « Parce que, explique-t-il au jeune homme, Constantin c'est trop long ! » De son côté, l'intéressé se souvient du jour de sa Confirmation à l'église Saint-Roch d'Ajaccio, lorsque l'évêque l'avait appelé « Constantino ». « Un nom d'artiste, ça doit claquer comme un drapeau », dit-il à Petit Louis, en signe d'approbation.

Bien sûr, les lumières du grand Paris ne sont pas pour tout de suite, il faut d'abord aller se frotter aux publics les plus divers, capricieux, modestes ou bon enfant, jouer par n'importe quel temps dans des endroits qui n'ont de théâtre que le nom, ne pas avoir peur de pousser la note les deux pieds dans la glaise. En substance, il faut tout simplement apprendre, se forger un style, rôder son personnage.

La première a lieu dans une salle des fêtes à Lauris, un petit village près de la Durance. On peut facilement imaginer les battements de cœur et l'état d'esprit du jeune Tino quelques minutes avant d'aller se jeter dans l'arène ; les jambes qui flageolent, la voix qui ne répond plus, les paroles des chansons qui se sont évanouies, le laissant seul face à des « coriaces » qui tiennent à leur réputation. En sortira-t-il au moins vivant ?

Poussé par Petit Louis, Tino se lance...

Il a choisi *Souviens-toi*, un air de Saint-Granier, le même qui, quatre ans plus tôt, au Théâtre des Champs-Élysées à Paris ouvrit le feu d'un spectacle qui allait devenir mythique, la

Revue Nègre, avec à l'affiche une bombe à effet immédiat : Joséphine Baker !

Après son premier titre, devant un auditoire qu'on lui a décrit comme très chahuteur mais qui, à sa grande surprise s'est fait tout silence, Tino enchaîne avec *La Romance de Maître Pathelin*. Deux chansons pour défendre sa tête c'est peu, mais c'est suffisant pour assurer au bellâtre un triomphe non galvaudé auquel il n'osait croire. Petit Louis exulte. Tino pas moins, qui commence enfin à frôler le rêve du bout de ses longs doigts bronzés.

Débutent alors les expéditions vaudevillesques à travers les campagnes, à bord d'un taxi ami et bénévole, bourré jusqu'à la gueule !

De village en village, de scène de misère en pas de scène du tout, devant des gens à qui il faut mendier le cachet, l'apprentissage est rude mais payant. Et la dérision en profite... À ce propos, Tino conserva au frais sa vie durant le souvenir d'une anecdote toute bucolique : « À Venelles, un rideau avait été tendu entre l'étable et un tréteau de fortune. Malheureusement les planches de ce qui servait de scène étaient mal jointes. Une chanteuse trébucha, tomba en arrière, entraîna le rideau dans sa chute, et se retrouva à califourchon sur un âne. »

On se croirait revenu au pays ! D'ailleurs, pour le Corse de cette époque, le Provençal, c'est un peu le grand Cousin d'Amérique...

Dès lors, tout s'enchaîna, mais pas aussi vite que Tino aurait pu l'espérer ; un premier disque fut bien enregistré avec son père, mais à ses frais et dans un magasin de la rue Saint-Férréol de Marseille, où n'importe qui peut en faire autant. Et puis ce disque en verre, c'est pour que Genia puisse entendre la voix du petit. Comme elle n'a pas pu accompagner son mari venu lui rendre visite et s'enquérir de sa santé et de sa situation, elle aura au moins un souvenir. Pour sûr, la pauvre femme aura reçu sa part de frissons en entendant son « consolateur » entonner a cappella *Aiacciu Bellu,* un air qu'elle connaît bien et le fameux *Souviens-toi.*

Or, chez Ferréol, le destin, encore lui, s'était posté dans un coin pour surveiller le bon déroulement des opérations et ne rien rater de l'entretien entre Tino et le représentant des disques Parlophone, monsieur Joseph, lui aussi présent dans la boutique ce jour-là.

– Ça vous plairait d'enregistrer pour nous ?

Pardi ! aurait pu répondre Tino si sa réserve naturelle, son éducation et le savoir-vivre propre aux siens ne l'avaient pas restreint à donner un accord enthousiaste mais courtois et dans les formes. D'autant mieux que l'enregistrement devra se dérouler à Paris, cette fois, Paris Ville Lumière, capitale du mirage...

5.

PLUS HAUT!

« À mes tout débuts, quand je chantais dans
la rue pour attirer l'attention du public, il
me fallait d'abord chanter les chansons du
répertoire de Tino Rossi. C'était infaillible. »

ÉDITH PIAF

Combien de marins sont partis
Pour des courses lointaines
Dans ce morne horizon
Se sont évanouis...

Osons imaginer Tino réciter pour lui-même ces vers d'Hugo, son poète français préféré, dans le train qui le conduit vers Paris. Hugo, l'éternel révolté à la barbe blanche pareille à celle des vieux sages du Niolu ou du Sartenais.

Paris 1932 est encore reine du Monde.

Qu'est-ce à dire? Que son charme infini, sa folie ouverte à tous les anachronismes et son verbe haut placé ne connaissent nul rivaux, que son esprit d'indépendance qui a fait et défait siècles et rois dans l'allégresse ou dans le sang – voyez dernièrement l'assassinat du président Doumer – y sont toujours souverains. Et c'est heureux!

Paris 1932, c'est le Moulin et les Folies, « Paris et ses boulevards, avec tous ses bobards! »

Paris 1932, c'est celui de toujours; un village ou plutôt un bouquet de villages où les frontières sont des chansons de rue, passées, présentes ou à venir...

Quand, pour se donner du bien-être,
On voulait respirer de l'air pur,
On se mettait à sa fenêtre,
C'était moins cher que la Côte d'Azur !

Même si la réalité déborde quelque peu des paroles de Boyer, il suffit d'y croire et le miracle peut survenir, car Paris 1932 c'est un faisceau lumineux, un tourbillon de spectacles et de revues, un empire de la mode, une joie de vivre au goût de champagne pour touristes américains en retard d'une « génération perdue ».

Paris 1932 c'est l'excentrique Joséphine Baker qui se promène sur les Champs-Élysées escortée de sa paire de guépards parés tous deux de colliers de pierres assorties à la couleur de sa robe ; c'est Mistinguett déjà distancée par la « négresse », en dépit de ses efforts pour rester dans le coup, et qui, à soixante ans continue de voir des « vieilles » partout ; c'est Chevalier-sur-Canotier, le plus amerloque des p'tits gars de Ménil'muche ; ce sont encore Fréhel, Damia, poignantes ambassadrices du populo et chantres du refrain réaliste ; c'est la Môme Piaf, une autre chanteuse à tripes pas encore tout à fait sortie des griffes de ses macs.

Mais, Paris 1932 ce sont aussi les peintres de la Butte qui crient famine tandis que les gigolos enchaînent les paso-doble à La Rotonde, car finalement, Paris 1932, vu d'en dessous les ponts, ce n'est rien moins que l'opulente insolence d'une caste, affichée en plein jour à la gueule des miséreux. Qui arrêtera les pauvres de s'appauvrir pendant que les fameuses « 200 familles » continuent d'engraisser sans un carat de scrupules ? Certainement pas la crise économique ; américaine en 1929, elle a pris le temps de franchir l'océan et commet ici et maintenant ses premiers ravages, en dépit de l'effet salvateur du franc Poincaré.

Dans ce contexte, Tino débarque et bien sûr il se rend très vite compte que personne ne l'attend ; des candidats à la misère, Paname n'en manque pas et Constantin Rossi ne fait que grossir le nombre.

« En ce temps-là, j'étais caissière dans une très grande fabrique de meubles à Paris, se souviendra madame Odette

Jurgon. Un jour, le jeune Tino Rossi qui venait d'arriver à Paris se présenta chez nous pour acheter des meubles à crédit. Suivant l'usage, un de nos inspecteurs fit une enquête discrète et rapporta une fiche dont voici la teneur : "Petit chanteur sans avenir. Ne pas faire de crédit." Le jeune Tino Rossi put cependant donner la caution d'un de ses parents qui habitait la capitale et on lui livra ses meubles. »

Qu'est-ce que ce garçon qui eut l'heur et le privilège d'avoir la Méditerranée pour baignoire espère donc trouver sous les fers de la sinistre Eiffel où l'on dit que les fauves de la profession s'entre-dévorent sans merci ?

La Gloire, tout bonnement ! *A Gloria ! o figliolu, a gloria !*

U Corsu è fieru é un cala spinu (Le Corse est fier et ne baisse pas la tête). Dans sa nuit parisienne, Tino s'est approprié ce proverbe. Pour le reste, il s'en remet à Dieu. « Advienne que pourra ! », comme lui lanceraient à la volée tous ces gens pressés qui courent, qui courent mais ne sont jamais à l'heure. Ces continentaux que chez lui on appelle *i pinzuti* (les pointus), en référence à ceux de leurs ancêtres qui jadis, envahirent l'Île de Beauté, baïonnettes en poupe.

Pour pouvoir enregistrer un vrai disque, il faut une partition, au mieux un accompagnateur. Les partitions, c'est un certain monsieur Lemoine qui les fournit à Tino. Sensibilisé par son air de petit paysan égaré, le directeur de la société Parlophone lui offre même de quoi subvenir à ses premiers besoins. Un geste rare en jungle parisienne, dont l'heure venue le chanteur s'acquittera en travaillant souvent bénévolement pour son premier bienfaiteur.

Ninni Ninna et *Ciucciarella* sont les deux titres retenus par le jeune corse, le jour de l'enregistrement. À la guitare, derrière lui, un Napolitain dégoté dans les bouges malfamés de Montmartre où les insulaires qui n'ont pas encore cédé la place aux Arabes, sont toujours les rois.

Dans ses Mémoires Tino affirme que le disque se vendit « très bien », mais puisqu'il a l'honnêteté de le reconnaître, déclarons tout net que « cet archaïque 78 tours », de par sa rareté a bien plus de valeur aujourd'hui qu'il n'a rapporté de royalties à l'époque à son interprète !

Retour à Aix-les-Bains. Petit Louis attend son poulain de pied ferme. Mais Tino n'entend pas se cantonner le reste de sa vie dans les spectacles au professionnalisme approximatif de son prime manager. Aussi, fort de son expérience parisienne, s'aventure-t-il un jour jusque dans le bureau de Tintin Milliard, co-directeur de l'Alcazar de Marseille et du Casino de Toulon. Toulon où la première épouse de Tino, la maman de leur petite Pierrette, tient toujours l'archet de l'orchestre. Milliard... Un nom qui fleure bon la fortune.

Là, il fait ce pour quoi il est venu : il chante. D'abord indisposé par ce jeune importun qui n'a même pas eu la courtoisie de prendre un rendez-vous, Milliard se ravise et s'emballe. « Monsieur Rossi, je vous engage à l'Alcazar en qualité de "Ténorino" ! Votre contrat prendra effet dès le 3 mars 1933 en matinée. Sa durée sera d'une semaine à raison de deux représentations par jour, avec un cachet global de 500 francs ! »

« Quelle voix exquise que celle du ténorino Tino Rossi, c'est un enchantement de l'entendre », peut-on lire au lendemain de la Première, dans *Le Petit Marseillais*.

Essai transformé. Déjà, d'autres music-halls réclament Tino. Au Théâtre des Variétés de Marseille, par exemple, François Esposito va jusqu'à lui offrir de participer à un gala aux côtés de deux des plus grandes pointures du moment : Maurice Chevalier et Fernandel. Rien que ça ! Le succès récolté par le ténorino y est tel qu'on lui fait reprendre deux et trois fois *La Romance de Maître Pathelin*.

Ce succès fait boule de neige et désormais la machine à gagner ne va plus s'arrêter. À Ajaccio, le disquaire François Minighetti pourrait en témoigner, qui voit son magasin assailli par les fans de Tino. Qui aurait cru que *Ninni ninna* et *Ciuciarella* se soient décidés à faire autant de petits ? La réputation du jeune corse franchit à nouveau la mer et cette fois gagne Paris où Jean Bérard, le grand boss de Columbia, lui fait les yeux doux. Columbia, c'est une écurie de prestige : Lucienne Boyer, Jean Sablon, Joséphine Baker et tant d'autres...

« Ce jour-là, dans les rues de Paris, les passants crurent sans doute croiser un homme ivre, écrira Tino *a posteriori*. J'étais ivre de joie. J'aurais voulu avoir à mes côtés, à cette seconde, mes parents, Petit Louis, mes amis. Partager avec eux ce bonheur craquant comme un pain chaud. »

Outre l'enregistrement de plusieurs disques, Bérard venait en effet de lui proposer de participer à une vaste tournée avec les duettistes Gilles et Julien et Damia. La grandissime Damia ! Damia dont les conseils devaient poursuivre Tino tout au long de sa carrière et lui valoir tant de sarcasmes : « C'est elle qui m'a appris à ne pas gesticuler en scène. Elle me disait : "Pourquoi tu bouges tes mains comme ça ? Je vais te les lier derrière le dos !" »

Au cours de cette tournée qui fait une courte escale au nouveau casino municipal d'Ajaccio, la chance a prévu pour Tino autre chose qu'une succession de bravos et de chambres d'hôtels : une rencontre déterminante et magique à Lyon, avec un petit bout d'homme qui ne l'est pas moins quand il ne peste pas contre la rigueur de l'exil, loin de sa Canebière natale, Vincent Scotto !

Ah ! Vincent Scotto ; à l'évocation de ce nom, c'est non seulement le souvenir de la Provence d'autrefois qui se réveille, mais celui de toute la France des guinguettes et du Casino de Paris. *Première java,* par Mistinguett : c'est lui ; *Prosper* (Chevalier) : encore lui ; *Sombreros et Mantilles* (Rina Ketty) : toujours Scotto ; de même *Les Deux Amours* de Joséphine Baker et sa *Petite tonkinoise* préalablement créée par Polin. Si l'on exclut les 200 actes d'opérettes (*Au pays du soleil* ; *Violettes impériales* ; *Un de la Canebière* avec Alibert, son futur gendre) et la composition de près de 350 musiques de films (*Pépé le Moko* ; *Angèle* ; *Fanny* ; *La Femme du boulanger*), la liste est longue et se résume à 4 000 titres dont Scotto modeste et lucide affirme : « Il y en a 2 000 qui ne valent rien, 1 000 qui ne valent pas grand-chose, 800 qui sont acceptables, 150 excellentes et 50 qui ont fait le tour du monde. »

Inventeur des opérettes marseillaises qui disparaîtront un peu avec lui, Vincent Scotto était le fils d'un charpentier de la marine, originaire de Naples et établi à Marseille. C'est là que le petit Vincent vint au monde dans la misère la plus sombre. Issu d'une famille très nombreuse, dès l'âge de dix ans il se retrouva apprenti chez un menuisier à qui il emprunta un jour du bois léger pour se tailler une guitare d'où cet autodidacte pourrait sortir de sa tête toutes ces notes de musique que jamais il n'apprendrait à jeter sur une partition. À vingt-trois ans, en montant à Paris, il avait décidé de son sort : ce serait la réussite ou rien ! Et ce fut la gloire, presque instantanément. Mais la gloire, Scotto n'en a cure ! Chacun sait à quoi s'en tenir et nul ne s'avise jamais à lui donner du « maître », sans craindre de se voir répliquer en retour : « Ça fait beaucoup trop vieux et ça ne convient pas à un musicien qui n'a jamais eu d'autres prétentions que de faire plaisir à la foule. »

Hormis une enfance et un parcours qui se rapprochent, Tino ressemble-t-il à ce petit être, chétif, pâle, au nez busqué et à la moustache fine ?

Pas vraiment. Parce qu'il a l'intime conviction qu'un jour Paris sera à ses pieds, Tino veut briller. L'orgueil corse, il l'a chevillé au corps !

Pour autant, la partie n'est pas gagnée et tandis qu'ils se promènent tous deux dans Lyon, Scotto doit lui remonter le moral et lui faire moult recommandations. Celle que Tino retiendra toujours et dont il fera son cheval de bataille : « Quand le cœur fredonne une chanson, c'est tout ton être qui doit l'accompagner et se mettre à l'unisson. Si tu ne chantes pas l'amour, ne chante rien ! »

En quittant son étrange interlocuteur, Tino, qui a reçu le message dix sur dix, sait qu'il vient d'entrer dans une autre sphère. De retour à Paris, grâce au coup de pouce de Gilles et Julien qui présentent leur partenaire de tournée à Mitty Goldin, le voilà engagé à l'ABC, un music-hall qui vient d'ouvrir ses portes sur les grands boulevards. Trois semaines pour un succès honorable mais qui ne fera pas date. *Près de la cascade* et surtout *Le Tango de Marie-Lou* – enregistrés chez Columbia que Tino ne quittera plus désormais – ont bien marché en province, mais sur la scène de l'ABC pas de véritable tabac pour Marie-Lou...

> *Marie-Lou Marie-Lou*
> *Souviens-toi du premier rendez-vous,*
> *Dans nos cœurs à grands coups*
> *S'éveillaient les désirs les plus fous...*

Christu ! La fortune lui ferait-elle à nouveau la gueule ?
Pas pour longtemps, foi de Tino !

6.

LE SACRE

« Ou laissez-moi périr, ou laissez-moi régner. »
PIERRE CORNEILLE, *Cinna*

En dehors de lui-même, de son charisme et de son talent, sa grande aventure du Casino de Paris Tino Rossi la doit en premier lieu à la chance, bien sûr, mais aussi à un homme : Félix Marouani, patriarche de la fameuse tribu d'impresarii. On attribue à celui-ci l'invention du métier d'impresario, mais s'il ne fut que le deuxième derrière Pepito Abatino, le machiavélique manager exclusif de Joséphine Baker, Félix Marouani, qui devint le coach de Tino, n'en a pas moins apporté sa pierre à l'édifice.

De l'aveu même de ce dernier, Tino est à l'origine de sa prodigieuse ascension : « Il fut ma première grande découverte, déclara-t-il à *France-Soir* le 17 mars 1973, et dans des conditions très drôles. J'étais en vacances à Bandol, dans la guinguette où je dansais j'entends un tango dont le refrain était chanté par une voix que j'ai trouvée tout de suite extraordinaire. En rentrant à Paris, j'apprends qu'Henri Varna cherchait un tableau sur la Corse dans sa revue du Casino de Paris. Je lui ai envoyé Tino. C'était parti pour la gloire ! »

Dans sa verve et avec le sens de l'exagération caricaturale propre aux « gens du soleil », non seulement Marouani se trompe d'année – il faut comprendre 1934 et non 1933 – mais il omet de préciser que, s'il signa effectivement le contrat de Tino au Casino de Paris, c'est le librettiste Marc Cab qui proposa Tino à Henri Varna, tout-puissant directeur du célèbre établissement de la rue de Clichy et de bien d'autres music-halls parisiens.

Avec les Folies-Bergère, le Casino est le temple par excellence du music-hall parisien, ce qui constitue à l'époque un tremplin mondial. Depuis qu'elle a appris de feu Gaby Deslys comment descendre les marches étroites du grand escalier, la tête bien droite, les pieds en canard, couverte de plumes et de strass, Mistinguett en a fait son fief qu'elle se doit de partager en alternance avec les champions du genre : Chevalier et Baker. « Marie Dubas-du-cul », selon l'expression de cette peau de vache de Miss, s'y est bien risqué elle aussi mais elle s'est cassé la figure. Quant à Cécile Sorel, elle l'a bien descendu, son « échelle », certes, mais quelle panique financière après son passage rue de Clichy ! Le seul commentaire de la perdante : « Je suis une reine et partout où je passe, il y a maison royale ! » Elle était plutôt « grave » – ainsi qu'on le dirait aujourd'hui – la Sorel !

Fort heureusement, Tino ne va pas être largué tout seul dans cette galère aux allures de « quitte ou double », tel que paraît se présenter *Parade de France*, nom de la revue découpée en 50 tableaux en hommage aux provinces françaises. En tout et pour tout, il ne figurera que dans deux d'entre eux, entre 22 heures 30 et 23 heures précisément. Il y aura d'abord *La Corse, île de Beauté,* puis *La Plus Grande Parade* où il tiendra le rôle d'un colonial. C'est peu et c'est énorme pour quelqu'un dont le nom, à Paris, n'évoque pas grand-chose, un artiste qui court toujours après le 31e jour pour payer son loyer. Le Casino c'est une chance inespérée. N'oublions pas que Tino est encore un débutant et qu'il n'a que vingt-sept ans. Mistinguett elle-même, s'il fallait ne citer que la plus grande, n'a atteint le firmament qu'à l'issue de dizaines d'années d'expérience et de savoir-faire, mais aussi d'une obstination proche de la rage.
« Pour le public parisien, un Corse était en quelque sorte un animal exotique qui devait se présenter devant lui paré de toutes

les plumes de son pays », écrira Tino dans son autobiographie. Avant d'évoquer la naissance de son habit de lumière pour le Casino : « Enfermé dans ma chambre, j'avais tracé ce costume corse qui aurait fait rire un habitant de Sartène, mais qui allait séduire toutes les Françaises : une chemise bouffante, une veste accessoire que j'étais décidé à tenir négligemment sur une épaule, le pantalon bouffant, des bottes, et ma guitare pour faire joli et typique. »

Ainsi paré, il n'a plus vraiment de quoi avoir peur. Et puis, les musiques de Tino ne sont-elles pas signées Vincent Scotto ? Alors...

Alors, quand ce fut son tour d'être jeté dans l'arène, Tino se sentit devenir blême, et c'est un automate que l'on dut pousser jusque sur la scène où, dans un décor de carton pâte, un chœur de jeunes filles vêtues comme des *Colomba* l'attendait, chacune une cruche sur la tête. « C'était à mon tour de jouer mon destin, je n'avais plus rien à attendre de personne », se souviendra Tino. « Une douloureuse sensation de solitude me parcourut. Les larmes me vinrent aux yeux. »

> *Ô Corse, île d'amour,*
> *Pays où j'ai vu le jour.*
> *J'aime tes frais rivages*
> *Et ton maquis sauvage...*

Énorme et impressionnant silence dans la salle rouge et or du Casino. Tino enchaîne...

> *Vieni, vieni, vieni, vieni, vieni*
> *Tu sei bella, bella, bella, bella*
> *Bella, bella accanto a me...*

Nouveau silence, puis :
« Bravo ! bravo ! Encore ! Une autre ! Bis ! bis ! Bravo ! »
« Est-ce possible ? » se demande celui qui reçoit cette clameur comme une rafale d'obus de canon. Ces cris lui sont-ils destinés en propre ou bien s'agit-il d'un formidable chahut moqueur qui

a pour seul but de lui faire savoir que sa place n'est pas ici ? Dans le doute, il se trouble, puis les lumières rallumées, devant toutes ces filles qui s'agitent et lui sourient en frappant dans leurs mains, il se rend à l'évidence : c'est gagné ! S'il éprouvait encore une ombre de soupçon, en coulisses, Henri Varna et Félix Marouani seraient-là pour le lui confirmer : sous le ciel de Paris en cette nuit du 14 octobre 1934, comme toujours à cette heure les enfants dorment à poing fermés, dans les bistrots de Pigalle les clients ne voient déjà plus clair et de leur côté les « poules » ont déjà pris du service, mais pour Constantin Rossi, c'est le début d'une autre histoire. L'entrée dans une forêt à la fois magique et redoutable, où toutes les fées, baguette en main viennent lui crier quelque chose comme : « Une étoile est née ! »

Dès lors, Tino fait une entrée en force à la radio, la TSF, comme on l'appelle encore provisoirement, ses disques s'arrachent et si l'on en juge par leur nombre sans cesse croissant dans le hall du Casino, les jeunes filles ne jurent plus que par « l'idole aux cheveux plats ».

Varna, qui voit ainsi le succès de sa revue aller croissant chaque soir, est aux anges. Tino se montre moins enthousiaste lorsqu'il découvre que le montant de son cachet n'évoluera pas en conséquence. Varna ne lâche pas le morceau mais consent la mort dans l'âme à laisser Tino se produire dans d'autres salles que la sienne, à condition que son « Corse aux œufs d'or » soit présent à chacune des représentations du Casino. Marché conclu, vieux radin ! Et Tino, avide de gloire, et parce qu'il sait qu'à une époque où la télévision ne fabrique pas encore les « stars » à la chaîne dans des sordides « Academy », il est indispensable de se montrer un peu partout, d'aller au charbon, selon l'expression populaire. Aussi, le voit-on se démultiplier et parvenir à chanter chaque soir dans trois ou quatre endroits différents, sans manquer à sa parole.

Son engagement avec le Casino terminé, Tino part pour une deuxième tournée nationale, cette fois en vedette et avec un cachet de 2 500 francs par soirée.

Lorsqu'il rentre à Paris, il est un homme « riche » !

Pour autant, il ne joue pas les grands seigneurs en organisant des réceptions fastueuses où le Tout-Paris viendrait faire provision de petits sucrés-salés. Le bon sens dont il a hérité de ses parents, les conditions de vie qui furent les siennes il n'y a pas si longtemps encore, tout le pousse à la prudence autant qu'à l'économie. Une belle voiture, une Hotchkiss, et des costumes pour être en phase avec son nouveau statut de vedette, de quoi encore améliorer l'ordinaire des siens, mais rien de plus. Et tant pis, si après cela il écope d'une réputation d'âpre au gain – à laquelle il contribuera malgré lui par certaines de ses déclarations – qui ne le quittera plus !

Un proche du chanteur, qui a souhaité garder l'anonymat, raconte que dans les années 50, à Paris, Tino lui avait tendu un billet pour aller acheter du pain à la boulangerie. « Oh, et puis non, s'était-il ravisé, je vais y aller moi-même. »

« Tu veux savoir pourquoi il a fait ça, expliqua en riant un troisième ami, c'est parce qu'à ton retour il ne voulait pas se croire obligé de te demander de garder la monnaie ! »

Le 21 juin 1935, à Bastia, André Spada, dernier bandit d'honneur recensé dans l'île de Beauté, est guillotiné en place publique.

> *Pour l'honneur de son père,*
> *Il est mort seul et fier,*
> *Le dernier des bandits*
> *A quitté le maquis...*

« Vous serez bientôt au ciel », lui a murmuré le prêtre au pied de l'échafaud. Né comme Constantin Rossi à Ajaccio quelques dix années auparavant, Spada avait tout juste trente-huit ans. Lui, pas plus que tous ceux qui le précédèrent sur le chemin du maquis, n'eut jamais foi en la justice des diplômés en robe rouge. La seule justice recevable étant celle de Dieu, c'est au nom de ce divin principe que tous ces hommes atteints dans leur dignité s'armèrent pour venger leur honneur, certains d'avoir le

Tout-Puissant comme allié. Simple parenthèse anecdotique : le 18 mai 1930, un dimanche, entre autres boucheries, Spada, de mère corse certes, mais aussi et surtout de père et de nom sarde, assassina un certain Jean-Vitus Ricci qui lui avait sauvé la vie par deux fois. Jean-Vitus était le grand-oncle de l'auteur...

Tino ne se coupera jamais de son pays et de ses racines.

Il sait d'où il vient ; c'est son trésor et sa plus grande force. Aussi, prisonnier de la grisaille parisienne, recherche-t-il le plus souvent la compagnie de ceux qui lui ressemblent, qui parlent le même langage que lui, celui de la terre et d'un certain bon sens, celui des couchants sur la mer et des choses en apparence presque simples.

C'est dans cet état d'esprit qu'il rend visite à une « vieille » connaissance : Vincent Scotto. À l'instar de tous ses confrères marchands de musique, le Marseillais a établi ses bureaux parisiens dans le faubourg Saint-Martin. Un quartier que le compositeur aveugle René de Buxeuil, qui y est également installé de longue date, a rebaptisé « Chamarni ». Pourquoi Chamarni ? « Il s'agit du quadrilatère délimité par la rue du Château-d'Eau – Cha, la rue du faubourg Saint-Martin – Mar, le boulevard Saint-Denis et la rue du faubourg Saint-Denis – Ni », expliquera Buxeuil en juillet 1955 au cours d'une série d'émissions radiophoniques consacrées à sa vie et son œuvre. Le brave homme rapportera encore que, bien avant de devenir l'annexe africaine que l'on sait, « Chamarni » fut jadis un terrain marécageux où l'on ne chassait d'autre gibier que le canard... Il est une légende attachée au lieu qui ravissait Tino. C'est dans ce secteur en effet que Bonaparte, qui logeait dans une chambre de la rue Saint-Denis, aurait rencontré la future Madame Sans-Gêne, « alors blanchisseuse comme il n'est plus permis de l'ignorer depuis la pièce de Victorien Sardou ».

« Est-ce vrai ? s'interrogea André Saudemont qui assura la présentation de Buxeuil à la Radio Nationale. Peu importe. La légende prend droit de cité à force d'avoir été répétée et le pittoresque doit l'emporter sur l'exactitude desséchante et qui, au fond, n'a aucune importance. »

Plus authentiques et tout aussi folkloriques nous arrivent les divers témoignages de ceux qui furent un jour amenés à franchir la porte de l'antre de Vincent Scotto, passage de l'Industrie aujourd'hui rue Gustave Goublier. Tous se souviennent d'un fond de cour, puis d'un escalier ténébreux « qui sentait le pipi de chat », puis d'une première porte vitrée donnant accès à une pièce étroite aux parois couvertes de caisses pleines de dossiers étiquetés. Là, des artistes répétaient au piano. Une autre porte encore, et l'on accédait cette fois dans le royaume délabré du Marseillais, reclus avec sa guitare derrière une minuscule table en bois à sa mesure, mitoyenne d'un piano droit, d'une paire de chaises, et d'un poêle. Dans une chaleur accablante, sortant de son mutisme, le compositeur à la fortune colossale vous accueillait alors en vous lançant comme un défi : « C'est ici que je me plais ! »

La pétillante Jackie Sardou, au langage aussi fleuri que les pentes du Lavandou et dont la propre mère fut danseuse au Casino de Paris, eut maintes fois l'occasion d'accéder au repaire de Vincent Scotto et chaque fois elle s'ébahissait, elle à qui la fortune n'avait pas encore donné ne serait-ce qu'un début de promesse : « C'était vraiment insensé de penser que l'un des plus grands compositeurs du moment, gagnant énormément d'argent avec ses succès, continuait à travailler dans un trou pareil, en compagnie de sa fidèle secrétaire, Paulette Zévaco. Jamais il n'a voulu déménager. Je me suis toujours demandé comment on ne s'est pas tordu le pied plus souvent en empruntant son escalier ! »

Ainsi était Scotto, ainsi l'aimait Tino.

« J'ai un nez étonnant, je sens personnages et chansons, aimait à répéter "Tintin". Souvent, c'est désagréable, car je ne peux pas garder mes illusions. »

Avec Scotto, l'instinct avait joué en bloc et dès le premier jour.

Les deux Méridionaux, celui du Midi et celui de « Midi moins le quart », étaient devenus de véritables amis, de ceux avec lesquels on se fâche pour une peccadille afin de mieux se rabibocher, quitte à remettre ça à la première occasion.

« Les chansons qui résistent aux années, marquant les époques, sont avant tout des musiques, expliquera le duettiste Georges Tabet, en 1975. Il est vrai qu'en scène la mélodie ne paye pas immédiatement. Ce n'est que bien après sa création que l'on sait si un air a touché ou non le cœur du grand public. Si les refrains de Luis Mariano et de Tino Rossi chantent dans toutes les mémoires, c'est grâce à la veine mélodique de Scotto et de Francis Lopez, non aux auteurs des paroles. »

Lors de ses fréquentes visites, passage de l'Industrie, dans le bureau de Scotto, Tino accorda-t-il un soupçon d'intérêt aux photos de vieilles vedettes alors en pleine jeunesse accrochées au mur ? Cruels témoins du passé qui ramènent à l'éphémère du règne des idoles...

« Quand Scotto commença à composer pour moi, se gaussera l'incorrigible Tino, Alibert qui était son gendre s'étonna : "Je ne sais pas ce qui lui arrive, disait-il, depuis quelque temps, il fait des chansons avec des notes que je ne peux pas donner..." »

Hormis *Mais on ne voit pas* et *Pour t'avoir au clair de lune,* tirées du film *Marseille,* Scotto, qui se rattrapera par la suite, n'a pas signé beaucoup des chansons interprétées par Tino, entre 1934 et 1935, dans les quelque neufs longs métrages pour lesquels le chanteur ne prêta la plupart du temps que sa voix. En revanche, ce sont bien les musiques du petit Marseillais qui vont lui assurer un nouveau triomphe au Casino de Paris, en octobre 1936 !

Déjà, pour *Tout Paris chante,* les admiratrices du beau Tino se pressent aux guichets de location du Casino. Cette fois, en entrant dans le bureau de Varna, le « ténorino » a posé ses conditions :

– Mon cachet sera celui de Maurice Chevalier !

Soit 7 000 francs par jour. Au pied du mur, Varna cède.

À la différence de *Parade de France,* le présent spectacle a été conçu et édifié autour de son nom et Tino n'est pas peu conscient du poids qui va peser sur ses épaules. On l'y verra notamment, déguisé en berger à la Watteau, donner la sérénade à des bergères tout droit sorties du siècle de

Louis XV. Ce sera alors *Plaisir d'Amour* et *L'Étoile d'amour,* de Paul Delmet. Puis le « nouveau Valentino » entonnera ses derniers succès qu'il doit à Scotto, dont *Tchi-Tchi* et *Marinella,* tous deux extraits d'un film qu'il vient d'achever : *Marinella.* Incarnant un jeune artiste peintre (Toni Perelli), Tino y tient pour la première fois un vrai premier rôle pour lequel il est allé demander conseil à l'acteur Charles Dullin. À noter pour ce cru 1936, le tournage d'un autre film à succès : *Au son des guitares,* dans lequel le beau gosse chante de nouveau sur une musique de Scotto : *Chanson pour ma brune* et surtout *Tant qu'il y aura des étoiles...*

S'il faut en croire les clameurs qui accueillent chaque soir sa prestation vocale sur la scène du Casino de Paris, si l'on tient compte du nombre de passages de ses chansons sur Radio Cité 36 (la toute jeune station de Marcel Bleustein-Blanchet, inventeur du slogan publicitaire chanté), si l'on se réfère encore à la vente prodigieuse de ses disques, l'étoile du petit « Tintin » d'Ajaccio, fils de « Laurent le Maire », n'est pas prête de s'éteindre.

Mais sait-on jamais... *U chi sa maï...*

« Ton nom grandissait, écrira Stéphane Pizella. Il montait comme une fièvre, en barres de néons dans les nuits de Paris. Tu LES avait TOUS écrasés d'un seul coup, et tu émergeais, seul, tout seul ! »

Quant à Robert Brasillach, dans *Notre avant-guerre,* après qu'il eut évoqué l'Anschluss, il notera : « On faisait le plus inouï succès à un chanteur à la voix douce, un jeune Corse qui brisait les cœurs dont la TSF consommait 100 chansons par jour. Ce fut l'ère des romances les plus tendres, des plus molles valses, des âmes les plus sensibles. Rossi régnait... »

Eu égard à la législation morale en vigueur en ce temps-là dans le métier, qui imposait aux candidats à la gloire de payer d'abord les « impôts de la vie » en tirant le diable par la queue des années durant, on peut effectivement considérer que la réussite de Tino a été plutôt fulgurante. Dès lors, restait à l'heureux élu la lourde tâche de prouver qu'il n'était pas un rigolo né d'une union incestueuse entre un coup de pub et beaucoup de bluff. Se maintenir et durer : telle ne fut plus que l'unique obsession du nouvel élu.

7.

LES CRAPAUDS ET LE ROSSIGNOL...

> « Si un journaliste dit du mal de moi et
> qu'il le pense, c'est très bien. S'il ne le
> pense pas, c'est un salaud ! »
>
> TINO ROSSI

« Je ne pense pas qu'il y ait un artiste sur lequel on ait éprouvé le besoin de dire des choses plus méchantes et plus stupides, pour le plaisir de faire du mal ou d'écrire un écho venimeux, que sur Tino Rossi », écrit déjà en 1937 la journaliste Germaine Ramos. « On l'a accusé de toutes les vilenies, chaque calomniateur précisant : "Vous savez, je le tiens d'un Corse, ami de la famille depuis toujours !" C'est la loi, paraît-il, quand l'oiseau chante, les crapauds bavent ! »

En entrant du jour au lendemain dans le cercle des géants, Tino a pris le risque de se soumettre aux critiques, et beaucoup ne se privent pas pour lui tirer dessus à boulets rouges. Jeune, beau, talentueux, objet de désir pour des milliers de femmes, déjà millionnaire en disques et en devises, il apparaît comme une proie facile. Alors, on s'exaspère en lui reprochant comme une injustice ou une usurpation toute cette folie qu'il catalyse sans la rechercher. Et on ne le ménage pas. Quand ce ne sont pas des inventions comme celle, restée fameuse, de « l'œil de verre », on lui reproche de « ne pas être un homme ». Sans doute quelque admiratrice désireuse de vérifier le contraire avec l'intéressé, en comité privé...

Un soir, à Paris, à l'ancien Rat-Mort, un jeune hurluberlu, qui clame à qui veut l'entendre que Tino Rossi chante « à la guimauve », écope d'une bonne paire de gifles de la part d'un consommateur qui ne laisse pas sa carte. Une autre fois, au très sélect Bœuf sur le toit, l'établissement de Monsieur Moïses, un chansonnier spirituel mais féroce rivalise de contre-pèteries pour mettre Tino en boîte. « Pour son malheur, raconte Stéphane Pizella, il y avait des Corses dans la salle et on faillit interrompre le numéro du bonhomme. Si la Corse était indépendante, ces histoires-là créeraient des incidents diplomatiques et nous serions tout le temps en guerre. Comme autrefois... »

La « Rossimania » qui s'abattit dès 1934 sur la France n'a rien d'une légende. Il suffit pour s'en convaincre de consulter les coupures de presse de l'époque. Pas une qui ne rapporte ici une anecdote piquante à la sortie d'un théâtre, là le témoignage d'une femme mariée et mère de famille qui avoue ouvertement ne rêver que d'une chose : faire l'amour avec Tino dans le salon pendant que le mari dormirait dans la chambre, à côté.

Il est une des groupies de l'idole qui lui envoie, chaque jour et de façon quasi obsessionnelle, ces mêmes vers :

> *Je n'aime pas Tino*
> *Qui dit « no »,*
> *Je préfère Rossi*
> *Qui dit « si, si »...*

Parmi le courrier abondant qu'il reçoit, beaucoup de lettres comportent des menaces de suicide. À ce chantage qui l'effraie tout court, Tino ne répond jamais rien. Ce qui ne l'empêche pas de se montrer toujours infiniment courtois, dans la rue, avec tous ses admirateurs auxquels il a conscience d'être redevable. Mais lorsque ces marques d'affection prennent des proportions anormales, il n'a d'autre recours que la fuite. À Cannes, par exemple, un jour il doit s'échapper par les toilettes d'un restaurant du port où des fanatiques l'ont cerné, et de là, sauter dans un yacht qui lève l'ancre précipitamment.

La première fois qu'elle assiste à l'une de ces scènes d'hystérie que Tino pourtant n'encourage guère, mais dont il aurait été fou à son tour de ne pas tirer bénéfice, Genia Rossi s'effondre en larmes. Elle ne comprend pas ce qu'elles lui veulent à son Tintin *tutte se culi beschule!* (toutes ces pimbêches!). Ou plutôt, elle ne le sait que trop bien...

Quant à Fabrizzi, le patron du Phare de Calvi, un établissement corse de la rue Montmartre à Paris, il conseille en urgence à Laurent le Maire de donner un garde du corps au «petit»: «On va te l'étouffer... On ne sait jamais, un jaloux peut te le poignarder!»

Ces excessifs revers de médaille, Tino ne les avait pas prévus et il s'en accommode plutôt mal. Vrai qu'ils lui ont permis d'acheter une maison au bord de l'eau pour ses parents, vrai aussi que lui-même pourrait en abuser et ramener chaque soir une fille différente dans son lit, mais c'est mal le connaître. Cette étiquette de séducteur qu'on s'obstine à lui coller sur le dos, il la refuse.

«Séducteur, voilà un mot que je n'aime pas, dira-t-il. Pour moi, un séducteur est grand et antipathique. Je n'ai jamais séduit personne. Ce n'était pas ma faute si les femmes éprouvaient pour moi du délire. Elles se couchaient sous ma voiture, me submergeaient de lettres d'amour. Piaf était un séducteur!»

Piaf à qui Tino déclara un jour:

– Dans le fond, à part Maurice Chevalier et moi, tu as eu tous les autres!

Ce à quoi, il se vit répondre au débotté:

– Toi, tu n'en as pas eu besoin!

Parfois, poussé à ses dernières limites, parce qu'il retrouve systématiquement sa voiture recouverte de milliers de traces de rouge à lèvres (et c'est là un moindre mal!), Tino-le-Stoïque n'en peut plus et finit par craquer. C'est le cas un soir à Liège, en Belgique, après une représentation. Sous les fenêtres de son hôtel (l'hôtel d'Angleterre), une foule d'admiratrices venues en repérage se mettent à scander son nom en le réclamant.

Centaines au départ, elles sont devenues des milliers, fermement résolues à obtenir satisfaction. Tino se montre une première fois au balcon, mais comme il fait mine de regagner sa chambre, les cris redoublent et la porte de l'établissement menace de céder. « À 5 heures du matin, racontera l'intéressé en 1969 dans *L'Express*, épuisé, je me suis jeté sur mon lit et j'ai pleuré comme un gosse. »

Le charme de Tino émane-t-il de sa voix, ou bien son succès proviendrait-il de son physique de ténébreux aux yeux de braise ? Chacun d'y aller de sa petite analyse. Tino, lui, continue à chanter et comme il chante plus et mieux que jamais, les indécrottables s'acharnent. En tête, le mystique triomphateur du *Journal d'un curé de campagne*, Georges Bernanos, qui écrit dans *Les Grands Cimetières sous la lune* : « La voix de Tino Rossi, c'est le symbole de l'avachissement national ! » Quel eut été aujourd'hui le sentiment du brave homme face aux nouveaux prophètes de la « rap attitude » ?

Colette, la « négresse blanche » chère à Joséphine Baker, enchaîne en décrétant que Tino doit sa gloire à son seul physique. Comment expliquer alors qu'on achète déjà ses disques au Japon où on ne l'a encore jamais vu ?

« Il faut le dire sans fausse modestie, déclare ce cher Tino, qui ne manque jamais une occasion de se servir lui-même la soupe, il y a aussi le magnétisme. Rudolf Valentino l'avait aussi ! »

« Vous avez un larynx anormal, lui révèle un jour son laryngologiste, plus terre à terre. Vous avez une corde vocale trop longue, l'autre trop courte. C'est incroyable qu'avec une telle malformation, vous arriviez à chanter ! »

Force est de nous rendre à l'évidence ; qu'on aime cette voix qui s'étend avec une égale pureté sur deux octaves et demie, ou qu'elle dérange, elle est tout à fait unique en son genre et provoque des bouleversements non seulement d'ordre émotionnel mais aussi sexuel. Parfaitement ! Si les messieurs, plutôt du genre jaloux éprouvaient encore quelques doutes ou une furieuse envie de pouffer, l'ami Marcel Pagnol serait là pour les faire rentrer dans le rang : « Tino agit sur les organes des Dames ! »

Aussi, un magazine féminin de l'époque entreprend-il de ramener au bercail les donzelles égarées : « Sachez apprécier le talent et la voix de Tino Rossi, mais ne croyez pas aux mots tendres qui vous bercent et vous font espérer un amour chimérique ! Redescendez un peu sur terre, et c'est seulement ainsi que vous pourrez trouver l'amour, le Vrai, et le bonheur. »

Tino Rossi : attention danger ! Joséphine Baker, elle-même, n'a-t-elle pas confié à une amie que le Corse est le seul à lui donner de tels frissons lorsqu'il chante ? Lorsque l'on connaît la réputation sulfureuse de la « vicieuse Baker », ainsi baptisée par des libellistes puritains...

Or, la gloire attire les foules comme le miel les abeilles et, indépendamment de ces conseils bienséants, très vite un fan-club se monte, créé par Denise Ramel, une dactylo de dix-huit ans : l'Association des amis de Tino Rossi, suivi d'un deuxième : l'Association des Tino Rossistes, puis d'un troisième : l'Association Tino Rossi et les chanteurs français. Les deux derniers disparaîtront dans le tourbillon de la guerre. Quant au premier, il retrouvera son souffle après le conflit et se maintiendra jusqu'à la mort de Tino. Une grande famille plus qu'une institution stricte et structurée où, sans cotisation à verser, tous les membres auront plaisir à se réunir à Fontenay, près de Paris, avec parfois la visite impromptue de Tino en personne. En 1984, peu après le décès de leur idole, tous auront à cœur d'officialiser les choses en faisant de leur club une association régie par la loi de 1901, sous le nom définitif de « Les amis de Tino Rossi, Association des Amis de Tino Rossi ». Monsieur René Guihuit le premier en assurera la présidence, puis monsieur Maurice Bazinet. Andrée, l'épouse de ce dernier, était jeune fille lorsque Tino commit ses premiers ravages et elle avoue aujourd'hui en avoir été l'une des victimes consentantes... « Avec maman, nous avions entendu à la radio la retransmission de son passage de 1934 au Casino de Paris, raconte-t-elle. Ce fut la révélation ! Moi-même quelque peu musicienne, j'avais pris l'initiative de lui écrire pour lui exprimer toute mon émotion à l'écoute de sa voix, ajoutant en aparté et sans appel du pied aucun, que j'étais bien triste de ne pouvoir aller l'applaudir, mais mon papa était au chômage, alors... Quelques jours, plus tard, nous reçûmes, maman et moi, une lettre avec deux billets pour le Casino. Incroyable! J'étais folle de joie. Ma mère se montra plus nuancée, craignant que dans ce "temple de la débauche" qu'évoquait pour elle le Casino de Paris avec ses brochettes de femmes nues, je ne perde ma vertu. "Je te promets que je ne regarderai que Tino et qu'au moment où tu me le demanderas, je fermerai les yeux", l'ai-je implorée. Le marché conclu, nous y sommes allées. Sublime! Tino était aussi beau à voir qu'à entendre. Par pudeur autant que par timidité, nous n'avons pas osé aller lui parler dans sa loge après le spectacle, mais depuis ce jour, il est entré dans ma vie et il est toujours là!»

En 1982, un an avant la triste et fatale échéance de la disparition du chanteur, William Laurent écrira: «Dans le petit monde carnassier qui entoure Tino Rossi, le club est une institution à lui seul car c'est le seul endroit où on protège, préserve le passé, le présent et le futur de Tino Rossi. Pour ces gens les moins accrocheurs, les moins factices mais les plus visiblement authentiques, Tino Rossi restera aussi la soupape qui libère le trop plein d'énergie accumulée après une dure journée de lycée, d'atelier ou de bureau. Leur talent, car il en faut pour se consacrer pleinement à un artiste qui, sollicité de toutes parts, vous oublie parfois, c'est d'être constamment édifiants, instructifs, voyageurs, lucides et surtout plus narquois que désenchantés. Il en ressort clairement que, face aux marchands de rêves multinationaux autorisés qui jettent de la poudre aux yeux sur ce monde enfariné, ils sont la "mémoire" de Tino Rossi.»

Fier et nourri de ses origines exclusivement populaires, jamais le «Corse aux cheveux plats» n'eut la moindre tentation de se renier. En janvier 1937, il honorait de sa présence un vernissage à la Maison des Artistes au 152 boulevard Haussmann, – le maître Jacques Weismann y exposait pour la première fois sa célèbre toile représentant Tino une guitare à la main en train de chanter les yeux levés vers le ciel – lorsque dans le coin d'une salle, entre un canapé et une coupe de champagne, pour Maurice Coriem, du *Petit Journal illustré*, l'Idole laissa parler ses sentiments et sa sensibilité : « Le peuple, je le connais bien. Je sais d'instinct ce qui le touche. Il me plaît de lui plaire. Quand je vois de braves gens faire la queue devant le contrôle au music-hall, où je chante... Tenez, l'autre soir, il y avait un pauvre bougre sous la pluie et les pieds dans l'eau qui attendait l'ouverture... Je veux travailler pour ce public-là ! »

Voici bientôt que sur le marché du rêve déjà bien encombré par les baladins de tous poils, un grand blond au visage poupin et au regard ahuri vient poser sa candidature. Un concurrent pour Tino ? Que nenni ! Seul Jean Sablon, jouant dans le même registre, pourrait à la rigueur lui faire de l'ombre, mais ce ne sera qu'une fausse alerte... Magicien des mots, le grand blond en question est lui un fantaisiste. Rien à voir. Il s'est fait connaître par le duo qu'il a formé un temps avec Johnny Hess, autre joyeux luron des temps modernes. Depuis qu'il fait cavalier seul, on ne donne plus à Charles Trenet que du « Fou chantant » ! Un surnom qui deviendra son *ex-libris* et qu'il ne conteste pas : « Le rôle de la chanson n'est pas de provoquer des psychoses démoralisantes. » En cela sa philosophie artistique rejoint celle de Tino, mais déjà, des clans se forment et partisans et adversaires des deux hommes ne communiquent plus que par insultes interposées.

Tandis que les passions se déchaînent, que la hache de guerre ne se résout pas à se laisser enterrer, patiemment, un certain Albrecht Godlieb prépare en secret un manifeste anti-tino-rossiste qu'il fait paraître le 11 juillet 1936, dans le numéro 28 du *Coq Ululant*.

Ne résistons pas à croquer ensemble ce petit morceau d'anthologie de l'humour cocorico de cette époque bénie où l'on s'amusait si bien de Paris à Monte-Carlo, pendant que la Grande Allemagne se réarmait à la vitesse de l'éclair...

Comité pour la mise à mort de Tino Rossi

Je viens de fonder le comité de la mise à mort de Tino Rossi. J'en ai assez! j'en ai assez! j'en ai assez!

Je suis sain de corps et d'esprit. Je dormais bien, je mangeais bien, je fonctionnais bien. J'étais normal, gai, vivant, accessible à la plupart des sentiments humains. Je ne faisais de mal à personne. Je jouissais de la considération de mon quartier. Les voisins me saluaient avec une déférence familière qui n'excluait pas la cordialité. J'étais optimiste. Les grèves et les crises pleuvaient autour de moi sans m'atteindre. Quand je recevais une feuille d'impôt, je la mettais soigneusement de côté avec, parfois même, l'intention de la payer. Je pesais 75 kilos, ce qui est le poids normal du Français moyen. J'étais heureux de ma médiocrité, de ma santé, de la relativité de mon petit bonheur.

C'est alors, Mesdames et Messieurs, que Tino Rossi commença d'entrer dans ma vie...

... d'abord à pas feutrés, timidement, doucement, comme les vrais criminels, avec un tout petit disque...

... et puis, avec un autre disque...

... et puis, avec la Téhessèfe.

Alors, là, à partir de là, ce fut le martyre, le supplice, le taraudement de tous les instants, la petite mort en vrille, qui s'insinue, qui s'insinue... Ah! nom de dieu de nom de dieu de nom de dieu! qu'est-ce que j'ai fait aux dieux pour mériter ce supplice mélodieux, odieux?

J'ai flanqué mes disques par la fenêtre. Le phono, je l'ai donné au fils de la femme de ménage, qui habite l'extrême banlieue. Mon poste, un soir de rage et de *Marinella*, je l'ai brisé comme un violon, pensant garder l'âme française. J'ai quitté le quartier. Je suis allé habiter loin, derrière les Platanes.

Seulement, derrière les Platanes, il y a un café chantant, et derrière ce café chantant, il y a un pick-up. Et derrière ce pick-up, il y a...

Ah! Mesdames! Ah! Messieurs! Ce Tino Rossi! Ce Tini Rousso! Ce Risso Touni! Ce Nid-tout-Roussi! Ce Tino rosse! Cette scie! C'est à devenir fou, Monsieur! C'est la mort à petit feu, Madame! Et si ce n'était que le Tino Rossi du pick-up du café chantant des Platanes! Mais la dame du second, Monsieur! Elle a la Téhessèfe! Et les voisins de gauche, ils ont la Téhessèfe! Madame! Et les voisins de droite, ils ont deux phonos, Monsieur! Et ne me demandez pas ce qui sort, jour et nuit, comme pommade et déguelando, de leurs phonos et de leur Téhessèfe!...

Je m'éveille, et c'est *Ce soir, Nina*! Je me lève en sursaut, et c'est *Corse, île d'amour*! Je déjeune, et c'est la *Sérénade à Léna*! Je prends mon bain, et c'est *Venise et Bretagne*! Je vais faire pipi, c'est *Vieni, Vieni*, je vais faire caca, c'est *Marinella*. Je me mouche, c'est *Un violon dans la nuit*! Je me mets au balcon, et *Il pleut sur la route... Barcarolle à Cucugnan* arrête mes baisers dans le feu de l'étreinte. Et quand je demande le devoir à ma femme, c'est *Guitare d'amour* qu'elle me répond.

La vie, dans ces conditions, est impossible. Je ne puis vivre ainsi. Tino Rossi ou moi, il faut que l'un de nous deux disparaisse. J'ai le choix: je choisis Tino. Moi, je ne chante pas. Je n'emmerde pas mes concitoyens. Je ne fais pas tomber, goutte à goutte, soir et matin, jour et nuit, cet infâme sirop d'orgeat sur le crâne des innocents. Je suis un honnête homme, moi!

Je demande la mise à mort de Tino Rossi.

Si vous trouvez que c'est trop, je demande la détention perpétuelle.

Mais alors, ce sont ses voisins de cellule, exaspérés, qui l'étrangleront, quand il chantera *Une prison*.

Mieux vaut le tuer tout de suite.

Où l'envoyer à l'île des Chiens, sur le Bosphore, où nos braves nationalistes voulaient envoyer Guillaume II, pendant la guerre.

Et encore faudrait-il nous jurer qu'il n'y a pas de micro, dans l'île des Chiens!

– Je demande la suppression des cordes vocales et des disques de Tino Rossi.

Ensuite, on verra.

Quant à l'intéressé sur les épaules duquel tant de crimes pèsent, et de griefs à peine évoqués où comme ici clairement formulés, cette avalanche de gloire lui vaudra un nouveau traumatisme sentimental, Faustine ayant craqué et demandé le divorce. En 1963, Tino s'en expliquera dans *France-Dimanche* : «Alors qu'il m'aurait fallu une épouse douce, patiente et souriante, quand je rentrais chez moi je trouvais une femme impatiente, à bout de nerfs et tourmentée. Un homme, pas plus qu'une femme, n'est fait pour vivre dans l'inquiétude. Le mariage, à mes yeux, devait être une association confiante et tranquille. Cette confiance, cette tranquillité, Faustine et moi les avions perdues. Et lorsque nous nous retrouvions, ce n'étaient que scènes et déchirements. Et puis, je vais être franc avec vous, il y a eu aussi les tentations que ma célébrité m'offraient...»

Tino, l'homme, aurait tout aussi bien pu débuter sa mise au point par cette dernière phrase... Pauvre petite Faustine qui avait tout misé sur le devenir artistique d'un jeune et trop bel époux ! Tous deux allaient bientôt découvrir que dans les affaires de cœur, un pion chasse l'autre. Elle à ses dépens, lui ô comble de l'extase amoureuse.

8.

MIREILLE BALIN – HISTOIRE D'UN AMOUR

« Il y a une voix comme celle-là par siècle,
et celle de Tino a ceci d'extraordinaire
qu'elle a été tirée à un seul exemplaire. »
CHARLES TRENET

On l'aurait compris à moins ; immense est le rayonnement de Tino, à la fin des années 30. Immense et quasi universel ! À son tour, le cinéma ne pouvait pas ne pas s'emparer de cette belle image qui donnait à rêver aux foules. Après le réel engouement populaire pour *Marinella* et *Au son des guitares*, après ses retentissants triomphes au Casino de Paris, après ses pyramidaux records de ventes de disques, Tino obtient donc enfin un rôle à la mesure de sa légende : *Naples au baiser de feu*.

Reste que, soucieux de se maintenir au sommet, il éprouve la crainte de compromettre sa carrière de chanteur, de se voir déchoir d'un trône auquel il tient et s'accroche solidement. « Si certains s'imaginent que le champion peut vivre sur ses lauriers, ils se trompent grossièrement », écrira-t-il en 1974, dans ses Mémoires, confiant par ailleurs à Patrick de Nussac qui lui reprochait en substance de n'avoir jamais eu qu'à claquer des doigts pour voir tomber le jack-pot : « Comme Merckx, je n'aurais jamais pu rester le premier sans une grande conscience professionnelle. La "facilité" n'exclut pas le travail, et malgré ma décontraction naturelle, j'ai toujours été un peu angoissé. »

Abondant dans le sens de son ami, une fois encore, Stéphane Pizella reviendra dans le débat pour se faire l'avocat de celui qu'il connaît mieux que beaucoup : « Ce qu'on ignore, c'est que dans le travail qu'il s'est imposé, Tino contrôle tout et dans les moindres détails. Je me souviens de cet été où nous préparions le film *L'Île d'amour* (1944). On se réunissait chez lui, avec Claude Marcy et moi-même pour les paroles ; Loulou Gasté et Lucchesi pour la mélodie. À Gasté, il disait : "Ici... quelques mesures, sans paroles, de guitare et de mandoline." À Lucchesi : "Quelques accords de guitare dans ce passage." À Claude et à moi : "Non, dans mes chansons, n'employez jamais les mots tristes : mort, douleur, mélancolie etc." »

Tino n'est pas une machine à chanter. Non seulement il travaille en collaboration avec les paroliers et les compositeurs, mais il a appris à reconnaître les chansons que l'on écarte et celles qu'on ne laisse pas échapper. Au cinéma, en dehors de la partie musicale, il devra s'en remettre entièrement à la bonne volonté et au savoir-faire d'un autre, le metteur en scène en l'occurrence, mais il encourt le risque et accepte l'aventure.

Comme il se doit, le réalisateur de *Naples au baiser de feu*, Augusto Genina, est Italien. Habile de surcroît, qui va parvenir à sortir de l'ombre le roman d'Auguste Bailly qui, sans lui, continuerait à dormir dans les rayons austères de l'anonymat.

Où tourner les extérieurs de ce long métrage que l'on dit prometteur, sinon à *Napoli* même ? Or, l'Italie de 1937 est la capitale mondiale du fascisme, ce qui ne va pas faciliter les choses. D'emblée, sous un ciel d'Europe où le tonnerre menace et gronde, les autorités, soucieuses de donner une image positive et moderne de leur pays, délimitent les zones qui seront montrables et celles où il ne faudra pas aller s'aventurer avec une caméra. Les vieux quartiers par exemple, jugés « trop pittoresques », où s'entasse en réalité toute la misère d'un peuple qui ne participe pas forcément à la société progressiste de son Duce. « On s'est contentés des grandes artères et de quelques scènes à Santa Lucia », rapportera Tino.

Tout le reste est tourné à Nice, aux studios de la Victorine, selon les usages en vigueur à l'époque.

Naples au baiser de feu, dialogué par Henri Jeanson, c'est l'histoire d'une jeune aventurière (Lolita/Viviane Romance) qui rêve d'un voyage à Naples où elle arrive un jour après maintes péripéties. Désorientée dans une ville pour elle inconnue, elle est recueillie par un organiste affable mais laid (Michel Esposito/Michel Simon), qui partage un appartement avec son ami (Mario Arcella/Tino Rossi) dont la beauté fait chavirer le cœur des Napolitaines. La flambante Lolita n'est pas non plus le genre de fille à laisser un garçon indifférent. Une dualité s'engage aussitôt entre les deux amis. Or, Mario est déjà promis à Assunta, sa fiancée... Garce expérimentée, Lolita va parvenir à l'extraire des bras de celle-ci, le jour même de leur mariage. Un *bad trip* qui n'en est pas un pour Assunta puisque, poussé par le remords et son amour pour elle, Mario reviendra se jeter à ses pieds pour implorer son pardon et solliciter à nouveau son amour.

La garce de service ne pouvait être que Viviane Romance, cataloguée dans ce registre par à peu près tout ce que le cinéma d'alors comptait de réalisateurs de talent. Quant à Assunta... C'est ici que la fiction rattrapera la réalité.

Mireille Balin, de quatre ans la cadette de Tino, avait honorablement entamé sa carrière cinématographique de femme fatale grâce au réalisateur allemand Georges Wilhelm Pabst (*La Rue sans joie*; *On ne badine pas avec l'amour*), qui avait remarqué sa plastique sur une couverture de magazine et l'employa dans *Don Quichotte*, dès 1933. Suivirent quelques rôles qui menèrent allègrement Mireille jusqu'à *Pépé le Moko* et *Gueule d'amour* où elle fut la partenaire de Gabin, la même année que *Naples au baiser de feu*.

Entre elle et Tino, dès leur première rencontre au Carlton de Cannes, quelque temps avant le début du tournage de *Naples au baiser de feu*, ce fut le coup de foudre. Descendu sur la Côte pour rencontrer le producteur du film Robert Hakim et honorer un gala à Marseille, Tino succomba immédiatement au charme de la belle brune qu'il compare dans ses Mémoires à la «Marylin Monroe de l'avant-guerre». «Elle avait tout pour ensorceler les hommes», affirme-t-il encore.

Très vite, après cette première soirée qu'ils passèrent à danser et à s'observer plus qu'à communiquer, ils surent se retrouver et le grand amour, celui auquel on ne s'attend pas forcément mais que l'on sait reconnaître et qui fait peur, prit tous ses droits.

En même temps que la passion, Tino découvrit les côtés sombres de la jalousie maladive et exacerbée; celle de sa partenaire, une tigresse ascendant panthère qui lui avait un jour promis : «Je monterai la garde autour de toi. Gare à celles qui te feront les yeux doux!»

Le costumier Annenkov, dans son livre *En habillant les vedettes*, rapporte une anecdote significative sur la manière dont Mireille Balin avait définitivement fait de Tino *sa* propriété, avec des «Défense d'entrer» plantés un peu partout autour de lui :

«Préparant un film dont Tino Rossi tenait la vedette, je me rendis chez lui pour choisir le complet qui s'accorderait le mieux avec son rôle. Fouillant dans les rangées de vêtements accrochés sur leur cintre, mon hôte me désigna son costume préféré.

– Je ne vous le conseille pas, car le tissu n'en est pas assez photogénique, suggérai-je.

Mireille Balin qui assistait à ce choix éliminatoire, répliqua d'un ton doctrinal :

– Sur les épaules de Tino, TOUT devient photogénique!!!»

Dans ce combat perdu d'avance, contre un homme qui déclara un jour : «Je ne me suis jamais livré aux femmes qui m'aimaient ou qui le prétendaient, elles n'ont pas à savoir si l'on tient à elles, ça ne les regarde pas, ça c'est notre force à nous, ceux du Midi», la malheureuse allait apprendre à ses profits ou dépens qu'on ne retient pas un oiseau des îles en cage...

Pour l'heure, les voilà main dans la main, parcourant les rues de Naples. En vérité, rien n'avait été prévu pour Mireille dans ce film où Viviane Romance, sa grande rivale, tenait le premier rôle féminin. Par peur de voir son homme tomber entre les

Tino Rossi : 29 avril 1907 - 26 septembre 1983. © *Coll. Maurice Bazinet*

Eugénie Rossi, née Guglielmi.
Elle avait 30 ans à la naissance de Tino.
« Génia » est décédée en 1956 à Paris,
où Tino l'avait fait venir après la mort
de son père, Laurent Rossi.
© D.R.

La devanture de l'atelier de couture de Laurent
Rossi avec l'une des quatre cousettes qui tiraient
l'aiguille en chantant. Tino a été à bonne école,
très complice avec ces dames qui, un jour,
s'amusèrent à le déguiser en fille ! © D.R.

Le père de Tino, attablé à la terrasse d'un café
d'Ajaccio avec un ami. On le surnommait
« Larenzu-u-mere » (Laurent-le-Maire). © D.R.

Tino Rossi
en communiant.
© D.R.

Dans la cour du collège Fesch, dont le bâtiment avait été légué à la ville d'Ajaccio par le cardinal Fesch, oncle de l'empereur Napoléon Ier, Constantin Rossi fut un élève remarqué par ses camarades pour ses manières douces et sa sensibilité de poète. L'enfant savait aussi se montrer bagarreur et très doué dans l'art de fuguer par une porte dérobée qui donnait sur le port. © *Coll. Maurice Bazinet*

Le certificat de naissance de Constantin Rossi. © *Coll. Emmanuel Bonini*

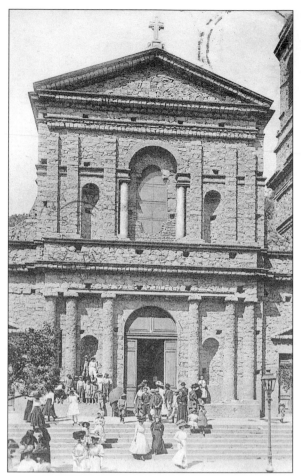

L'église Saint-Roch à Ajaccio au début du siècle passé. Tino y chantait des cantiques avec la chorale de la paroisse. Ici même, le jour de sa confirmation, l'évêque de Corse le surnomma « Constantino ». Tino s'en souvint lorsqu'avec « Petit Louis », son premier manager, ils décidèrent d'un prénom de scène. © *Coll. Maurice Bazinet*

Au théâtre Saint-Gabriel, Tino découvrit le *bel canto* et visionna ses premiers films. Célèbre pour avoir accueilli l'empereur Napoléon III et son épouse Eugénie, ainsi que la Scala de Milan et Sarah Bernhardt, le bâtiment ne résista pas à un incendie en 1927, seule la façade fut épargnée.
© *Coll. Maurice Bazinet*

AJACCIO (Corse)
Théâtre Saint-Gabriel

Les Ajacciennes étaient « folles » de ce garçon à la voix si troublante, qui chantait comme un ros-signol, et qui à l'âge de dix-huit ans prit son envol et traversa la mer vers le Continent.
© Coll. Maurice Bazinet

MENTON - Les Casernes

Tino passa des nuits entières derrière ces murs à rêver de sa Corse natale. Incorporé au sein du 25ᵉ régiment de chasseurs alpins, Tino accomplit son devoir de citoyen français, en attendant la gloire...
© Coll. Maurice Bazinet

ALCAZAR **Casino de Toulon**
MUSIC-HALL-CINEMA CINEMA-ATTRACTIONS
46, Cours Belsunce, MARSEILLE Boulevard de Strasbourg, TOULON

PALACE SAINT-LAZARE
CINEMA-ATTRACTIONS, rue Hoche, MARSEILLE

J. MILLIARD & E. ALBRAND, Directeurs

E. ROBERT-TREBOR, Impresario

AGENCE ARTISTIQUE DU MIDI, 23, Allées Léon-Gambetta, MARSEILLE
Adresse télégraphique : TREBOR-MARSEILLE. — Téléphone National 0.91. — R. C. A 81787

CONTRAT D'ENGAGEMENT

Valable pour MARSEILLE Etablissement ALCAZAR

ENGAGEMENT de Monsieur TINO ROSSI

En qualité de Ténorino

Débute le 3 Mars 1933 en matinée

Durée de l'engagement: SEPT Jours: Quatorze représentations

Prix : 500 frs net pour la semaine

Honoraires CINQUANTE Francs dûs à M. E. ROBERT-TREBOR et à la charge de la Direction.

5 lithographies données par l'artiste. (Voir article 16).

Dédit à forfait accepté par les deux parties. (Art. 6 et 7).

L'artiste doit être rendu le jour de ses débuts avant dix heures du matin, pour la répétition, faute de quoi la Direction se réservera le droit de ne pas le faire Débuter.

Le premier contrat en 1933 ! Grâce à « Petit Louis », son premier manager, Tino est engagé à l'Alcazar de Marseille pour 500 francs par semaine. Ce n'est pas encore la gloire, mais ça y ressemble ! *© Coll. Emmanuel Bonini*

C'est ainsi vêtu, une guitare d'opérette entre les mains, que le jeune Tino Rossi se présente au public du Casino de Paris, un soir de 1934. Deux ans après, il enregistre son premier disque. L'accueil fut délirant. Tino devenait un sex-symbol malgré lui !
© D.R.

1936, port de Toulon. Tino avec sa partenaire, la sémillante Nita Raya, et deux marins sur le tournage d'*Au son des guitares*. Jean Delannoy, Marcel Pagnol et Sacha Guitry réclameront « l'idole » pour avoir l'honneur de le diriger au cinéma. Mais malgré sa bonne volonté et à la demande de son public, Tino ne pourra jamais s'extraire du registre de « chanteur de charme ». © *Nita Raya*

LES VEDETTES DE L'ÉCRAN

TINO ROSSI

Calendrier 1938
offert par
un quincaillier
à ses clients.
© *Coll. Emmanuel Bonini*

Parfums Gédé

Parfums
des Vedettes

Publicité sur un emballage
de parfum.
Sophistiqué à l'extrême,
selon les canons
de la beauté masculine
de l'époque,
Tino prête sa plastique
de jeune premier
aux publicités de tout genre.
Un moyen de se faire connaître ;
la télévision n'avait pas encore
fait son entrée dans les foyers...
© *Coll. Emmanuel Bonini*

Affiche du film *Naples au baiser de feu* (1937), avec Tino Rossi et Mireille Balin en vedettes.
© *Coll. Maurice Bazinet*

MIREILLE BALIN

92

Mireille Balin (1911-1968) aura été le « grand amour » de Tino Rossi. L'alliance du sublime et de la jeunesse, celle aussi des opposés qui s'attirent. Esthète et cultivée, Mireille Balin inculquera à Tino l'amour du « beau », mais excessivement jalouse, elle ne saura pas garder son bel amant. Le destin de cette actrice, qui donna la réplique à Jean Gabin dans *Pépé le Moko* (1936) et *Gueule d'amour* (1937), n'aura pas la même clémence que pour Tino. Déchue de son statut de star, après la guerre, elle sombrera dans une existence chaotique. Bien que marié à Lilia Vetti, Tino volera à son secours.
© *Coll. Maurice Bazinet*

« Qu'importe qu'il vienne du Nord ou du Midi, c'est Paris qui fait le parisien ! »
© *Coll. Maurice Bazinet*

Avec son ami et parolier Vincent Scotto. © *D.R. / Coll. Emmanuel Bonini*

Lettre de Tino à Vincent Scotto (décembre 1937). © *Coll. Jean Bozzi*

Tino Rossi / Vincent Scotto, c'était une histoire d'amour ! Le petit Marseillais écrivit pour le Corse ses plus grands succès. Compagnons de gloire, de vie, en dépit de querelles anodines, ils ne partagèrent que le meilleur pendant une vingtaine d'années. Après la mort de son ami en 1952, Tino voulut se porter acquéreur des éditions Scotto. © Coll. Maurice Bazinet

Avec Maurice Chevalier lors d'une course d'ânes au profit des démunis. *Avec l'aimable autorisation de François Vals*

J'ai toujours aimé et admiré Maurice qui a été notre maître à tous — la chanson était notre idéal et, grâce à elle, nous étions liés comme deux frères —

81

Si Tino se méfiait de tous ceux qui pouvaient lui faire de l'ombre, il éprouvait une admiration sans bornes pour Maurice Chevalier. Classé dans le registre des « fantaisistes », Momo n'était pas pour lui un concurrent ! À la Libération, tous deux écopèrent d'ennuis similaires ; une épreuve qui les rapprocha...
Avec l'aimable autorisation de François Vals

TINO ROSSI

Tino dans les années 30. L'époque est au raffinement. © *Coll. Emmanuel Bonini*

Moment insolite sur la scène de l'A.B.C. en 1963. Pour le lancement de l'opérette *Le Temps des guitares*, Francis Lopez, Arlette Patrick, Tino Rossi et Josy Andrieu s'adonnent avec frénésie à un twist endiablé. © *Coll. André Bernard*

Le Temps des guitares (1963). La vedette entourée de ses partenaires féminines : Rita Cadillac (la vamp') et Josy Andrieu (la jeune première). © *Coll. André Bernard*

griffes de La Romance et ne supportant pas l'idée d'être séparée de lui trop longtemps, elle s'arrangea pour être de la distribution, quitte à ne jouer que les faire-valoir et laisser « l'Autre » briller à la première place. Telles sont les femmes égarées par ce qu'elles croient être de l'amour et qui n'en est qu'une parodie fade et trompeuse.

Le soir, très tard, après le tournage, les amoureux se promènent dans les rues de Naples et prennent place à la terrasse de la *trattoria* de leur choix pour y goûter, plus que la saveur de la *pasta* locale, le plaisir de ne faire plus qu'un avec deux.

Lorsque leur emploi du temps le permet, ils poussent l'aventure jusqu'à Pompéi, au pied du Vésuve, et encore à Salerne et à Pozzuoli. Pozzuoli... L'ont-ils croisée dans les rues de cette petite localité miséreuse, cette femme que l'on disait être le sosie de Greta Garbo et qui, faisant fi des commentaires du voisinage, promenait crânement sa bâtarde? À la vue de cette fillette de trois ans, aux genoux cagneux et aux yeux mélancoliques, Tino et Mireille ne se seraient pas douté une seule seconde qu'un jour, sous le nom de Sophia Loren, cette enfant étalerait son talent et beauté abrupte et insolente sur les écrans du monde entier.

Le monde du cinéma, en 1937, pour tout acteur désireux de s'imposer, se résume à Hollywood! Hollywood décrit par Maurice Chevalier comme une « monstrueuse cité artistique capable du plus grandiose et du plus abject, mais en conclusion, dominant tout le reste du monde par ses possibilités infinies ». Mireille s'y voit proposer un pont d'or par la Metro-Goldwin-Mayer. Quant à Tino, sous contrat avec la Fox pour un long métrage de son choix, en dépit du poids de l'exil, il semble prêt à quelques sacrifices, encouragé en cela par un large plébiscite de ses chansons par les radio-auditeurs. En décembre, à New York, depuis l'Hôtel Pierre où il est descendu, dans un courrier adressé à Vincent Scotto, Tino libère son enthousiasme:

Mon cher Vincent,

Sois heureux, *Vieni vieni* est en ce moment le plus grand succès d'Amérique. On ne peut pas tourner le bouton de la radio sans l'entendre aussitôt. Tous les gens dans la rue chantent *Vieni vieni*. Ça me fait tant plaisir d'entendre les Américains chanter en Corse. Tous les orchestres le jouent. Bref, incontestablement, c'est le plus grand succès, quoi! Je compte beaucoup sur Marinella, Tarentelle, etc.

Je n'ai pas encore attaqué car je me méfie d'eux, ils sont terribles. Il faut partir du pied droit et bien, autrement ça n'en vaut pas la peine. Mais j'ai la conviction que le public est cent fois plus facile ici qu'en France. En ce moment, je travaille mes chansons (et mon anglais, surtout pour les films). À la Fox, ils sont tous vraiment gentils avec moi. Tu peux travailler pour moi (surtout en chansons originales), tu sais que tu passeras toujours le premier. J'en parlerai d'ailleurs dans la presse et je t'enverrai les articles.

Je t'embrasse très affectueusement.
Tino

Balalaïka fut le premier film proposé à Tino. Celui-ci trouvant la trame quelque peu datée – il s'agit de l'histoire d'un prince russe exilé qui devient danseur mondain à Montmartre – refusa net de le tourner. Il aura plus tard à le regretter. « Nous, en France, les princes russes qui deviennent danseurs mondains ou chauffeurs de taxis, il y avait des années qu'on en voyait, confiera-t-il à Constant Sbraggia. J'aurais dû prendre en compte la mentalité américaine, j'étais jeune, j'aurais dû faire ce film. » D'autant plus que dans le rayon des mièvreries cinématographiques, Tino n'était pas au début de sa pellicule! Ni à la fin...

Très vite, le couple Balin/Rossi reprend la mer. Pas plus elle que lui n'ont envie de s'éterniser dans un curieux pays qui n'est pas le leur. En outre, au cours d'une soirée donnée à New York, au Marocco, Tino apprend de la bouche même de La Guardia, le maire de New York, que quelque chose de mauvais se prépare en Europe ; c'est suffisant pour le conforter dans sa décision de se rapprocher des siens. Farouchement résolue à ne pas se laisser fondre dans le moule américain, l'impétueuse Mireille suit son homme. Et puis somme toute, Constantin n'a pas vraiment l'âme d'un conquistador et les États-Unis ne représentent pas au fond pour lui l'Eldorado de beaucoup.

Restera dans ses souvenirs émerveillés la chance d'avoir coulé des journées et des nuits fastes sur un Versailles flottant qui fait encore fantasmer plus d'un fiévreux nostalgique : le *Normandie*. Courant sur les flots avec l'aisance et la hâte d'un long cygne gras et pressé, dès sa première traversée Le Havre-New York, ce monstre des mers avait décroché le « ruban bleu » de la vitesse. Son parrain faillit être illustre, mais d'un auguste revers de main, Sacha renvoya la Compagnie Générale transatlantique à ce commentaire tout Guitryen : « De Grâce, ne me parlez plus de ce théâtre sur l'eau ! Voici l'avant du bateau perché sur une vague. Voici l'arrière perché sur une autre. Que voyez-vous au milieu ? Le vide ! En raison de ce vide, le bateau se brisera en son milieu ! »

Après la griserie du luxe sans bornes, une fois la statue de Bartholdi en vue (avec un nom pareil, celui-là devait bien avoir un petit parent en Castagniccia), Tino avait eu la désagréable surprise de se voir rétrograder au rang de... taulard. Ellis Island, ou le bagne américain ! Sur cette île (décidément on n'en sort pas) au large de New York, on l'avait retenu le temps nécessaire pour vérifier que le petit homme basané, coiffé d'un borsalino un peu trop neuf, n'était pas un émigrant ou quelque autre aventurier venu pomper le jus de l'Oncle Sam. Il avait fallu l'intervention du directeur de la Fox en personne, monsieur Spiero Skoulas, pour dénouer la situation.

En France, Mireille Balin tourna encore quelques films, notamment avec Jean Delannoy et Jacques Becker, jusqu'à *La Dernière Chevauchée* (titre prémonitoire) de Léon Mathot, en 1946, pour se soustraire ensuite au monde des lumières.

Après leur séparation, Rossi fera la déclaration suivante à Caro Canaille :

« J'ai été très heureux avec Mireille Balin. » Le commentaire pourrait paraître mince mais pour un introverti de la facture de Tino, c'est déjà une longue confession !

Que dans son *Dictionnaire du cinéma* le très sectaire Jean Tulard répande qu'à chacune de ses apparitions à l'écran le chanteur Tino Rossi perdit son temps à vouloir démontrer qu'il pouvait aussi être un acteur est un fait avéré. Que le palmarès cinématographique de Tino n'ait d'égal en France que celui du chanteur Yves Montand en est un autre. Évitons de mettre ici ces deux géants issus du music-hall en compétition, et rendons ce service à l'enfant d'Ajaccio de reconnaître que tous ses films construits autour de son mythe furent loin d'être des « chefs-d'œuvre ».

À ses débuts pourtant, le jeune homme souhaitait incarner des rôles où il aurait pu être autre chose que lui-même. À preuve, cette confidence au journaliste Maurice Coriem en 1937 : « Je ne voudrais pas que l'on fît des films pour Tino Rossi. Je voudrais au contraire un film quelconque, mais pris dans la vie, où l'on me donnerait un rôle que je jouerais. Je ne veux pas d'un rôle adapté à ma personne. C'est ma personne que je voudrais adapter à ce rôle. Je crois qu'au cinéma je pourrais faire quelque chose, autre chose que ce que j'ai déjà fait, ce que le public ne sait pas que je peux faire... »

Or, à en croire Metternich, le vrai chef-d'œuvre n'est-il pas de durer ?

Reste que dès l'immense succès populaire de *Marinella*, Tino ne cessera d'être sollicité par les metteurs en scène dont Jean Delannoy, un immense professionnel du même âge que lui, qui laissera au patrimoine français des bijoux tels que *L'Éternel Retour*, *La Symphonie pastorale* et, avant cela *Fièvres*, en 1941. Tino devant être la vedette du film, Delannoy se mit en quête de rencontrer le chanteur qu'il retrouva lors d'un spectacle à Marseille. Séduit par la voix, il accrocha beaucoup moins au jeu de scène. Le réalisateur en arriva à se demander ce qu'il allait bien pouvoir faire de ce type « un peu gauche et maladroit », avec en outre une silhouette qui commençait déjà à perdre de son harmonie.

À mesure qu'ils firent connaissance, Delannoy s'aperçut avant tout que Tino n'était pas le coureur de jupons voulu par le scénario et il entreprit de récrire pour son comédien un rôle approprié à sa véritable personnalité. Ensuite, il se rendit à cette évidence que le beau gosse lui avait caché des aptitudes que lui, le pro de la caméra, n'aurait jamais soupçonnées auparavant. Tableau gagnant donc pour Tino et Delannoy qui a reconnu dans ses Mémoires parus en 2003, que *Fièvres* reste le plus gros succès de sa carrière.

De son côté, en 1948 dans *La Belle Meunière*, Marcel Pagnol confiera à l'interprète du *Roi d'Ys* et de l'*Ave Maria* de Schubert, le rôle de... Franz Schubert. Pagnol qui avait émis le souhait de renouveler l'expérience avec son ami en l'employant dans un *Colomba* revisité, dans *Si j'étais roi* et encore dans *Mireille*. À sa mort, en 1974, le père cinématographique de *Fanny* et d'*Angèle* emporta ces trois projets avec lui.

Dans *Envoi de fleurs*, en 1950, c'est Paul Delmet, compositeur romantique très en vogue du temps des fiacres et du café-concert, que Tino fera revivre avec une certaine conviction.

Ainsi, de *Lumière de Paris*, en 1938, au somptueux *Si Versailles m'était conté* en 1953, où, « réquisitionné » par Sacha Guitry, il poussera la note sur les canaux du Roi-Soleil, suivi de *Tourments* la même année, ce ne sont pas moins de dix-huit productions qui virent le jour, avec en tête d'affiche le petit Corse dont on ne donnait pas cher à ses débuts. Dans le désordre, Madeleine Sologne, Louis Seigner, Raymond Souplex, Micheline Presle, Pauline Carton, Simone Valère, Raymond Bussières, Ginette Leclerc, Jacqueline Delubac, Charles Vanel, Pierre Brasseur ou encore Raymond Cordy lui auront successivement servi de partenaire et de faire-valoir.

Nita Raya fut également du nombre lorsqu'elle donna la réplique à Tino, en 1936, dans *Au son des guitares*. Elle se souvient d'un garçon « très simple, gentil au possible, secret, jamais un mot plus haut que l'autre, qui n'abusait nullement de sa position de star pour taquiner les femmes ».

Comme un pied de nez à ses détracteurs, le bellâtre vieillissant s'offrira en 1969/70 un ultime baroud d'honneur en incarnant carrément cette fois le rôle de Tino Rossi, poussant le luxe jusqu'à tourner à demeure, dans sa splendide propriété ajaccienne. Le metteur en scène Jean Canolle définira ainsi *L'Âne de Zigliara* – un (très) long métrage retraçant l'histoire d'une rivalité entre deux familles corses réconciliées par un âne : « C'est un poème, sensible, tendre et gai. »

C'est dans l'un de ses films, *Destins*, qu'en 1946 Tino Rossi égrène pour la toute première fois les paroles d'un refrain qui va faire pleurer Margot et éblouir bien des petits enfants : *Petit Papa Noël*. Traduit dans toutes les langues, bientôt ce « tube permanent » allait prendre la place de *Mon beau sapin* dans les maternelles de France et de Navarre et faire un véritable carton au Japon et surtout en Russie. Chaque année depuis sa sortie, ce succès international repris par Mireille Mathieu, André Dassary, John William, Nana Mouskouri ou encore Sacha Distel, un hymne qui a survécu à son créateur, se vend par centaines de milliers d'exemplaires à peu près partout dans le monde. Qui dit mieux ?

Pourquoi un tel raz-de-marée ?

Indépendamment de la mélodie et de l'interprétation, Tino se l'expliquait par le simple fait que ces trois mots, *Petit Papa Noël*, que tous les enfants dès lors prononcèrent, n'avaient jamais été employés.

L'histoire de *Petit Papa Noël*, mis au monde par Raymond Vincy pour les paroles et Henri Martinet pour la musique, est plaisante et on ne se lasserait pas d'entendre son créateur la raconter à Lucien Barrière. C'était un soir d'hiver de 1972...

« Au début, Henri Martinet, toujours sensibilisé par le mythe de Noël, avait voulu composer un negro spiritual, dit Tino. Mais il avait séché quelque peu et finalement il s'était orienté vers un "truc" où un enfant chantait "Petit Papa Noël ne m'envoie pas de soldats... mais fait revenir mon papa !" Or, dès la première présentation, tous les gens s'étaient mis à pleurer, ce qui n'était pas tout à fait le but recherché. Et puis, la version définitive, celle retenue pour le film *Destins* où je tiens le rôle d'un père qui se penche au chevet de son enfant malade et chante pour lui faire oublier son mal et le faire pénétrer dans l'univers féerique de Noël, a été enregistrée. »

Dans ce film, Tino chante trois fois, une première fois la chanson entière, une seconde fois, sans musique, et à la fin, le refrain seulement. Le premier enregistrement s'est fait sous la direction de Raymond Legrand, père de Michel, avec pas moins de 80 musiciens et une centaine de choristes, sur fond des grandes orgues de Notre-Dame-de-Paris.

« Les enfants, tu crois que ce n'est rien de pouvoir toucher le cœur des enfants, s'épanchera un jour Tino, avec le grand journaliste corse Pascal Bontempi. Avec *Petit Papa Noël*, je leur apporte le merveilleux dont ils ont besoin, dont nous avons tous besoin parce que nous désirons, tous, retrouver notre enfance à un moment ou à un autre de notre vie. »

« Lorsque j'étais enfant, chez nous, à Avignon, nous dit Mireille Mathieu, la vie était dure, mais elle était belle. Parce qu'il y avait ma mère, mon père, tout un chapelet de frères et de sœurs et parce qu'entre deux naissances, l'hiver quand il fallait sortir pour aller chercher l'eau à la pompe, la musique fouettait le sang de la maison ! La voix de ténor de papa, les disques de Luis Mariano et surtout, surtout un certain *Petit Papa Noël...* Cette chanson de Tino Rossi reste gravée dans ma mémoire comme le chant sacré de l'enfance. J'ignorais alors que ce grand seigneur à qui l'on ne donnait pas d'âge avait été un jeune homme aux cheveux gominés et que pour lui, pour le voir, le toucher, les femmes se battaient comme des folles.

« Il faut comprendre que de mon temps, on demeurait un gamin beaucoup plus longtemps qu'aujourd'hui et l'époque bénie des fins d'années, avec le multicolore des boules et des papillotes, avait la couleur du rêve. Alors, la chanson de Tino, c'était un peu l'étoile au-dessus du sapin ! Toutes et tous nous l'adorions. Ce disque de Noël, que nous écoutions sans arrêt, maman l'a gardé. Il est le symbole d'une grande partie de notre vie passée auprès d'elle, avec un Tino jamais très loin. »

À la même époque que *Destins*, *Les Portes de la nuit* de Marcel Carné fit sa sortie sur les écrans. La critique, bien sûr, ne manqua pas de s'astreindre à une comparaison qui, forcément fut fatale à Tino. Excédée, une admiratrice de ce dernier prit sa plus belle plume pour décocher par voie de presse, dans un journal de cinéma, une riposte ferme et définitive à l'adresse de René Barjavel. La voici :

« Vous dites regretter que le film de Marcel Carné ait été sifflé et non *Destins*. Ceci prouve tout simplement que *Les Portes de la nuit*, malgré toute la publicité faite autour pendant un an, n'a pas plu et n'est pas forcément bien parce que c'était signé Carné. Une autre fois, quand sortira un film de Tino, restez tranquillement chez vous, puisque vous savez d'avance que ce sera mauvais ! Alors, à quoi bon répéter toujours la même chose ! Cela fait 15 ans que ça dure. »

Et ça durerait encore, *ô figlioli !* (les enfants) : 37 autres longues années...

« Oui, il y a 15 ans que ça dure et on ne voit pas de raison valable pour que cela cesse », écrit à la même époque Françoise Giroud dans... *France-Dimanche*.

« Un "nouveau Tino", c'est à dire un nouveau film interprété par Tino Rossi, c'est une marchandise qui ne réserve guère de surprise : elle se vend mal aux Champs-Élysées et à l'étranger, bien dans les quartiers populaires de Paris et très bien dans l'ensemble de la France.

« Tino Rossi se traite comme le héros d'un roman dont il serait l'auteur. Un héros qui lui plaît assez, qui lui plaît même beaucoup et auquel il entend ménager une fin heureuse. Il est comme un inventeur qui aurait créé un robot et qui soignerait attentivement cette merveilleuse machine à rapporter de l'argent. C'est peut-être pour cela qu'il n'a jamais été, qu'il ne sera jamais un acteur, qu'aucune trace d'émotion, de sensibilité, d'intelligence du texte ou de chaleur ne passe, ni dans son jeu ni dans sa voix. Tino Rossi est une mécanique dans laquelle l'âme de Constantin Rossi, l'un des huit enfants bruns et indociles du beau et pauvre tailleur Laurent Rossi, n'est jamais entrée.

« Si un jour Tino Rossi lui échappe, si le robot se détraque, si le disque se casse, il redeviendra ce qu'il n'a jamais cessé d'être : un Corse fier, méprisant les femmes et respectant humblement sa mère, ayant le sens profond de la tribu, l'orgueil de la famille, le goût de la charcuterie et la nostalgie de son île ensoleillée. »

Diavule! (Diable!) Pourquoi donc, plume acerbe et verbe haut, la petite chroniqueuse de *France-Dimanche* voudrait-elle voir redescendre le Rossignol de sa branche ? Privez-le de son sifflet et vous le tueriez net ! Ses adoratrices avec lui.

Vrai que si l'envie saugrenue et subite lui en prenait, le « Bien-aimé » pourrait raccrocher sa guitare d'opérette, dorénavant sa fortune est assurée, mais il a encore tellement à donner et à recevoir...

André Trives qui, avec Félix Marouani, devint le co-manager de Tino, dévoila comme une gloire dans la presse les montants exorbitants des premiers cachets de son protégé au cinéma. Ainsi, pour *Marinella*, il perçut la somme de 85 000 francs. La même année *Au son des guitares* devait lui rapporter 175 000 francs. Une bagatelle comparé à *Naples au baiser de feu* : 500 000 francs. Avec les *Lumières de Paris*, l'année suivante, on fait un bond prodigieux pour arriver au chiffre à demi avouable de 800 000 francs ! Tout ceci à une époque où l'on vit déjà plus que confortablement avec un salaire de 6 000 francs par mois et où les chercheurs se plaignent de ne pas disposer de moyens suffisants...

9.

LA GUERRE EN... DÉCHANTANT

« Ni poing tendu, ni main levée, moi je chante. »
TINO ROSSI

Paris, octobre 1944. Passée l'ivresse de la Libération, le tableau que la Ville Lumière offre au monde n'est pas des plus reluisants. Comme il est de bon ton après chaque barbarie d'imposer la barbarie inverse, les plus doués pour ce genre d'exercice s'y adonnent avec délectation. Les vraies souffrances occultées, il n'y a plus de place que pour les bas instincts des nouveaux riches du marché noir. Pour de sombres questions de vengeance ou d'intérêts, souvent les traîtres d'hier deviennent les héros d'aujourd'hui, tandis que les patriotes de toujours risquent parfois leur tête. Personne ne s'y retrouve et les arrestations vont bon train, suivies parfois de procès sommaires avec exécutions immédiates à la clef (105 000 entre juin 1944 et février 1945), sous les yeux avides de sang de la populace. La même qui aimait à se repaître en 1793 du spectacle de milliers d'innocents jetés dans des charrettes et poussés en place publique pour y être raccourcis. Femmes en majorité, on les appelait les « lécheuses de guillotine ». Le temps du génocide et des agapes révolutionnaires serait-il revenu hanter le gai Paris ? Épuration ! On n'a plus que ce mot à la bouche. Il faut bien retrouver une raison de vivre.

Cibles offertes, les gens du spectacle sont les premiers à subir les horreurs du grand nettoyage. Sacha Guitry, Maurice Chevalier, Mistinguett, Henri-Georges Clouzot, Suzy Solidor,

Serge Lifar, Charles Dullin, Ginette Leclerc, Pierre Fresnay : cela fait beaucoup de monde à estampiller «collabo»! La plupart le sont pour avoir simplement continué à exercer leur métier dans une conjoncture particulièrement difficile et délicate. Pour être du lot, Arletty explique en résumant ainsi l'esprit du moment : «Il a du talent, j'en ai pas : faut que ça change!»

En octobre 1944 toujours, Pathé Marconi, rivale de Columbia qu'elle absorbera un jour, n'obtient pas l'autorisation de rouvrir ses studios d'enregistrement. «Pas avant que la commission d'épuration n'ait dressé la liste des chanteurs susceptibles de pouvoir reprendre du service», se voit-on répondre à la direction de la célèbre firme. Yvonne Printemps, Georges Guétary, Paul Meurisse et Fernandel entre autres, font partie de la brochette des «différés»...

L'une des rares à être encore en odeur de sainteté au cœur de toute cette confusion, est une française de fraîche date : Joséphine Baker, arrivée à Paris en 1925 et naturalisée seulement douze ans plus tard, à la faveur de son mariage avec un juif français. «La seule blanchie est une Noire», risque alors un observateur un peu plus subtil que les autres. Recrutée comme honorable correspondante dès 1939, après avoir fait la démonstration de son cran magnifique et d'un courage hors du commun, celle que les Cubains surnomment affectueusement la «petite bananière» termine la guerre avec le grade de sous-lieutenant de l'armée de l'air. Elle n'est pas peu fière de parader sur les Champs-Élysées dans son uniforme marine, la Joséphine! Elle a raison...

Or, en octobre 1944, lorsqu'elle prend connaissance du reportage que vient de lui consacrer Pierre Duflos dans *Défense de la France*, avec un portrait d'elle «en grand», revêtue de son uniforme, Joséphine Baker ne peut que sursauter à la lecture, sur cette même première page, d'un communiqué relatif à l'arrestation provisoire de son ami Tino Rossi, sommé de s'expliquer sur «ses relations avec l'Allemagne ainsi qu'avec certains personnages compromis». Tino, un collabo? Dans la conjoncture actuelle, tout est possible. Et son contraire.

Si le chanteur n'a jamais cru bon devoir s'expliquer sur cette période de sa vie, c'est précisément parce qu'il n'y avait pas grand-chose à en dire. Il aurait pu exprimer sa rancune envers ceux qui ont injustement et momentanément sali son honneur, mais son éthique fut toujours de garder le silence face à l'adversité. Sans goût réel pour la polémique, il se contentera de terminer ainsi son livre de Mémoires de 1974 : « J'aurais pu en dire davantage. J'aurais pu vous parler de certaines personnes qui tout au long de ma carrière essayèrent de me faire du mal. Beaucoup de mal, même. Mais je ne suis pas de ceux qui règlent leurs comptes en public. Mes comptes, je les ai toujours réglés les uns après les autres, de vive voix, entre quatre yeux. »

En 1993, Lilia Vetti, dernière madame Rossi recensée, sera plus loquace dans un livre de souvenirs signé par son fils Laurent, chez Flammarion. S'exprimant sur le compte du commissaire qui fit arrêter son mari après un gala de charité à Montmartre – un ripoux tellement sujet à caution qu'il finira derrière les barreaux pour trafic de cocaïne, selon Lilia Vetti – elle déclara que le commissaire en question interrogea brièvement Tino avant de donner l'ordre à deux de ses gardiens de l'incarcérer :

– Les Corses m'en ont assez fait voir. Foutez-moi ça au trou !

Présente au moment des faits, Lilia confia à Laurent Rossi que cette phrase les poursuivirent toute leur vie, elle et Tino : « Lui, venu sans défense, sans avocat, réalisa brutalement qu'il allait payer, à cause de sa célébrité et de ses origines. »

« Lorsque Tino Rossi eut quelques ennuis à la Libération, pour n'avoir pas manifesté assez d'antipathie à l'occupant, nous apprend de son côté Jerôme Duhamel, petit-fils de Georges, l'académicien, des milliers de femmes françaises écrivirent au garde des Sceaux pour proposer de prendre sa place en prison si jamais il devait y être condamné. »

Le contraire eut paru louche !

Alors que la Corse, dès septembre 1943, fut le premier département libéré de France, au « trou » Tino l'est bel et bien, à Fresnes exactement, en banlieue parisienne. Il va y rester trois

mois. « On m'y reprendra à aller chanter pour les prisonniers »,
maugréra-t-il, plein d'amertume. En effet, tout comme Édith
Piaf et Charles Trenet, Tino ne refusa jamais de prêter son
concours à des manifestations en faveur des soldats français
prisonniers en Allemagne. En avril 1942, par exemple, il
participa dans cet objectif à la grande nuit du cinéma placée
sous le signe de la bienfaisance et de l'aide aux prisonniers.
Pendant ce temps, le même mois, Albert Préjean, Danielle
Darrieux, Suzy Delair et Viviane Romance se laissaient
sciemment utiliser par la propagande collaborationniste en
visitant la Vienne hitlérienne à grands renforts de publicité
sous les caméras des Actualités Françaises dont on sait
qu'elles étaient placées sous le strict contrôle d'un ennemi qui
ne l'était visiblement pas pour tout le monde. Syndrome de
Stockolm ou suprématie du charme aryen ?...

En mai 1943, à nouveau Tino égrena à Aubervilliers sous
une bannière indiquant : « Tous unis dans la pensée pour nos
prisonniers », un refrain de triste circonstance :

> *Quand tu reverras ton village,*
> *Quand tu reverras ton clocher,*
> *Ta maison, tes parents, les amis de ton âge,*
> *Tu diras rien chez nous n'a changé...*

En France, une fois « l'Affaire Tino » tirée au clair, la fausse
réputation de « collabo » du Corse ne lui porta guère préjudice,
mais au début de 1951, elle le rattrapa en Israël. Programmé à
Tel-Aviv, à Jérusalem et à Haïfa avec la troupe *La Revue de
Paris*, dans le cadre d'une tournée au Moyen-Orient, il dut
d'abord patienter en Grèce le temps que les autorités israéliennes
consentent à lui délivrer un visa. Tino avait en effet été menacé
de boycott et déclaré « indésirable » sur la terre d'Israël. Stupeur !

À l'époque, *La Résistance de l'Ouest*, un journal nantais,
donna davantage de précisions : « Après avoir refusé le visa
d'entrée, les autorités israéliennes, cédant aux instances des
impresarii qui avaient déjà loué des salles et vendu un nombre
considérable de billets, décidaient dimanche soir d'accorder

l'autorisation demandée. Hier matin, le ministre de l'Immigration revenait sur sa décision, à savoir qu'il ne pouvait pas permettre à Tino Rossi de paraître en public en Israël. Entre temps, des tracts ronéotypés étaient distribués à Tel-Aviv et à Jérusalem, informant le public que "Tino Rossi est indésirable car il a chanté pour les Allemands pendant l'occupation française et a été emprisonné pour collaboration". Les tracts invitent également le public à boycotter le voyage. »

Voilà donc qu'on remettait le couvert!

Cabale montée en épingle par un noyau d'agités, toute cette mauvaise et fausse publicité dressée autour de Tino aurait pu ternir son image de marque et même ruiner à jamais sa carrière. Il est bien difficile de faire la lumière sur l'origine de cette infamie. Le pianiste Pierre Spiers, entré pour la première fois au service de Rossi en 1943, parlera d'une «jalousie d'impresarii».

Reste que la première représentation de Tino, au théâtre Armon d'Haïfa, fut plutôt mouvementée. S'il faut en croire un autre périodique français, une grenade lacrymogène fut jetée dans la salle et, au milieu d'une cohue indescriptible, ce fut un sauve-qui-peut général vers la sortie. «Sur les murs du théâtre, note le journaliste, les spectateurs avaient pu lire en rentrant un tract communiste: "Boycottez Tino Rossi, il a collaboré avec les nazis." Quand le tumulte se fut apaisé et que les spectateurs eurent regagné leurs fauteuils, Tino déclara au milieu des applaudissements: "Vous savez bien que j'ai toujours été avec vous." »

Cela est la stricte vérité et la tribu des Marouani à elle seule pourrait témoigner de la sincérité de Tino.

L'unique élément cocasse qui rattrape l'extrême gravité de toute cette histoire, nous le devons à Roger Peyrefitte. Qu'est-ce que l'auteur subliminal de *La Mort d'une mère* vient-il donc faire dans cette galère? serait-on en droit de se demander. Il faut se souvenir qu'en 1965, lorsque paru son roman *Les Juifs*, Peyrefitte fit sursauter nombre de personnalités au patronyme bien chrétien, en dévoilant publiquement leurs origines juives. De Jean-Claude Brialy à Viviane Romance, en passant par le général de Gaulle, le président Kennedy, ou encore la reine Elisabeth II, le siècle défile page après page et les révélations fourmillent. C'est alors qu'abordant le rayon musical de cet étrange divertissement, évoquant les musiciens juifs (connus ou inconnus) de l'histoire, par la voix de ses personnages l'auteur va délivrer une information pour le moins surprenante et au moins inédite :

« Disraeli assure que Rossini est juif, fit Georges. Il est vrai que ce nom est un diminutif de Rossi, qui est juif. L'un des musiciens de la cour de Mantoue s'appelait Salomon de Rossi.

– Rossi... Je pensais à Tino Rossi, dit Marya. Pauvre garçon ! J'espère qu'il n'est pas circoncis ! »

Voilà donc notre Corse emblématique devenu un enfant d'Israël... Plus fort, un peu plus tard dans le déroulement de ce savant scénario, on apprend que parmi les jeunes premiers du cinéma, si Jean-Pierre Aumont et Tony Curtis sont des juifs connus, Gérard Philipe en revanche est un juif inconnu, tout comme Rudolph Valentino parce que né Guglielmi... Guglielmi, le nom de naissance de *Genia*, la maman de Tino ! Quelle fut la réaction de celui-ci à la parution du best-seller de Peyrefitte, dont il est impossible qu'il n'eut pas pris connaissance ? Nous l'ignorons.

Le fait est que, de retour à Paris après un séjour israélien écourté, dans *Paris-Presse*, Tino tentera de relativiser :

– Des bombes lacrymogènes ? Mais non... mais non... Tout au plus un petit pétard d'écolier. Pas même une boule puante.

– Pas même ?

– Ben voyons. Ah ! je m'aperçois qu'on a bien grossi un tout petit incident. C'était un exalté qu'on a sorti de la salle. Tout ça a duré deux secondes... Pas même deux secondes... Vous voyez bien que ce n'est rien.

Et Tino de faire observer à son interlocuteur qu'avant son arrivée, des cinémas de Tel-Aviv avaient affiché son dernier film *Fièvres*.

– Si on m'avait voulu du mal, on se serait attaqué à mon film d'abord.

La vérité sur ce qui s'est réellement passé en Israël se situe à coup sûr entre ces deux versions et démontre, si besoin était, que la calomnie a parfois la peau dure. Comme la plupart des Français, Tino n'a jamais cessé ses activités pendant la guerre, nul n'est censé l'ignorer, il a même chanté sur Radio-Paris, une station contrôlée par les «vrais» collabos, ceux du gouvernement de la capitale, zone occupée, mais à aucun moment, contrairement à nombre de ses camarades «Français de souche», il ne s'abaissa à se laisser courtiser par un Allemand quel qu'il soit. La seule fois où il chanta de bon cœur pour les Allemands, ce fut à Berlin et en 1938! Selon Laurent Rossi, son père aurait même été grassement sollicité pour enregistrer *Maréchal nous voilà*, mais il se serait soustrait de lui-même à cette offre. Impossible à vérifier, mais fort crédible.

Quant à la question juive en elle-même, que cela soit rappelé, avec le Bulgare et le Danois, le Corse est à peu près le seul Européen à avoir traversé l'épreuve de la guerre sans tache sur la conscience. Tino était en cheville avec nombre de ses compatriotes installés à Montmartre, ces Corses tenanciers de bistrots que l'on surnommaient les «bavards-muets». Craints et respectés de tous, ils cultivaient le sens de l'amitié et malheur à qui transgressait les règles! La guerre de 39-45 leur donna à tous occasion et matière à développer de manière exemplaire ce trait de caractère pour le mettre au service des plus vulnérables alors, à savoir les juifs.

Non, dans les veines du Corse Rossi, n'a jamais coulé le sang d'un délateur. De la même manière qu'il ne se sentit ni le droit ni le devoir de se mêler de politique en dénonçant les francs-maçons à l'instar de Georgius – à la libération, la LICA[1], preuves à l'appui, mettra ce dernier à l'index tout en feignant d'ignorer que beaucoup de francs-macs, qui se targuaient d'être des apôtres de la Grande Allemagne, étaient protégés par la police allemande – ou en appelant au populo pour lui demander de rejoindre le Maréchal, comme le fit Chevalier.

---

1. Ligue internationale contre l'antisémitisme.

Quand bien même aurait-il suivi ce jeu de piste à deux couloirs, à une époque où un futur président de la République recevait la Francisque et où l'immense majorité des gens plaçaient encore tous leurs espoirs et leurs croyances dans la politique de celui qui n'était plus le vainqueur de Verdun mais une marionnette manipulée par son entourage et prisonnier des volontés allemandes, il n'aurait fait que gonfler les troupes. Mais, encore une fois, il ne l'a pas fait ! Tout homme possède en lui la faculté d'être à un moment donné un héros ou un lâche. À l'instar du plus grand nombre, Tino ne fut ni l'un ni l'autre. Il se verra également reprocher d'avoir tourné pour la firme allemande la Tobis Klang films. Là encore, ne perdons pas de vue qu'il était alors impossible à l'époque de faire divergence, cette puissante société coiffant l'ensemble de l'activité cinématographique française.

« Je suis enfant, la France se donne un Front populaire, et c'est Tino Rossi que j'entends. La guerre éclate, l'angoisse nous habite, la présence de Tino nous rassure... » À l'exemple d'Alain Decaux, auteur de ces lignes, remercions plutôt à titre posthume le Rossignol corse d'avoir continué à semer des chariots d'étoiles pour toutes les âmes dans la nuit. Le moral d'un peuple aide à sa lutte pour la justice et la liberté. N'oublions pas que nos ennemis d'hier défilèrent le 14 juillet 1989 sur les Champs-Élysées, à Paris, devant le président de la République française, et qu'ils y furent applaudis !

Une belle leçon d'histoire.

Souvenons-nous *in fine* à toutes fins utiles que Tino Rossi a été fait Chevalier de la Légion d'honneur en 1953, avant d'être élevé au grade d'Officier, vingt-deux ans plus tard, puis à celui de Commandeur en 1982, par le président François Mitterrand. En février 1976, suite à une parution au *Journal officiel* le 31 décembre 1975, c'est le général Alain de Boissieu, gendre du général de Gaulle, qui avait choisi de laver l'injure en remettant à l'offensé de 1944 la plus haute distinction française, créée un jour de mai 1802 par un petit homme bien inspiré, que ses camarades de jeu d'Ajaccio appelaient tout simplement *Nabulione*...

Certes, tous ces honneurs ne furent pas décernés à titre militaire, Tino n'ayant rien fait dans ce sens pendant la guerre qui puisse le justifier. En 1957, lorsque son amie Joséphine Baker fut distinguée – elle, à titre militaire – d'une Légion d'honneur bien tardive, Tino lui envoya un télégramme dans lequel il marqua sa surprise : « Je pensais que c'était fait depuis longtemps ! »

Ce qu'il ignorait et que Joséphine elle-même apprit *a posteriori*, c'est que la pauvre fille avait été l'objet d'un complot ourdi dans l'ombre contre sa nomination et celle de son chef de guerre, le commandant Jacques Abtey du IIe Bureau, qui avait commis l'erreur de mettre au jour en Afrique du Nord la trahison d'un haut-commissaire aux Affaires étrangères du gouvernement provisoire du général de Gaulle, à Alger. La maîtresse de ce personnage élevé au rang de ministre n'était autre qu'une espionne à la solde de l'Intelligence Service. Dans le dossier militaire du sous-lieutenant Baker, l'un de ses supérieurs s'interroge sur le curieux refus de lui accorder la Légion d'honneur en dépit d'états de service éloquents. Ajoutons à cela la rancune d'un autre proche de De Gaulle, fameux, dont Joséphine avait refusé les avances (qui a dit que l'argent et « la chose » menaient le monde ?) et nous trouvons réunies les conditions d'un long et systématique barrage administratif, facilité par la solidarité maçonnique de ces influents messieurs.

À la lumière de tout ceci, Tino a peut-être été bien inspiré de continuer à travailler en se contentant d'offrir à la France ce qu'il avait de mieux, sa voix, plutôt que d'aller jouer les héros patentés pour se voir traiter ensuite comme le dernier des va-t'en-guerre par un pays trop généreux à certains égards, mais qui, hélas, souvent aussi sut montrer patte ingrate.

10.

LA FÉE LILI

« Conquérir le bonheur n'est rien. Le difficile
est de rester heureux, quand on l'a conquis. »
S. LILIAR

« Le seul qui ait réussi à traverser la guerre sans perdre son prestige, c'est Tino Rossi, écrit une journaliste, en 1946. Georges Guétary et Luis Mariano sont de redoutables outsiders, mais le "crack" reste Tino ! »

Voilà un domaine au moins où tout le monde est tenu de se rendre à l'évidence : l'écrasante prédominance du Corse dans la catégorie des chanteurs de charme. Mieux, on verra beaucoup plus tard celui qui aura été son concurrent direct le plus sérieux, se laisser aller, en dépit de sa propre gloire qui fut ô combien étincelante, à faire le suivant constat public : « La vie a voulu que Poulidor arrive dans la génération d'Anquetil comme moi dans la génération de Tino Rossi. »

Une telle confession ne pouvait émaner que d'un être aussi pur et nimbé de modestie que Luis Mariano.

Quant à Jean Sablon, dont la légende affirme qu'il a été le premier utilisateur du micro, après la guerre sa situation en France est considérée comme perdue pour les observateurs de l'époque. Outre-atlantique, en revanche, sa carrière radiophonique est en plein essor et il n'est guère barré que par Frank Sinatra et Bing Crosby. Le même Crosby qui, lorsqu'il rencontre Tino à Aubervilliers, au mois de mai 1950 dans le cadre de l'émission de Jean Nohain, *Bonsoir la société*, lui déclare tout net : « Ne venez pas en Amérique !... Si les Américains vous entendent, fini Bing Crosby ! » Tino y retournera pourtant en 1952 pour une longue tournée américano-canadienne à succès. Mais telle ne sera plus la volonté du « D'Artagnan de la chanson » d'aller se rompre la voix chez l'Oncle Sam, dans cette lointaine et gigantesque contrée où pour s'imposer il faut être installé à demeure.

Cette voix de platine, Tino manqua bel et bien la perdre pourtant, en France et à l'ABC, en 1946... À l'approche de la Première de ce spectacle qui doit marquer officiellement sa rentrée parisienne d'après-guerre, c'est un homme rongé par le doute que Maurice Chevalier, qui doit lui passer le flambeau de l'ABC, découvre lorsque Tino vient le féliciter dans sa loge. Un Tino encore sous le choc de son incarcération à Fresnes...

« Il a grossi et son teint se ressent de son foie, note Chevalier dans son journal de bord qu'il publiera sous le titre de *Tempes grises*. Il est bouleversé d'angoisse au sujet de sa rentrée. Va-t-il y avoir cabale ou non ? Une récente manifestation des étudiants de Toulouse contre l'exhibition d'un de ses films a ravivé ce terrible point d'interrogation, car l'échauffourée fut importante, à en juger par la bagarre entre la police et les manifestants. Je lui ai parié un déjeuner qu'il n'y aurait rien du tout à l'ABC et qu'au contraire, le public lui ferait fête. Je le sentais si troublé, si vacillant. Il parlait et son esprit était ailleurs. Il y avait de tout dans son agitation mentale, dans sa confusion : peur pour vendredi, peur pour sa voix. Il ne cessait, entre deux phrases, de se gratter la gorge, d'émettre des sons, mi... mi... Il "plaçait" des débuts de refrain, se faisait la voix avec une inquiétude poursuivie comme une idée fixe... Et dire que tant de jeunes hommes le jalousent ! »

Quelques jours plus tard dans le même journal...

Avant de dresser un portrait franc et sincère de son camarade, Chevalier fait état du triomphe de Tino. Nul ou presque ne devinerait à travers ces lignes que Momo, blanchi par le public, a parfois du mal à accepter le fait d'être seul à traîner encore autant de casseroles dans la presse, depuis la Libération...

«Tino me doit un déjeuner, et il en très heureux, et moi aussi ! car il n'y a pas eu le moindre ennui pour ses débuts. Au contraire, la salle lui a manifesté une solide sympathie. Son numéro s'est déroulé au milieu des applaudissements et si l'on a crié c'était pour lui réclamer des titres de chansons.

« Encore une réelle valeur remise en place, car Tino Rossi en est une ! Il a grossi et commence à se tasser mais il a toujours un charme indéniable, fait de traits agréables, de timidité, de gaucherie et de gentillesse. Sa voix m'a paru un peu moins fraîche, mais il s'en sert avec tant de science et de simplicité que cela s'oublie vite. Il choisit bien ses chansons. Il n'en fait plutôt pas assez que trop, mais vu sa personnalité, c'est beaucoup mieux ainsi. »

Deux ans plus tard, en mars 1948, Tino s'offrira le luxe d'un deuxième carton à l'ABC. *Libération* axera alors sa critique sur «le charme d'une voix qui possède encore d'exquises sonorités».

Même s'il ne va pas renoncer à sillonner le monde, les attaches de Tino sont exclusivement françaises et d'autant plus solides maintenant qu'il est lié par contrat exclusif avec une certaine Lilia Vetti, une jeune danseuse niçoise de sang italien, rencontrée par l'entremise de cette vieille marieuse de Mistinguett, qui avait senti venir le vent. Lilia n'a rien de Mireille Balin, mais si l'on se réfère à Françoise Giroud, elle est alors d'une «beauté à couper le souffle». Ce fut bien l'avis de Tino lorsqu'il la remarqua pour la première fois au casino d'Aix-les-Bains où elle passait dans le spectacle de la Miss, à la fin de 1941. Elle avait dix-huit ans, lui trente-quatre.

Ensemble ils tournent *Le Chant de l'exilé*, un film d'André Hugo et, le temps d'une roucoulade en noir et blanc, s'offrent mutuellement une heure trente d'immortalité. Cette fois encore, comme avec Mireille Balin, la réalité a pris le pas sur la fiction, mais pour Lilia, fort éprise d'un Tino méfiant, la partie n'aura pas été gagnée d'avance. L'écran les réunira de nouveau dans *L'Île d'amour* en 1944, *Le Gardian* deux ans plus tard, *La Belle Meunière* en 1948 et *Marlène* enfin, l'année suivante, qui marquera la fin de leur association cinématographique, mais non celle de leur roman personnel.

Dès le début, Tino pensait avoir trouvé en Lilia – qu'il n'appellera plus que Lili – l'être indispensable auquel chacun d'entre nous est destiné à s'attacher un jour, après avoir rencontré mille écueils. Cependant, il sera long à parler mariage ; la peur du vide et des lendemains qui déchantent...

Le 14 juillet 1947 – un jour de fête nationale, badauds et curieux sont à la parade et les célébrités peuvent convoler en paix – dans la petite mairie de Cassis, Rosalie Cervetti, dite Lilia Vetti, née à Nice le 29 septembre 1923 de Jean Cervetti et d'Emma Marie Gaetti, voit son rêve et son avenir prendre corps lorsque devant Emmanuel Agostini, « Mano » pour les intimes, elle dit « oui » à Tino et que Tino lui répond de même. Agostini, c'est un vieil ami du marié, qui deviendra celui du couple. L'un des plus sûrs et des plus fidèles, de ces alliés que l'on ne craint jamais de recommander aux amis et aux amis des amis...

« Au début de notre mariage, on était bien trop fauchés pour s'offrir de vraies vacances, alors on se trouvait un ou deux contrats en province pour l'été, histoire de changer un peu d'air et de sortir Michel de Paris, raconte Jackie Sardou dans ses Mémoires. On s'est ainsi retrouvés une année à Cassis où Fernand chantait au casino. Moi, je n'avais pas de contrat, j'accompagnais simplement mon mari, bien décidée à profiter au maximum avec mon gamin de la plage, du soleil et de la mer. C'était sans compter sur la nouvelle marotte du père Sardou. À Paris, cette année-là, Fernand jouait au Châtelet l'opérette *Méditerranée* avec Tino Rossi. À force de chanter la belle bleue, ces deux-là s'étaient mis à parler bateaux pendant les entractes. Naviguer et pêcher la rascasse était un vieux rêve de Fernand.

– Puisque tu vas à Cassis cet été, lui dit un jour Tino, je vais te recommander au maire, Agostini ; c'est un vieux copain et je crois qu'il veut vendre son thonier. Il te fera sûrement un prix.

Et voilà comment, à peine arrivée à Cassis, je me retrouvai avec un mari capitaine de thonier payable à tempérament !

– Tu vas voir, jubilait Fernand, tu vas passer les plus belles vacances de ta vie!»

Ce que furent ces vacances à Cassis à bord d'un rafiot qui dès le premier roulis lui donna la nausée la plus verte («Au bout d'une heure de mer, j'étais mourante, comme distraction de vacances, on peut rêver mieux»), la «maman de Michel» ne devait jamais l'oublier.

Merci Tino!

L'année qui suivit leur mariage, Lili mit au monde «l'Héritier»: Laurent Rossi, auquel on colla un deuxième prénom de baptême, Emmanuel, en l'honneur du maire de Cassis, son parrain. Pour saluer sa naissance, l'heureux papa fit la confidence suivante à Marcel Pagnol venu rendre visite au nouveau-né: «Les gens du Continent disent que les Corses sont obligatoirement gendarmes, bandits ou chanteurs. Eh bien moi, je voudrais que mon fils soit peintre!» Quant à Pagnol, toute son émotion se rassembla en un seul cri: «Il est grand ce petit!» La peinture, pour un Tino amateur qui, à la fin de sa vie, grâce à sa prodigieuse fortune aura accumulé chez lui les Renoir, Dufy, Utrillo, Picasso et Foujita, avait son importance. «Si je n'avais jamais chanté, j'aurais été peintre, confiera-t-il en 1977 à Robert de Laroche. Aussi, comme tout parent frustré par des désirs non accomplis, reporta-t-il ses ambitions sur celui qui le continuerai et pour lequel il se découvre une plume de poète:

> *Laurent Emmanuel*
> *Petit ange du ciel,*
> *Tu es pour nous deux*
> *Un cadeau du Bon Dieu.*
>
> *Le soir quand tu dors*
> *Dans ton petit nid,*
> *Est-il trésor*
> *Plus joli?*

Ton sourire si facile,
C'est comme un coin du paradis
Que nous aurions à domicile...

Cette naissance est venue à point pour consoler Tino de la perte de son père pendant la guerre. Suite à ce deuil, il a fait monter *Genia*, sa mère, à Paris, pour qu'elle vive définitivement auprès de lui. Elle y restera jusqu'à sa mort, en 1956, puis sa dépouille sera rapatriée en Corse. L'appartement de la rue de Berri n'est pas immense, mais ce sera toujours mieux qu'une chambre au George V. Et comme lorsqu'on aime, on ne compte pas, Tino donne également asile à sa fille Pierrette qui, jusque-là vivait dans le Sud avec sa mère. Désireuse de se lancer dans le métier, la jeune fille, qui a cinq ans de moins que Lilia Vetti, est montée à Paris tenter sa chance et il faut avouer que pour des débuts on a vu plus laborieux ! Elle a réussi à se faire engager dans une pièce musicale mise en scène par Robert Dhéry, *Branquignol*, et chaque soir, à partir de 1948 et pendant deux ans et demi, sur une musique de Gérard Calvi et des lyrics de Francis Blanche, elle chantera et donnera la réplique à Annette Poivre et Micheline Dax, entre autres. « Pierrette Rossi est une belle fille pleine de santé, heureuse de vivre, dorée comme une pêche ; on en mangerait ! », s'emballe une journaliste.

Par sa fraîcheur et son naturel désarmant, la fille de Tino parvient à s'attirer sans trop d'effets les faveurs de la presse et des reporters à l'affût d'un croustillant secret de famille. Mais si elle ne rechigne jamais à accorder les interviews qu'on sollicite d'elle, elle n'en dit jamais plus que ce qu'on lui a conseillé de taire.

« Ma mère m'a toujours parlé de mon père avec une tendresse infinie, se confie-t-elle ainsi dans *Cinémonde*. Bien que divorcés, mes parents se voient très souvent et ont conservé l'un pour l'autre une très grande amitié. Certes, mon papa m'a manqué. J'aurais aimé, en rentrant de l'école, le trouver qui m'attendait pour m'aider à faire mes devoirs et sortir avec lui, très fière en lui tenant la main. Mais je le voyais très souvent et cela me consolait de son absence. Il a toujours été très bon pour moi. Il ne me grondait jamais. »

En août 1950, Pierrette épouse un riche oriental et on ne la reverra plus beaucoup. « La jeune épouse n'a découvert que le lendemain de son mariage qu'elle ne parlait pas la même langue que son mari, s'amuse un chroniqueur. Lorsqu'elle lui dit : "Je t'aime", Abdou répond invariablement : "N'habeck!" Ce qui, empressons-nous de le préciser, signifie exactement la même chose mais en syrien ! »

Avant elle, en 1939, Nina Rossi, sœur de Tino avait déjà essayé d'embrasser la carrière en enregistrant un disque chez Pathé Marconi. Sans suites. L'un de ses frères tentera lui aussi de prendre le même chemin sans plus de bonheur. Plus tard, Laurent Emmanuel, dit « L'Aiglon », se lancera à son tour... Mais il semble que le destin ait décrété qu'il n'y aurait jamais plus d'un Tino dans le foyer !

Sa famille, l'ex-petit Constantin aux poches vides, allait en prendre soin. « D'abord, il y a une bonne vingtaine de Rossi qui vivent de ce Rossi-là, écrit Françoise Giroud en 1950. Il faut acheter un fonds de commerce à l'un, une bicyclette à l'autre, un appartement au troisième. Et la mère ne plaisante pas. Ses huit enfants sont ses enfants. Si Tintin a eu de la chance, ce n'est pas une raison pour qu'il se montre égoïste. D'ailleurs, il n'y songe pas, mais toute cette espèce d'usine qui s'appelle Tino Rossi et qui débite des disques, des films, des tours de chant pèse lourd, semble-t-il, sur ce troubadour épaissi. »

En rédigeant ce papier, feu madame Françoise Giroud avait simplement occulté le fait que de ce côté-ci de la Méditerranée, où il n'y a pas moins de tordus qu'ailleurs, il ne viendrait à personne l'idée ni l'envie de fourguer ses « vieux » dans un mouroir, ou de découper un gosse en morceaux avant de balancer le tout sous-vide dans un canal. Pas de place pour l'étroitesse de sentiments et l'individualisme non plus en cette heureuse période d'après-guerre.

Si aujourd'hui, le ver pénètre lentement mais sûrement dans le fruit, la faute n'en incombe qu'à l'époque et aux influences extérieures. Néanmoins, en Corse, encore actuellement, dans un café par exemple, on ne saurait concevoir que chacun jette sa pièce sur le zinc pour régler sa propre consommation ; ce sont là des méthodes de rats de gouttières littéralement honnies. Tout comme il est plutôt mal vu là-bas de vendre la maison de famille, fut-ce pour un empire d'euros vaillants ; on la brûlerait plutôt !

Sa corsitude, Tino l'a toujours mise en avant comme on loue naïvement le chant d'une vague plus bleue que les autres ou un parfum unique au monde et non pour des motifs religieux ou de prétendue supériorité ethnique, donc source de discrimination. Aussi, parmi les esprits étriqués, il y en eut qui firent la confusion. Nombre d'attaques et de critiques adressées au père Rossi trouvent leur source dans l'étalage qu'il fit de son appartenance à sa terre natale. Mais pas seulement...

Une autre ségrégation tout aussi regrettable a contribué à donner du Rossignol une image voulue niaise et insupportable ; celle de la France d'en haut ! « Tino Rossi n'a pas fait mieux que Napoléon ou Jeanne d'Arc, lui aussi a coupé le pays en deux », écrivit en son temps René Pascal. Le docte chroniqueur de *La Croix* faisait tout bonnement référence à la barrière imaginaire mais bien réelle existant entre la culture populaire, que l'on appellera plus tard « la France de Guy Lux », et la gent cultivée : « l'intelligentsia ». Celle-ci n'a que mépris pour des chanteurs de la veine de Tino. Méfions-nous, il n'est pas de pire plouc qu'un antiplouc qui n'est souvent lui-même qu'un plouc qui s'ignore !

« L'intelligentsia a tort, évidemment, les choses sont ce qu'elles sont, la mièvrerie est un fait mais que le romantisme mélodramatique de Tino exprime un univers culturel est également un fait », plaide un René Pascal clairvoyant qui propose plutôt l'analyse du fonctionnement de cette culture populaire, que sa récusation.

Quant à Tino, lucide, il devait confesser à Pascal Bontempi : « On me reproche dans certains journaux d'être un marchand de rêve et de soleil, mais je suis fier d'être ce marchand. Le public aime ça. Il oublie ainsi la sinistrose qui rend malade, les soucis quotidiens. Il faut bien qu'il y ait quelqu'un qui leur parle de ciel bleu, d'amour et de bonheur. Charles Trenet, lui, le grand Trenet, ne chante-t-il pas la joie de vivre, la route enchantée, la mer qu'on voit danser le long des golfes clairs, les jeunes années, l'enfance ? »

En 1952, à Ajaccio, Tino frappe un grand coup en rachetant la superbe propriété du *Scudo* qui, tout enfant, lui donnait à rêver. Ainsi, les Rossi marquent d'une empreinte définitive l'histoire de la Cité Impériale. « Il a fait le choix d'une maison qu'il connaissait bien pour l'avoir, des années durant, contemplée, enviée, écrit Richard Borel, dans *Paris Comédia*. Un jour, lui, le fils du petit tailleur d'Ajaccio, il a acheté le palais du Nabab. Si La Fontaine avait connu Tino Rossi, il aurait écrit : "La cigale et la fourmi !" »

« Si un jour j'ai de l'argent, je l'achèterai et je la préserverai », se serait exclamé au début du siècle le jeune Tintin devant la splendeur de la presqu'île du Scudo, quelque peu souillée par les détritus des Ajacciens qui s'y rendaient en petite villégiature le dimanche. Le nom du Scudo est inséparable de celui d'un autre Ajaccien dont la renommée avant-guerre fut ô combien internationale : François Coty (du nom de sa mère). Ses ancêtres, les Spoturno, apparentés aux « meilleures » familles (Ornano, Forcioli, Bonaparte, Bacchiochi...) s'étaient fixés en Corse au XVIe siècle. Très vite, ses membres exercèrent les plus hautes charges au Conseil des anciens d'Ajaccio et figurèrent au nombre des bienfaiteurs de la cité. C'est en 1659 qu'ils firent l'acquisition d'un domaine voisin du Scudo : Barbicaja. La propriété se transmit d'héritage en héritage et en 1921, François Coty vint augmenter son capital littoral en rachetant le Scudo au comte François Pozzo di Borgo. Orphelin de très bonne heure et de fortune médiocre, François Coty dut aux efforts de sa grand-mère et à la protection d'Emmanuel Arène, rencontré à Marseille, de devenir l'un des hommes d'affaires les plus influents que le siècle ait connu.

Tout commença par le succès foudroyant de sa parfumerie fondée en 1904 à Paris et qui devint la plus importante au monde tant par son chiffre d'affaires que par sa réputation de premier ordre. Londres, Madrid, Milan, Moscou, Buenos Aires, Rio de Janeiro ; partout et jusqu'aux Indes anglaises et néerlandaises, les succursales fructifiaient et le nom de Coty rayonnait. À New York, l'homme avait installé ses bureaux sur la 714 Fith Avenue. Cette position de force stratégique permit à Coty de rendre d'éminents services financiers à la République française, pendant et après la Première Guerre mondiale. En 1922, il racheta *Le Figaro* et en 1928 *Le Gaulois*, journal de la droite monarchique. Mais dans les veines de François coulait avant tout le sang des Spoturno ! Aussi, en Corse son nom est-il entré dans la légende et on ne compte plus les réalisations en tous genres et bien concrètes de celui qui fut élu maire d'Ajaccio en 1931. Immensément riche, son expérience et sa renommée, Coty décida de les mettre au service de sa terre d'origine, ainsi qu'une partie conséquente de sa fortune. Ses ambitions pour le relèvement de son île natale furent sans bornes.

« La Corse, restée en marge de la civilisation qui a fait la prospérité de ses grandes voisines, la France et l'Italie, n'a pas la destinée qu'elle mérite par les dons que lui a fait la nature et par la valeur de ses habitants », déclara-t-il en 1919, dans un discours étonnamment contemporain.

« On se demande par quelle malchance, il a pu en être ainsi. L'esprit d'initiative y est extrêmement développé : à preuve, tant de Corses qui ont su faire apprécier leurs qualités hors de leur petite patrie, où la vie difficile et ingrate n'offrait pas d'aliments suffisants à leur ambition légitime. Ce qui a manqué à la Corse, ç'a été d'être guidée par une élite. Des hommes politiques ont contribué à y orienter les activités dans une mauvaise direction, fidèles à la méthode qui consiste à faire miroiter des espoirs fallacieux aux yeux des humbles, alors qu'il s'agit seulement d'assurer la situation et l'existence du distributeur de promesses. La désillusion et le discrédit qui accueillent partout de telles pratiques, il faut que la Corse les connaisse bien. Ceux qui, nés sur son sol, ont su atteindre en d'autres régions, aux plus hautes destinées... »

L'allusion de Coty à Napoléon est évidente. En son temps,

Tino Rossi se verra accuser du même grief. Cela n'empêcha pas le parfumeur de terminer pratiquement ruiné par son divorce d'avec sa dernière épouse et de s'éteindre seul et abandonné de tous, en 1934, à l'âge de soixante ans, à Louveciennes, dans un pavillon construit en 1771 par Ledoux pour la du Barry. Ainsi en va-t-il de la loi des hommes.

La légende veut que Tino ait racheté le Scudo directement à François Coty. À la lumière de ce qui précède, on comprend l'incongruité de la chose eu égard à la date de décès de l'intéressé. En réalité, depuis 1931, le Scudo était officiellement devenu propriété de la « Société Immobilière Barbicaja », une société anonyme suisse, installée à Genève. Avait-elle appartenu à Coty ? On ne le sait.

L'acte de vente établi le 14 février 1952 et conservé aux Archives départementales de la Corse du sud, nous apprend que Tino fit acheter le Scudo par le biais des « Productions Tino Rossi », sa propre société créée le 12 juillet 1948 à Cassis et sise dans cette même ville, au 27 de la rue Adolphe Thiers. « Dans cette propriété de 2 hectares et demi environ, peut-on lire, il existe une petite maison de maître comprenant un rez-de-chaussée, un premier étage et un second étage sans combles. En outre, une petite maison de jardinier et une petite construction ayant autrefois servi d'écurie et de remise. » Le prix : 4 millions de francs de l'époque.

« En ce temps-là, il n'y avait pas d'eau dans le domaine, ni d'ailleurs aux alentours, la route des Sanguinaires n'étant pas desservie, nous apprend monsieur Bazinet, actuel président du Club des amis de Tino Rossi. Avec ma femme, qui faisait partie de la vieille garde des tinorossistes, nous avions appris à aimer la Corse grâce à Tino. La première année de notre voyage là-bas, nous avons même dressé la tente dans le parc du Scudo qui était alors accessible à tout le monde. C'était en 1951... Un an après, Tino le rachetait. Lorsque nous l'avons mieux connu, nous lui avons raconté cette histoire qui l'amusa beaucoup. Souvent l'été, nous rencontrions Tino à la fontaine des Calanques où, comme tout habitant de la route des

Sanguinaires, il allait faire provision d'eau. À la seule différence que ma femme et moi nous y rendions à pied, tandis que lui effectuait les deux kilomètres en Cadillac! Ces petites expéditions durèrent jusqu'à la fin des années 60, date de l'installation de l'eau dans le coin. Le seul et unique à avoir bénéficié par dérogation d'une citerne fut "Bébé" de la plage Marinella, les pilotes du camp d'aviation de la Parata le ravitaillant.»

Le Scudo devint dès lors l'Eden de Tino: «Quand chaque matin j'ouvre ma fenêtre sur le golfe d'Ajaccio, je prends un bain d'optimisme!» Or, comme pour mieux rappeler qu'il n'est pas de paradis sans serpent, un papier paru le 17 février 1976, dans *L'Aurore* et intitulé «Tino Rossi gardera sa propriété corse...», sous-entendra que derrière les murs de l'un des plus beaux joyaux immobilier de la région ajaccienne, la guerre juridique fit rage pendant plus de vingt ans. Dans ledit article, on apprend que lors de l'achat, Tino aurait signé «une vieille promesse selon laquelle l'ancienne propriété du parfumeur Coty serait morcelée, et qu'une partie en reviendrait à deux amis corses. Les amis en question, depuis un quart de siècle, donnent de la voix devant les tribunaux».

Le tribunal civil de Nanterre où l'affaire sera jugée le 16 février 1976, estimant que le papier fourni par les plaignants était sans valeur, décréta que le chanteur garderait le Scudo pour lui seul. Blessé dans son orgueil par toute cette mauvaise publicité faite autour de son nom, Tino réclamera en outre un franc de dommages et intérêts. Ce que le tribunal refusera, eu égard l'excellente affaire réalisée par le chanteur au moment de l'achat de sa maison.

Le Scudo devient aussi la terre promise des oiseaux. Interdiction à quiconque de les tracasser! De tout temps, Tino a aimé les animaux, les chiens surtout. Il se souvient en avoir toujours eu à demeure. Sans eux, le Scudo ne serait-il pas un paradis perdu? Les serpents l'ont déjà compris qui, dès les premiers jours du printemps donnent du sifflet en se tortillant sous les pins. Ce que l'on appelle ici serpent ne sont autres que d'inoffensives couleuvres mais leur aspect bizarre et incomplet n'a rien pour rassurer « Furie », le jeune berger allemand femelle offert par Line Renaud, dont la chienne vient de mettre bas. Puis, la famille s'agrandit, Furie ayant « fauté » avec un « monsieur » de la même race. Génitrice parfaite et irréprochable, la mère Furie ! Un peu trop, peut-être... Un jour de grand soleil, Furie donna une légitimité à son nom en s'attaquant dans le parc aux pigeons-paons de Tino. Vexée de s'être faite rabrouer par son maître, sans prévenir elle plia poils et bagages pour prendre le maquis avec sa tribu. L'un des chiots rentra seul le lendemain et il fallut plusieurs jours à Laurent pour ramener au bercail le reste du troupeau égaré. Une leçon pour Tino qui ne recommença plus jamais ! Furie non plus...

« Elle savait discerner non seulement tous nos amis, mais aussi ceux moins familiers de la maison qui venaient nous voir, et les accueillaient avec joie », se souviendra Tino, nostalgique, après la mort de son « compagnon à quatre pattes », selon l'expression consacrée de Brigitte Bardot.

Les hôtes du Scudo, hormis les amis du cru, ce sont avant tout parmi les plus illustres : Maurice Chevalier, Fernandel et bien sûr Marcel Pagnol. Tous trois y ont leur chambre attitrée. Comble d'attention et de raffinement, pour celle de Pagnol, Tino a lui-même choisi le tissu des rideaux... Plus tard, Sylvie Vartan et Françoise Hardy viendront à leur tour tremper un bout d'orteil dans l'eau de la piscine, ainsi qu'André Verchuren qui se souviendra avoir dansé le tango dans les bras de l'ensorcelante Joséphine Baker, un soir de fête chez Tino. L'extravagante môme Moineau, mariée à un riche américain y fit également séjour et offrit même à son hôte le bateau de ses rêves : le *Tilipou* (TIno-LIli-POUpy). « La Môme Moineau est une pleine aux as qui semble distribuer sa richesse comme le ferait, j'imagine, une petite de Belleville qui aurait trouvé une cassette », écrit le très économe Maurice Chevalier, dans *Ma route et mes chansons*...

À Paris, loin des querelles intestines et des jalousies patholo-giques qui rendent parfois dans l'île l'atmosphère irrespirable, les relations de l'empereur du disque avec ses compatriotes sont au beau fixe. Dans les années 50, on recense environ 30 000 membres de la diaspora en « exil » dans la capitale. Tino fréquente assidûment nombre d'entre eux et leur donne parfois rendez-vous au Fouquet's. Ne dit-on pas pour blaguer qu'il est le maire de cette institution tenue par « monsieur Paul », Paul Bachelet qui y entra avant-guerre, à l'âge de quatorze ans en qualité de garçon de café ? En 1976, c'est Casanova, un compatriote qui reprendra le fond de commerce du Fouquet's, aujourd'hui classé par le ministère de la Culture, une exception sur les Champs-Élysées. À toute heure de la journée, une table est réservée pour Tino, comme autrefois chez Maxim's pour lui et Mireille Balin...

« C'est la table de Tino Rossi », annoncent timidement les garçons aux curieux de passage qui se renseignent. L'apéritif au Fouquet's avec les amis, c'est sacré ! Tino habite à deux pas et souvent en cachette de Lili qui lui fait appliquer à la lettre les recommandations du médecin (« Plus d'apéritif au Fouquet's »), il cède au supplice de Tantale.

C'est vrai que Tino, depuis quelque temps n'a plus la silhouette qu'on lui a connu à ses débuts et s'il ressemble davantage aujourd'hui à un *prisutu* (jambon) articulé qu'au *figatellu* (saucisse) délié d'autrefois, il n'en risque pas moins de courir à de graves complications de santé. La bonne chère, il aime ça ! Il ne s'en est jamais ni caché, ni privé, mais l'âge venant, l'embonpoint cette fois a eu raison de lui. On le dit même « très en formes »...

« Allons bon, concède finalement le médecin, va pour un apéritif quotidien au Fouquet's, mais un seul verre par jour, sinon vous prendrez de la bouteille ! »

Le Fouquet's rassemble aujourd'hui la plupart des souvenirs parisiens de deux Corses essentiels dans la vie et la carrière de Tino : Jean Bozzi et Antoine Bonelli, tous deux guitaristes et lesquels ! Bonelli (surnommé « le Bouddah » par Tino), fut présenté au Rossignol en 1949, par l'entremise d'un ami commun, un certain Colombani. Quant à Bozzi, c'est peu ou prou à cette époque qu'il intégra à son tour l'équipe.

« À Paris, Antoine Bonelli et moi habitions ensemble, se souvient-il. Lorsque nous ne tournions pas, tous les jours Tino nous appelait pour la sacro-sainte *pastitzada* au Fouquet's.

– *Indua è u Buddha?* (Où il est le Bouddha?), me demandait-il chaque fois au téléphone.

– *In u letu!*, lui répondais-je invariablement. (Il est au lit!)

– *Ariamu fatu megliu di ghiamalu u ciucciu!* (On aurait mieux fait de l'appeler le hibou!)

Attablés au Fouquet's, sur la terrasse ou à l'intérieur selon le temps et la saison, nous étions comme chez nous, en Corse. D'ailleurs nous ne communiquions jamais qu'en langue corse. Avant que les Piaf, Trenet et Raimu ne viennent briser notre petite harmonie. Au moment de payer l'addition, Raimu s'arrangeait toujours pour s'esquiver à l'indienne..,

Un autre compatriote, chanteur de talent, aujourd'hui décédé: Pascal Marcelli (dit « Bidon »), un grand ami et complice de Tino. « Pascal, c'était un personnage, témoigne Guy Bonini, agent des Douanes à la retraite. Je le connaissais de vue à Ajaccio, mais lorsque dans les années 60, j'avais été muté dans l'est de la France, à la Brigade motocycliste de Thionville, j'ai eu l'occasion de passer plusieurs soirées chez lui, dans le cabaret qu'il avait monté. Je m'y rendais la plupart du temps avec le juge Casanova de Pila-Canale. Pascal se partageait entre la Moselle, la Corse et Paris où il faisait parfois la saison au *Son des Guitares*. Il nous racontait qu'au début, très mal à l'aise lors des grands repas mondains chez Tino, de crainte de se rendre ridicule, il évitait de toucher aux assiettes et au bataillon de verres et de couverts placés devant lui. Il ne savait tout simplement pas à quoi servait chacun d'entre eux. Constamment tourné vers ses voisins de table, il faisait ceinture tout au long du repas et donnait du "Vous disiez?" à tout bout de champ! Pauvre Pascal... Ce n'est qu'une fois tous les *Sgiò* ("seigneurs") partis qu'il se ruait dans la cuisine pour se jeter sur le saucisson que Tino découpait en riant. »

Un Tino qui, fidèle à sa réputation de bon vivant, remettait le couvert en compagnie de ses amis, entre deux bonnes vieilles histoires ajacciennes dont il raffolait.

À Paris toujours, Horace de Carbuccia (député de Corse de 1932 à 1936) et son épouse, qui tiennent salon chez eux, avenue Foch, dans le vaste appartement de famille où Madame est née, figurent sur la liste des intimes. Que de services n'ont-ils pas rendus au jeune Tino à son arrivée à Paris ! Gageons fort qu'ils ont été à l'origine du règlement de la caution des meubles payés à crédit par le « petit chanteur sans avenir »... Ces grands bourgeois en avaient les moyens ; outre leur fortune personnelle, Horace – farouche opposant à l'influence maçonnique, qui fut l'un des 91 députés à avoir voté le 28 décembre 1935 au Palais-Bourbon en faveur de l'amendement Dommange (la dissolution des sociétés secrètes fut en réalité rejetée à une majorité absolue) – était alors le directeur des Éditions de France et l'heureux fondateur de *Gringoire*. Avant-guerre, cet hebdomadaire politique très marqué à droite se vendit en kiosque jusqu'à 470 000 exemplaires par semaine. Aussi, la Libération venue, Horace de Carbuccia écopa-t-il, comme bien des copains, de sérieux ennuis avec le comité d'épuration et surtout avec la Bibliothèque de la France, chargée dès janvier 1945 de publier la nomenclature des livres à retirer de la vente. Plusieurs ouvrages parus aux Éditions de France (avec pour auteurs Pierre-Antoine Cousteau ou encore Jacques Doriot) prirent ainsi la direction du pilon. Plus grave, Henri Béraud, rédacteur à *Gringoire*, fut condamné à mort, puis finalement gracié et libéré après de longues années de prison.

Un homme de convictions, Horace de Carbuccia...

Au cœur de son vaste et étrange royaume de l'avenue Foch, caractérisé par sa gigantesque salle à manger où l'on n'a encore jamais utilisé d'autre système d'éclairage que la bougie, ses longs couloirs sombres et lugubres uniquement tapissés de portraits de chers disparus, le visiteur se sent chaque fois comme en voyage à travers le temps, dans une sorte de pays arrêté. Tino se montre plus fasciné encore par la collection d'Horace sur une autre valeur qui les rassemble : Napoléon ! Que de battements de cœur lorsqu'il s'agit de faire rouler avec précaution entre ses mains la lunette d'approche que Jean-Jacques Chiappe, ancêtre d'Horace de Carbuccia, tendit à l'Empereur le 18 juin 1815, dans la « morne plaine » de Waterloo ! Et là-bas, dans un coin, cette chaise à porteur de la grand-mère, *a minana*, dont elle faisait usage pour circuler dans les rues d'Ajaccio, trop étroites pour laisser passer une voiture à cheval...

Dans ces salons qui accueillirent des plus fins politiques aux artistes les plus illustres, combien de fois Tino n'a-t-il pas entonné *L'Ajaccienne*, devant des admirateurs à la carte de visite truffée d'armoiries et bourrée de particules : le roi d'Espagne Alphonse XIII, le prince de Grèce, le duc d'Aoste, le prince Napoléon...

La valeur sûre Tino Rossi n'en finit pas de grimper et d'étendre son propre empire sur les foules enthousiastes qui scandent son nom pour le réclamer, et qui hurlent ensuite dès qu'il paraît. En tête de tous les sondages de popularité, en 1948 il a vendu 350 000 disques, tandis qu'aux enchères, sans même sa présence, l'une de ses photos de petit format, non dédicacée, s'est vue adjugée à 1 500 anciens francs !

La folie prend racine et fait des bourgeons. Elles sont pléthore à entretenir chaque jour un mythe qui aurait pu sombrer, emporté par les années noires. L'une de ces groupies, Suzanne Griselle, qui déclare être atteinte de « tinorossite » chronique depuis ses tendres quatorze ans, en a maintenant treize de plus et n'entend pas raccrocher de sitôt ! Il semble même que nous allions vers une improbable rémission...

Teinturière de métier, Suzanne consacre sa « vraie » vie à *son* Tino. Propriétaire d'une collection de 5 000 photos de LUI, elle le file dans Paris, assure le guet près de son domicile, s'arrange pour se retrouver sur les plateaux de cinéma où l'idole est en train de tourner. À telle enseigne qu'elle en arriverait presque à connaître la cadence à laquelle battent ses paupières, ainsi que la couleur de ses draps. Qui sait, peut-être le sait-elle ?...

De temps à autre, Suzanne déborde et à la faveur d'une interview donnée dans un journal à cancans où cette fois c'est elle la vedette, la vilaine lâche ses infos et ses scoops. Suzanne Griselle, ou la petite mère spirituelle de *Voici*!

Gardons-nous de notre fausse pudeur et plongeons de tout notre soûl et sans vergogne dans ce grand mais gentil déballage qui, en quelques lignes, nous en apprendrait presque plus sur la psychologie du personnage (lequel?) qu'une biographie trop bien élevée...

« Ses adresses? dois-je les révéler à tout le monde?... À Paris, c'est le 35 rue de Berri, au 5ᵉ étage. À Cassis (Bouches-du-Rhône), sa maison touche celle du maire, le docteur Agostini, son aimable compatriote.

« Tino possède une 4 CV Renault noire, immatriculée 3930 RQ 7. Le bébé a son landau blanc à capote bleu pâle... sans immatriculation!

« La concierge de mon Tino est aussi une admiratrice, à tel point que Lilia en est jalouse.

« Chaque jour, on peut rencontrer Laurent Emmanuel entre 4 et 6 heures au parc Monceau, accompagné de sa mère et de sa nurse. Hélas! toute la famille partira bientôt pour Cassis. Pourvu qu'on ait photographié le petit d'ici là! Car je commence à collectionner les photos de Tino fils. Lorsqu'il rentrera de Cassis, va-t-il reconnaître la dame qui se place si souvent sur son chemin pour lui faire la risette?

« Tino a une vie très régulière en dehors de ses tournées. Sa principale distraction, c'est d'aller au café. En principe, de 6 à 8 heures (sauf mercredi et jeudi dernier où il est resté jusqu'à 9 h 30), on le trouve au Fouquet's, où il rencontre presque toujours les mêmes amis: Delmont, Dassary, Scotto et son imprésario.

« Les journaux me font rire lorsqu'ils écrivent que Tino Rossi est très réservé et avare de gestes. Je le trouve, moi, très bavard. Il gesticule beaucoup. Il est aussi très généreux. Le lundi 11 avril, je l'ai vu "passer la monnaie" à toute une série de mendiants qui "faisaient" la terrasse du Fouquet's.

« Ses restaurants préférés sont Le Diplomate, en face de chez lui ; la Boîte à cocktails et le Phare de Calvi, où il aime parler corse avec son ami Fabrizzi.

« Il se lève à 7 heures du matin et interroge le ciel : il n'aime pas la pluie. Actuellement, le ménage est à la recherche d'une bonne ; par deux fois cette semaine, j'ai vu Lilia rapporter elle-même des poireaux. Ils ont eu, à un moment, un cuisinier chinois. Le dimanche, toute la famille part en voiture dans la propriété que Tino possède au bord de la Marne.

« Son tailleur est Corse. Fonelli, 35 rue Marbeuf. Je lui connais deux complets bleu marine (sa couleur préférée), trois gris, un ensemble sport pied de poule, que je n'aime pas : il le grossit. Je me souviens de l'avoir aperçu en pantalon de flanelle grise et veston à double col turquoise du plus joli effet. Hélas ! je ne l'ai vu qu'une fois dans cette tenue...

« Élysées-Coiffeur, au coin de la rue Vernet lui coupe les cheveux et soigne ses mains. Il porte aux chemises avec initiales brodées, aux voitures américaines et aux mouchoirs, la même préférence qu'à Schubert, Guy de Maupassant, Édith Piaf, les films de gangster et Marika-Rock.

« Lilia est très jalouse. Ayant remarqué ma persistante observation, elle m'aborda, un jour, pour m'interroger :

– Comment savez-vous que Tino aime les films de gangster ?

– Parce que j'ai été trois fois au cinéma avec lui !

– Ah ! il vous avait emmenée ?

– Non, je m'étais assise deux rangs derrière lui et, la dernière fois, je le regardais de temps en temps avec ma lampe électrique ! »

Et cela continue ainsi de chapitre en chapitre...

Historienne énervée de Tino Rossi, si elle avoue ignorer le pourquoi de sa rupture avec Mireille Balin, Suzanne est tout de même parvenue à retracer avec une précision d'orfèvre, le déroulement des dernières heures précédant la séparation du couple Rossi/Balin :

« Il habitait 3 boulevard Suchet, quand il s'unit à Mireille. Elle lui avait communiqué le goût des arts et des belles choses.

Le 4 juin 1941, il vint la retrouver à Paris. Le 6, il repartait pour le Midi. C'était fini entre eux!»

À ce stade de la passion, on peut aisément comprendre l'exaspération de Lilia Vetti. «Je me suis battue toute ma vie pour garder Tino», avouera-t-elle un jour. Pauvre Lili, qui dû subir l'hystérie sans limites des monstres femelles qui faisaient l'assaut du père de son fils, prêtes à tout pour emporter un morceau de lui! Ces dames, après la guerre, loin d'avoir mouillé leur mèche, ont gagné en audace pour s'approprier vaille que vaille, fut-ce le temps de le regretter, l'objet de tous leurs fantasmes. Et fi de ses nouvelles rondeurs! N'est-ce pas la tripe qui fait l'homme?

En 1948, à l'ABC, une «tinopathe», de la Haute cette fois, fut arrêtée pour s'être promenée nue sous son vison, dans l'intention d'exhiber son corps devant qui l'on sait. On apprit par la suite que cette jeune illuminée vivait chez ses parents où, sur un autel disposé dans sa chambre tapissée de Tino, elle faisait brûler en permanence des cierges devant un portrait de l'être aimé.

À Montréal, en 1952, à la fin d'une représentation, une femme défit son corsage pour demander à son dieu de lui dédicacer son soutien-gorge. Lili à ses côtés, Tino refusa ferme!

Comme autrefois, les sacs postaux gonflés d'un brûlant courrier sont apportés chez les Rossi par cargaisons. Toutes sont des lettres d'amour. Des plus expressives à celles teintées d'un romantisme suranné, leur contenu varie et il faut les classer par thème. 25% d'entre les signataires relèvent carrément de la médecine des corps! Ainsi, de l'exquise canadienne, par exemple, qui propose à Tino de venir la rejoindre dans sa cabane: «C'est un petit logis, mais il y a un grand cœur rempli d'amour pour vous», on passe à la mystique sexuelle avec cette autre qui lui écrit: «Tino, ce soir, j'entrerai dans le grand cercle. Je serai nue, et je tiendrai debout l'épée sacrée levée vers Dieu. Je suis sûre qu'après la troisième invocation, vous arriverez. Je pourrai alors vous serrer dans mes bras et goûter avec vous la grande extase.»

«Il y a quelque chose qui n'a pas dû marcher dans ses invocations», raillera Tino, parfait manipulateur de cet esprit de dérision propre à tout Corse et dont la rue Fesch est un vivier.

Crânement, de ce jour tragique où une comtesse éprise de l'Idole faillit passer son visage au vitriol, à toutes ces journées plus ordinaires où des fans formant mêlée autour de leur Dieu dans la rue, elle recevait des coups de pieds sournois, des gifles parfois, Lilia Vetti a tout vécu et tout subi. Mais comme elle aime à le dire si volontiers : «J'ai gagné!»

Par volonté de se consacrer à l'éducation de leur fils affectueusement surnommé «Poupy», elle a su mettre un terme précoce à sa carrière, sans renoncer à suivre son homme dans ses périples français et internationaux. Elle devint alors son habilleuse, sa secrétaire, sa conseillère, sa critique la moins indulgente, sa confidente, sa seconde peau. «Nous sommes continuellement en voyage de noces», l'entendra-t-on se pâmer. Tant que le manège tournerait, elle avait en effet de beaux jours en perspective devant elle.

Quand vint la solitude, elle eut tout le temps de se souvenir, Lili. Longtemps et longuement, retranchée dans son appartement de Neuilly, puis derrière les murs du Scudo, elle se remémora toutes ces femmes sans pudeur qui lui menèrent la vie dure. Mais pas que cela. Les triomphes de son mari résonnant à ses oreilles de vieille dame inconsolable bourdonnèrent jusqu'à ce qu'un jour de mars 2003, trop seul sans elle, son bien-aimé se décide à la rappeler près de lui. Nul doute qu'ensemble, depuis lors, ils ont dû évoquer maintes fois leur merveilleuse tournée internationale en 1950, qui connut un si triste épilogue en Israël. Rien cependant ne leur a jamais enlevé à tous deux la sensation du profond accomplissement, lorsque debout sur la scène du Piccadily Theater en octobre 1950, par exemple, Tino réussit l'exploit de se faire acclamer par la perfide Albion, pour s'être donné la peine de roucouler dans la langue du général Wellington. À la même date, Chevalier faisait salle comble à Paris, au Théâtre des Variétés, Piaf remplissait celle du Versailles de New York, mais c'est le roi Tino que la presse française encensa. Pour un récital de quarante minutes par soirée pendant deux semaines à guichets fermés, il empocha la somme faramineuse de 4 millions de livres. Et les « English », chers à la Miss, en redemandèrent. Mais Tino se montra ferme : « Je ne signerai jamais un contrat au *finish* comme Chevalier, je ne tiens pas à mourir sur scène ! »

D'autres bravos attendaient le couple, car les victoires de l'un étaient celles de l'autre. Emportant avec eux les merveilleuses critiques du *Daily Mirror*, ils poussèrent plus loin l'aventure, en Italie, en Allemagne, en Autriche, en Grèce, et jusqu'en Égypte. Avant Israël...

Toujours, même après une petite gloire en Pologne, au Canada ou ailleurs, ils surent revenir vers Paris comme l'on rentre chez soi, avant de poursuivre vers le Scudo. Et puis, outre le sacre perpétuel des foules, partout des prix et des récompenses, lancés sur le chemin par les académies reconnaissantes.

Et comme tous ces triomphes auraient sonné bien faux sans les désaccords-surprises de la vie, parfois, l'accident de parcours, nécessaire pour se remettre en cause...

C'était à Romans, en octobre 1949.

Ce soir-là, on répéta que Tino s'était fait siffler parce qu'il avait dû rendre gorge. « La fatigue », plaida le chanteur. D'aucuns affirmèrent qu'à midi, chez Bouvarel, un restaurateur de la ville, Tino avait oublié son régime imposé par Lili : « Il a mangé comme un ministre ! », se gaussèrent les mauvaises langues. Quelles que soient les raisons de sa défaillance, reste que la voix de Tino avait bel et bien flanché, ce qui arracha ce commentaire moqueur à un agent : « On dirait Mistinguett ! » L'homme revenait de Paris où il avait vu la vieille Miss à l'ABC...

Pour se faire pardonner, le lendemain Tino versa 150 000 francs aux œuvres de bienfaisance de Romans.

Ils furent ainsi kyrielles à faire la ronde dans la tête de la pauvre Lili tous ces souvenirs bleu pâle « que les moins de vingt ans ne peuvent pas connaître ».

11.

INDÉTRÔNABLE !

« Je ne suis pas l'idole des jeunes, je suis
l'IDOLE tout court ! »

TINO ROSSI

Dans un fracas de « roulements de tambours loufoques », le
rock'n'roll s'était abattu sur la France dès la deuxième moitié
des années cinquante. Or, l'avènement des Sixties va précipiter
la chute des artistes « ancienne mode » qui résistaient encore,
vaille que vaille...

De tout côté on entend plus que ça
Un air nouveau qui nous vient de là-bas...

Chouette ! Super ! Sympa ! Sensas ! attention les yé-yés et le
twist débarquent ! L'orage durera ce que dure la bourrasque au-
dessus de la Grande Bleue mais pour l'heure, le ciel musical de
la douce France soumet à rude épreuve les « chanteurs à papa »,
dont certains se laisseront emporter à tout jamais par la
nouvelle vague.
On parle d'une révolution musicale.
« Et alors ! s'insurgent les sempiternels réfractaires, quand
bien même, elle ne serait que la deuxième dans ce siècle qui
nous a déjà imposé le jazz. Mais le jazz, c'était autre chose ! »
Ils ne croient pas si bien dire, à la seule différence que
le rock'n'roll ou le twist, l'un de ses dérivés, font cause
commune avec une mutation sociale qui a pour moteur cette

115

fois, non pas une classe de «charlestoneux» de salon, gominés et emperlousés, mais des jeunes de toutes conditions, résolus à décider pour eux-mêmes. La guerre des générations déclarée, les vieux sbires ne sont pas les moins déterminés à monter au créneau contre «une musique de sauvage qui ne pourra qu'entraîner la société tout entière vers sa nuit».

«Je ne suis pas comme eux, temporise Tino. Je pense qu'il y a de bons artistes, il se fera tout naturellement un tri et ceux qui ont ce qu'il faut resteront.»

En retour, guidés par Brassens («Moi, ma vedette préférée, c'est Tino Rossi, si je chante, c'est grâce à Tino Rossi, c'est pas pour ça que je suis un con!»), les jeunes loups de la chanson française ne sont pas en reste de compliments et de formules respectueuses envers leur aîné. Quand par exemple «miss tomates» (alias Sylvie Vartan) déclare que c'est un «copain» et qu'elle «l'aime beaucoup», Sheila, sa concurrente directe, surenchérit et assure que «sa gloire brille autant qu'avant» et qu'il est «toujours dans le vent».

Du côté des hommes, même son de cloche. Frank Alamo, une idole en sursis dont on dit que le père, riche industriel, finance la publicité, tombe en pâmoison: «Formidable! Voilà une idole, une vraie! Tino Rossi a accompli la plus belle réussite que l'on puisse imaginer.»

Richard Anthony, en revanche, accuse avec beaucoup moins d'enthousiasme son surnom de «Tino Rossi du twist». Plus tard, il s'en expliquera: «Ça me faisait flipper, mais au fond ce n'était pas faux. Tino Rossi... on voulait dire par là que je ne bougeais pas plus que lui, ce qui était vrai, que je menais une vie aussi calme que la sienne, ce qui était parfaitement juste, que j'étais rondouillard comme il l'était, ce qui était encore assez exact. Par la suite, j'en ai déduit qu'il s'agissait d'un compliment.»

«Au hasard des spectacles, je chante au même titre que Johnny Hallyday, Claude François, Eddy Mitchell et Richard Anthony, estimera Tino de son côté, en 1968, au micro de Jacques Chancel. Mais ceux-là que seront-ils devenus dans trente ans?...»

Ce à quoi, Chancel conclura par un malicieux : « La voilà bien la difficulté de répondre... »

S'il fit de son mieux pour n'en jamais rien laisser paraître, eu égard à la baisse conséquente des ventes de ses disques, à un moment donné Tino dut tout de même éprouver quelques sueurs froides. De quelle manière envisagea-t-il, lui la négation absolue de cette époque factice et éphémère, de tirer ses marrons du feu ? En annonçant tout bonnement dès 1963, au plus fort de la tourmente, son retour parisien sur la scène du Châtelet, dans une opérette de Francis Lopez : *Le Temps des guitares* ! À l'heure où Johnny déchaîne les foules avec la sienne, on a trop tendance à oublier que, le premier, Tino osa se présenter avec ce type d'instrument entre les mains. Pas davantage que Johnny maintenant, il ne savait en jouer, mais le geste y était. Aussi, « le Corse aux cheveux plats » se fait-il un devoir et une joie de remettre les pendules à l'heure. Son premier coup d'éclat de l'année 1963, le vieux troubadour le réserve en janvier au Tout-Cinéma parisien, lors de la Première mondiale de *Jusqu'au bout du monde*, un film de François Villiers, lauréat du grand prix du Cinéma français. Pour raconter l'histoire d'un père et de son enfant, le réalisateur a choisi de montrer la Corse sous son vrai jour, d'où la présence obligatoire de Tino qui, est-il besoin de le signaler, déride les plus guindés parmi la glorieuse assistance.

Pour refermer cette même année 63, l'Idole fera fort en chantant l'*Ave Maria*, en décembre, à l'Opéra de Paris, à l'occasion de la présentation en avant-première du film d'Otto Preminger : *Le Cardinal*. Têtes de distribution : Raf Vallone et John Huston, Romy Schneider se décommanda à la dernière minute. Elle a eu tort ! Pour la première fois dans l'histoire, un chanteur, en l'occurrence Tino, assura sa prestation avec des musiciens invisibles. Et pour cause, l'organiste de Notre-Dame de Paris l'accompagnait aux grandes orgues en duplex depuis la cathédrale. « Jamais Tino n'eut un tel trac », assure monsieur Bazinet, qui était de la soirée.

Le Temps des guitares n'est pas une première du genre pour le vieux vétéran de la chanson de charme. Dès après son retrait de l'écran, il avait essuyé les plâtres d'une discipline nouvelle pour lui : l'opérette, avec *Méditerranée*, en 1955, au Châtelet déjà, suivi de *Naples au baiser de feu*, donnée un peu plus tard à Mogador. C'est peu de dire que pour des coups d'essai ce furent des coups de maître, eu égard au succès monstrueux obtenu. Deux années d'existence pour *Méditerranée*, un petit peu plus, vingt-cinq mois, pour *Naples au baiser de feu* ! Nous parlons ici, madame, de représentations données à guichets fermés !

Avec *Le Temps des guitares*, déjà giflés par le tabac de Chevalier au Théâtre des Champs-Élysées – Momo qui chante *Le Twist du canotier* –, par celui de Bécaud à l'Olympia et avant cela par celui de Lucienne Boyer à Pacra, les yé-yés n'auront qu'à bien se tenir. Tino s'est entouré d'une jeunesse belle et sexy si l'on fait référence à Josy Andrieu et Rita Cadillac, et « dodue » lorsqu'il s'agit de citer le croustillant Pierre Doris. À cette joyeuse troupe, ajoutez le feu et l'expérience d'un Maurice Baquet aussi fringant qu'à l'époque de *Bibi Fricotin*, et Tino Rossi (dans le rôle de Tino Rossi) n'aura plus qu'à apparaître, sûr de ses troupes, pour déclencher la folie collective.

Car en 1960, comme en 1950 et avant cela en 1940, à en juger par les lettres, les fameuses, qui arrivent encore en masse chez les Rossi, l'hystérie féminine est toujours à son comble. « Incroyable ! se plaint Lilia Vetti. Elles lui proposent tout. Leur corps, leurs pensées... Des jeunes filles de dix-sept à vingt-cinq ans pour la plupart... »

Une fan allemande de trente ans, blonde, élégante, discrète, suit Tino dans toutes ses tournées. Elle a confessé avoir vu 52 fois *Naples au baiser de feu* et 63 fois *Méditerranée*. Pour *Le Temps des guitares*, prévoyante, elle a déjà loué sa place par téléphone depuis Berlin. Curieusement, elle demande toujours le fauteuil 35...

Si les femmes ont l'organe chatouilleux, outre-rhin toujours, il semble que l'effet de la voix du Rossignol ait provoqué les effets les plus inattendus. Nul n'a oublié l'exemple de cette jeune tyrolienne qui, quelques années en arrière, après avoir entendu Tino chanter l'*Ave Maria* de Schubert, retrouva sa foi perdue et reprit le chemin de l'église pour demander pardon à Dieu.

Maintenant libéré de la réserve qu'il est prudent d'adopter dans toute carrière en phase d'ascension, Tino, toujours aussi surpris de cet engouement inexplicable – on commence à murmurer ici et là qu'il serait un cas de science ou de médecine – se laisse aller en public à plus de relâchement dans le propos : « La femme en général est plus culottée que l'homme, assure-t-il. Un monsieur n'ose pas déclarer sa flamme à une idole féminine. Les femmes, rien ne les arrête... Inouï ! Je ne sais pas, moi. Mais, par exemple, je ne suis pas insensible au charme de BB, pourtant jamais je n'oserais aller la voir pour lui proposer de sortir avec moi... »

À l'initiative de Radio-Luxembourg, une vaste opération (« Bravo Tino Rossi ») est lancée en novembre 1963, afin d'aider à l'établissement du portrait-robot de l'admiratrice type du chanteur. Fait insolite, provenant des six coins de l'Hexagone et de l'ensemble du Benelux, près de 100 000 photos parviennent à la station en un temps record ! Ainsi, dès le 21 novembre, à la veille d'une bien triste date, celle de l'assassinat à Dallas du Président Kennedy, le *Parisien libéré* en accord avec Radio-Luxembourg, est en mesure de communiquer ce fameux portrait-robot à ses lecteurs : « Âgée de quarante-cinq ans, l'admiratrice type de Tino Rossi peut être mère de famille, employée d'administration ou secrétaire. Elle réside plutôt en ville ou dans les villages de plus de 5 000 habitants que dans les campagnes. Dans 70 % des cas, elle est mariée, dans 5 % seulement elle est divorcée, dans 23 % elle est restée célibataire. Elle aime Tino Rossi pour sa voix plus que pour son physique... »

En dépit de l'accueil triomphal du *Temps des guitares* par le public, et de la pétaradante métaphore utilisée par Stéphane Saps pour situer Tino face aux yé-yés – « Son succès, il ne le doit pas uniquement à la perfection du micro ; il n'y pas de mystère : une carrosserie de voiture de course avec quatre chevaux sous le capot ne gagnera jamais un grand prix » –, l'œuvre de Lopez et son principal interprète sont descendus en flamme par la critique. La plus vache d'entre tous : Claude Sarraute, à nouveau ! Dans *Le Monde* du 4 octobre 1963, celle qui n'est pas encore la mamie un peu larguée du Muppet's Show de Laurent Ruquier, y va de sa pique à bigoudi :

« Les tableaux se suivent et se ressemblent au fil d'une intrigue dont la facilité n'a d'égale que la vulgarité, et l'on écoute, et l'on s'étonne, et l'on attend qu'intervienne dans ce pauvre concert d'évidences, de plaisanteries plus lourdes que pétards mouillés, la fameuse « voix d'or ». Enfin la voici : Tino Rossi. Trois couplets, deux refrains, une ovation, et la vedette, à petits pas hésitants, incertains, abandonne le micro. Elle reviendra tout à l'heure. Visage impassible, à peine éclairé d'un sourire, lourde silhouette, dont la gaucherie confine à la fragilité, colosse aux pieds d'argile, au timbre gracile, il défie, tranquillement adossé à la pyramide de ses microsillons, la critique et relève davantage aujourd'hui de l'étude sociologique. Le spectacle, à vrai dire, était moins sur la scène que dans la salle, une salle où les contemporains de celui dont la popularité autour des années trente valait bien celle d'un Johnny Hallyday ranimaient de vieux souvenirs en feuilletant, de refrain en refrain, leur album de famille. À chaque génération sa recherche du temps perdu, de temps retrouvé dans l'évocation nécessairement un peu grimaçante, un peu pathétique, de ce qui a été, de ce qui n'est plus. »

Josy Andrieu, partenaire féminine principale de Tino, dans *Le Temps des guitares* fut choisie parmi 600 candidates. Vive, piquante et dotée d'un physique de mannequin, la jeune femme est la compagne d'André Bernard, lui-même mémoire vivante du spectacle français et président, entre autres, des Amis de Sacha Guitry dont il est le plus important collectionneur au monde. Également co-producteur de *La Chance aux chansons*, Pascal Sevran a écrit à son propos : « Je prétends me souvenir de tout, mais c'est lui qui n'a rien oublié. Sa précision me tue, autant que le désordre de ses dossiers prêts à s'envoler. »

L'accroche entre Josy et Tino fut immédiate.

D'où les grincements de dents des groupies qui auraient donné cher pour troquer leur place contre celle de la chanteuse. Mais Josy est de ces citadelles imprenables que même le fascinant Marlon Brando, en dépit d'une cour muette mais pressante, ne réussira pas à faire tomber.

« Je me suis beaucoup amusée à jouer pendant deux saisons la petite protégée de Tino, se souvient Mademoiselle Andrieu. Tino qui n'aimait rien tant que manger, entre deux scènes, me demandait mes recettes préférées. "Surtout, me recommandait-il, si tu manges de l'ail à midi, dis-le moi, j'en mangerai le soir. Ce sera plus facile pour jouer ensemble. Il faudra toujours qu'on s'avertisse chaque fois qu'on mangera de l'ail." Je me rappelle également du jeune Laurent Rossi qui traînait un peu trop souvent dans la loge des danseuses. Plus d'une fois, j'ai vu sa mère, Lilia, lui administrer de copieuses paires de baffes devant tout le monde... »

« Après le spectacle, enchaîne André Bernard, lorsque les nombreux amis Corses de Tino ne l'honoraient pas d'une visite, il nous emmenait au restaurant, René Novan, l'un de ses partenaires, et moi. C'était ce qu'il appelait des sorties "entre hommes". Là, j'ai appris à connaître le vrai Tino, un Monsieur qui, c'est peu de le dire, s'aimait beaucoup. Par réaction, il n'appréciait pas particulièrement ses concurrents ; Jean Lumière, par exemple, ou encore Reda Caire. Reda qui était pour Josy et moi, plus qu'un ami, un frère, à qui nous avions demandé de baptiser notre fille, disparut à l'époque du *Temps des guitares*. Nous en avons conçu beaucoup de chagrin. "Tu comprends, me déclara Tino, lui comme les autres, ils n'auront jamais été que des imitateurs. Il n'y a qu'un Tino !" Tout en étant quelqu'un de très simple, Tino parlait souvent de lui à la troisième personne, c'était parfois très drôle. Aznavour n'avait pas ses faveurs. Il se demandait comment "un type aussi moche et qui ne sait pas chanter pouvait avoir autant de succès". »

Un proche collaborateur de Tino, nous révèle de son côté que chacun de ses pairs se voyait secrètement gratifié d'un doux surnom. Ainsi, pour Aznavour, c'était « le nain » !

121

« Tandis que se jouait *Le Temps des guitares*, poursuit André Bernard, de l'autre côté du boulevard, Yves Montand tenait l'affiche au théâtre du Gymnase avec une pièce d'Arthur Miller : *Des Clowns par millier*. "C'est comme l'autre en face, me disait Tino en faisant allusion à Montand, il a joué dans *Le Salaire de la peur*, mais qui a reçu le prix d'interprétation ? Ce n'est pas lui, c'est Charles Vanel ! Moi, en 41, quand j'ai joué avec Vanel dans *Le Soleil a toujours raison*, Vanel on ne l'a pas vu, on n'a vu que Tino !" »

« En revanche il appréciait Brassens parce que Brassens l'aimait. Pareil pour Chevalier et la Miss pour qui il éprouvait beaucoup d'admiration. Quant à Luis Mariano, le problème se posait autrement, avec un discours encore différent : "Tu comprends, Mariano, c'est un très très gentil garçon mais c'est un peu comme si tu comparais une pièce de 5 francs, bien grosse et bien voyante avec un tout petit Louis d'or ; Mariano c'est la pièce de 5 francs, Tino c'est le petit Louis d'or !" »

De son côté, à propos de Tino, Mariano déclara un jour à Jean-Louis Chardans : « Nous nous connaissons depuis longtemps, mais chaque fois que nous nous retrouvons, nous affectons, je ne sais pourquoi, de nous voir pour la première fois. Chaque fois que je l'ai rencontré, son premier mot a toujours été : "Luis, est-ce que je n'ai pas manqué ?..." "Manquer", m'a dit un jour de confiante confession Tino Rossi, c'est faire rire quand il faut faire pleurer, ne pas être impeccable dans son travail, dans ses gestes ou sa fierté d'homme, dans sa noblesse... Un soir, continua-t-il, lors de mes débuts de vedette, j'ai failli tout abandonner... théâtre, chansons et famille. Au moment où je m'apprête à reprendre le refrain de *Marinella*, profitant d'une seconde de silence, un bonhomme du poulailler lance : "Mais il est ténor aussi !" J'ai arraché ma chanson malgré quelques rires, mais pour moi, j'avais "manqué". »

« Sur scène, on désarçonnait très facilement Tino, se souvient encore André Bernard. Un jour, quelque temps avant la fin des représentations à l'ABC, Josy, qui avait refusé de partir en tournée à cause du cachet minable que lui proposait le producteur, apprit qu'elle serait remplacée au pied levé par Jacqueline Boyer qui, n'ayant pas de travail, avait accepté les conditions du producteur. Vexée que Tino ne soit pas intervenu en sa faveur, elle décida de lui jouer un tour. Ce jour-là, avant la représentation du soir, elle se rendit chez son coiffeur qui lui suggéra de ne pas continuer à entretenir une fausse blondeur qui à la longue lui abîmerait la chevelure. "Fais-toi brune !" "Chiche !", répliqua Josy.

Arrive le moment de la représentation. Josy fait son entrée en scène comme d'habitude, sauf que lorsqu'il vit arriver une brune au lieu de la blonde qu'il connaissait et attendait, Tino resta sans réaction, incapable de prononcer le moindre mot. En coulisse, après le spectacle, ce fut toute une affaire. « Elle ne m'a pas prévenu, tu comprends, ça ne se fait pas ! » Pendant quinze jours, Tino refusa d'adresser la parole à Josy. De même lorsqu'ils avaient à jouer des scènes d'amour, il lui tournait ostensiblement le dos ! Puis, toute l'équipe partit en tournée et nous n'avons revu Tino que plus tard, à la faveur de galas que Josy donna à Ajaccio, à l'Empire ainsi qu'au casino municipal. Tino nous invitait chaque fois au Scudo, pour venir boire un verre et nous baigner dans sa piscine remplie d'eau de mer.

Un personnage, ce Tino !

« C'est justement à l'Empire qu'un soir, devant lui, j'avais créé une chanson très "second degré" écrite par Edmond Meunier qui l'avait d'abord proposée à Tino. Celui-ci ayant refusé de jouer le jeu de l'autodérision comme Maurice Chevalier le fit avec sa chanson *Soixante-quinze berges*, c'est donc moi qui ai hérité de ce texte. Bien entendu, j'avais avisé Tino que je chanterai devant lui et en public cette fameuse *Tinostatique*...

En cette époque agitée
Par le twist et par le rock,
Si j'effectue ma rentrée
C'est pour faire un contre-choc
Je peux apporter encore
Un peu de sérénité

Sur le feu qui vous dévore
Doucement je viens de souffler
Aux oreilles en détresse
J'apporte mon velouté
Enlevez vos boules Quiès
Pour vous je reviens chanter.

REFRAIN :

Tra-la-la c'est tout comme autrefois
Sans bouger le petit doigt
J'ai pas changé de manière
Et pourquoi changer quoi que ce soit
Ça fait trente ans déjà
Que ça marche comme ça.

J'ai une vaste clientèle
Et, soit dit sans prétention
Plus importante que celle
Des idoles de la chanson
Car si j'ai un auditoire
De fans quelques peu fanés,
Les croulants, y'a pas d'histoire,
Sont plus nombreux que les bébés ;
Pour moi j'ai le père, la mère
Le pépé et la mémé
Le compte est facile à faire
Ça fait quatre fauteuils de loués.

REFRAIN :

Les vieux qu'ont plus que l'âge de raison
Au moins ils ont ça d'bon,
C'est qu'ils sont davantage
Et ma foi, ça sera toujours comm' ça
Heureusement pour moi
Sans ça je n'serais plus là !

« La première fois qu'il entendit la *Tinostatique*, reprend André Bernard, Tino fit contre mauvaise fortune bon cœur et m'adressa tout de même un compliment, teinté d'un : "Tu vois, tu rigoles, mais tu ne seras jamais Tino Rossi !" »

Devant ce qu'il prenait parfois pour de l'irrespect, et qu'André Bernard qualifie de « manque d'autodérision », l'âge venant Tino n'était pas toujours sans ressort. Pour preuve ce superbe exercice de style qu'il avait offert dans les années 50 aux téléspectateurs de *36 Chandelles*, la fameuse émission présentée par Jean Nohain, face à Maurice Chevalier qui venait de le singer dans *Marinella*. Dans un sursaut d'improvisation, Tino s'était emparé du canotier de Chevalier pour s'en coiffer et interpréter à son tour et à sa façon un *Quand un vicomte* saisissant, mouchant ainsi le marchand de mouchoirs qui n'en est jamais revenu !

« Pour l'avoir très souvent côtoyé en de moult circonstances, poursuit André Bernard, ce qui m'a le plus épaté chez cet homme, en dehors de ses qualités artistiques, de sa fidélité, de sa vraie gentillesse, de son respect du public et de son honnêteté, c'est sa générosité vis-à-vis notamment de Paul Azaïs qui avait été l'un de ses partenaires au cinéma, mais qui surtout fut le fondateur de *La Roue tourne*, cette œuvre formidable destinée à venir en aide aux vieux artistes dans le besoin. Tous les jours, à l'ABC, Tino arrivait beaucoup plus tôt que tout le monde pour dédicacer consciencieusement une à une, les centaines de ses photos que Paul Azaïs lui faisait envoyer quotidiennement pour les revendre ensuite au bénéfice de son œuvre. Tino se vouait à cette tache comme on accomplit un devoir et le brave Azaïs savait qu'il pourrait toujours compter sur lui.

« Un autre geste magnifique de Tino, fut la sollicitude dont il fit preuve avec Mireille Balin, son grand amour de jeunesse, quand le destin s'en vint à jouer un méchant tour à cette star sublime des années 30. En effet, peu après la guerre, Mireille avait contracté une maladie en Afrique, je crois, qui transforma son physique à un point qu'elle était devenue méconnaissable. Son visage n'avait plus aucune expression, c'était affreux à voir.

Affreux et pathétique. Inutile de préciser qu'à la suite de cela, le téléphone ne sonna plus chez elle... Les conséquences furent pour elle une fin de vie particulièrement difficile. Lorsqu'il en eut connaissance, Tino vola à son secours et la mit à l'abri en finançant l'achat d'un appartement à Paris. À sa mort, vers la fin des années 60, en 1968, je crois, c'est lui, toujours, qui paya le tombeau.

Une magnanimité qu'il faut saluer.»

Comme il en avait quasiment essuyé les plâtres lors de la saison inaugurale de 1934, le triomphateur du *Temps des guitares* quitte l'ABC et sa loge rendue somptueuse grâce à la «fée Lili», en sachant que derrière lui le vieux théâtre délabré refermera définitivement ses portes. Voici donc un autre emblème du spectacle parisien voué à une disparition tragique et néanmoins imparable...

Pour la première tournée du *Temps des guitares*, de même que Jacqueline Boyer a remplacé Josy Andrieu, Jean-Marie Proslier reprend le rôle tenu jusque-là à Paris par Pierre Doris, et Christian Merry – qui sera à son tour remplacé par Georges Montal – celui de Maurice Baquet. Tous ensemble, avec Tino, pendant des mois, ils vont connaître les vicissitudes de la vie de troupe. L'une des escales les mène à Ajaccio, en décembre 1964, au théâtre de l'Empire, le temps de trois représentations. Le premier soir, «Tintin» décide de céder son cachet au profit des œuvres sociales de la ville, ainsi que l'intégralité de la recette de la soirée, imité en cela par Christian Merry, Corse lui aussi.

Les Ajacciens attendaient Tino, l'artiste, depuis longtemps. Après le spectacle offert, on s'en souvient, en 1949 à l'occasion du Tour de Corse cycliste, l'année suivante l'enfant prodigue était revenu chanter à Bastia cette fois, pour voler au secours d'une ancienne gloire déchue: le grand artiste lyrique César Vezzani, idole de son enfance, celui-là même que Laurent Rossi, son père, l'emmenait applaudir au Théâtre Saint-Gabriel d'Ajaccio. La déchéance physique et morale de Vezzani avait insupporté Tino qui mit son talent au profit de cette noble cause en donnant trois récitals à des heures différentes dans les trois cinémas de Bastia : le Régent, le Paris et l'Eden. Plus tard, en 1956, c'est dans le petit village de Morosaglia que le Rossignol fit entendre sa voix, à l'occasion de l'inauguration d'un buste érigé à la mémoire de Pascal Paoli, puis Bastia de nouveau, place d'Armes pour des cérémonies consacrées au «Père de la Patrie». La même année, à la demande du préfet Marcel Savreux, «Tintin» se retrouva sous les projecteurs de sa ville natale. Il s'agissait cette fois d'une campagne en faveur du développement touristique de l'Île de Beauté. Devant une foule énorme, il entonna *Le Printemps corse...*

Printemps, joli printemps, tu viens de Corse,
Là-bas, dans le maquis, tu prends tes forces...

« La première fois que nous avons pu applaudir Tino chez lui, ma femme et moi, ce fut vers le milieu des années 60 à Santa-Reparata di Balagna, près de l'Île Rousse, se rappelle Maurice Bazinet. C'était en été et à bord de notre bonne vieille Dauphine, nous avions fait spécialement la route depuis Ajaccio où nous étions en vacances comme chaque année. Les infrastructures d'accueil alors étaient maigres, le tourisme commençait à peine à se développer. Arrivés sur place, nous nous sommes rendus dans le seul hôtel visible et avons demandé une chambre. Il n'y en avait aucune de disponible. "C'est embêtant, avons-nous expliqué à l'hôtelier dans le feu de la conversation qui s'était engagée doucement, nous venons d'Ajaccio pour Tino et nous ne savons pas où coucher ce soir." Quelques minutes plus tard, nous nous retrouvions dans une chambre à quatre lits et le patron de l'établissement insista pour nous servir un repas qu'il refusa de nous faire payer ! Pour garer la voiture, même topo : il y avait bien un petit parking à proximité de l'hôtel, mais il était interdit. "Pour vous, rien n'est interdit, fit l'hôtelier, votre place est d'ores et déjà réservée..."

« Le soir, peu avant le début du spectacle en plein air, je suis allé parler à Tino qui venait de se préparer dans le seul endroit disponible, le confessionnal de la petite église du village, et faisait les cent pas pour tenter de combattre son trac. Un épouvantable trac qu'il a d'ailleurs traîné toute sa vie. Même s'il ne retenait pas les noms, il se souvenait de mon visage et je crois pouvoir dire qu'il nous appréciait ma femme et moi, parce que de notre côté nous le respections et à l'inverse de certains, ne le collions pas comme un bonbon, il avait horreur de ça ! Lorsque je lui ai rappelé combien nous prenions plaisir à séjourner en Corse depuis tant d'années et combien son île était chère à nos cœurs, il m'a répondu : "Vous avez de la chance, vous avez connu *ma* vraie Corse !" Il n'est pas faux de dire qu'avec les premiers touristes de masse qui n'allaient pas tarder à déferler en se comportant comme s'ils étaient en pays conquis, c'est-à-dire comme des imbéciles, les choses avaient déjà commencé à changer. »

Après le gala du Casone, à Ajaccio, en 1967, l'année suivante, Tino reviendra pousser la romance au pays, à Borgo, près de Bastia, pour apporter son concours bénévole dans le cadre de festivités historiques. Toute la Corse fera le déplacement pour l'acclamer.

Mais nous ne sommes qu'à l'été 1965 et la troupe du *Temps des guitares* doit poursuivre sa route. Durant trois mois, elle va sillonner la moitié sud de la France. En décembre, Tino arrive à Genève. « Il y a vingt ans que je ne l'avais pas vu, écrit J.-R. R. dans la sévère *Tribune de Genève*. Voilà un homme qui s'est perfectionné. Il chante maintenant mieux que jamais, avec ce que l'on pourrait appeler de la flamme. Il sait ajouter l'expression au bon endroit. »

Au mois de mars 1966 ; coup de théâtre !

Harry Sellers, représentant à Montréal de l'imprésario de Tino, disparaît en emportant 35 000 dollars (175 000 francs), le montant exact des billets vendus à l'avance pour les futures représentations du *Temps des guitares*. Tino qui déclarera en 1967 : « Tant qu'on me paiera cher, je continuerai de chanter », prend dans un premier temps le parti d'annuler son voyage, puis il revient sur sa décision et s'embarque pour New York. Il ne le regrettera pas car à Montréal, comme partout ailleurs, il joue à bureaux fermés pendant un mois et chaque soir

2 500 spectateurs l'acclament debout. À telle enseigne que la télévision canadienne lui consacre deux émissions non prévues et que 200 Corses de Montréal lui offrent un souper impérial! Seule la presse n'est pas rentrée dans le jeu : « Comment les organisateurs de cet affligeant spectacle osent-ils insulter le Canada français en montrant une telle production à Montréal ? », lit-on dans *Le Star*.

Retour en Europe, où Tino et son *Temps des guitares* n'en finissent plus d'écumer la province sous un chapiteau de 5 000 places loué au cirque Bouglione. Jean-Marie Proslier se souvient que, « cirque oblige », la troupe voyageait de ville en ville à bord d'une caravane vétuste dans laquelle ils vécurent au début de l'aventure avant de préférer le confort des chambres d'hôtel.

« Parfois, Tino m'emmenait dans sa voiture pour se rendre au chapiteau, souvent planté en dehors des villes, raconte l'humoriste. En approchant du cirque, la foule se faisait dense sur le chemin. Toute la famille était de sortie et on se précipitait pour voir et entendre celui que la radio avait à jamais consacré. Tout le monde n'avait pas encore la télé. Tino Rossi restait le mythe lointain qu'on voulait enfin découvrir et, si possible, approcher. Tino semblait toujours étonné de son succès. Le soir, dans la voiture, en fendant cette foule qui courait le voir, il disait avec humour : "Venez, venez, mes petits. Venez à la messe. Le Bon Dieu arrive !" Et le Bon Dieu faisait recette !, termine malicieusement Proslier. »

Bientôt, il fallut remplacer les Bouglione par un cirque régional pour le Sud et le Sud-Ouest et les péripéties ne manquèrent pas alors de s'ajouter aux péripéties. À Saint-Affrique, le chapiteau faillit s'effondrer. À Rodez, on ne le monta pas. Et la tournée dut attendre quelques mois avant de repartir, triomphale, mais dans de vraies salles de spectacle, cette fois.

Tandis que le vent commence à virer pour les yé-yés, que leurs tournées d'été tournent court, la presse française révise son jugement et revient à ses valeurs sûres : « Seuls les Beatles et Tino Rossi ne sont pas touchés par la crise. »

Tino se fait crâneur et revanchard : « Je chante depuis trente ans. Je suis navré que le public boude les artistes yé-yé. Beaucoup de vedettes de 1965 ont complètement disparu des affiches cette année. Ils se conduisent comme des bambins. Ils ne savent pas s'organiser et le public fait de moins en moins de folies. Il se lasse vite. Moi je tiens très bien le coup. Au contraire, chaque fois qu'une crise se déclenche, je suis encore plus demandé. Je suis une valeur stable. Je suis en marge des fluctuations. »

Tantôt Tino prétend ne pas se préoccuper des chiffres, tantôt il avoue suivre de très près la diffusion de ses disques. Son discours évolue selon les circonstances et la cote du moment. Ainsi, en décembre 1968, gêné par l'ébullition créée autour de Maurice Chevalier qui vient d'achever une tournée américaine triomphale, il lâche à un journaliste de *L'Aurore* : « Vous savez, on a beaucoup parlé de Chevalier tous ces temps-ci, mais vous savez que je le bats... En 36 ans de carrière, j'ai vendu près de 10 millions de disques ! » Chevalier, le seul artiste français à ce jour à avoir fait une vraie carrière aux États-Unis.

La dix millionième galette de vinyle de Tino Rossi, la firme Pathé-Marconi l'avait fêtée en grande pompe en mars 1956 et, à cet effet, le chanteur s'était vu remettre une guitare miniature en or massif avec clefs en rubis. Cinq ans plus tôt, il avait reçu l'Oscar de RMC (une médaille d'or gravée), des mains de Jacqueline Pagnol, au casino municipal de Beausoleil. En 1963, Pathé se mit à nouveau en quatre pour offrir une mémorable réception à l'hôtel Crillon, en l'honneur des trente ans de carrière de son « produit » le plus fiable. En 1967, peu avant le *Palmarès* que lui consacrera Guy Lux, un autre prix sera encore attribué par Radio Monte Carlo au Rossignol, dans le cadre marseillais du théâtre du Gymnase, concurremment à Françoise Hardy : le Ruban d'Honneur de la chanson française. Avant eux, seuls Chevalier, Gréco, Aznavour, ou encore Nougaro et quelques autres avaient eut accès à ce même privilège.

En 1968, ce sera au tour de l'Académie du disque Charles Cros, de décerner son Grand Prix à l'Empereur du vinyle, un prix *in honorem* pour l'ensemble de sa carrière phonographique.

Tino sera reçu au palais d'Orsay, dans le cadre du Festival international du Son, à l'occasion de son dernier album intitulé *Les Plus Beaux Tangos du monde*.

Ainsi l'Idole est fêtée et lorsqu'il se retrouve dans l'une de ces mondanités parisiennes auxquelles il préfère tout autant un bon *spuntinu* (casse-croûte) avec ses amis corses – tel Achille Péretti, maire de Neuilly, et un temps président de l'Assemblée nationale – on a du mal à l'éloigner du buffet.

« J'ai rarement vu quelqu'un manger autant, s'amuse André Bernard. Un soir, nous nous trouvions avec beaucoup d'autres artistes dans un cocktail à la mairie de Paris. C'était en 1981. Entre un petit four et un canapé, la bouche à demi remplie, Tino me glisse, en parlant de Chirac :

– Et celui-là derrière, comment tu le trouves ?

Je lui ai répondu que je n'avais pas beaucoup d'estime pour lui parce qu'il venait de faire battre Giscard et qu'on venait d'en prendre pour au moins vingt ans de mitterrandisme ! Très satisfait de ma réponse, Tino qui nourrissait la même opinion, prit Line Renaud à témoin :

– Line, Line, viens-voir. Écoute, ce qu'il vient de dire.

– Mais non, mais non, faisait Line, très diplomate.

– Tu vois, Line, continua Tino, ton ami, il a voulu être maire de Paris et il a réussi. Maintenant il veut être Président mais ça, il n'y arrivera jamais ! »

Pronostic doublement perdant...

Aux dires d'André Bernard, homme de droite, Tino ne faisait pas mystère de ses opinions politiques. Tout comme le fait de paraître « branché » pour se couler dans le moule de l'époque ne l'intéressait guère outre mesure.

En 1970, lors d'un cocktail donné dans les salons de l'Hôtel Napoléon, on lui présenta Hervé Watine, la vedette de *Hair*. Watine ? Inconnu au bataillon !

– J'ai entendu que vous chantiez pop maintenant, l'apostropha le jeune homme.

– Que je chantais quoi ? fit Tino interloqué.

– La pop music. Vous avez bien enregistré *L'homme qui se rappelle*?

– Oui. Quel rapport?

– C'est l'adaptation de *Melancoly man* des Moody Blues. C'est de la pop terrible, ça.

– Pas possible? Ma femme et moi nous avons trouvé la mélodie très belle. Ah, vous en savez des choses, vous les jeunes!»

Quand aux gaffes de l'illustre ajaccien, elles sont légendaires...

En 1973, alors que l'Académie Charles Cros vient de distinguer une nouvelle fois Tino pour ses quarante ans de carrière, un étrange dialogue s'instaure entre celui-ci et le lauréat du Grand Prix:

– Bonjour monsieur Pagani!

– Vous vous trompez, je suis Maxime Leforestier.

– Oh! Maintenant, on ne s'y retrouve plus, vous portez tous la barbe...

12.

CHERCHEZ L'EMPEREUR...

> «La Corse a donné à la France un empereur et un chanteur. Le premier a plutôt mal fini, le second n'en finit pas.»
>
> FRANÇOISE GIROUD

Tino s'amusait beaucoup d'une vieille histoire des années 50 ; la petite famille Rossi regagnait Paris par la route après un été passé en Corse, lorsqu'ils décidèrent de faire halte à Montélimar, au *Relais de l'Empereur* précisément. L'hôtelier en conçut une fierté telle qu'il ne vit d'autre alternative que de proposer à Lili et à son époux la chambre du grand homme. Jugé trop étroite par ses parents, c'est Laurent qui en définitive hérita du privilège de couler son petit corps dans la couche impériale.

— Petit, tu vas dormir dans le lit de Napoléon, tu m'as compris ! Pas de bêtises...

Le lendemain, fier comme Artaban, le « petit » vint embrasser son père :

— Dis, papa, j'ai pas fait pipi dans le lit du tonton !

« Hé, pour nous autres, Corses, l'Empereur, c'est la famille ! », plaisanta Tino en rapportant l'anecdote à la journaliste Caro Canaille, prenant ensuite son ton le plus grave pour ajouter : « C'est encore ce qu'il y a de plus sûr pour ne jamais mourir tout à fait, de se continuer dans ses enfants... Je me rends compte du calvaire qu'a dû endurer notre Napoléon d'être séparé de son Aiglon. L'Empereur est resté immortel, mais l'homme a dû beaucoup souffrir. »

« À la différence d'Alexandre ou de César qui avaient une prédestination d'origine familiale, Napoléon tenait peut-être son destin d'un mystérieux rapport avec le cosmos », supposa un jour André Malraux, avec un fort accent de conviction.

Napoléon-l'Incomparable, auprès duquel toutes les gloires présentes et passées font bien pâle figure ; Napoléon-l'Incompris, génie hors dimension dont le malheur a été de ne jamais trouver interlocuteur à sa mesure ; Napoléon-le-Futuriste, à la fois intemporel et trop en avance sur son temps ; Napoléon-le-Maudit dont on a confondu l'ambition personnelle et son amour immodéré pour la France, une qualité qu'il ne fait pas bon décliner à l'heure d'une mondialisation inquisitrice.

Au gré des inclinaisons politiques de ceux qui s'essayent depuis deux siècles à analyser le phénomène Napoléon, le personnage apparaît sous des jours plus ou moins flatteurs. Ainsi, sur cette star des stars de l'histoire de l'humanité, beaucoup de choses ont été dites, écrites et à en juger par le flot incessant de publications annuelles sur le sujet, il semble que le bal des laudateurs ou des révisionnistes ne soit pas prêt de prendre fin. À la bonne heure ! Preuve que l'homme et son oeuvre demeurent sinon essentiels, au moins incontournables.

En Corse, les séparatistes les plus « chevrotinés » ont beau renier le Roi des rois et plébisciter en lieu et place Pascal Paoli, – ce qui semble de bonne guerre – il n'en reste pas moins que sans rien retirer au *« Babbu di a pàtria »* (Père de la patrie) tout ce qui lui revient, aux yeux du monde et le monde ne se limite pas aux rivages de l'Île, Napoléon demeure le Corse le plus représentatif.

Ainsi, aux fins de célébrer le 200e anniversaire de l'enfantement de l'Illustrissime, en 1969 la ville d'Ajaccio décide-t-elle de se surpasser. Le 15 août, tous les projecteurs internationaux seront braqués sur la petite Cité impériale. Pour la municipalité à majorité bonapartiste, conduite par le bien-aimé Pascal Rossini, il ne s'agira pas de passer à côté de l'un des événements majeurs du siècle en cédant à l'amateurisme et à l'improvisation de dernière minute. À Paris et sur l'ensemble de l'Hexagone, Napoléon sera fêté mais c'est ici à Ajaccio, dans son berceau, qu'il devra renaître ; il en va de l'honneur de la Corse ! Au moins de celui d'*Aiacciu bellu*...

Tino Rossi, nous le savons, vouait à son célèbre compatriote, dont il prétendait avoir une filiation, une profonde admiration. « Je ne le dis pas trop, plaisantait-il, parce que j'ai peur qu'on pense que je me prends pour lui. » Pour l'anecdote, l'une de ses sœurs avait convolé en premières noces avec un dénommé Boulet, descendant du bottier de Napoléon...

En 1950, Tino avait offert pour 48 000 francs de casquettes à la fanfare municipale bonapartiste d'Ajaccio (l'Orphéon). Pour le remercier, les musiciens l'avaient convié à sabler le champagne à l'hôtel de ville en compagnie du maire de l'époque – bonapartiste s'entend, monsieur Sérafini, un ami du chanteur.

Or, pour l'enfant de la rue Fesch, fils de *Larenzu u mere* et de *Genia*, la célébration des fêtes du bicentenaire commencent par une rebuffade. Il semble en effet que personne n'ait pensé à lui, lui le Corse défini comme le plus célèbre au monde après l'Autre, pour la « Croisière impériale » organisée au mois d'août 1968 entre l'île d'Elbe, la Corse et Sainte-Hélène. Bizarre, bizarre... « Un oubli, peut-être », fait mine de relativiser Tino auprès du journaliste de *L'Aurore*, Hubert Faure-Geors. En réalité, au fond de lui, large est la meurtrissure, car ce n'est pas seulement dans sa sensibilité de ménestrel qu'on l'a atteint cette fois, mais dans son identité de Corse !

Cette déconvenue ne détourne nullement Tino, acquéreur d'un nouvel appartement, boulevard Maillot à Neuilly, de son ambitieux projet artistique : l'enregistrement avec le concours de la Garde républicaine d'un 30 cm à la gloire de l'Empire, une alternance de chansons corses et de marches consulaires. *L'Ajaccienne*, *Le rêve passe*, *Le Rocher de Sainte-Hélène*, *La Marche du 1er consul*, *Schönbrunn*... Depuis le temps qu'il en avait envie... Manifestement Tino s'est fait plaisir, mais il est à peu près assuré que les nostalgiques de l'Aigle y trouveront également leur compte.

La sortie du *Bicentenaire de Napoléon* a été fixée à la fin de l'année 1968. Pour l'occasion, au tout début du mois de décembre, Maxim's met les petits plats dans les grands afin de recevoir dignement la famille Rossi au complet ainsi que tous les invités prévus pour cette grande sauterie musico-impériale, dont Yvette Horner, le conservateur de la Malmaison, André Castelot et madame, le préfet de Paris, le maire de Cassis, le prince Napoléon, Michel Droit et la danseuse Claire Motte. Devant un immense drapeau historique déployé au milieu de la salle et sur lequel on peut lire : « l'Empereur des Français au 25e Régiment des Chasseurs à cheval », Tino se laisse photographier en train de découper une énorme pâtisserie en forme de Corse. À ses côtés, la précieuse Lili veille au bon déroulement des opérations, prête à intervenir en cas de coups de fourchette trop intempestifs de la part de son époux aux yeux déjà brillants...

Le 5 mai 1969, comme un coup d'envoi à ces festivités impériales tant attendues par les aficionados de Napoléon – ils sont pléthore répartis sur l'ensemble de la planète, en étroite relation avec l'Association mondiale des Corses –, Tino étrenne ses nouvelles chansons à thème sur la scène de l'Olympia au cours d'un *Musicorama* spécial. Là encore, on n'a pas fait dans la demi-mesure ; pas moins de six Caravelles affrétées spécialement ont assuré un pont aérien entre Ajaccio et Paris, puis Marseille et Paris, pour permettre aux Corses de l'Île et à ceux de Provence de se retrouver en famille chez Coquatrix, avec l'Empereur, son chantre et (en option) le Petit Prince... Ce premier coup de pétard lancé dans le ciel parisien allait préfigurer un autre embrasement céleste dont le monde tout entier allait se souvenir.

14 août 1969.

Croulant sous le nombre et la composition éclectique des estivants qui ne furent jamais aussi nombreux que cette année, Ajaccio vit dans un état de fébrilité sans précédent les dernières heures des préparatifs. Les commémorations succédant aux manifestations culturelles qui toutes tendent à donner un nouvel éclat au culte de l'Empereur, au Palais Fesch, par exemple, une exposition exceptionnelle est proposée avec pour thème : « Napoléon, la Poste et la Philathélie ». On y présente le timbre émis à l'occasion du bicentenaire, tandis que se poursuivent un petit peu partout en Corse les représentations du spectacle : « Visage de l'Empire », donné par une troupe locale.

« Demain, il s'agira de faire bonne figure pour accueillir le Général avec tous les égards qui lui sont dûs. De Gaulle à Ajaccio, c'est déjà quelque chose, mais quand on sait qu'il viendra y faire l'éloge de celui dont, en dépit du chahut de l'année précédente, il est toujours l'actuel et digne successeur sur le "trône" de France, alors là !... »

C'eût pu être une amorce d'article idéale dans un canard local tel que *Le Journal de la Corse*, doyen des éditoriaux européens. Las ! la visite de De Gaulle avait bien été programmée, mais le cours de l'histoire et la versatilité de ceux qui, en croyant la faire la défont parfois, en décidèrent autrement. Depuis deux mois très exactement la France est devenue pompidolienne, et à défaut de « Tante Yvonne » et du « Grand Charles », ce seront donc « Georges » et « madame Claude » qui honoreront de leur présence les festivités ajacciennes du bicentenaire. Faveur pour le moins flatteuse lorsque l'on sait que la Cité impériale sera la première ville de province visitée par le nouveau président. Les autres régions n'auront qu'à bien se tenir...

Pour faire honneur au chef de l'État, Pascal Rossini, le maire, enjoint ses administrés d'illuminer fenêtres et balcons, vitrines et devantures, de pavoiser abondamment demeures et commerces et enfin de participer en foule aux diverses cérémonies d'une année tout entière consacrée au souvenir du plus illustre des Ajacciens. À l'hôtel de ville, au soir du 13, le premier citoyen s'est laissé photographier dans son bureau en compagnie de Tino Rossi, avec qui il a réglé les derniers détails d'un tour de chant, clou de cette journée historique. Cette année, le 15 août, jour de la fête de l'Assomption et fête de la ville, sera un grand jour !

Pour l'heure et ce depuis le 9 août, le couple présidentiel séjourne au fort de Brégançon. Dès avant son arrivée en Corse, répondant aux questions de Jean-Claude Verots de *Nice-Matin*, Pompidou annonce la couleur :

– Quels thèmes, Monsieur le Président, développerez-vous le 15 août à Ajaccio?

– Je parlerai du héros d'abord et ensuite de l'homme qui a fait la France actuelle.

– Que pensez-vous des efforts de certains littérateurs en vue de ternir la gloire de Napoléon?

– Vous pensez à des auteurs comme Henri Guillemin? Monsieur Guillemin a passé sa vie à chercher dans les boîtes à ordures. Il l'avait déjà fait pour Victor Hugo. Ce n'est pas mon genre.

Et la Première Dame de surenchérir:

– Tout le monde a ses poubelles, mais il n'est jamais bon de les sortir...

Le jour J, les premiers signes de chaleur qui surprennent autochtones et estivants au saut du lit, laissent augurer d'une journée particulièrement pénible. Partout dans les établissements publics, bars, cafés, restaurants, brasseries, tandis que la foule de plus en plus compacte commence à s'agglutiner derrière les barrières de sécurité métalliques, que les forces de douanes, de police et de gendarmerie mettent en place des barrages de contrôle, les commerçants font provision de boissons fraîches. Il faut que tout soit prêt avant l'arrivée du président à l'aéroport, prévue selon le programme officiel aux environs de 9 h 45, soit une demi-heure après celle des ministres Michel Debré, René Pleven, Raymond Marcellin, Olivier Guichard, Albin Chalandon, François Ortoli, Joseph Comiti et Jean de Lipkowski. Seront également présents sur le tarmac de Campo dell'Oro pour accueillir Georges Pompidou, l'amiral Cabanier, grand chancelier de la Légion d'honneur, les généraux d'armée Fourquet et Morin, respectivement chef d'état-major des armées et chef d'état-major de l'armée de l'air, l'amiral Philippon, commandant l'escadre et André Chamson, directeur général des Archives de France. Présentations faites au président du prince Napoléon, d'Achille Peretti, président de l'Assemblée nationale et du maire Pascal Rossini, le cortège pourra alors se déployer entre le petit aéroport et l'hôtel de ville, en plein cœur du vieil Ajaccio.

Ça y est, les voilà, ils arrivent... Si les officiels ne restent que très peu de temps dans les salons napoléoniens de la mairie, c'est qu'on a pris du retard sur l'horaire prévu. En outre, Mgr Collini, évêque d'Ajaccio, qui doit célébrer une messe solennelle sur la place Foch, montre des signes d'impatience.

« Allez dans la paix du Christ... » Après la bénédiction, place maintenant au discours du président sur la place de Gaulle, où il se rend à pied pour accéder à l'estrade dressée face à la statue de Napoléon entouré de ses quatre frères. Certains ajacciens de la première garde doivent se souvenir de ce jour où on leur avait laissé croire que le directeur du haras de Castelvecchio avait prétendument insulté l'Empereur... « lâche, descend de ton cheval ! »...

« Le génie de Napoléon domine notre histoire comme il préfigure l'avenir de l'Europe ! », déclare Pompidou, à l'endroit même où le jeune *Nabulione* caressa ses premiers rêves de conquêtes.

Dans les eaux impériales, le spectacle des trois superbes bâtiments de l'Escadre de la Méditerranée fait la consolation des badauds qui n'ont pu avoir accès au quartier du Casone où se déroule maintenant sous les yeux du président une impressionnante parade regroupant pas moins de 3 000 hommes de troupe. Restaient les airs pour être au diapason de ce formidable déploiement de faste militaire. Tandis que les applaudissements crépitent, recouvrant à peine un assourdissant fracas de réacteurs, la Patrouille de France, étoffée d'une douzaine de Mirage III, s'emploie à combler cette lacune et le temps de passages furtifs joue les vedettes du ciel.

Et Tino, que fait Tino, pendant ce temps ?

Sans doute se préserve-t-il dans la fraîcheur précaire du Scudo, avant sa divine apparition du soir sous les étoiles ajacciennes ? Mais non ! puisque le voilà franchissant les grilles du palais Lantivy où la foule l'ayant reconnu n'en a que pour lui. « Vive Tino ! » « Hourrah ! » Il est 16 h 30. Après la visite présidentielle à la maison natale de Napoléon et au musée Fesch,

800 personnalités sont invitées à faire honneur aux agapes républicaines dans les salons de la préfecture.

« À la sortie du musée Fesch, bousculé par la horde des journalistes, je me suis retrouvé dans la voiture de Monsieur Pompidou, se remémore Maurice Bazinet. Confus, avant d'en ressortir, je me suis excusé auprès du président. « Il n'y a pas de mal, me répondit-il, en riant, ce fut un grand plaisir ! »

Le même Pompidou qui, lors de la réception à la préfecture, confie à Tino qu'il aurait tant aimé avoir sa voix :

– Je chante horriblement faux, cher Tino.

– Peut-être chantez-vous faux, Monsieur le Président, mais vous parlez juste !

À l'instar de Maurice Bazinet, beaucoup d'autres admirateurs de Tino ont fait le déplacement depuis le Continent. Oublié le soleil assassin qui cogne sans alibi et les gorges desséchées par l'attente : l'essentiel était d'apercevoir l'Idole, fut-ce une seconde. Ils savent et tout le monde sait qu'ils vont le revoir et l'entendre ce soir à 22 heures, lorsque juché sur un podium spécialement aménagé sur la plate-forme supérieure de la gare maritime, il redeviendra un immortel inaccessible. Cantinières, grognards et figurants censés reconstituer la cour impériale seront de la grand-messe et lorsque retentira *L'Ajaccienne*, c'est à genoux devant l'Empereur Tino qu'ils recevront cet hymne napoléonien éminemment populaire, œuvre d'un enfant d'Ajaccio, Jean-François Costa, qui en écrivit le texte en 1848, sur la musique d'un hymne religieux très ancien, semble-t-il.

« Vers 20 heures, nous avons quitté la maison pour tenter d'aller écouter Tino sur le port, rapporte Cécile Bonini. Nous aurions mieux fait de suivre la retransmission en direct à la télévision ! Ce que fut cette nuit du 15 août 1969 à Ajaccio, tandis que de l'autre côté de l'Atlantique, les Américains célébraient dans les rues de New York leurs propres héros, ceux de la conquête lunaire, relève du cauchemar. La circulation ayant été interdite, plus nous approchions du centre ville, moins nous pouvions avancer tant la foule était dense. Dense et effervescente. Il faisait chaud, atrocement chaud et l'on ne trouvait plus d'eau nulle part. D'où des évanouissements et des malaises en cascades qui donnaient bien du souci aux CRS pourtant nombreux mais débordés. Seulement, Tino n'allait chanter que trois chansons et personne ne voulait le rater! Plus que le feu d'artifice qui devait suivre immédiatement sa performance et qui allait tenir toutes ses promesses, c'était Lui qu'on attendait!»

Ah! ce feu d'artifice, sans doute fera-t-il parler des lustres! D'aucuns prétendent que pour l'heure en France, il n'a d'égal que celui offert par Louis XV à son petits-fils Louis-Auguste, le 19 mai 1770, à l'occasion de son mariage avec l'infortunée Marie-Antoinette.

La bataille d'Arcole, la campagne d'Égypte, le sacre, les Abeilles d'or, le soleil d'Austerlitz (mis au point par Ruggieri), le passage du Grand Saint-Bernard, la naissance du roi de Rome, l'île d'Elbe, les Cent-Jours: par le son, la couleur, la forme et les effets, en 17 tableaux l'essentiel de l'épopée napoléonienne fut retracé au-dessus d'un port d'Ajaccio entièrement plongé dans l'obscurité. Soit l'utilisation de 20 km de fils, des milliers d'engins et de pétards: 7 tonnes de matériel au total! Époustouflant le final, qui recréa un orage digne des batailles de Marengo, Iéna et Wagram réunies par un bouquet impérial, et mit un terme officiel à cette communion mémorable entre le passé et le présent.

Or, ce soir-là, il y eut deux cerises sur le gâteau: Tino et le feu d'artifice, et vice versa, même si pour des raisons techniques et de traditions, les fumigènes eurent le dernier mot. Tino qui imposa un silence impressionnant au moment où, devant un paquebot *Napoléon* tout illuminé, le *Dio vi salvi Regina*, hymne sacré de la Corse (en latin), coula de son larynx d'or pour aller se poser sur les êtres, comme on distribue à des privilégiés un petit morceau d'éternité. Une deuxième chanson, *Le rêve passe*, et pour finir *L'Ajaccienne*, avant l'assaut de la clameur populaire relayée par les pétarades colorées.

«Je crois que c'est à ce moment-là que j'ai ressenti le plus la fierté d'être Corse, plus que tout ce que j'avais vu, que j'avais fait dans ma vie d'artiste, confessera "l'autre empereur", dans *L'Aurore*. Cela était pour moi la consécration, non seulement d'être une vedette, mais d'être également aimé par les siens. »

« Le feu d'artifice venait de se terminer, conclue Maurice Bazinet, lorsque Tino passa devant ma femme et moi qui étions assis pratiquement par-terre, épuisés par la journée épique que nous venions de vivre. Prenant alors cet air malicieux que nous lui connaissions bien, il nous lança : "Alors, ma vieille garde, on bivouaque ?" Sa vieille garde, il nous appelait toujours ainsi, nous les plus anciens. En cette commémoration impériale, ce fut plus que jamais de circonstance, et Tino plutôt fier de lui n'est pas passé à côté de sa boutade ! »

C'est un homme et un artiste au cœur gonflé et plein d'allant qui regagne Paris, après un traditionnel séjour estival au Scudo. Paris où il y a beau temps que le théâtre Mogador affiche complet. *Le Marchand de soleil*, la nouvelle opérette de l'Idole, les tinorossistes des grands jours l'attendent depuis que les colonnes Morris de la capitale ont commencé à en assurer la promotion.

Henri Varna vient de s'éteindre, laissant provisoirement la direction de Mogador aux mains de Gilbert Caucanas qui fut le producteur du *Temps des guitares*. Pour cette nouvelle entreprise, Caucanas a investi pas moins d'un million de francs qui ont entre autres permis le financement de 200 costumes et de 14 décors. De plus en plus, l'ambitieux édifice prend une telle ampleur et requiert tant de mises au point en tous genres, lumières, musiques, livrets, ballets, que la date de la Première est sans cesse repoussée. Dans les coulisses, les règlements de compte internes ralentissent d'autant les opérations, dont la presse se fait le relais. « Laurent Rossi est trop gourmand », titre *Paris-Presse*. Tino devra se faire une raison : son fils ne signera que quelques airs, huit sur la vingtaine programmée. Henri Betti et Jean-Pierre Landreau, auteurs maison, avaient grincé des dents. Caucanas a réussi à calmer les appétits de Messieurs Rossi, père et fils. Comme il le dit : « Lorsqu'on joue un million sur une opérette, on ne met pas toutes ses billes sur un compositeur débutant. »

En novembre, c'est le coup d'envoi ; Antoine Castelferrac (Tino), un « businessman philosophe et multimillionnaire » accoste avec son yacht, un soir de réveillon à Paris, au port de la Concorde...

Comment la critique parisienne accueillit-elle cette comédie musicale réalisée d'après une idée originale et un livret de Robert Thomas ?

« Tino Rossi, c'est comme Capri, la tour Eiffel, l'Arc de triomphe, nous dit Michel Delain de *Paris-Jour*. Il faut l'avoir vu au moins une fois dans sa vie. Et pas seulement sur carte postale ! En vrai ! Le record national d'applaus est pulvérisé dès qu'il entonne *Petit Papa Noël* et *Sous les ponts de Paris*, debout, à la proue de son yacht. C'est l'apothéose. Le cœur de trois générations se met à battre le rappel. À l'âge de Gabin, Tino joue les jeunes hommes. Personne ne le conteste. *Marinella* envoie *Pépé le Moko* au tapis ! La ligne Rossi écrase la ligne Gabin. Il est éternel comme la Seine. Il roucoule, coule, coule... »

Et quelque part, derrière sa machine à écrire, Claude Sarraute, qui n'a pas encore capitulé devant la majesté de Tino, continue de s'arracher en hurlant ses premiers cheveux gris...

Tino, « le roi du Fouquet's ! » Il fréquentait chaque jour le prestigieux établissement des Champs-Élysées. Il avait sa table réservée à l'année et, de 17 à 20 heures, il retrouvait ses amis, Raimu, Marcel Pagnol, Andrex, Rellys, Delmont et Maupy.
© Roland Gerbeau

Tino Rossi ne dédaignait pas de poser pour des publicités commerciales.
© Coll. Emmanuel Bonini

Tino Rossi fut, avec Napoléon Ier, l'un des meilleurs ambassadeurs de la Corse. En 1971, avec Jean Ricci, auteur d'un guide touristique de l'île de Beauté. © *Coll. Roland Gerbeau*

Antoine Bonelli (à gauche), que Tino surnommait « le Bouddha », et Paulo Quilici (à droite), lors d'une émission de Danièle Gilbert, tournée en Corse à Belgodère. © *Roland Gerbeau*

Le Scudo, la fierté corse de Tino Rossi. Cette propriété de deux hectares et demi, en bordure du golfe d'Ajaccio, est le symbole de sa réussite et de sa revanche sur la vie. © *Roland Gerbeau*

À l'entrée du Scudo, juste avant la piscine remplie d'eau de mer et une magnifique pinède où les oiseaux sont rois, les citronniers de Tino offraient aux visiteurs un avant-goût du paradis. © *Roland Gerbeau*

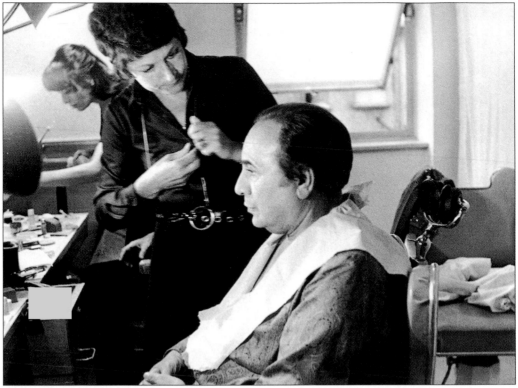

Tino Rossi inconnu, tel qu'il n'aimait pas se montrer ! Avant une émission de télévision, entre les mains habiles d'une maquilleuse. © *Roland Gerbeau*

Tino Rossi, Fernand et Michel Sardou, Franck Fernandel sur le plateau d'une émission de Danièle Gilbert vers 1976-1977. © *Roland Gerbeau*

Avec Joseph Pasteur, lors des *Dossiers de l'écran* qui lui étaient consacrés en 1977 pour ses soixante-dix ans. © *Roland Gerbeau*

Le Grand Échiquier de Jacques Chancel. © *Roland Gerbeau*

Avec Roland Gerbeau durant le tournage d'une émission de Roger Pradines. Ex-chanteur des années 1940 et 1950, Roland Gerbeau fut pendant dix-sept ans la providence de Tino. Attaché de presse, conseiller, ami et complice. © *Roland Gerbeau*

Méticuleux, respectueux des autres comme de lui-même, Tino était un artiste de la « vieille école » du music-hall. Dans sa loge, vérifiant son costume ou jetant un œil à sa montre. Il est bientôt 18 h 30, il va falloir se préparer à entrer sur scène...
© *Roland Gerbeau*

1980, Maubeuge,
Kermesse de la bière.
Ça y est, sous les acclamations
de la foule, il apparaît enfin.
© *Roland Gerbeau*

Accompagné
par Paul Pirot,
Tino interprète
Le rêve passe.
© *Roland Gerbeau*

En Camargue,
à la féria de Nîmes,
Tino pose fièrement
devant les fameux gardians
lors d'une émission
de Danièle Gilbert.
© *Roland Gerbeau*

Avec Mireille Mathieu sur un plateau de télévision. « Mimi », c'était un peu la famille de Tino. Il n'avait de cesse de lui répéter : « Moi, j'aime le public comme une femme. Toi, tu dois l'aimer comme l'homme de ta vie ! » © *Roland Gerbeau*

Un complice de toujours : Charles Trenet. Ils débutèrent à la même époque. Au piano, un troisième « cher disparu » : *Monsieur 100 000 volts*, Gilbert Bécaud. © *Roland Gerbeau*

Hôtel Bristol, le 8 avril 1975. L'Oiseau des Îles et le Rossignol corse. Quatre jours après, Joséphine Baker s'envolait au paradis... (à l'arrière-plan, Thierry le Luron). © DR / Coll. Emmanuel Bonini

> J'ai deux amours
> Joséphine et Scotto.
>
> *Tino Rossi*

Le 17 novembre 1937, dans les salons de l'hôtel George-V, Joséphine Baker et Tino écrivirent la première page d'un beau roman d'amitié qui se referma en 1975 avec la disparition brutale de la « Vénus d'ébène ». © D.R.

En 1979, Tino Rossi se rendit au Parlement de Strasbourg pour chanter *L'Hymne à l'Europe.* Simone Veil, qui fut la première présidente du Parlement européen, avait reçu la sérénade à Ajaccio quelque temps auparavant. C'était une nuit à la préfecture... Réveillée par trois musiciens (dont Jean Bozzi), elle était apparue toute de bleu vêtue, en déshabillé de nuit, telle une fée. *© Roland Gerbeau*

À Strasbourg,
en direct du journal
télévisé de 13 heures,
avec le regretté
Yves Mourousi.
© Roland Gerbeau

À l'occasion de la sortie de son disque *Lourdes*, Tino se rendit en visite privée à l'invitation de M. Abadie, maire de Lourdes. © *Roland Gerbeau*

Le *Tino Show*, de Maritie et Gilbert Carpentier au studio 17 des Buttes-Chaumont. Dans cette séquence de l'émission (« La fête à Ajaccio »), devant le *Napoléon* en escale dans le port de la cité impériale, Tino retrouve ses racines corse en chansons. © *Roland Gerbeau*

« Napoléon, mon cousin », avait-il l'habitude de dire ! 1969 : année du bicentenaire de la naissance de l'Empereur. Tino donnera libre cours à sa passion pour son illustre compatriote dont il était un fervent collectionneur. Le 15 août 1969, il chante à Ajaccio lors de la soirée commémorative. Toute l'année, « l'autre empereur » honorera de nombreuses manifestations et émissions télévisées consacrées au grand homme.
© *Roland Gerbeau*

Avec Philippe Bouvard lors d'un hommage télévisé à Napoléon.
© *Roland Gerbeau*

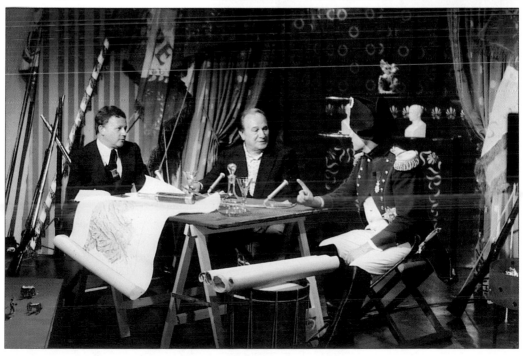

Le Casino de Paris !

En 1982, pour célébrer son « jubilé d'or », Tino décida de revenir dans ce grand music-hall qui l'avait consacré à ses débuts. Dans sa loge ou sur la scène, la même rigueur et une élégance inégalée.

Ci-contre, l'un des tableaux de la première partie du spectacle, avec un bataillon de guitaristes emmenés par Antoine Bonelli.

© *Maurice Bazinet*

« Les bons finissent toujours par gagner ! » Tino Rossi, parce qu'il a réussi sa sortie, Roland Gerbeau, parce que son intégrité lui a assuré sa place à la droite du « Bon Dieu », et Lilia Vetti, la dernière épouse, parce qu'en triomphant de toutes celles qui voulaient lui voler son mari, elle est devenue Mme Rossi, éternellement ! © *Roland Gerbeau*

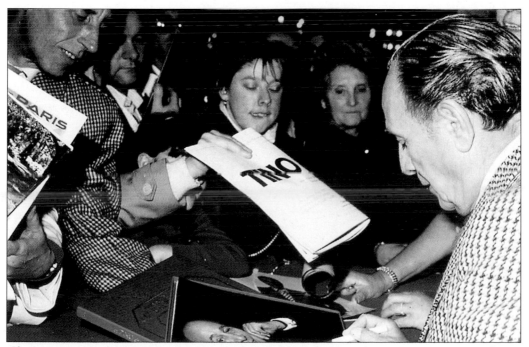

Chaque soir, après la représentation, Tino se fait un devoir de signer disques et programmes, photos et affiches, jusqu'au dernier admirateur qui le sollicite. © *Maurice Bazinet*

« Au revoir, mais pas adieu... »
© Maurice Bazinet

Chez lui, dans son jardin du boulevard Maillot à Neuilly, Tino se plaît à contempler sa propre image sur la couverture du livre qu'il vient de signer en 1974. C'est là qu'il rendra son dernier soupir en septembre 1983. *© Roland Gerbeau*

13.

LE TEMPS DES HONNEURS

> « Prétentieux, lui ? Laissez-moi rire. Tino
> Rossi est un charmant garçon, je vous prie
> de croire que je pèse mes mots. Charmant
> avec ceux qu'il connaît. Autrement, comme
> c'est un énorme timide, il se recroqueville
> dans sa coquille. »
>
> FERNANDEL

Fluctuat nec mergitur : Tino Rossi aurait pu faire sienne
cette devise de la ville de Paris : « Il flotte mais ne sombre
jamais. »

À plus de soixante-cinq ans, le vétéran n'entend pas raccrocher de sitôt et quand on lui reproche de n'avoir pas évolué d'un
iota au fil des ans, mieux que laisser braire, il confirme, avec une
philosophie qui laisserait pantois son détracteur le mieux armé :
« Pourquoi voulez-vous que je cherche midi à 14 heures ? Tino
Rossi c'est une marque de fabrique qui plaît depuis des dizaines
d'années. Il faudrait être fou pour ne pas continuer à être ce
que je suis. C'est comme si vous reprochiez à John Wayne de
tourner toujours des westerns. Mes disques empilés les uns sur
les autres, on atteindrait le sommet de l'Éverest et les sillons
déroulés et mis bout à bout, on ferait quatre fois le tour du
monde ! »

De même, quand on dit de lui qu'il n'a aucun discours et
qu'il est beaucoup plus doué pour le chant que pour la parole,
il réplique, satisfait de son argument : « J'aimerais que ceux-là

puissent assister à mes conversations avec Pagnol qui durent des heures ! »

Dès ses débuts, Tino vécut de mauvaises expériences avec les journalistes. Timide et pudique par nature, il ne s'ouvrit jamais que très rarement en leur présence. D'où la tentation de quelques-uns d'entre eux de le diminuer aux yeux du public en le faisant passer pour un fieffé imbécile. Aidés en cela par quelques humoristes talentueux à l'imagination diabolique...

– Docteur, j'ai un ongle incarné à un orteil du pied.
– Je crois bien, Monsieur Tino Rossi, que vous me faites-là un beau pléonasme !
– C'est grave, docteur ?

Dans le but déclaré de racheter les esprits chagrins, pour démontrer aussi que Tino savait émettre des opinions nées de ses convictions, trempons-nous avec délectation dans cet art révolu avec lequel nos artistes s'affrontaient jadis sans perdre de vue la forme et l'élégance. De quoi relève-t-il au juste ? D'un petit morceau d'anthologie radiophonique daté de 1951, un débat autour de la chanson, entre Damia, Patachou, le compositeur Van Parys, le chanteur Léo Noël et bien entendu Tino Rossi. Le tout, orchestré par Parinaud, journaliste au magazine *Opéra*...

PARINAUD. **Pourriez-vous me dire quelle idée chacun de vous se fait de son rôle de vedette ?**
PATACHOU. En ce qui me concerne, vous savez que je fais ce métier depuis assez peu de temps. Je juge d'instinct, comme je chante. Mais je voudrais signaler qu'il y a une chose qui m'a beaucoup étonnée, c'est que lorsque certains amateurs me présentent leurs chansons, ils ajoutent : « Si elle vous plaît, je vous la garde. » Je leur demande : « Mais comment ça, vous me la gardez ? » « Eh bien, on ne la montrera à personne d'autre. » Et moi, je pars du principe que ça, c'est une erreur.

VAN PARYS (compositeur). Bravo! Moi je trouve ça admirable qu'une interprète dise ça. Une chanson ne doit pas être l'apanage d'un seul interprète. Au public, nous demandons, je crois, du discernement. Car il n'en a pas toujours.

TINO ROSSI. Mais il y a des cas où une chanson ne correspond au tempérament que d'une vedette. Il est normal que celle-ci la garde. Prenez le cas de Maurice Chevalier, par exemple, il y a des chansons qui n'auraient jamais pu être défendues par quelqu'un d'autre.

VAN PARYS. Moi, je dois dire que j'ai eu des chansons lancées et interprétées par Maurice Chevalier. Ce sont celles qui m'ont fait le plus de bien au point de vue prestige. *Ça s'est passé un dimanche, Appelez ça comme vous voulez.* Mais il les a trop marquées de sa personnalité et ce sont des chansons qui ne m'ont pas rapporté beaucoup d'argent. Après Chevalier, personne ne les chante.

TINO ROSSI. Moi, j'ai un principe: quand une chanson me plaît, je la chante. Je ne m'occupe de rien d'autre. Il faut ajouter qu'avec la radio, une chanson est grillée en trois mois. J'avais déjà remarqué cela en Amérique, en 1937. Il faut donc aller vite et il est normal qu'une vedette se réserve sa chanson.

LÉO NOËL. Si je reprends l'argument de Tino Rossi, l'ennemi public de la chanson serait donc la radio. Ce qui m'amène à poser un autre problème. Pourquoi certaines chansons ont-elles une priorité de diffusion sur les antennes? N'y-a-t-il pas un marchandage à la base? Je ne suis pas d'accord avec Van Parys lorsqu'il dit que le public ne comprend pas. Il me semble que les intermédiaires faussent le jeu. La radio qui impose souvent certaines productions des éditeurs, dont certains ne sont pas à la hauteur de leur métier. Ce qu'il faut dire, c'est que la chanson n'est pas un art mineur, mais un art majeur. Ce n'est pas un commerce d'épicerie. Je souhaiterais, moi, que l'éditeur ne considère pas l'acheteur éventuel de sa chanson comme le marchand de nouilles considère son client.

PARINAUD. **Y a-t-il à l'heure actuelle, une crise de l'édition ?**

LÉO NOËL. Il s'en vend un peu moins qu'autrefois, cela tient à des raisons économiques.

TINO ROSSI.... Et à la radio.

LÉO NOËL. Vous devriez parler aussi de la somme considérable qui est investie dans le lancement d'une chanson. La vedette, dans cette affaire, a sa part de responsabilité. Je crois qu'il faut détruire le mythe de la vedette.

TINO ROSSI. Je vous demande pardon, la vedette a toujours existé, c'est une question de talent.

LÉO NOËL. Sans doute, mais il y a des vedettes qui abusent et faussent la situation de la chanson. Certaines chansons n'ont pas pu percer, parce que telle vedette réclame une somme trop importante pour le simple enregistrement d'une face de disque.

VAN PARYS. C'est vrai, il y a des vedettes qui enregistrent ce qu'elles ont envie de chanter, mais d'autres aussi ne chantent que si on leur verse la forte somme. Pour enregistrer un disque, un éditeur donne... Je pourrais vous citer des noms et des chiffres...

PARINAUD. **Citez, citez.**

VAN PARYS. Je connais une vedette qui exige 150 000 francs par face de disque. C'est très grave. Évidemment, vous ne pouvez pas empêcher un éditeur qui a beaucoup d'argent et veut qu'une chanson soit un succès de payer ce prix à un chanteur. Mais c'est ce qui fausse tout. Ainsi, on peut chanter n'importe quelle chanson, même mauvaise.

TINO ROSSI. Tout travail mérite salaire. Mais, en ce qui me concerne, par exemple, j'ai eu dernièrement une discussion avec le grand patron de Columbia qui me disait que deux de mes chansons n'avaient pas très bien marché. Je n'ai pas fait que des chefs-d'œuvre, comme tout le monde. Moi, je rentre dans le vif du sujet, et je lui dis : « Vous croyez sans doute que je fais des combines et me fais payer pour enregistrer, eh bien ! ces deux chansons je les ai chantées parce qu'elles me plaisaient et pour faire plaisir aux auteurs. Je n'ai pas touché un rond. »

VAN PARYS. Tu n'es pas en cause, tout le monde le sait.

PATACHOU. Moi, je ne crois pas qu'on puisse lancer une mauvaise chanson. On ne peut pas tromper le public.

PARINAUD. Quel est à l'heure actuelle le niveau de la chanson française ? Les compositeurs sont-ils satisfaits des vedettes et les vedettes de leurs auteurs sur ce plan ?

PATACHOU. Je crois que la chanson est à un tournant décisif. Attendons-nous à une grave réaction.

DAMIA. Oui, on retourne à la chanson française. On a eu beaucoup trop d'airs américains avec des paroles qui ne collaient pas du tout sur la musique. C'était affreux. Heureusement, on revient à la chanson française. J'en suis une preuve certaine, puisque j'ai dans mon répertoire des chansons conçues entre 1880 et 1930. Je les chante tous les soirs aux Bouffes du Nord, et le public m'en réclame d'autres. Je ne suis d'ailleurs pas sûre que les éditeurs, aujourd'hui, les achèteraient, mais le public les aime. C'est l'intérêt du music-hall de rétablir l'ordre des choses. Malheureusement, en France, il y a de moins en moins de vrais music-halls et le public n'a pas souvent l'occasion de faire connaître son jugement.

PATACHOU. Moi, je peux vous dire ce que j'ai envie de chanter, en tous cas. J'ai envie de chanter des chansons faites avec les mots employés par les gens qui m'écoutent et qui racontent des histoires vraies.

VAN PARYS. Je regrette qu'il n'y ait pas ici un parolier, puisque nous sommes en train de mettre en cause un de ceux qui ferait l'erreur d'intellectualiser la chanson. La chanson, c'est une chose simple. Pas de fausse littérature !

LÉO NOËL. Je me sens particulièrement visé. J'ai toujours défendu la chanson littéraire. Je voudrais savoir comment vous-même la définissez. Est-ce que vous pensez que parce qu'une chanson est bien faite, elle n'est pas accessible à tout le monde ?

DAMIA. On peut citer, comme chansons littéraires, celles que j'interprète tous les soirs aux Bouffes, *Les Deux Ménétriers* de Richepin, *Les Goélands*. Et je peux vous affirmer qu'on les applaudit.

PATACHOU. J'ai entendu à la radio une chanson dont j'ignore les auteurs. Elle raconte l'histoire d'une mère qui tricote... le père fait des affaires... le fils est à la guerre. Puis le fils est tué, la mère continue à faire son tricot, le père des affaires, et, de temps en temps, ils vont au cimetière. Mais ils m'emm..., moi, tous ces gars-là! Moi, j'ai une mère, j'ai un père, et je suis sûre que si j'avais été tuée à la guerre, maman n'aurait plus fait de tricot, et papa aurait dit: « Les affaires, je m'en moque, puisque la môme est plus là. »

LÉO NOËL. Ah! là, je suis particulièrement visé, puisque je suis un des premiers défenseurs de Prévert et Kosma, et que j'ai chanté particulièrement cette chanson. Ce qui m'a valu d'être plusieurs fois applaudi et sifflé. Il faut que je précise que cette chanson doit être considérée comme une satire de la famille bourgeoise. Considérez que si j'étais resté à la guerre, mon père et ma mère en auraient autant pleuré que les vôtres. Mais c'est une satire contre une certaine catégorie de gens pour qui la vie continue toujours. J'ai d'ailleurs pu me rendre compte qu'en effet la vie continuait et qu'on avait à peu près tout oublié, surtout les morts.

TINO ROSSI. Pour en revenir à notre sujet, je crois que la chanson a évolué grâce à la radio et au cinéma. Sans le vouloir, le concierge, le petit employé, en tournant le bouton de leur poste, tombent sur des concerts, de la musique de bonne qualité, et ils s'instruisent, deviennent plus exigeants.

PATACHOU. Je voudrais dire, devant la sincérité et la fougue de Léo Noël, qu'il a sûrement raison. Seulement, il y a deux choses: il y a la chanson populaire et puis il y a l'autre.

TINO ROSSI. Regardez *Les Feuilles mortes*. Quand c'est bon, cela devient populaire, voilà la vérité. Paroliers, compositeurs et chanteurs suivent le goût du public.

LÉO NOËL. Ils feraient mieux de le précéder. Voilà la vraie responsabilité de la vedette. Au lieu de descendre vers le public, elle ferait mieux de l'élever.

TINO ROSSI. Je chante ce que le public veut, je n'impose rien. Éduquer, c'est bien beau. Je pourrais vous citer des noms de chanteurs qui ont eu cette prétention. Aujourd'hui, personne ne les connaît plus. Il s'agit seulement de ne pas aller au-devant du mauvais goût du public. Toi, Damia, tu chantes *Les Ménétriers*, c'est bien. Mais aussi, *La Rue de notre amour*. Cela fait un ensemble.

DAMIA. Il faut chanter pour tous les publics, je crois que c'est la grande vérité.

« Les gens bien élevés contredisent les autres, les sages se contredisent eux-mêmes », avait un jour écrit Oscar Wilde.

Au début des années 70, Tino est un donc un « imbécile », mais un « imbécile très heureux », à la scène comme à la ville ! Même si avec Laurent, son fils, les relations naviguent par gros grain, son ménage avec Lili fait figure d'exception dans un univers où les amours se font et se défont au rythme des saisons. Laurent est maintenant un homme et à son tour veut se lancer dans le métier. Vieux loup de mer, Tino connaît les pièges et les incertitudes du giron artistique, il ne veut pas que son fils devienne un *dragulinu* (marchand ambulant) comme tant d'autres. En outre, s'il a un prénom, Laurent est aussi le titulaire d'un nom, le sien, et on ne peut pas faire n'importe quoi quand on est le fils de monsieur Tino Rossi. Inconfortable posture que celle du beau « Poupy »...

Quelques disques, une apparition au cinéma, des compositions pour son père et pour Mireille Mathieu, un carton commercial avec la production d'*El Bimbo*, ce n'est pas rien mais c'est à peu près tout ce qu'il reste de l'épopée de Laurent Rossi au pays des soleils artificiels.

Autre soleil dans la vie de Tino, un vrai celui-là : Pierrette, sa fille adorée qui a hérité de son père tout ce qui fait de cet homme ce que nous savons qu'il est. Ajoutant à cette heureuse composition une touche de féminité, Pierrette depuis sa naissance a su n'apporter que ciel bleu à son Petit Papa Noël, sans pour cela déposer plus souvent qu'à son tour son petit soulier au pied du sapin... Tout en pudeur et en respect la discrète Pierrette, dans l'attitude et dans le geste et jusque dans le non-dit.

1972 : année faste pour le roi Tino !

La fête commence à la fin de février par la Première de *Gipsy* à laquelle il assiste au Châtelet. Histoire de terminer la soirée en fanfare, après le souper offert chez Maxim's, il décide d'entraîner tout son monde pour un dernier verre, quelque part, n'importe où. Délicat, Castel qui est présent propose d'aller chez Régine, mais Tino affirme qu'elle n'est pas à Paris en ce moment. Va pour l'un de ces établissements de nuit de la rue Sainte-Anne où l'on tâchera d'oublier de compter les bulles de champagne à la fin de la soirée. Lorsque, tard dans la nuit, d'aucuns font mine de vouloir se retirer, l'œil brillant, Tino se rebiffe en douceur : « C'est moi le vieux et je suis le plus en forme ! »

De l'énergie, il va lui en falloir pour reprendre son bâton de pèlerin et assurer la tournée internationale qui l'attend. Depuis 1966, Tino n'avait pas franchi les frontières françaises. Aussi, le 7 mars entame-t-il son marathon par le Canada, dernier pays à l'avoir accueilli, à l'époque du *Temps des guitares*. Cette fois il a choisi un répertoire très cocorico, voire exclusivement parisien, *Mon Paris*, *Paris je t'aime*, *La Seine*...

Doux euphémisme que de déclarer le mois canadien de Tino une ronde de clameurs discontinues. Elles le poursuivent jusqu'à Nouméa où il arrive à la mi-avril. Total dépaysement ? Pas vraiment. Veste et pantalon de velours noirs, ceinture de flanelle rouge : en costume traditionnel, les délégués de l'Amicale des Corses de Nouvelle-Calédonie ont bravés la canicule pour venir souhaiter la bienvenue à leur compatriote.

Après Nouméa, Tino part chanter dans un village de 500 habitants où presque tous travaillent dans une mine, en plein cœur de la brousse. Les 500 sont venus ! « Il n'y avait pas dans ce fin fond de la Nouvelle-Calédonie, une personne qui ne possédait pas la plus grande partie de mes disques», affirmera le grand vaudou Tino Rossi. Un état de fait qui confirme un sondage effectué en 1950 à... Douala et qui classait le Rossignol corse numéro un au box-office des chanteurs les plus populaires.

À Tahiti, l'accueil est plus que délirant, il est gaullien! Enseveli sous les fleurs et les compliments par des foules monstrueuses et enthousiastes, Tino s'entend dire par une vieille dame qu'elle a quitté son île voisine seulement deux fois dans sa vie ; la première lors de la visite du général de Gaulle, la seconde, aujourd'hui, pour Lui! Une autre femme, plus jeune et plus alerte, n'hésite pas à sauter au cou de l'illustre visiteur : «Je suis Marinella!», lui souffle-t-elle. Elle n'est autre que la descendante de la reine Pomare, baptisée ainsi l'année où sortit le disque qui porte ce titre.

«Là-bas, *Marinella*, c'est comme *La Marseillaise*, ils reprennent le refrain debout!», se glorifiera Tino.

Ah, si Lili avait vu ça! Elle en a vu d'autres, mais la prochaine fois, promis, il l'emmènera... En attendant, il lui rapportera des recettes et des robes locales, pour la grande fête tahitienne qu'elle a l'intention de donner cet été au Scudo. Quant aux montagnes de fleurs et de coquillages, Tino, qui ne veut rien perdre et n'ayant pu les ramener avec lui, se les fera expédier.

Comme si à tous ces bonheurs, il devait en manquer un seul, au mois de décembre, Guy Lux inverse les rôles et joue les Pères Noël au cours d'un *Cadet-Rousselle* «Spécial Tino», où il convie le monde de la chanson à venir rendre hommage au patriarche. Ils sont venus, ils sont tous là : Sheila en tête, la star du moment, qui reprend *Chi-Chi*, Antoine qui s'essaye à *Ce soir Nina*, mais encore Line Renaud, Pétula Clark, Jean Sablon, Franck Fernandel représentant son père disparu l'année précédente, Rika Zaraï, Mick Micheyl en duo avec Georges Ulmer, Viviane Romance qui prend le risque de s'emparer du micro pour *Vieni vieni*... Dans la salle du Studio 102 de ce que l'on appelle encore l'ORTF, on remarque la présence de Michèle Morgan, Fernand Sardou, Françoise Rosay, Marcel Pagnol et de tant d'autres encore.

Pour l'événement, Guy Lux a innové la formule de son émission en décidant que la soirée commencerait en duplex avec la scène du Casino de Paris d'où Tino rejoindra l'avenue Kennedy, après qu'un chauffeur lui aura fait parcourir les rues de Paris dans une automobile 1930. Des haltes ont été prévues dont une au théâtre de l'Empire où Aimable jouera au héros de la soirée un *Marinella* revisité.

Cette mise en scène grandiose mais compliquée n'aura d'autre résultat que d'avoir frustré le public dont la presse le lendemain se fera le relais. De toute la soirée, on n'entendit chanter que les « imitateurs » de Tino. En raison de son arrivée tardive au Studio 102, il dut se plier au *timing* et faire l'économie de sa voix en n'interprétant *in fine* que très peu de chansons.

Le motif officiel choisi par Guy Lux pour cette célébration (s'il en fallait un lorsqu'il s'agit de Tino) avait été « quarante ans de chansons ». Ce quarantième anniversaire, on n'en finit plus de le commémorer. Danièle Gilbert consacre une semaine de son émission *Midi Trente* au créateur de l'inoxydable *Petit Papa Noël* et de *Parle plus bas* (thème du film *Le Parrain*), qu'il vient d'enregistrer. De son côté, Jean-Christophe Averty sort le grand jeu en montant pour la télévision un show comme seul ce « cinglé du music-hall » en a le secret et le pouvoir. « Tino Rossi, c'est Napoléon, je l'aime ! », clame-t-il à la volée. Et il est de notoriété publique qu'Averty n'aime pas tout le monde...

« Tino Rossi pour toujours », diffusé successivement sur les deux chaînes nationales fut sans conteste une réussite et contribua à maintenir l'image déjà très présente de Tino aux yeux des jeunes générations. Littéralement ébloui par l'Idole, Averty qui passait alors pour être un inguérissable caractériel, tint les propos les plus affables à l'endroit de celui dont la presse disait qu'il était tombé amoureux : « Cet homme, il n'a jamais été pépère. C'était un fringant jeune homme qui tombait toutes les femmes avec sa raie de côté et sa gomina. On se moquait de lui au début. C'était un crooner comme Bing Crosby. Pas plus ridicule que Bing Crosby. Un grand chanteur. Maintenant, il a la carrure de Napoléon sans Waterloo. Et puis, il est un vrai professionnel. Je n'en connais pas tant. Il y en a trois, Montand, Chevalier et lui. Inquiet, exact, collaborant avec le metteur en scène. Il mouille sa chemise !

« Il est charmant Tino. On a bien rigolé ensemble. On ne s'engueule qu'avec les médiocres. C'est un monsieur qui est content de la vie. Il pourrait faire le beau, maigrir. Pas du tout. Il adore le pain et le bon vin. Pendant le show, je lui disais : "Attention, monsieur Rossi, j'ai une consigne de votre femme : ne pas vous laisser manger des sandwiches." Il en boulottait quand même. C'est chouette. Et puis, et puis... quand il s'écoute, il pleure. Ça fait plaisir à voir. »

Pour continuer la fête, parce que le public lui manque, au début du printemps 1973, c'est la périphérie de Paris que Tino choisit lui-même de sillonner, avant d'aller retrouver ses admirateurs belges. Au même moment, un sondage effectué par Publimétrie sur la question : « Quels sont les chanteurs français ou étrangers, vivants ou morts que vous souhaitez entendre le plus souvent ? » le place très nettement en tête devant Mireille Mathieu, Brassens, Mariano, Piaf, Sheila, Aznavour, Brel et Bécaud. Ses deux compagnons de longévité, Chevalier et Trenet, s'essoufflent dans le peloton suivant. Quant à Montand et Guy Béart, également proposés : pas de nouvelles, bonnes nouvelles !

S'il fallait retenir une date marquante dans ce cheminement festif qui ne s'arrêtera plus et qui ne fait pas mentir dans le cas de Tino le titre de sa chanson : *La vie commence à 60 ans*, c'est bien celle du 14 août 1973. Ce jour-là, on a inauguré le boulevard Tino Rossi à Ajaccio... Oh, dans le genre, il y eut bien l'année précédente la médaille à l'effigie du chanteur, frappée par la Monnaie d'après un dessin de Marcel Courbier – un admirateur corse en acheta 8 en or (8 000 francs pièce) et 30 en argent (2 000 francs pièce), laissant le bronze à qui voudrait – mais cette fois-ci, il devait en aller d'un tout autre intérêt. Tino, qui avait coutume de répéter que « nul n'est prophète en son pays», allait pouvoir goûter à nouveau, après l'éclatante démonstration d'amour de ses compatriotes lors du bicentenaire, l'attachement des siens.

Qu'est-ce en définitive qu'une banale plaque en émail, vouée à une rouille inexorable, même avec son nom gravé dessus et précédé du mot «boulevard», devant laquelle des gens passeront peut-être sans y prêter attention? C'est énorme lorsqu'on est né fils de tailleur et presque pauvre, dans un pays où l'honneur n'a rien à voir avec la réussite mais où la réussite impose le respect à tous et confère une aura supplémentaire. Quand la basse jalousie ne vient pas jouer les trouble-fête...

«Pensez que, parmi les chanteurs de variétés, Fernandel et Maurice Chevalier étaient jusqu'à présent les seuls à avoir eu dès leur vivant une rue! Mais pour eux il ne s'agissait que de la voie privée menant à leur maison. Moi j'ai droit à une véritable artère!»

Toujours aussi chiche en modestie notre Tino!

Un ego qui chez lui tourne à l'obsession, chez les autres parfois à l'exaspération. Néanmoins, à bout d'arguments, même Philippe Bouvard baissera les armes: «La sympathie qu'il éprouve à l'égard de sa propre personne finit par être contagieuse et l'on ne peut faire autrement que de s'y associer.»

«Je ne suis pas un modeste car je suis conscient de ce que je fais, rétorqua un jour Tino à Roger Ivernois, un journaliste suisse venu l'interviewer avec la ferme et visible intention d'ébranler le mythe tranquille. J'ai les pieds sur terre sans pour cela être béat d'admiration quand je me regarde dans un miroir. Vous savez, je me critique et je me corrige souvent. Et ma femme me critique quelquefois très durement. Mais je l'écoute et me corrige. Je ne suis pas orgueilleux, je suis fier, c'est la conséquence de ma race. Je suis Corse!»

Dans l'Île, un proverbe dit: *Chi un' si stimà, un' è stimatu* (Celui qui n'a pas d'estime pour lui-même ne recevra pas l'estime d'autrui).

Napoléon en avait institué un autre, plus international: «Du sublime au ridicule, il n'y a qu'un pas!...»

À la veille de la célébration annuelle de la naissance de l'Empereur, le 14 août, la Cité impériale s'est mise en frais ; « Tintin » ici, c'est un peu Napoléon, le génie en moins, mais la voix en plus !

À l'issue de l'inauguration du boulevard Tino Rossi en présence d'un peuple énorme émaillé de nombreuses personnalités, le maire d'Ajaccio, Pascal Rossini, reçoit l'enfant prodigue à l'hôtel de ville et lui offre un magnifique vase en porcelaine blanche décoré aux armes d'Ajaccio. Fait unique, de son côté le sénateur François Giaccobbi, également président du Conseil général, lui remet une distinction que Tino est le premier insulaire à recevoir : le « Sceau d'or d'Aléria », pour services rendus à la Corse. Après quoi, l'heureux homme peut aller recueillir les vivats de la foule, au balcon drapé de velours de la mairie, toujours fief des bonapartistes.

Le soir-même, près de 10 000 personnes, touristes et autochtones s'entassent au Casone, au pied du monumental escalier menant à la statue de Napoléon et à quelques mètres de la fameuse grotte où la légende veut que le grand homme soit venu étudier enfant. Tino va y donner un récital de 25 chansons qui retraceront son parcours depuis son départ de l'Île jusqu'à cette journée de gloire. Du monde partout : sur les gradins, dans les allées, sur la route, dans les arbres, autour des grilles...

U Rusignolu attaque avec *Aiacciu*, enchaîne sur *Une rose*, chanson écrite par son fils, poursuit avec *U pinzutu* (texte de Georges Moustaki), *Solenzara*, *Ti tengu caru* pour lequel Antoine Bonelli et Paulo Quilici à la guitare l'accompagnent. D'autres standards encore : *J'avais 20 ans*, *La Paloma*, *Mon pays*, *Ave Maria*, *Marinella*, *Chi-Chi*, *Île d'amour*...

Mais pourquoi donc entre chaque refrain le chanteur jette-t-il systématiquement un œil à sa montre ?

– Voici maintenant *Petit Papa Noël* !

Les enfants qui ont envahi la scène sont aux anges.

Soudain, nouveau regard à sa montre et Tino s'arrête de chanter : « Il est minuit, lance-t-il. Nous sommes le 15 août, et le 15 août c'est... »

Sous le feu des projecteurs, la statue de Napoléon s'embrase alors et *L'Ajaccienne* retentit dans la nuit chaude et sucrée, reprise en cœur par l'assistance.

Durant la fin de cette soirée qui fut le dernier concert de Constantin à Ajaccio, tous les regards se partagèrent en alternance entre Tino et celui qui, là-haut, figé sur son socle, habitué aux honneurs, ne dit mot mais dut sûrement consentir...

Reconnaissant à sa ville natale de l'avoir fêté à la manière d'un dieu vivant, la recette de son tour de chant, Tino l'offre aux œuvres sociales de la ville. Puis, au cours d'une autre réception d'après-spectacle, donnée au Scudo, il reçoit toute l'équipe des pilotes de Canadair si précieux en Corse pendant cette période critique de l'année.

En 1971, il y avait déjà eu à l'Île-Rousse, l'inauguration d'un « square Tino-Rossi », en présence de Mireille Darc, d'Hélène Perdrière, de Maurice Rheims et de Jacques Chazot. Le maire de la ville, Pierre Pasquini, avait alors déclaré : « Tino ne prend la place de personne puisque le jardin est tout neuf. Ensuite, il a l'impression de venger tous les artistes brimés et méconnus en leur temps. Molière en tête ! »

« Qui peut se prévaloir d'un palmarès pareil, s'extasie, sérieusement cette fois, Philippe Bouvard. Quarante ans de séduction ; quarante ans d'inlassable dévouement au service de la Femme. Et pas une réclamation. Il y a près d'un demi-siècle qu'il tient le flambeau. Quelqu'un ramassera peut-être un jour le manche. Mais pas la flamme... » Tino peut tout se permettre et le prouve en enregistrant à la fin de l'année 1973 *Les plus belles mélodies classiques*. Concert de protestations au sein des puristes : cette fois, le « Valentino des ménagères » a poussé trop loin le bouchon ! Et le sempiternel débat de se rouvrir : « A-t-on le droit de toucher à Mozart lorsque l'on vient de la variété ? »

« Pourquoi serait-il interdit à un chanteur populaire de faire bénéficier le répertoire classique de sa propre popularité ? se rebiffe Maurice Tassart dans *Le Parisien*. Encore faut-il pouvoir le faire et Tino Rossi le peut ! Il n'a pas attendu 1973 pour enregistrer en quarante ans de carrière et plus de mille titres, un certain nombre d'airs signés Schubert ou Gounod. Il a même commencé par là, dans sa Corse natale, quand il chantait encore en amateur. Le respect inconditionnel de la version originale est une notion toute récente qu'ignoraient les plus grands compositeurs d'autrefois. Laissons-nous aller au charme incomparable d'une voix admirablement construite. » Et toujours en vertu de ce sacro-saint dicton qui stipule que l'on est soi-même son meilleur serviteur, pour sa défense, Tino précise, et il est dans le vrai, que dans la discothèque de nombre d'amateurs de chant ses disques figurent au même titre que ceux de Caruso et Chaliapine.

À l'heure de souffler ses 68 bougies à la télévision, entouré par Jean-Claude Bouttier, Achille Zavatta, Louison Bobet, Poulidor, Salvador Dali et Micheline Presle, Tino le proclame haut et fort ; il n'y a que deux choses qui pourront l'arrêter : « La maladie et l'insuccès ! » En cela il rejoint une vieille amie dont Bobino a annoncé un retour en force pour le printemps 1975 : Joséphine Baker. Encore qu'il ne semble pas y avoir d'autre voie possible que le travail jusqu'à épuisement pour la « maman universelle », tenue d'éponger ses dettes et de faire vivre ses 12 enfants adoptifs, au sujet desquels elle confie un jour à son amie et imprésario suisse, Maguy Chauvin : « J'ai dressé des chiens pour me mordre ! »

Avril 1975.
« Cela fait un an que notre bon président Georges Pompidou s'est éteint. À l'occasion de cet anniversaire, une cérémonie bien parisienne avait lieu l'autre soir à Paris. Déjà tôt dans la soirée se pressaient dans le hall de Bobino les personnalités les plus ringardes et les plus réacs du Tout-Paris. C'était en effet la Première de *Joséphine*, revue célébrant les soixante-huit ans de Joséphine Baker, vestige du passé et gaulliste notoire... »
Ce papier d'André Viso K., paru dans *Libération* et intitulé « Pipi de chat et vieille rosette », n'est que le prélude annonciateur d'un déferlement de haine ouverte envers une « négresse » sans doute encore trop blanche aux yeux de soixante-huitards

mal réveillés qu'on aurait imaginé sans trop de difficultés mouillant leur froc au premier bruit de bottes allemandes.

« Le rideau se lève sur le lamentable Jean-Marie Proslier dont les attristants calembours font sangloter un parterre de tarés, poursuit Viso K. Soudain (regonflée dans la coulisse par un goutte à goutte de coca et de beaujolais), Joséphine apparaît. Alors, c'est le délire ; les fossiles se congratulent : "ELLE" est encore là, comme en 1925 au Casino de Paris ! Mon voisin de derrière en baverait presque sur son beau smoking. Et le cirque commence ! Il faut alors avaler l'insupportable exhibition de cette revenante qui n'en finit pas de s'attendrir, les larmes aux yeux, sur les vestiges de son propre passé. »

La grande Joséphine à l'incomparable génie scénique universellement reconnu, intemporelle entre toutes – sa performance à Bobino suscita dès le premier soir l'intérêt des producteurs anglais et américains – réduite à une vieille chouette larmoyante et surpailletée, et le regretté Jean-Marie Proslier, si subtil et si délicat, relégué dans la catégorie des comiques de galeries commerciales ; wouah les nuls !

Encore nous faut-il, afin d'éclairer le lecteur, donner la composition exhaustive de tous ces gens gentiment mais sûrement passés au gaz pour le seul fait d'être ce qu'ils sont. En tête du peloton des « tarés » : la princesse Grace de Monaco, présidente d'honneur de la soirée, mais encore Mick Jagger ébloui, au coude à coude avec Sophia Loren et Carlo Ponti, Alain Delon et Mireille Darc, Marcel Carné, Thierry Le Luron, Jeanne Moreau, Nathalie Delon, Arletty, Line Renaud, Alice Sapritch et... Tino Rossi !

Tino qui ne pouvait pas ne pas être présent pour assister au retour miraculeux et néanmoins triomphal de son amie Joséphine. L'Oiseau des îles, il l'avait aperçue pour la première fois au soir du 6 février 1934, très exactement. C'était aux abords du Casino de Paris, rue de Clichy...

« Le sang avait coulé ce jour-là, rapporte-t-il dans ses souvenirs, en faisant référence aux violents affrontements qui opposèrent les extrêmes devant le Palais-Bourbon. Brusquement les clameurs d'une petite foule me parvint aux oreilles. Je regardais ceux qui manifestaient et se bousculaient sans ménagement ; ils encerclaient visiblement quelqu'un. Je m'approchai. Je me faufilai. Au centre, souriant de toutes ses dents blanches, superbe, sensuelle, se tenait une grande femme à la peau noire : Joséphine Baker. Je ne me doutais pas que quelques mois plus tard, moi aussi, je susciterais un tel enthousiasme dans ce même music-hall. Quand mon tour de gloire arriva, quand je pénétrai dans la famille des vedettes, je connus enfin Jo. Notre amitié naquit aussitôt et dure toujours... »

Ces lignes écrites en 1974 – dans un livre de souvenirs réclamé à Tino par les éditions Stock et écrit en collaboration avec Jean-René Laplayne, alors patron du *Provençal* – sont toujours d'actualité en cette soirée du 8 avril 1975 où, dans le sillage souverain de Joséphine et de sa princesse, après les larmes d'émotion et les bravos de Bobino, tous les « tarés » se sont donnés rendez-vous dans les salons du prestigieux hôtel Bristol, à deux pas de l'Élysée. Passant d'une table à l'autre, bien qu'harassée par une revue très lourde qui peu à peu va avoir raison d'elle, Joséphine n'y a plus d'âge. Lorsqu'elle arrive à hauteur de Tino, cintré dans son smoking sombre, les souvenirs vont bon train. Brun ténébreux, le Corse était à l'époque tout à fait le type de la Vénus d'ébène qui, faisant feu de tout bois, ne rechignait pas non plus à la vue d'un joli minet au casque d'or...

Furent-ils amants ?

Jamais nous ne le saurons, mais c'est fort peu probable. Si Tino confesse dans ses Mémoires avoir dormi dans le lit à baldaquin de la belle en son château périgourdin des Milandes, il a tôt fait de préciser qu'il y était seul : « J'éteignis la lumière discrète de la lampe de chevet. Je me glissai dans les draps. Alors j'exhalai un soupir de regret. Joséphine était à Paris ! Un simple regret d'amitié. Entre Jo et moi, il ne pouvait être question d'autre chose ! »

Au Bristol, les souvenirs reviennent en rangs serrés et les deux compères ne mettent en revanche aucune pudeur à évoquer tout ce qui les rassembla au cours de ces dernières décennies qui ont passé tellement vite... Tino rappelle par exemple à Joséphine qu'il n'aimait pas celui qu'elle appelait dans les années trente «mon mari» et qui n'était en réalité que son concubin et son manager exclusif: Pepito Abatino. «À bas Tino! A-t-on idée de porter un nom pareil?» Il lui parle encore de cette tournée d'après-guerre en Amérique du Sud, au cours de laquelle ils croisèrent la tragédienne Marie Bell en représentation avec la troupe de la Comédie-Française. À Buenos Aires, comme l'ambassadeur de France les avait conviés tous trois à la fête du 14 juillet, Joséphine et Tino se firent un jeu d'interpréter en duo *La Marseillaise* et *Sous les ponts de Paris*. Quel épisode! Présente elle aussi au Bristol, Marie Bell fait savoir qu'elle s'en souvient parfaitement.

Après cette mémorable soirée qui permit à La Baker de reconquérir son trône parisien, le destin allait réunir une dernière fois Tino à sa «dame noire». Quatre jours plus tard, en effet, tous ceux qui se bousculaient à Bobino et au Bristol, se retrouvaient penchés au-dessus d'un cercueil d'acajou dans la froide chapelle de l'hôpital de la Salpêtrière. Joséphine n'avait pas survécu à une soudaine hémorragie cérébrale. Pour la première fois de sa vie, drapée dans la même toilette qu'arborée au Bristol, un crêpe beige de Nina Ricci assorti d'un turban à voilette signé Jean Barthet, la «maman du monde» semblait goûter au repos. «Au revoir Joséphine», lui glissa simplement Tino, les yeux pleins de larmes, en déposant un baiser sur le front déjà glacé de la Vénus d'ébène.

Après Scotto, parti dès 1952, après Chevalier, après Pagnol, après Fernandel, après Mariano, le cercle des géants et néanmoins amis se rétrécissait et Tino savait que le moment approchait où il se refermerait sur lui. Le choix d'un «au revoir» plutôt que celui d'un «adieu» n'est à ce propos pas anodin. Quant à Marie Bell, double clin d'œil du destin, deux ans après la disparition de Tino, et trois ans après celle, tragique, de Grace de Monaco, elle allait devenir le direct voisin d'éternité de Joséphine, dans le petit cimetière ensoleillé de la principauté. Ainsi, la négresse pauvre du Mississippi, sauvée du naufrage avec ses douze enfants adoptifs par la blanche fée Grace Patricia Kelly, dormirait pour toujours les pieds dans la Méditerranée en face de son ami Tino, puisque tel fut toujours le vœu de celui-ci d'être enseveli en terre Ajaccienne.

Et cela ne surprendrait personne aujourd'hui d'apprendre que parfois, dans ses filets, au large d'Ajaccio un pêcheur, toujours le même, intercepte au petit matin de bien curieux messages. Tous commencent et se terminent par la même étrange formule : «Pour toi, mon Oiseau des îles... ton petit Rossignol corse. »

14.

L'AUTOMNE EST D'OR

« Tu mets toute ta fortune à la portée des
gens qui vont hériter de toi. Quand on est
vieux et qu'on ne sait plus de quelle façon
on va voyager, le mieux c'est de voyager en
viager. »

CHARLES TRENET

À l'exception d'un gala pour l'ouverture du Palais des
Congrès, depuis *Le Marchand de soleil,* Tino n'a plus reparu
sur une scène parisienne. À la fin du printemps 1976, c'est le
Club Paris 2000 animé par Bernard Lafay, président du Conseil
de Paris et député du XVIIᵉ arrondissement, qui lui en fournit
le prétexte. Lafay milite activement pour la défense des sites
et des espaces verts dans la capitale et en cela il a trouvé en
Tino un allié de poids. « Des espaces verts que je souhaiterais,
comme le président du Conseil de Paris, ouverts à tout le monde
et débarrassés de ces écriteaux qui cassent la joie : "défense
de marcher sur les pelouses, défense de ceci, défense de cela",
plaide Tino avec forte conviction. »

Afin d'honorer ses palabres, l'Idole convient d'une date avec
Lafay pour un récital géant donné dans le jardin des Tuileries,
au cœur du Paris des rois de France. Ce sera le 3 juin.

Le chapiteau de 7 000 places prêté par Jean Richard et qui
sera dressé à cet effet dans l'allée centrale du jardin ne pourra
contenir les 40 000 spectateurs prévus. Aussi, a-t-il été entendu
de ne priver personne de ce spectacle gratuit. La solution : la

165

mise en place d'un écran géant de plus de 100 m² installé à l'extérieur. Durée prévue de la représentation : 60 minutes.

Bien avant que la couleur verte ne devienne, plus qu'un enjeu, une stratégie politique, Paris comptait déjà ses écolos. Aussi, en ouverture de cette soirée exceptionnelle aux Tuileries, Bernard Lafay prend-il la parole pour tenter de responsabiliser les Parisiens sur «les conditions essentielles d'une vie saine, équilibrée et harmonieuse dans la capitale», définies en 23 points dans une «Charte du cadre de vie».

En dénonçant «les spéculations et la domination de l'argent, l'arbitraire technocratique, l'irresponsabilité d'une administration anonyme et toute puissante», Lafay enfonce des portes ouvertes, mais il a le mérite de le faire.

Place maintenant à d'autres illusions : celles que peut encore offrir le music-hall, quand les lumières s'éteignent et qu'une Idole de chair et d'os fait son apparition dans un faisceau de projecteur qui n'a pour seule ambition que de balayer les affres de la vie au bénéfice du rêve.

Après Nicolas Peyrac, annoncé par Yves Mourousi, voici donc monsieur Tino Rossi tout de blanc vêtu, avec du rouge sur la cravate et du bleu sur la chemise. Le bleu et le rouge, les deux couleurs de Paris, auxquelles un jour de 1789, un certain marquis de la Fayette prit l'initiative d'y adjoindre le blanc, couleur de la monarchie française. Il est beau, Tino, et il le sait car il enchaîne les refrains avec une décontraction qui n'échappera pas à Jacqueline Cartier, grande prêtresse de *France-Soir*, dans son compte-rendu du lendemain : «Il ne lui a pas fallu sept minutes pour faire des 7 000 spectateurs la plus grande chorale de Paris! On a vu des grands-papas et des petits garçons, des chauves et des chevelus, des dames bien et des minettes chanter *Le rêve passe*, *Chi-Chi*, *Ave Maria*. Il est entré en scène à 22 h 50, il en est sorti à minuit vingt. Avec Tino Rossi, c'était Noël en juin aux Tuileries!»

Avec 1 014 chansons enregistrées, plus de 300 millions de disques vendus, 24 films, 4 opérettes, une kyrielle de galas enchaînés pendant cinq décennies à travers le monde, des publicités nombreuses ; la conséquence de tout cela est forcément le pot de la fortune. Délaissons les histoires de petite comptabilité et plaisons-nous plutôt à relever l'intégrité d'un homme accablé d'impôts, mais qui à aucun moment ne se laissa tenter par l'idée de s'exiler dans des paradis fiscaux qui l'auraient accueilli à bras ouverts. « J'ai toujours payé mes impôts ponctuellement, déclara Tino à Annie Chaussier de *France-Soir*, en 1976. Je n'ai jamais cherché à tricher. Ma comptabilité est contrôlée régulièrement. J'ai toujours eu peur du fisc, ça m'effraie, cette administration. Depuis un demi-siècle, depuis mes débuts, je me suis toujours méfié. Mon percepteur me dit : "Il faut payer tant", je renâcle mais je paie. Je veux dormir tranquille. Pourtant ça ne m'amuse pas. Le fisc me prend 65 % de ce que je gagne. Ça fait mal ! Mes impôts viennent d'augmenter de 8 %. Pour moi, ça fait beaucoup d'argent. Évidemment, j'ai pris une colère, mais il faut bien payer. Pour le reste, je n'ai rien de caché. La Suisse, dans ce domaine, je ne connais pas. Ces affaires de poursuites fiscales provoquent des drames, je trouve cela très triste, très malheureux. Lorsqu'elles aboutissent, comme cela s'est vu, à des suicides, c'est atroce. C'est vrai, il faut payer ce qu'on doit, mais je pense qu'on pourrait, parfois, éviter certaines tragédies en étant plus indulgent. »

Un jour qu'un journaliste faisait remarquer à Tino qu'il était riche, celui-ci répliqua sans détours : « C'est aussi le point de vue du fisc ! »

« Vieillir, c'est quand on dit "tu" à tout le monde et que tout le monde vous dit "vous" », écrivit un jour Marcel Pagnol. Le Rossignol vieillit et les hommages qu'il continue de recevoir tous azimuts et de tous les horizons sont là pour le lui rappeler. Subtil dans l'élégance, Charles Trenet, qui ne peut pas ne pas penser un peu à lui en écrivant ces mots, adresse alors une lettre à son ami corse, qui fera la fierté de celui-ci : « Ta voix aussi belle qu'avant (avant quoi ?) a gagné en profondeur. L'âge a pris de l'humaine beauté. Tu es éternel et tu donnes à tous la meilleure des leçons. »

En 1977, tandis qu'une nouvelle vague d'hommages télévisés sont rendus à l'éternel Tino pour ses soixante-dix ans – dont un *Dossier de l'écran* pour lequel la « France d'en-haut » lui a tenu rigueur d'avoir répondu aux questions, pour la plupart saugrenues, des téléspectateurs, par des formules toutes faites et des dictons anti-casse-gueule – Guy Béart également entre dans la ronde des laudateurs en même temps que Françoise Dorin qui offre un titre à l'Idole.

« Béart connaît par cœur le répertoire de Tino, écrit Guy Silva dans *L'Humanité* du 29 avril 1977. Au point qu'il nous était quasiment impossible de lui poser la moindre question. »

Cela ne va pas sans nous rappeler un célèbre sketch de Laurent Gerra...

Mais laissons plutôt la parole à Guy Béart, l'un de nos plus grands poètes : « Tino a soixante-dix ans ? C'est pas possible. Sa longévité artistique, je n'ai pas envie de l'analyser. Je dirai qu'elle m'enchante. Tous ceux qui font bien leur métier, comme un boulanger fait son pain, sans se soucier de la mode, méritent de prolonger leur vie, longtemps. Tino a lancé Trenet en chantant *La Romance de Paris*. J'ai eu la chance qu'il m'enregistre *L'Eau vive*. Il faut que je vous raconte que jusqu'à quatorze ans, j'avais – à peu près – la même voix que lui. Si je suis devenu chanteur, il n'y a pas de mystère. Hélas, depuis cet âge, ma voix n'a pas cessé de muer. L'ascension de Tino Rossi peut, selon moi, être rapprochée d'une certaine "prise du pouvoir" à Paris des gens du Midi. Je pense, par exemple, en disant cela, à Pagnol, Raimu, Alibert, Fernandel, Scotto, Andrex... »

De la Provence à l'ancienne Perse, il n'y a qu'une voix : celle de Tino Rossi ! C'est en substance le raccourci qu'aurait pu emprunter le Premier ministre du Chah d'Iran, Amir-Abbas Hoveyda, admirateur éhonté du beau Tino. Également ami d'Yves-Bertrand Burgalat, préfet alors en fonction à Ajaccio, monsieur Hoveyda encore surnommé « L'homme à l'Orchidée » en raison de son amour pour cette fleur qu'il arborait toujours à sa boutonnière, fit une escale dans la Cité impériale le 15 juillet 1977, à bord d'un avion iranien baptisé *Persépolis*.

Durée du séjour : deux semaines, au Sofitel de Porticcio, en compagnie de Madame. Un soir, désireux de combler ses hôtes, le préfet Burgalat les convie à un dîner dans les murs de la préfecture où il leur a réservé « une surprise » et de taille : Tino Rossi ! Un Tino qui se retrouva pris au piège...

« Le dîner s'achevait, se remémore Jean Bozzi, invité avec ses deux partenaires du trio *Corsica* : Jeannot Armani et François Simongiovanni. Nous égrenions des airs de notre folklore que le ministre du Chah et son épouse nous faisaient l'honneur d'apprécier, mais nous sentions qu'ils n'attendaient qu'une chose : une chanson de Tino. Or, tous les regards étaient braqués sur lui mais personne n'osait la lui réclamer. Connaissant Tino, pour l'avoir suivi pendant tellement d'années, je savais parfaitement qu'il avait horreur qu'on le prenne pour un karaoké, tu mets la pièce et la machine se déclenche ! Quand il entrait dans un lieu public à Ajaccio ou ailleurs, il refusait de pousser la note en expliquant que lorsque le bûcheron a scié du bois toute la journée, le soir, il n'a qu'une seule envie : qu'on ne lui rappelle pas son boulot.

Au palais Lantivy, comme l'insistance sourde se faisait de plus en plus pesante, soudain Tino s'en remit au préfet :

– Vous m'avez invité pour quoi au juste ? C'est un guet-apens !

Burgalat devint aussi rouge qu'une tomate à la belle saison. C'est alors qu'Hoveyda prit Tino par les épaules :

– Vous devriez être fier que des gens habitant à 5 000 kilomètres connaissent vos chansons. Et il se mit à entonner *Marinella*...

– Non, non, ne chantez pas, fit mine de le supplier Tino, avant de se retourner vers nous et de nous glisser : *"Cante falsu cumu una cassarola !"* (Il chante comme une casserole !)

Celle qui sauva la situation, c'est madame Hoveyda. Tombant à genoux devant Tino, elle lui lança de véritables suppliques :

– Monsieur Tino Rossi, je vous en prie, je vous en conjure, chantez-nous quelque chose, un mot, une phrase, que je puisse dire à mes amies de Téhéran que Tino Rossi a chanté rien que pour moi. Et encore, je suis sûre qu'elles ne me croiront pas !

Tout en retenue, Tino était blême. Sans un mot, il se tourna vers nous en nous disant simplement : "Do majeur", s'installa ensuite confortablement dans l'un des fauteuils Louis XV en velours rouge, en plaça un autre devant lui sur lequel il posa ses pieds, puis commença à chanter...

Il pleut sur la route
Le cœur en déroute,
Dans la nuit j'écoute
Le bruit de tes pas...

À la fin du couplet il s'arrêta net, esquissa un revers de main et murmura : "Etc. etc." L'épouse du Premier ministre iranien avait les yeux pleins de larmes :
— Oh ! merci, merci ! est-ce que je peux vous embrasser ? »

Dès le lendemain, la presse locale se fait l'écho de cette petite sauterie irano-corse et la réalité des faits en souffre quelque peu :
[...] « Puis, on osa avec une insistance discrète. "Une chanson d'amour sans vendetta", dit le ministre. Tino ne pouvait pas imaginer meilleure définition de son style. Il accepta avec la gentillesse qui est sa marque, de fredonner *Marinella*. "Nous avons fait 5 276 km pour venir en Corse. Nous avons ce soir, le grand honneur de vous rencontrer. C'est simplement que je tenais à vous le dire. En vous remerciant du fond du cœur." Il y eut d'interminables secondes de silence après les applaudissements. Puis, Tino chanta *Il pleut sur la route*, littéralement ovationné. Monsieur Hoveyda eut un petit geste machinal vers l'orchidée qui, tous les jours, vient fleurir le revers de son veston. Très ému, il dit : "Merci monsieur Tino Rossi, j'ai 16 ans !" »
Amir-Abbas Hoveyda qui, avant de la quitter, légua cette phrase à la ville de l'Empereur : « On dit : "Voir Naples et mourir", je dis : "Voir Ajaccio et revenir !" » Il n'est jamais revenu. Et pour cause ; le 6 août suivant, très peu de temps donc après son retour en Iran où la Révolution déjà menaçait, il devait apprendre son « remerciement » par le Chah, lui-même renversé l'année suivante.

L'exécution sauvage de monsieur Hoveyda, qui de par le monde provoqua l'onde de choc que l'on sait, fut particulièrement ressentie à Ajaccio où l'on n'avait pas oublié le raffinement et la courtoise de cet homme affable. Vestiges de ce souvenir à la fois pittoresque et douloureux, une large dédicace et une pièce d'or à l'effigie de Mohamed Reza Pahlavi, ornent aujourd'hui les murs du restaurant de Jean Bozzi, *Le Ménestrel*, à l'entrée de la rue Fesch...

À partir de 1978, on voit moins Tino sur les écrans de la télévision française qui, faut-il le dire, lui a fait la part belle ces dernières années. L'homme a peur de lasser le spectateur par une omniprésence qui pourrait lui être préjudiciable. Hormis quelques apparitions pour *Forza Bastia*, en hommage au SECB qui a accédé à la finale de la coupe d'Europe et *La vie commence à 60 ans*, titres phares du cru 78, pour l'heure le cycle des hommages à répétition a été laissé en jachère. Si l'on fait les comptes, Tino n'aura plus rien à commémorer avant au moins... 1982, date-anniversaire de l'enregistrement de son premier disque. Des noces d'or qu'il souhaite célébrer comme il se doit, si Dieu lui prête vie et santé.

Félix Marouani ayant cessé ses activités, c'est son fils Jacques qui a repris le flambeau en qualité d'agent artistique auprès du Corse. De 1979 à 1981, ensemble ils parcourent des milliers de kilomètres pour aller à la rencontre des admiratrices qui attendent avec toujours autant de ferveur « le Messie » dont parlait Proslier. Et pas question d'annuler une seule représentation ! Un soir, un musicien ayant fait faux bond, le jeune Marouani suggère de reporter le spectacle, mais ne l'entendant pas de cette oreille, le boss entre en scène et lance un appel au micro. Y a-t-il un guitariste dans la salle ? Oui, il y en a un – comme il y a toujours un médecin dans un avion. Ainsi le rendez-vous entre l'Idole et son public fut honoré et le gala tint ses promesses.

Pour sûr, il existe le Dieu du théâtre pour les artistes de cette veine, et pour sûr Tino y arrivera à ce jubilé d'or, fantasme de tout artiste débutant.

Le Casino de Paris, forcément !

C'est ici qu'en 1979 Line Renaud a raccroché ses plumes, ici encore que Joséphine avait rêvé de boucler la boucle ; c'était compter sans les exigences grotesques et décalées de Roland Petit, alors patron des lieux. Tino, lui, est en position de force. En outre la direction n'est plus la même ; Jean Méjean désormais règne en maître et en plus de connaître son métier, Méjean c'est un ami.

« Tino, se sachant redevenu "dans le vent" à la faveur d'un retour inattendu de la mode rétro qui avait eu pour effet de booster à nouveau la vente de ses disques, témoigne le chanteur Roland Gerbeau – depuis 1965 attaché de presse du "ténorino" – avait la flamme d'un débutant. On ne pouvait pas ne pas marquer cette heureuse passe par un événement scénique qui soit à la hauteur. Ainsi est né le projet du Casino de Paris, la maison des grands débuts parisiens du petit Corse. Il était si heureux à la perspective de ces retrouvailles avec son public parisien, que c'en était émouvant. En plus d'être mon patron, Tino était mon ami. Et je l'aimais parce qu'il ne pouvait en être autrement. Nous en avons parcouru des kilomètres et traversé des années côte à côte...

« Pour le Casino 1982 qui devait débuter le 4 novembre, Maritie et Gilbert Carpentier firent des pieds et des mains pour s'imposer comme metteurs en scène du spectacle. Maritie et Gilbert Carpentier... Quand on songe que quelques années en arrière, chaque semaine, inlassablement, je les relançais pour obtenir d'eux qu'ils consacrent une grande émission à Tino et qu'à chaque fois, ç'avait été une fin de non-recevoir, il y a de quoi être révulsé ! Pour eux, à l'époque Tino c'était dépassé, de la poussière d'étoile, en un mot un "has been", même si ce terme précis ne fut jamais employé. Finalement, un jour ils se décidèrent à inscrire Tino à leur programme et à leur grande surprise l'émission battit tous les records d'audience ! Ils n'avaient jamais fait un carton pareil... Aussi, dès lors se montrèrent-ils beaucoup plus attentionnés envers "Monsieur Rossi". En réalité, c'était le produit Tino Rossi qui les intéressait subitement, c'est la raison pour laquelle ils tinrent tellement à être dans le coup du Casino. Je me demande même si ce n'est pas à cause de leurs exigences et de leur guérilla de coulisses avec les impresarii, que le spectacle ne fut en définitive jamais filmé. Quel crime ! Dans cette jungle impitoyable qu'est notre métier où tous les coups sont permis, il existe bien peu d'authentiques seigneurs. Tino, lui, en était un, dans le sens le plus noble du terme ; jamais vous ne l'auriez pris en défaut sur une parole qu'il avait donnée ou un contrat qu'il avait signé.

« Pendant la période courant du 4 novembre 1982 au 2 janvier 1983, ce furent des semaines de bonheur total qu'il donna à ses innombrables admirateurs. Tirant un peu sur le fil, j'ai appelé ça "les Cent-Jours de Tino Rossi". Si je vous dis que ce fut un triomphe, vous allez penser que je donne dans l'euphémisme... »

Décomposé en deux parties bien distinctes, le spectacle s'ouvre avec une évocation de la carrière de l'Idole, dans un décor peu ou prou identique à celui de 1934, au temps de *Parade de France*. S'y intègre de la plus brillante manière toute une batterie de guitaristes corses dirigés par Antoine Bonelli.

« Il y avait une série de tangos, précise Maurice Bazinet, spectateur assidu, ensuite Tino s'asseyait dans un coin de la scène et commentait des diapositives et des extraits de quelques-uns de ses films projetés sur écran géant. Juste avant que la trentaine de danseuses et danseurs de Barry Collins n'investisse le plateau pour une "séquence opérette" à tout casser ! Les Carpentier avait fait du beau travail. »

Après l'entracte, c'est un Tino solitaire entouré de son orchestre qui se retrouve sur la scène mythique du Casino, pour un long tour de chant, seulement rejoint par la chorale de Saint-Eustache au moment de l'*Ave Maria*.

« Un soir, reprend Maurice Bazinet, lors du lever de rideau de la seconde partie, Tino fit son entrée sous les lumières de Jacques Rouveyrollis, lorsqu'il se rendit compte que Paul Piot, son chef d'orchestre, n'était pas au rendez-vous ! Il fit mine de regarder côté cour, puis côté jardin, puis déclara au public : "Eh bien nous commencerons sans lui !" Lorsque Piot entra à son tour...

– Nous vous attendions, lui lança Tino. Ou étiez-vous parti ? Faire pipi ?

Dans la salle évidemment, les gens riaient. »

Il est fort probable que tout ceci n'ait été qu'une mise en scène de Tino avec la complicité de Piot. Le Rossignol se plaisait à faire des gags en public. Le pianiste Dany Revel, marié à une Corse – Martine Lorenzi a écrit entre autres *Le Porte-Croix* et *La Vieille Guitare* pour Antoine Ciosi – se souvient que Tino avait refusé de l'engager parce qu'il était plus mince que lui...

– Tu comprends, m'avait-il expliqué, tous les soirs je fais un gag sur scène en disant aux gens que si je suis gros, il y a pire que moi, et à ce moment-là, je présente mon pianiste Pierre Spiers ! Avec toi, ça ne pourrait pas marcher.

Dany, qui accompagna les plus grands, de Joséphine Baker au Golden Gate Quartet, a tout de même eu la satisfaction de voir Tino enregistrer deux de ses chansons.

La générale du 10 novembre au Casino de Paris est une onde de choc émotionnel. Le gardien du théâtre en fonction depuis des lustres et qui a connu Tino en 1934 en est tout retourné :

– Mon Dieu, tu te rappelles, Tino, toutes ces filles qui te couraient derrière ?...

– Eh oui, j'étais jeune, je ne savais pas ce que j'allais devenir...

Côté salle aussi, c'est le même éblouissement. De Dalida à Line Renaud, de Mireille Mathieu à Daniel Guichard, d'Annie Cordy à Jacques Chazot, de Micheline Dax à Marie-José Nat, de Régine à Guy Lux, elles sont toutes sur leur trente et un, les étoiles ! Présents également ce soir-là : Jean-Paul de Rocca-Serra (le célèbre « Renard argenté ») et Charles Ornano, maire d'Ajaccio, ainsi que nombre de députés, de sénateurs et d'officiels en tous genres. Ce parterre prestigieux se retrouve ensuite au Fouquet's où Tino, sans ménager ses forces, offre jusque tard dans la nuit un second spectacle pour le simple plaisir des oreilles et des cœurs.

« Je ne sais pourquoi, mais dès la cinquième représentation, Tino supprima *Amor amor*, nous dit Maurice Bazinet. En revanche, deux autres chansons que j'appelle des "chansons prémonitoires" m'ont particulièrement marqué, jusqu'à m'émouvoir aux larmes. Il s'agit de *L'Enfant qui chantait* et de *Mon pays*. J'y ai vu comme une sorte de pressentiment funeste...

> *Ça me rappelle un enfant qui chantait*
> *Pour le plaisir, comme un oiseau d'été,*
> *Pour quelques filles, pour sa famille,*
> *Pour le bonheur tout simple de chanter...*

> *C'est mon pays que je sens vivre,*
> *C'est le pays où je suis né,*
> *Où je veux vivre en homme libre,*
> *Où, si Dieu le veut, je mourrai...*

« Nous sommes venus plusieurs fois applaudir le spectacle avec notre fils Bruno, ajoute Andrée Bazinet. Âgé de douze ans à l'époque, lui aussi était atteint de tinorossite aiguë et Tino le connaissait très bien pour l'avoir rencontré souvent. Il le faisait rire. Une fois, à Ajaccio, à la terrasse du Nord-Sud où nous prenions un verre avec des amis, Tino, nous ayant reconnu, s'arrêta pour nous saluer. C'était en 1973...

– Voulez-vous vous joindre à nous, monsieur Rossi ?

– C'est que je n'ai pas beaucoup de temps...

D'un seul regard, Tino jaugea les gens qui nous accompagnaient, car il n'offrait pas son intimité à tout le monde. Pour nos amis, l'examen de passage dut être concluant puisqu'il prit aussitôt une chaise et s'installa à notre table en nous avertissant qu'il ne disposait que de quelques minutes. Et il se mit à parler, parler... Mon fils alors âgé de quatre ans, buvait littéralement ses paroles. Trois heures après, Tino parlait toujours... Tel était l'homme, un bon vivant qui prenait la vie telle qu'elle se présentait. Mais je suis bavarde, nous en étions restés au Casino. Vers la fin des représentations donc, après son entrée en scène et le salut au public, Tino avait pris l'habitude de se diriger côté cour pour voir si nous, "sa vieille garde", étions bien là. Vous pensez si nous y étions ! Toujours au même endroit, debout parce qu'on ne nous faisait même plus payer. De nous voir le rassurait : "Ils sont là, c'est bon, je peux y aller !" Cet homme était tellement touchant... nous en avions les larmes au yeux. »

« Chaque soir, rue de Clichy, Laurent Rossi tenait boutique dans le célèbre hall, à gauche en entrant, reprend Roland Gerbeau. Il y vendait les disques de son père. Et il s'en est vendu, croyez-moi ! Bien sûr, Laurent touchait un pourcentage sur chaque vinyle enlevé. Cette idée lui était propre comme était sienne la suggestion qu'il avait faite à son père de venir dans le hall dédicacer ses disques à la fin de chaque représentation. Ce à quoi Tino se plia tous les soirs sans rechigner, en dépit de la fatigue due à l'âge, à la performance, mais aussi à de graves problèmes de diabète. Il aurait dû se surveiller de façon plus stricte, mais c'était difficile, dans la journée il devait recevoir la presse, répondre à des interviews ou se rendre à telle ou telle émission de radio et comme à chaque fois dans ces cas-là, on est tenu d'accepter un verre ici, de ne pas refuser l'amuse-gueule que l'on vous tend... C'était mauvais pour lui. »

Or, parfois « l'Empereur » sort de ses gonds...

« Un soir, intervient à nouveau Maurice Bazinet, Tino se plaignit d'insupportables douleurs dans le dos, mais il ne déclara pas forfait pour autant et debout derrière sa table, poursuivit sa séance de signatures jusqu'à la dernière personne. Comme je lui proposai de s'asseoir, il me répondit que la station debout lui était moins pénible. Survint, Jacques Marouani :

— Monsieur Bazinet, il faut absolument que Tino s'asseye, je vais aller lui chercher un tabouret.

— À vos risques et périls !

Et Marouani revint avec son tabouret, aussitôt rembarré par un Tino furieux :

— Toi, est-ce que je t'ai demandé quelque chose ? Sors-moi d'ici et va remettre ce siège où tu l'as trouvé !

Dans ses petits souliers, Marouani repartit comme il était venu... »

Dans ce contexte promotionnel, parce qu'il n'a jamais été un homme de refus, à l'invitation de la commune de Montmartre, Tino devient le parrain de la Fête des vendanges de Montmartre pour 1982. En qualité de maire de Paris, comme de juste Jacques Chirac est également des réjouissances, ainsi que quelques futurs éligibles potentiels tels que Lionel Jospin au coude à coude avec Bertrand Delanoë, dans la tribune officielle. À son arrivée sur l'estrade, pressé d'aller saluer son monde, Chirac ne s'est même pas rendu compte que juste sous ses yeux, au demeurant bien visible, un vieux monsieur aux traits tirés fait le pied de grue en attendant que l'on daigne lui tendre la main pour qu'il puisse se rasseoir ensuite. Confortablement installée, Elisabeth Depardieu, marraine de la manifestation, ne semble pas décidée à décoller fut-ce un bout de fesse ! Qu'importe, tel Lagardère, Chi-Chi volera vers elle ! C'est son boulot... quitte à faire patienter encore un peu le vieux monsieur. Comme tout arrive, il semble que la grande marionnette, son numéro terminé ait maintenant remarqué le pauvre Tino bien embarrassé, en homme d'éducation qu'il a toujours été. Les civilités d'usage effectuées, monsieur le maire peut aller poser son séant à la place qui lui a été attribuée et le vieux monsieur regagner *in fine* son siège.

Au fil des discours ronflants qui se succédèrent et des activités prévues ce jour-là, un film de l'époque nous permet de l'affirmer sans démagogie aucune, de tous les acteurs invités en 1982 par la commune de Montmartre, Tino fut celui qui de très loin recueillit les plus larges suffrages populaires, la foule, nombreuse, n'ayant eu de cesse de le plébisciter.

« Nous aurions pu continuer le Casino pendant encore plusieurs semaines, reprend l'intarissable et passionnant Roland Gerbeau ; les gens arrivaient en car de tous les coins de France, de Nice, de Marseille, de Bretagne, du Nord... Or, Tino n'aurait pas pu assumer, il était trop faible. Une fois le rideau définitivement tombé, il se rendit à Grasse chez un médecin qui tenta de stabiliser son diabète. En vain. Personne, moi le premier, ne se doutait encore que cette année "le beau Tino", comme l'appelait son estimé compagnon Marcel Pagnol, ne serait pas au rendez-vous avec le Père Noël... Mon plus grand regret concernant cette épopée du Casino fut que Tino n'ait pas chanté sur scène cette chanson que je lui avais écrite pour la circonstance : *Soufflez les bougies* et offerte le jour de son anniversaire. Après accord de Tino, j'avais demandé à Charles Trenet de composer la musique, ce que Charles accepta avec empressement. Cette chanson Tino l'enregistra avec son fils Laurent, ce qui n'était pas prévu au départ. Du coup, elle ne fut pas inscrite au programme de son tour de chant au Casino et elle ne fit donc pas le succès que j'avais espéré. C'est vraiment dommage. »

Gerbeau se souvient de cette journée de février 1981 où Trenet, son ami de toujours, le reçut à déjeuner à la villa Médicis de La Varenne, pour lui faire écouter la mélodie de *Soufflez les bougies*, qu'il venait de terminer.

« Magnifique !, s'exclame aujourd'hui Gerbeau. Au milieu des rires, parce que Charles n'engendrait pas la mélancolie, comme à son habitude il nous distillait sa petite philosophie de la vie. "Finalement, quel est le fond de toutes ces choses ?, me lança-t-il soudain. Le fond de ces choses, c'est d'être heureux quand on les a faites. Et puis, quand on a le souvenir de les avoir faites d'être heureux parce qu'on sait qu'on les a faites. Il arrive un moment où on ne sait plus ce qu'on doit faire. Que du beau ! C'est ce qu'il faut dire à Tino. Pfff !... tu t'en fous quand ça va te rapporter de l'argent. Il faut le faire pour que ça ne te rapporte rien ! Si ça déverse des pactoles dans l'escarcelle, ça ne déplaira pas, mais la vérité c'est qu'il faut que ce soit beau et bien chanté. Tino va dire : 'Trenet l'a chantée à sa façon, moi je vais faire autre chose.' Moi, je l'ai fait dans cet esprit où c'est peut-être un cantique. Avec du rythme parce que Tino veut être moderne. Mais la fin, il la fera mieux que moi, c'est un chanteur, moi je suis un diseur. Et il la fera très bien la fin !" »

Soufflez, soufflez, soufflez les bougies,
Les flammes joyeuses des anniversaires,
Soufflez, soufflez, il y a d'la magie
Autour des mains amies qu'l'on serre

Soufflez, soufflez, soufflez bien plus fort
Sur l'an nouveau qui ce soir recommence
Pour vous offrir le plus beau trésor,
L'amour heureux, la plus jolie des chances...

[...]

Au temps béni où nous étions là
Tous réunis en bonne compagnie,
Y avait encore maman et papa
Quand on soufflait sur les bougies.

15.

QUAND DIEU S'EN MÊLE...

« Ne dites pas mourir, dites naître. »
VICTOR HUGO

« À l'époque du *Temps des guitares*, révèle André Bernard, Tino nous annonça, à Josy et à moi, qu'il allait profiter d'une relâche pour se rendre en Corse. Un "voyage d'affaires", si j'ose dire, car il avait l'intention d'acheter une concession au cimetière d'Ajaccio où des opportunités venaient de lui être offertes. Au retour de ce séjour-éclair, il nous raconta que deux endroits avaient retenu son attention : le premier, "un peu en retrait", pour sa quiétude ; le second pour sa vue imprenable sur la mer, mais un peu exposé. Il hésitait ; valait-il mieux reposer en toute tranquillité dans la concession numéro un sans pouvoir jouir d'un panorama unique ou était-ce mieux de dormir avec la mer en face quitte à être "dérangé" en permanence par les mouvements de foule ? Et bien sûr, il se mit à rire en réalisant le côté dérisoire de la chose... »

Tino, la Corse il l'avait dans le sang !
Était-il dans les veines de la Corse ? On peut penser que son immense rayonnement et le prestige qui fut le sien dans l'Île sont aujourd'hui quelque peu écornés avec l'évolution des mentalités. Les jeunes surtout, qui lui reprochent de n'avoir pas porté haut leur langue et leur culture, à l'image des *Muvrini* et de leur charismatique leader Jean-François Bernardini.

181

« Un jour, un touriste est entré dans mon magasin en vue de choisir un échantillon de disques corses, témoigne un vénérable commerçant ajaccien. Comme, entre autres titres, je lui ai passé un disque de Tino, un ami qui était là est intervenu :

– Tino Rossi... Tu n'as que ça à lui faire écouter...

– Toi, quand Tino a enregistré son premier disque, tes parents étaient encore en Italie, lui ai-je balancé. »

Des quidams qui se veulent plus royalistes que le roi, il y en a beaucoup en Corse. Arrivés de Sardaigne ou d'ailleurs, ils sont parfois les plus virulents. Ainsi commence-t-on à assister au spectacle de Maghrébins insultant l'été des touristes continentaux : « Sale Français, retourne dans ton bled ! »

L'horreur absolue ou le début de quelque chose d'autre...

« Nul n'est prophète en son pays », aurait répété le vieux ménestrel peu avant de s'endormir dans les livres d'histoire. Faut-il déjà être prophète !

La force du Méditerranéen, du Corse peut-être plus que tout autre, c'est la famille. Sa faiblesse aussi. « Avec sa famille sur le dos, on ne peut rien faire », avait écrit Joséphine Baker, une Méditerranéenne d'outre-atlantique... Rien n'est moins faux. En tant que Corse, Tino était devenu prisonnier de sa « race » et des siens. En même temps, n'a-t-il pas bâti sa carrière et sa fortune sur ce particularisme ? Si le chanteur, par sa renommée, a contribué à populariser la Corse, la Corse, par l'utilisation de son image, lui a abondamment servi la soupe. Le jeu était pervers et il commence à se retourner, aujourd'hui plus qu'hier, contre son instigateur.

Pascal Bontempi, qui rencontra le Rossignol à maintes reprises, illustra la chose en employant la plus habile des métaphores : « Dans la pièce de Jean Cocteau, *Les Parents terribles*, la mère réprimande son fils : "Dehors on doit te flatter, t'encenser, et quand moi je te dis ce qui est..." C'est le style des familles. Comme tous les enfants, Tino ne pouvait échapper à ces coups de semonce, qui parfois l'agaçaient et le peinaient un peu. Mais son humour ajaccien prenait vite le dessus, et s'il s'y mêlait une part de jalousie et d'envie propre à toutes les communautés pour celui qui réussit, poussé par la chance, mais aussi et surtout à force de travail, seule manière de parfaire les dons du ciel. »

L'article de *France-Soir* paru le 3 décembre 1975 a-t-il affecté Tino outre mesure ? Il est à craindre que oui. Par son titre déjà : « Napoléon et Tino Rossi boudés par les Corses. »

De quoi s'agit-il exactement ?

Replaçons-nous dans le contexte de l'époque et des événements d'Aléria (été 1975), qui eux-mêmes prennent leur source en 1962, au moment de l'exode des pieds-noirs. Dans cette situation particulièrement dramatique, nombre de rapatriés choisirent de venir s'installer en terre Corse pour des raisons climatiques et de mode de vie que l'on peut aisément comprendre. Or, dès le départ furent attribués aux nouveaux arrivants des moyens importants et des dotations jusque-là refusés aux autochtones. D'année en année, cette injustice finit par prendre une tournure telle que les agriculteurs corses, las de devoir subir, firent éclater le scandale de la chaptalisation des vins. D'où l'occupation spectaculaire d'une ferme viticole à Aléria par le docteur Edmond Siméoni, assisté d'un groupe d'hommes courageux et farouchement déterminés à entamer vaille que vaille un dialogue avec le gouvernement.

Mal leur en prit ! En guise d'interlocuteurs, Giscard, par le biais de son ministre de l'Intérieur, Michel Poniatowski, délégua une impressionnante armada de CRS en grappes, avec hélicoptères, automitrailleuses... Après l'assaut final, côté militaire on dénombra deux morts, et un seul blessé dans le rang des insurgés. Dans la foulée, la ville de Bastia fut le théâtre d'une pluie de bombes lacrymogènes, les forces de l'ordre n'ayant pas hésité à bousculer nos petits vieux dans les cafés du port. À ces méthodes à peu près dignes de feu Joseph Staline, pour ne citer que lui, les Corses, femmes et hommes associés, répondirent par des jets de pierre, l'arme du pauvre.

Ainsi donc, des décades après le célèbre Ponte Nuovo, en 1769, où beaucoup d'insulaires furent massacrés ou traités selon des règles presque identiques à celles du « code noir », démarra une nouvelle période insurrectionnelle et d'hostilité envers « l'occupant », qui n'est pas prête hélas de connaître son chant du cygne.

Aux antipodes des dérives actuelles, les revendications du début, celles d'Aléria, étaient pures, saines, légitimes ; elles ne furent pas prises en compte par Paris. Aujourd'hui, tout s'est envenimé, l'amalgame entre les griefs qui ont droit de cité et les actes aveugles est profond. Les Corses eux-mêmes, pris en otage dans les filets d'un système qui ne dit pas son nom mais qui pourrait bien être mafieux, sont désespérés et ne comprennent plus d'où partent les coups et pourquoi.

Or, certaines bombes « bien mises », selon l'expression d'un célèbre insulaire, ont évité à l'île de Kallisté de devenir la petite sœur d'Ibiza.

« Il est juste de s'emporter quand il le faut, comme il le faut et contre qui il faut », proclamait Aristote. Quant à Hegel : « La violence peut-être légitime, si et seulement si, elle a pour faculté de mettre un terme à une autre violence, celle qui menace l'individu et la société. »

N'oublions pas le fait que le Corse est chez lui en Corse et si de tout temps il a lutté pour que cela soit, jamais il ne baissera les bras. Aussi, les beaux principes des Droits de l'homme qui en France font le jeu perfide de plus malin que Gaulois, l'insulaire se les applique dans la mesure où ils ne se posent pas en contradicteurs avec les réalités du terrain. Nul en terre paolienne ne saura tolérer, par exemple, que l'Île de Beauté se transforme en une banlieue française. Une France à genoux et bâillonnée, en passe de devenir une annexe nord-africaine. Une France qui, au demeurant, que cela soit dit, est beaucoup plus aimée et respectée au pays de l'Empereur que chez bien des Français « de souche ».

Revenons à nos chers *« pinzuti »*...

« Le drame des îles est celui de l'incompréhension réciproque », allégua un jour Tino, rétif nous le savons aux quiproquos et aux guerres intestines. Peut-on parler de vieille affaire de « famille » entre insulaires et continentaux ? La vérité est bien au-delà... En tant que « Corse du Continent », Tino avait-il saisi l'essence même des événements d'Aléria? Pascal Bontempi atteste que le chanteur n'était en rien indifférent à tout ce qui secouait son île natale : « Il ne cessait de répéter *"Pace e fraternita"*. » Né à une époque où il était interdit aux enfants Corses de parler leur propre langue à l'école, le citoyen Rossi n'a jamais rencontré aucun problème d'identité. « Je suis Corse avant tout, mais Français d'abord », avait-il déclaré à Amiens en 1950.

En décembre 1975 donc, premier spectacle corse politique à Paris. *Corsica Nostra* fut donné au palais de Chaillot du 10 au 14, cinq jours au cours desquels Antoine Ciosi, le chanteur insulaire alors le plus populaire, présenta son répertoire en langue corse, tout en expliquant ses textes entre chaque chanson – le même Ciosi, plus tard épinglé par les puristes pour n'avoir prétendument chanté dans sa carrière que des « rengaines à touristes ». Les récents événements d'Aléria furent bien sûr évoqués, commentés, et la défiguration naissante des sites naturels de la Corse dénoncée.

Deux grands absents à cette grand-messe patriotique, nous l'avons vu : Napoléon et Tino. Pourquoi? En se risquant à l'analyse, le chroniqueur de *France-Soir* crut en fournir la bonne explication : « Parce que les Corses refusent une image de marque à base de sérénades mièvres et de musiques siru-peuses, parce qu'ils ne veulent plus qu'on présente la sieste comme la principale industrie de l'Île de Beauté, *Corsica Nostra*, mérite toute votre attention. Dans le rappel historique qu'Antoine Ciosi se propose de faire, la place d'honneur reviendra à Paoli. Pas un mot sur Tino Rossi auquel certains de ses compatriotes reprochent de donner d'eux une fausse image. Pas un mot sur Napoléon qui "n'a jamais rien fait pour la liberté de l'Île". Sans compter que les deux Corses les plus célèbres du monde ont commis, de surcroît, l'irréparable erreur de faire du Continent le seul théâtre de leurs exploits... »

Le ton grinçant employé par l'auteur pour boucler son article en dit long sur la manière dont sont parfois perçus en Corse les « déserteurs », ceux qui choisissent de partir se chercher loin de chez eux. Mais plus fort que toutes les haines, toutes les jalousies et tous les chauvinismes qu'ils suscitent parfois, il est un principe que ceux qui n'ont jamais eu le cran ou l'ambition ou la simple volonté de couper le cordon, pour aller accomplir au prix de mille souffrances leur propre destinée, ne saisiront jamais : « Un Corse ne s'exile pas, il s'absente ! »

Ainsi, de ce jour où il prit le bateau pour la première fois de sa vie, le jeune Tino voguant vers le Continent comprit qu'il ne partirait jamais tout à fait et que chaque fois ce serait pour mieux revenir.

C'est donc au milieu des siens, de ses amis, de ses parents, de ses arbres du Scudo qu'après une grave opération du pancréas à l'Hôpital américain de Neuilly, au printemps 1983, les oreilles encore bourdonnantes de son triomphe au Casino de Paris, il revient passer sa convalescence après une escale au château de Montgeoffroy, chez le marquis et la marquise de Contades, puis sur la Côte d'Azur, à Cannes où les Rossi sont propriétaires d'un appartement.

Entre Tino et la Côte, c'est une vieille histoire de famille. Depuis la Libération, il a pris l'habitude d'y séjourner plusieurs fois par an. Viviane Romance, par exemple, l'a accueilli à maintes reprises en son château de La Gaude. C'est Tino encore qui porta la fameuse Rose d'or d'Antibes sur les fonts baptismaux, lorsque cette manifestation fut créée par Claude Tabet, au Casino de Juan-Les-Pins, en 1964. À Monaco, Nice ou Cannes, combien de fois n'a-t-il pas honoré de sa présence des galas organisés par ses compatriotes corses, comme la Semaine corse de Monaco ? Sur la Croisette, quand il ne prenait pas un verre au Carlton ou au Martinez, dont il était un habitué, on pouvait parfois le voir faire son jogging matinal aux seules fins de « soigner ses poumons pour respirer le plus longtemps possible le parfum du maquis corse ». Cannes et son Midem qui furent le théâtre de sa remise du Trophée de la chanson française, au cours d'une soirée du Variety-Club, en 1977. Pour les énervés de l'anecdote, trois ans plus tard Tino fêta son soixante-treizième anniversaire, dans une pinède de

Roquebrune-Cap-Martin, une commune limitrophe de Monte-Carlo.

Voici donc l'homme de retour chez lui.

Nous sommes en juin ; l'Île n'est jamais aussi belle qu'en cette époque de l'année où, entre soleil et silence, tout à déjà reverdi depuis longtemps et où rien n'a encore grillé. Quant aux *pumataghi* (mangeurs de tomates... les touristes !), à cette date sereine, ils n'ont toujours pas montré fesse blanche.

Tino est atteint d'un cancer, mais on ne lui a rien dit.

Nicky lui n'est pas dupe... À toute heure de la journée, ce grand et beau chien noir, offert par Achille Péretti, ne quitte pas le talon de son maître, dans les allées sauvages du grand parc du Scudo, à lui seul un échantillon de la terre promise. La terre promise... Depuis le jour où il a acheté sa concession, Tino connaît la sienne et il sait qu'elle l'attend, là-bas, pas très loin du Scudo d'ailleurs, de l'autre côté de la route. Et Nicky qui se fait de plus en plus affectueux...

Pour sauver les apparences, Laurent décrète que son père souffre d'une hépatite sévère et fait passer la consigne dans l'entourage des amis qui défilent au Scudo pour visiter l'illustre malade. « Ce "leurre" repris par son entourage faisait-il vraiment illusion, comme nous le pensions à l'époque ? » s'interrogera *a posteriori* Laurent Rossi avec scepticisme.

Le 6 août, sans cérémonie mais avec bonhomie, Tino accueille ses amis du club Tino Rossi au Scudo. Lui qui déteste les photos quand il se retrouve dans l'intimité a demandé à deux photographes qu'il connaît bien, Jo Mignucci et Desrobert, d'assurer un reportage pour cette rencontre avec ceux qui ont fait de lui ce qu'il est. Ce jour-là, le maître des lieux est quelque peu troublé ; la veille les pompiers d'Ajaccio ont dû intervenir dans sa propriété pour venir à bout d'un début d'incendie. L'alerte a été plus que chaude...

Le 15 août, naissance de Napoléon et fête de la Vierge, Tino tient à répondre à l'invitation du maire d'Ajaccio, mais lors de la réception à l'hôtel de ville au cours de laquelle on lui présente la nouvelle miss Ajaccio, il est pris d'un malaise. Ainsi, la rémission quasi miraculeuse aura été de courte durée. Après consultation auprès des autorités médicales, début septembre Laurent et Lili prennent la décision de rentrer avec le malade à Paris. En cas d'urgence et bien que son mal soit incurable, avec les infrastructures hospitalières dont dispose la capitale, on pourra peut-être lui éviter bien des tourments inutiles. C'est au moins l'opinion de Laurent, mais en de pareilles circonstances on ignore souvent quel est le meilleur parti à prendre, on ne sait pas, on ne sait plus...

Pour s'être vu épargner les allées et venues des dames en blouses blanches et les infectes odeurs d'éther, Tino passe ses derniers beaux jours boulevard Maillot, dans son superbe appartement décoré par Michel Pignères, en bordure du bois de Boulogne. Le célèbre cancérologue Léon Schwartzenberg est appelé à la rescousse. Cette fois Tino a dû comprendre... Roland Gerbeau n'en est pas si convaincu.

« Tous les jours, révèle-t-il, depuis le lit de sa chambre qui donnait sur le jardin, il surveillait ses rosiers, guettant patiemment la naissance de ses fleurs qu'il aimait tant. Il paraissait ne pas souffrir et lorsque le professeur s'enquérait de sa santé, Tino lui répondait invariablement : "J'ai un mauvais rhume, j'espère que ça va passer parce que ça commence à être long..." Voulait-il jouer le jeu de tout le monde et laisser Lilia à ses illusions ?

« Lorsque j'ai senti que le moment allait venir, j'ai téléphoné au directeur de chez Borniol, les fameuses pompes funèbres, pour lui demander de se tenir sur le "qui-vive" si j'ose dire : "Une éminente personnalité parisienne ne va pas tarder à rendre son dernier souffle." Curieux comme une bigoudène, le directeur voulut en savoir davantage, mais je m'en suis tenu à mon premier discours. Il m'a alors communiqué une foule de numéros où je pourrais le joindre nuit et jour en cas d'urgence.

« Dans la nuit du 26 au 27 septembre, je l'ai donc appelé en lui disant que pour Monsieur Tino Rossi, tout était fini, il venait de s'éteindre dans son sommeil à 23 h 30. "Je me doutais qu'il s'agissait de lui, me répondit le directeur de chez Borniol, j'avais entendu dire qu'il était très fatigué." Puis il est arrivé vers

4 heures du matin, de manière très cérémonieuse, entouré de ses collaborateurs tous très bien mis. La famille a fait le choix sur catalogue d'un magnifique cercueil impérial en acajou de style napoléonien à colonnes, qui leur a coûté une fortune. Ce fut un moment horrible, douloureux et tragique. Laurent ne savait plus où il en était. C'est lui qui a sorti une paire de chaussettes de l'armoire et qui les a passées à son père. Ce faisant, il pleurait comme un enfant qui voit son papa ne plus lui appartenir. Alors je lui ai parlé : "Embrasse-le, embrasse ton père, profites-en, tant qu'il est encore là, tant qu'il y a encore de la vie sur son visage." Ce qu'il a fait aussitôt. »

27 avril 1907 – 26 septembre 1983 : ainsi, pour Tino Rossi la « divine comédie » des ans se sera répétée pas moins de 76 fois. On peut affirmer sans se tromper que l'homme ne s'est pas contenté de jouer sa vie, il l'a vécue, en ne cherchant jamais à paraître celui qu'il n'était pas, conscient et heureux de son privilège et de la chance qui fut la sienne.

Tandis que les chaînes de télévision commencent à revoir leurs grilles de programmation, dans toutes les rédactions de journaux en ébullition il s'agit de faire vite pour diffuser le flash le plus sensationnel. Pensez-donc : « La voix d'or s'est tue ! » Légende vivante, millionnaire du disque, vétéran d'une race de monstres sacrés en voie d'extinction, Tino Rossi n'est plus de ce monde !

L'homme qui repose sur son lit a, lui, tout son temps. Redevenu un humble pêcheur devant la porte de Saint-Pierre, désormais tout ce cirque médiatique, qu'impose la notoriété et auquel pendant un demi-siècle il se plia avec la rigueur du professionnalisme et le respect du sacré que l'on acquiert quand on naît pauvre et amoureux de l'Universel, lui est maintenant étranger. Constantin Rossi, *figliolu di Larenzu e di Genia* (fils de Laurent et Genia) qu'il touchera bientôt des yeux, vient d'entrer dans l'Essentiel.

Essentiels également et habituels dans ce genre de circonstances, dès le lendemain, les messages affluent au domicile du disparu. Marques sincères d'affection ou simples formalités diplomatiques, on appelle cela des condoléances. Celles des politiques d'abord, où tous s'accaparent sa mémoire :

– Le président Mitterrand (sobre) : « Sa disparition affecte tous les Français. »

– Jack Lang, ministre de la Culture (lyrique) : « Il appartenait de son vivant à la mythologie de la chanson. Il appartient désormais à l'Histoire. »

– Jacques Chirac (parisien) : « Il appartenait à ce Paris qui ne cessa de lui rendre hommage et au prestige duquel il contribua. »

– Giscard (giscardien) : « Madame Tino Rossi, la voix de votre mari était la plus belle de France ! »

– Georges Marchais (populaire) : « Durant toute sa carrière, Tino sera resté fidèle à l'inspiration qui lui valut son extraordinaire succès : sa Corse qu'il aimait tant, et le bonheur des amoureux. »

Les condoléances de la profession, ensuite, où le consensus évident semble nu d'arrière-pensées :

– Dalida : « Pour tous les Français "Petit Papa Noël" est mort, mais Tino ne mourra jamais. »

– Suzy Delair : « C'était un homme toujours serein... Il était bien, ne demandant rien à personne, il était heureux. »

– Guy Béart : « Pour moi c'était l'un des trois grands avec Maurice Chevalier et... Guy Béart. »

– Marcel Amont : « Comme disait Brassens à qui l'on demandait pourquoi il aimait Tino Rossi, je dirais comme lui aujourd'hui : "Je l'aime et c'est comme ça." »

– Jean-Jacques Debout : « Il donnait à chacun l'impression de chanter pour lui seul. C'était quelqu'un de gentil, de simple et de très intelligent, qui a passé toutes les modes sans jamais être démodé. »

Devant le 40 boulevard Maillot à Neuilly, tandis que les télégrammes continuent d'affluer, dans la matinée du 27 les policiers commencent à installer des barrières de sécurité. Vaine précaution. Si la famille seule et quelques rares intimes seront admis au chevet du défunt, la foule des admirateurs parisiens se fera on ne peut plus discrète. Mireille Mathieu, les yeux cachés derrière d'épaisses lunettes noires, est photographiée à la sortie du domicile de Tino. Elle n'est pas seulement venue en voisine; «Mimi» c'est une amie. À une époque, Tino avait même annoncé un projet commun de comédie musicale qui ne vit jamais le jour. Elle se souvient Mireille... Elle se souvient de ces repas fastueux chez les Rossi et des bouillabaisses dont Tino raffolait et que préparait «Bouboutch», alias Johnny Stark. Et puis, c'est Tino qui lui avait présenté Marcel Pagnol, le seul auteur que la petite provençale connaissait alors...

Le spectacle de désolation servi à la «Demoiselle d'Avignon» est le même que celui dont Jean-Michel Gardanne, envoyé spécial de *La Corse*, se fait le relais dans la presse insulaire: un Tino «couché sur son lit, du côté droit, le plus près de la fenêtre dont le store est baissé. C'est vrai qu'il avait maigri ces derniers temps. Il porte un costume d'alpaga bleu foncé, des escarpins à hauts talons, chemise et cravate impeccables. À la boutonnière, la rosette de la Légion d'honneur. Le masque est figé, lisse et détendu à l'exception de deux profondes rides qui encadrent la bouche. Coiffés comme à l'ordinaire, en arrière, ses cheveux dégagent le front immense. Dans ses petites mains croisées sur le ventre, on a glissé un Christ en ivoire. Une seule lampe de chevet est éclairée dans la chambre dont les couleurs dominantes sont le blanc et le rose framboise. Et une bougie brûle près du corps. Sur l'autre partie du lit, on a déposé trois gerbes de roses rouges.»

C'est que sur l'Île, la nouvelle a assommé les esprits!

La Une que les deux principaux quotidiens ont réservé à l'événement est tout simplement gaullienne. «Surtout, dites bien à tout le monde, là-bas, que mon père voulait mourir en Corse!», recommande Laurent Rossi à Jean-Michel Gardanne avant de le laisser repartir. À défaut d'avoir rendu l'âme dans son île natale, Tino y sera inhumé vendredi, le 30 septembre, avant la cérémonie parisienne en l'église de la Madeleine. Laurent a demandé à Johnny Stark d'en assurer toute l'organisation, pendant que lui se chargera de régler les détails de l'enterrement à Ajaccio, prévu pour le lendemain.

Johnny Stark, de mère Corse et de père Alsacien et sans doute l'un des plus grands impresarii que le monde du spectacle ait compté, avait fait la connaissance de Tino juste avant la guerre. C'était à Cannes, sur le yacht d'un ami. Le Rossignol était accompagné de Mireille Balin qui, maladroite, avait laissé tomber son poudrier en diamants dans l'eau du port. Sans hésiter, Stark s'était presque mis dans le plus simple appareil pour ramener le précieux objet à sa propriétaire. «Eh bien, vous, on peut dire que vous savez nager», l'avait remercié Tino. Une anecdote, un geste et une phrase qui venaient de sceller à vie une indéfectible amitié.

Silencieuse, impressionnante, recueillie; tels sont les adjectifs avec lesquels on aurait voulu décrire la foule immense venue dire adieu à Tino. Or, à leur arrivée au pied de la Madeleine, selon la couleur de leur blason, les politiques sont sifflés ou applaudis. Comportement incongru? Non, la foule gronde et se venge d'avoir été mise à l'écart. Ces heures sacrées où la ferveur populaire aurait dû s'exprimer a été transformée pour les besoins de la cause en une cérémonie guindée avec dans les premiers rôles un bataillon de personnalités les plus diverses – stars chaussées ou non de leurs lunettes noires, politiques au plus près de l'objectif, officiels munis de cartons d'invitation – toutes strictement tenues à distance par un imposant service d'ordre, très sévère. Sans rien dire des ambulances du SAMU et des voitures de la Protection civile... Une organisation de pro, à la Johnny Stark!

Quelque part dans la cohue, un très vieux monsieur bardé de décorations s'interroge: «Vont-ils au moins nous laisser entrer dans l'église, après la messe? Je suis venu de Melun. J'aurai cent ans l'année prochaine! Je n'ai plus de famille; je n'avais que lui... Chaque jour, je mets ses disques. Je me suis levé à six heures ce matin pour prendre le train et arriver à l'heure. Je vais m'asseoir par terre, je suis trop fatigué.»

Gageons que Tino n'aurait pas apprécié tout cela.

Bientôt, ce sera au tour de son cercueil de gravir les marches de l'église, depuis longtemps noires de monde, où s'accumulent gerbes ostentatoires et humbles bouquets anonymes. On remarque la couronne de l'Amicale des Ajacciens de Paris, celle des Corses de La Réunion, celle encore de Jacques Médecin, maire de Nice. Une superbe composition à dominante « mimosa » sur le ruban de laquelle on peut lire « Mimi » est placée à la droite de l'autel, bien en vue. Il y a aussi les fleurs d'Hervé Vilard, celles de Dalida présente dans l'assistance avec tout ce que le show-biz parisien compte de têtes (Sheila, Jean-Jacques Debout et Chantal Goya, Claude Jade, Marie-José Nat, Thierry le Luron, Rellys, Georges Cravenne, Henri Tisot, Guy Lux, Denise Fabre, les Carpentier...).

Jacques Chirac, lui aussi, est du nombre. Ainsi que Charles Pasqua, le commissaire Ottavioli, Joseph Franceschi, secrétaire d'État à la Sécurité publique et le représentant du Premier ministre. Quant à Jacques Lang, il arrivera presque après la bataille.

10 h 55. Des murmures dans la foule ; il semble que le cortège funèbre qui s'est ébranlé une demi-heure plus tôt soit maintenant en vue. En vue, c'est beaucoup dire, tant la multitude a fait des rues Royale et Tronchet, des places de la Concorde et Saint-Augustin, des boulevards des Capucines et Malhesherbes une immense araignée à tête unique : le chœur de la Madeleine. À son arrivée devant l'autel, suivi par une Lili éplorée, que son fils Laurent caché lui aussi derrière des verres teintés soutient de son mieux, le cercueil est recouvert d'un drap violet. À la droite de Lili : Pierrette, sur le banc réservé à la famille. Pierrette dont le caractère bonhomme était tellement semblable à celui de son père.

De l'autre côté de l'allée, les officiels sont en place, le chanoine Thorel peut commencer son sermon d'après les éléments qu'on lui a fourni. S'adressant en premier lieu à la famille, il dit : « Des milliers d'hommes et de femmes avec lesquels Tino Rossi avait, par ses chansons, tissé des liens de tendresse et d'amour, partagent votre peine. Je vous demande à tous de garder de ce chanteur très croyant qui faisait le signe de croix chaque fois qu'il entrait en scène, l'image de l'homme optimiste qu'il a toujours été et de l'homme exigeant qu'il se montrait dans son travail, pour lui et pour les autres. »

Après la cérémonie et l'*Ave Maria* joué par Maurice André à la trompette, une fois l'église évacuée quelques heures sont *in fine* laissées au peuple de Paris, à tous ceux qui ont « fait » Tino. Tino leur appartient comme ils appartenaient à Tino. Par groupe de cinquante, savamment canalisés, ils viennent se recueillir devant le cercueil sur lequel repose encore le coussin grenat porteur de la croix de Commandeur de la Légion d'honneur. Moment insolite et émouvant où, en grand habit bleu, blanc et rouge, paré de guêtres blanches, de dorures et d'un grand chapeau de poils noirs de l'Armée impériale, tel un revenant de Waterloo, un fan unijambiste et entre deux âges, déguisé en grognard, fait son apparition du fond de la nef et reste un long moment à communier en silence avec l'Empereur de la chanson.

Pour la famille, voilà une nouvelle épreuve de surmontée. Demain, il faudra être fort car le retour à Ajaccio où Tino sera porté en terre, risque fort de bouleverser littéralement les esprits et d'arracher des larmes de sang.

Mais demain sera un autre jour...

En Corse, le drame a pris des proportions de catastrophe nationale. Tous les élus ont été unanimes à saluer la mémoire de leur frère disparu. Hier, pendant que les *Sgiò* de la Madeleine étaient à leur affaire, dans la commune de l'Île-Rousse, au cours d'une cérémonie au square Tino Rossi, inauguré on s'en souvient par le défunt quelques années auparavant, l'ensemble du conseil municipal a appelé la population à se rassembler pour un dépôt de gerbe, suivi de la traditionnelle minute de silence. La gerbe, c'est le chanteur Antoine Ciosi, très ému, qui, sous une pluie battante, est venu l'ajouter aux centaines de bouquets déjà nombreux au pied du monument.

Et Ajaccio ? *Aiacciu* ne fait plus la belle en cette grise fin de septembre. Alors qu'à Paris le ciel bleu confère à la capitale des allures de petite Provence, la pluie ne cesse de tomber en rafales : 22 millimètres d'eau en 6 heures pour la seule journée de jeudi. Est venu s'y mêler le vent, une tornade qui a causé des pannes de courant et des dégâts sur la chaussée où plusieurs arbres se sont abattus sur le toit de voitures en stationnement.

À la mairie, le maire bonapartiste veut rester optimiste, demain tout devra se dérouler comme prévu. Alors, Charles Ornano continue de dispatcher ses directives aux différents services de la commune et dans un communiqué il sollicite des commerçants d'Ajaccio la fermeture de leur boutique entre 11 h 30 et 16 heures. On sait par ailleurs qu'il a adressé une lettre aux chefs de service des administrations, services publics et de l'académie de Corse, en leur demandant de faciliter ce jour-là l'emploi du temps de tous ceux qui désireront assister aux cérémonies d'adieu à Tino. Ce en quoi il les encourage vivement. La circulation et le stationnement également seront sévèrement réglementés pendant quelques heures. Plusieurs rues seront interdites d'accès. Seuls les éléments toujours aussi déchaînés ne semblent pas disposés à se ranger aux volontés de Monsieur le maire.

Ce sera le déluge ou rien !

Au matin du vendredi 30 septembre, les pires augures s'annoncent au-dessus des Sanguinaires. Le Boeing 727 d'Air France, spécialement affrété par la famille Rossi pour le transport de leurs invités, est attendu vers 11 h 30 sur le tarmac de Campo. Or, la pluie et surtout le vent qui souffle à 90 km/h, poussant par pointes jusqu'à 108 km/h, compromet sérieusement toute chance d'atterrissage sur la piste d'un aéroport réputé de surcroît l'un des plus dangereux au monde. Minute par minute, le maire se tient informé de la situation.

Dans l'avion qui ramène le cercueil de Tino, placé en soute avec la montagne de fleurs de la Madeleine, les passagers cèdent à l'angoisse...

Roland Gerbeau : « Nous étions secoués et c'est vrai que moi-même je n'en menais pas large. Après avoir tourné longuement dans le ciel, le pilote s'est finalement résolu à tenter un atterrissage. Au moment où l'avion allait toucher la piste, nous avons été de nouveau très fortement secoués et comme déportés.

195

Impossible de se poser sans risquer une véritable catastrophe. Aussitôt, le pilote remit les gaz et nous reprîmes de l'altitude. »

Soudain, dans l'enceinte de l'aéroport où les officiels font le pied de grue, l'annonce tombe : l'appareil devra être dérouté sur Bastia-Poretta ! Une femme coiffée avec le *mezzaro* de Colomba, qui psalmodiait les yeux fermés, s'écrie alors : « C'est Dieu qui l'a voulu ! Pour son dernier voyage, Tino va traverser la Corse. Et puis, nous allons pouvoir le veiller toute la nuit ! »

À 12 h 15, au grand soulagement de tous, les roues du Boeing touchent enfin le sol bastiais pour aller s'immobiliser quelques minutes plus tard. Mais déjà, des gens qui ont appris la nouvelle se massent derrière les grilles de la piste. Ils n'ont pas oublié le soutien actif et enthousiaste de Tino en 1978, au moment de l'épopée européenne du SECB. L'Ajaccien avait fait le déplacement jusqu'au stade de Furiani pour assister au match aller de la finale de la coupe de l'UEFA, Bastia-Eindhoven et crier *Forza Bastia !*

C'était hier, mais ça ne s'oublie pas...

Entre temps, grâce à l'intervention du préfet de Haute-Corse, dans l'improvisation la plus totale, plusieurs voitures, quelques taxis et quatre cars sont affrétés. La route sera longue ; 150 kilomètres à travers les montagnes, sur une deux-voies qui ressemble à certains endroits aux pires départementales de la Bulgarie profonde ! Aussi, dès 14 h 30, le convoi s'ébranle-t-il. Mireille Mathieu et Johnny Stark, Marie-José Nat, Corse par sa mère, Jacques Dominati et Denise Fabre en font partie, qui ont décidé d'aller jusqu'au bout. Le corbillard les précède, encadré par 4 motards, et suivi de la famille. Pour le transport des fleurs, il a fallu faire appel au service d'une entreprise de camions. Dans ces circonstances, les obsèques, cela s'entend, ont été reportées au lendemain...

« La Corse a voulu qu'il rentre chez lui par la route », confie Lili à Mireille Mathieu. Mireille, très croyante qui parle plutôt d'une intervention divine : « Si la Corse s'est mise en colère, c'est la volonté de Dieu ! »

« Il n'y a ni mots ni sentiments assez forts pour exprimer ce que fut cette traversée de la Corse, atteste de son côté Roland Gerbeau. Dans chaque village, les gens en grand deuil sortaient sur le pas de leurs portes, femmes, hommes, enfants se signaient au passage du corbillard, d'autres lançaient des fleurs, d'autres encore priaient. Les maires de chaque commune avaient revêtu leur écharpe et s'inclinaient avec respect, entourés de tous leurs administrés. Ce n'était pas une congrégation de fans, mais bel et bien le témoignage d'amour de tout un peuple. Le brouillard, la pluie parfois, apportaient du sublime au tragique. Un tableau peint de la main de Dieu, sur une musique de Richard Wagner, une tempête comme l'eut souhaitée Châteaubriand pour sa dernière heure ! »

Là fut la vraie Corse, celle du respect et de la générosité, la Corse partageuse et altruiste, touchante par son humilité, impressionnante de grandeur et de dignité, la Corse criblée de balles mais toujours debout, la Corse de Tino, celle de Jean-François Bernardini, la nôtre, celle de l'honneur et de la grande famille des hommes.

« Au fil du trajet, les souvenirs de dix-sept années d'amitié et d'étroite collaboration m'assaillaient, continue Gerbeau. Tous ces pics et ces sommets, ces ravins impressionnants et ces routes tortueuses me ramenaient au temps où Tino me fit découvrir et apprécier son île en m'emmenant sur les traces du héros Sampiero Corso. "Regarde, me disait-il, avec ses hommes il a emprunté tel chemin, là-haut, entre ces deux rochers. Tu te rends compte par où ces types passaient ?" Tino avait son pays dans les tripes ! »

À Ajaccio, le soleil qui accueille maintenant l'entrée du singulier cortège ne pouvait être qu'impérial. Peut-être un autre signe du divin complice envers celui qui venait d'infliger l'une de ses farces coutumières à tous ceux qui auraient assez de recul pour le comprendre et assez de force pour en sourire.

Le cercueil exposé dans le hall de la mairie, sur un catafalque sombre et sobre, comme d'autres avant eux les Ajacciens commencent à défiler, les yeux rougis ou hagards. Beaucoup d'anciens de la rue Fesch dans cette multitude que l'on aurait aisément pu prévoir massive et compacte. Les amis du « Son des guitares », ceux du « Bar du Golfe ». Tous ont un souvenir qui chante dans leur tête, un et plusieurs, mais tout se mélange et rien ne se fixe. Seule la douleur est souveraine. Devant le cercueil, tout ce que l'Île compte d'« huiles » et de grands pontes est rassemblé... là-bas, le fameux commissaire de la République, Robert Broussard. Bébé, patron et figure légendaire du bar de la plage Marinella, sous le Scudo, Bébé pleure tout ce qu'il sait : « La dernière fois que je l'ai vu, c'était la veille de son départ pour le Continent, bafouille-t-il. On lui avait dit que j'étais mort et il s'est précipité chez moi, les larmes aux yeux pour savoir ce qu'il en était réellement. Quand il m'a vu, il m'a serré contre son cœur comme si j'étais un revenant. J'étais loin de me douter que jamais plus nous ne pourrions nous embrasser. »

Éreintés, tard dans la soirée, Laurent et sa mère gagnent le Scudo, laissant la population ajaccienne veiller le corps de l'être aimé. Par la force des choses, l'ultime étape sera donc pour demain samedi. Avant d'être déposé dans la chapelle, selon la volonté familiale et en présence des seuls intimes, le cercueil fera une dernière fois le tour de l'ancienne propriété de François Coty, sous les pins centenaires que Tino soignait comme une vieille dame ses boutons de roses. Avant cela, il faudra à la veuve et à l'orphelin de nouveau affronter la foule, les regards, les curieux, subir d'autres minutes cruelles comme le Christ jadis endura son chemin de croix, tout ce lugubre et ce funèbre, passage horrible mais obligé qui ne rend pas l'absence plus supportable.

Les voilà d'ailleurs, Laurent et Lili, escortés de Pierrette. Sur l'avenue du Premier-Consul ils avancent. Leur pas est lent et solennel. Devant eux, le porteur de décoration. Plus avant, la musique municipale ouvre la marche, tambours et grosse caisse voilés de noir, pour une *Marche funèbre* de Chopin qui répand un frisson dans la foule. Suit une interprétation tout aussi sinistre de *Laissez-moi pleurer* (Pierre Putz). Tino qui demandait à ses paroliers de ne jamais employer de mots tristes dans ses chansons...

Il est tôt encore lorsque le cortège arrive sur le parvis de la cathédrale par l'avenue Eugène-Macchini, accueilli par monseigneur Thomas, un évêque de Corse d'auguste mémoire.

Pour la messe, plusieurs airs ont été retenus par la famille, dont la berceuse *Ciuciarella, Stami vicinu*, l'*Ave Maria* de Schubert et le *Dio vi salvi Regina*.

« C'était au soir du 15 août dernier, lors d'un baptême dans la chapelle de l'évêché, commence monseigneur Thomas, assisté du vicaire général Ghisoni, du chanoine Casanova, archiprêtre de la cathédrale, et des abbés Rabazzani et Mamberti. J'avais commenté la grandeur du baptême, sur le thème "vivre spirituellement alors que nous vivons physiquement". Tino écoutait avec une attention extraordinaire. Lorsque sa famille et ses amis furent partis, il revint vers moi, les larmes aux yeux et me dit : "Je ne peux pas vous dire comme je le voudrais le merci que j'ai en moi. C'est un grand moment pour moi." »

« Le monde que Tino Rossi a décrit est celui que décrivait saint Paul, celui de la communion entre les êtres humains. Avec lui, c'était la communion entre les uns et les autres. Il était profondément humain et c'est cela qu'il chantait, la bonté et la tendresse. Où voulez-vous trouver ailleurs l'explication de ses gestes en faveur des déshérités? Tino représentait le christianisme populaire. »

« Au moment de l'absoute, j'ai été intrigué par la présence d'un chien dans la cathédrale, se souvient Roland Gerbeau, un beau et grand chien noir. J'ai su que c'était celui de Tino. Comment était-il arrivé là? Personne ne l'avait emmené. Je ne vois qu'une possibilité ; l'animal s'était échappé du Scudo, à plusieurs kilomètres de là, pour venir retrouver son maître. Tendres compagnons qui ne nous ont pas encore tout dit... »

De retour du Scudo qui n'entendra plus jamais l'écho du rire de Tino et où pourtant le défunt vient de se promener pour la dernière fois, le cortège fait une halte définitive devant le cimetière marin du Canicciu. Le calvaire officiel de la famille prend fin lorsque le lourd cercueil rejoint ceux de Laurent et d'Eugénie, dans la jolie chapelle à laquelle on a su éviter, à l'inverse de bien d'autres dans le secteur, l'aspect ridicule et présomptueux d'une chantilly de ciment.

Désormais, Tino reposera ici, dans la même allée que les malheureuses victimes de la terrible catastrophe du vol Ajaccio-Nice, survenue en 1968, un 11 septembre... Plus proche de lui, toute proche, la tombe humble et presque invisible d'une jeune fille, morte il y a fort longtemps, à l'âge de vingt-cinq ans. Un Rossignol pour voisin de paix et d'éternité; damnation ou privilège ?

« Lili était inconsolable, se souvient Mireille Mathieu. Aussi, quelques semaines après le drame, l'ai-je emmenée en Allemagne où je devais faire une tournée, pour la sortir de sa solitude et faire diversion. Elle ne cessait de pleurer, je ne savais plus que faire. Dès qu'elle regagnait sa chambre, ce n'était que torrent de larmes... »

« L'année suivante, un Ajaccien avec qui je discutais se plaignit que Tino n'avait jamais rien fait pour la Corse, relate Maurice Bazinet. Alors que nous étions en train de parler, trois minicars du centre spécialisé de *Casarella*, offerts par Tino à cet établissement pour enfants handicapés, déboulèrent à un coin de rue. "Ah, je ne savais pas", se disculpa-t-il, penaud. Tino avait horreur de faire étalage de ses largesses. Je me souviens encore d'un Gala des journalistes à Paris, dans les années 60. Tous les artistes venus chanter avaient apporté une enveloppe qu'ils tenaient bien en évidence. Tino, lui, était arrivé les mains vides. Il fit son numéro et au moment où le spectacle allait toucher à sa fin, l'animateur de la soirée s'approcha du micro et annonça que Monsieur Tino Rossi avant de repartir avait laissé une enveloppe conséquente. Tel était notre ami. »

Actuellement, en souvenir de ces heures de septembre 1983 où notre rocher sut se montrer souverain et rassemblé autour de l'un des siens, l'entretien du souvenir de Tino Rossi n'est pas ce qui pourrait arriver de pire dans une Île malade, à l'image d'un monde en mal de ses repères, qui court, court, oublieux des boussoles et des règles, qui va trop vite et qui le sait, mais continue sa course folle.

Quelle image de marque plus éminemment sympathique pour notre pays que celle de cet homme affable, intègre, proche des gens et fidèle dans ses amitiés, un artiste au rayonnement international qui jamais n'a prêché autre chose que la joie des cœurs et chanté l'amour, l'amour décliné à l'infini, parce que quelle que soit leur couleur, leur religion ou leur sexualité, tous les êtres sur cette terre, au moins peut-on l'espérer, en ont un même et impérieux besoin. Tant que cette civilisation-ci n'aura pas définitivement périclité, Tino restera un gage d'amour et un message de paix entre tous les Corses soucieux de préserver leur territoire et leur patrimoine, mais ouverts sur le reste de l'humanité.

À présent, Lili est près de lui. À la bonne heure ; vingt ans d'exil, c'est toujours trop long pour des cœurs amoureux.

ÉPILOGUE
CORSICA SÒIA (SA CORSE)...

> « Si notre île allait devoir payer la publicité
> que Tino lui a faite, il y a belle lurette que
> les caisses de la région seraient vides et tous
> les contribuables ruinés ! »
>
> PASCAL BONTEMPI

Ne nous étonnons pas outre mesure si aucune rébarbative discographie ne vient clore cet ouvrage, celle de Tino ayant déjà été précédemment publiée. Une chanson, c'est avant tout un sentiment, une sensation émotionnelle, il serait donc dérisoire et cruel de la réduire à une pluie de titres collés à une multitude d'autres sur du papier blanc et vierge de vie.

Et comme l'achèvement d'un livre est à chaque fois une petite mort et qu'il nous faut maintenant songer à nous quitter, il nous a semblé qu'après l'émotion des obsèques, conclure en donnant la parole à celui que nous venons de fêter dans ce florilège de souvenirs épars serait la solution la moins radicale. Demeurons donc encore un peu en compagnie de l'Absent.

C'était en 1969, au Scudo.

Un jeune journaliste ajaccien, ayant imaginé de conter aux enfants l'histoire de la Corse en illustrant lui-même son ouvrage, avait sollicité de Tino une préface. Fredien Santini, promoteur de la radio en Corse et vieil ami du chanteur s'était alors proposé de jouer les intermédiaires. Il n'eut pas à déployer toute une batterie d'arguments pour convaincre un Tino acquis d'avance à cette heureuse initiative. Ce fut un « oui » franc, clair et sans contrepartie. Par la faute d'un éditeur continental indélicat, le projet ne vit jamais le jour, mais la préface de Tino demeure. Directe, belle, simple (« Il faut parler autant au cœur qu'à l'intelligence des enfants car ils sont moins compliqués que nous »), pleine de chaleur et d'optimisme, elle ressemble à son auteur. À sa mort, comme un hommage, le journaliste Jean Bisgambiglia la retira du tiroir où elle dormait depuis près de quinze ans, pour l'offrir au public corse en exclusivité. Combien l'ont lue ? Combien s'en souviennent ? Il serait bon que tous les jeunes insulaires puissent se pencher sur ces lignes qui leur parlent et parleront à leurs enfants. On y retrouve un homme bouleversant par son attachement sans bornes à la terre qui le vit naître. C'est l'image que chacune et chacun devra garder de lui en refermant ce livre. Puisque Tino n'a pas laissé de testament, celui-ci en fait acte.

Personne n'avait encore songé à conter aux enfants l'histoire de la Corse. Elle est pourtant passionnante.

Cette histoire est par elle-même un grand livre riche en couleurs et en faits d'armes, en coups de théâtre. S'y succèdent ou se superposent toutes les qualités d'une bande illustrée, d'un feuilleton captivant, d'un roman d'action comme nul dessinateur, nul scénariste, nul romancier n'osa jamais en écrire.

Voici l'épopée lointaine avec les envahisseurs de la Préhistoire. Il n'en reste que des guerriers de pierre et des refuges sauvages dans la région de Sartène. Voilà la légende épique avec Ugo Colonna, grand pourfendeur de Sarrasins. Ici c'est la révolte du pauvre peuple avec Sambucaccio d'Alando qui instaure une espèce de suffrage universel. Six cents ans avant la France !

Là, c'est l'aventure d'un véritable héros de cape et d'épée : Sampiero Corso. Ses faits d'armes au service de François Ier. On en fit un roi. Le premier et le dernier roi de Corse. Qui le connaît aujourd'hui ?

Voilà surtout le véritable héros national : Pascal Paoli. Un rassembleur d'hommes, un chef né, un véritable homme d'État. Sait-on que la constitution qu'il créa pour son île inspira peut-être les révolutionnaires français et, certainement avant eux en tout cas, George Washington qui libéra les États-Unis d'Amérique de la tutelle anglaise ?

Voici les rêves fous de deux jeunes gens qui aspirent à délivrer leur île de la présence française. Ils finiront par s'affirmer dans d'autres tâches, mais dressés l'un contre l'autre. L'un deviendra ministre du tsar de toutes les Russie. Il s'appelle Charles-André Pozzo di Borgo. L'autre, Napoléon Bonaparte, sera empereur des Français.

Tous les enfants en âge de raisonner et de réfléchir doivent connaître l'odyssée corse du petit ajaccien né dans le quartier de la Citadelle. L'univers entier en parlera jusqu'à la fin des temps.

Voici enfin l'épopée contemporaine les pères et les grands-pères des enfants qui liront ce livre l'ont vécue – avec Fred Scamaroni, héros de la Résistance. Alors, les maquis de l'île abritèrent pour la dernière fois des hommes en armes, bandits d'honneur d'une véritable résurrection...

Oui, l'histoire de la Corse est belle. Sans doute la violence sous toutes ses formes – guerres, révoltes, assauts épiques, embuscades, complots – y occupe-t-elle la plus grande place. Les enfants ne devront y voir que l'ardent désir, jamais détruit, toujours renaissant, de trouver à tout prix, avec la liberté, la paix et le bonheur.

Ce livre nous apprend une histoire toute différente de ce que nous avons pu ou pourrons apprendre. J'y ai moi-même découvert l'essentiel de la véritable histoire de ma petite patrie. J'invite les enfants de partout à faire de même. Ils seront passionnés.

Je ferai mienne la conclusion de cet ouvrage. Il est encore une nouvelle histoire de la Corse à écrire. L'avenir s'ouvre désormais, prometteur, pour la petite île jadis si malheureuse. Les enfants d'aujourd'hui rédigeront cette histoire-là. Ceux qui vivent en Corse à force d'efforts, de souffrance aussi parfois, de volonté mais aussi de rêves roses et de projets enchanteurs. Ceux aussi qui grandiront ailleurs sans jamais bannir de leur cœur la compréhension et l'amour dont ce coin de terre de France a besoin puisque le bonheur en a été si longtemps exilé.

Le Scudo, avril 1969
Tino Rossi

BIBLIOGRAPHIE

Principaux ouvrages consultés

ABTEY Jacques, *La Guerre secrète de Joséphine Baker*, Éditions Siboney, Paris, 1948.

ANTHONY Richard, *Il faut croire aux étoiles*, Éditions Michel Lafon, Paris, 1994.

BEHR Edward, *Maurice Chevalier, L'homme-légende de l'âge d'or du music-hall*, Éditions Robert Laffont, Paris, 1993.

BONARDI Pierre, *Napoléon Bonaparte, Enfant d'Ajaccio*, Les Éditions de France, Paris, 1935.

BRAZZIA Constand, *Tino l'Ajaccien*, La Marge Éditions, Ajaccio, 1992.

BUXEUIL (DE) René, *Un demi-siècle en chantant*, Éditions René de Buxeuil, Paris, 1956.

CANAILLE Caro, *Étoiles en pantoufles,* Éditions André Martel, Paris, 1954.

CASTANS Raymond, *Marcel Pagnol,* Éditions Jean-Claude Lattès, Paris, 1987.

CHARDANS Jean-Louis, *J'ai connu un prince, Luis Mariano*, Éditions de La Table Ronde, Paris, 1976.

CHEVALIER Maurice, *Ma route et mes chansons*, Éditions Flammarion, Paris, 1998.

CIUPA Karine, *Yvonne Printemps, l'Heure bleue*, Éditions Robert Laffont, Collection « Elle était une fois », Paris, 1989.

LAURENT William, *Tino Rossi, La Mémoire du cœur*, Éditions Franklin Loufrani, Collection « Numéro 1 », Paris.

LENOIR Jacqueline, *L'Histoire fabuleuse du Casino de Paris*, Éditions Presse de la Cité, Collection «Coup d'œil», Paris, 1967.

LORCEY Jacques, *Fernandel, le Livre d'or*, Éditions Ramsay, Paris, 1994.

MATHIEU Mireille, *Oui, je crois (qu'une vie ça commence avec un mot d'amour)*, Éditions Robert Laffont, Collection «Le club des stars», Paris, 1987.

PRASTEAU Jean, *La Merveilleuse Aventure du Casino de Paris*, Éditions Denoël, Paris, 1975.

PROSLIER Jean-Marie, *Vieucon et son chien*, Éditions Fanval, Paris, 1985.

RÉGINE, *Mes p'tits papiers*, Éditions Pauvert, Collection «Personnages», Paris, 2002.

ROSSI Tino, *Tino*, Éditions Stock, Paris, 1974.

ROSSI Laurent, *Tino Rossi, mon père*, Éditions Flammarion, Paris, 1993.

SANTINI Jean-Pierre, *Petite anthologie du racisme anti-corse*, Éditions Christian Lacour/I quaderni di a memoria, Nîmes, 2001.

SARDOU Jackie, *Hé! la petite grosse*, Éditions Plon, Collection «Entracte», Paris, 1987.

TABET Georges, *Vivre deux fois*, Éditions Robert Laffont, Collection «Vécu», Paris, 1979.

TULARD Jean, *Dictionnaire du cinéma*, Éditions Robert Laffont, Paris, 1987.

Association des Amis de Tino Rossi
(Club Tino Rossi)
121, avenue d'Italie
75013 Paris

REMERCIEMENTS

Voici quelques années, à Paris, pour les besoins d'une importante rétrospective consacrée à Vincent Scotto, dans les murs de la mairie du XVIIIe arrondissement, son ancien amour feu la princesse Yasmine d'Ouessan m'avait demandé de lui prêter quelques tableaux et documents sur Joséphine Baker. Ce dont je m'étais acquitté avec le plaisir extrême que tout collectionneur peut éprouver à la perspective de partager ses trésors avec le plus grand nombre.

Vint le jour du vernissage, le 16 novembre 1992, sous la présidence du maire de l'époque, Alain Juppé. Les unes après les autres, Yasmine me présentait à toutes les différentes personnalités présentes dans les salons cossus de la mairie.

– Ah, vous êtes Corse ! J'avais déjà remarqué que vous aviez du tempérament, ça ne m'étonne pas ! Double raison donc de vous apprécier et croyez-moi, je n'aime pas tout le monde. J'adore les Corses, ils ont raison de faire des étincelles !

Incorrigible Suzy Delair...

Comme j'avançais au bras de Yasmine, « nœud-papillonné » tel un Lucien de Rubempré, parmi les gloires déchues du cruel Olympe, la princesse s'arrêta à la hauteur d'une paire de dames, belles, très belles, très élégantes aussi et visiblement fort liées.

– Ce sont Mesdames Tino Rossi et Marcel Pagnol, me glissa Yasmine. Désirez-vous les connaître ?

Présentations faites, celle que ma mère, inconditionnelle de Tino, appelait Lilia Vetti lorsqu'elle parlait d'elle, après m'avoir

209

communiqué son numéro de téléphone personnel, me tint à peu près ce discours :

– Je suis déçue des Ajacciens. Ils ne font rien pour la mémoire de mon mari. Avec tout ce qu'il a donné pour les œuvres sociales... De nos jours, on ne sait plus se souvenir. C'est triste.

Pendant ce temps, que faisait son fils ? En mon esprit, une idée germa, puis disparut dans le tourbillon des vicissitudes. Dix années consacrées à d'autres constructions, les fêtes et les défaites de tout un chacun, avec toujours à la clef la difficile ambition du bonheur.

En mars 2003, mes investigations parisiennes sur Tino étant suffisamment avancées, je m'apprêtais à m'envoler pour la Corse afin d'y recueillir les toutes dernières informations, lorsque j'appris avec stupeur la disparition de la veuve de Tino ! Lili que j'avais fait le projet de rencontrer pour lui présenter mon idée de biographie. Lili à qui je voulais offrir de son vivant ce témoignage sur son époux qui fut un roi.

Il y avait beau temps qu'ici et là on m'incitait à écrire sur lui. Il faut croire que l'heure et le temps n'étaient pas encore venus. Aujourd'hui, c'est chose faite, mais Lilia n'est plus là.

Or la vie doit rester la plus forte et son mouvement se perpétuer non pas en dépit de ceux qui sont descendus du manège mais pour eux justement ! Afin que servent les exemples et que les leçons nous apprennent.

Pour une première véritable biographie sur Tino Rossi, il ne fallait rien négliger, pas plus la part de rêve qui est la substance des foules, que les zones d'ombre qui renvoient les demi-dieux à leur statut d'être humain. C'est le rôle du biographe de toujours rester bien à cheval sur cette frontière entre le mythe et la réalité.

Longue est la liste de ceux qui daignèrent apporter de l'eau à mon moulin. Merveilleuses furent les heures passées en leur compagnie. Inoubliable, enfin, le souvenir de toutes ces journées où, en tête-à-tête avec Tino dans une salle de bibliothèque parisienne ou sur un coin de table d'un centre d'Archives, des monceaux de documents jaunis entre les doigts, je fis connaissance avec un homme que j'ignorais et dont j'accomplissais avec lui le parcours, porté par la fièvre du premier jour.

Sans plus tarder applaudissons maintenant les principaux acteurs de cette aventure et tout d'abord Tino lui-même, qui m'a promené dans le dédale somptueux d'un siècle et d'un univers que j'affectionnais déjà, tout en m'ouvrant les portes de nouveaux horizons.

Un *pace e salute* tout spécial à Mademoiselle Mireille Mathieu, qui s'est prêtée avec gentillesse à un jeu du souvenir, en ouvrant pour nous quelques tiroirs clos jusque-là.

À Paris...

Viennent ensuite deux personnages rares: André Bernard et Roland Gerbeau. Le premier était déjà un ami, le deuxième l'est devenu à la lumière de notre attachement désormais commun pour Tino. L'un et l'autre ont très longuement côtoyé l'homme et l'artiste pendant de nombreuses années, Roland Gerbeau peut-être encore davantage puisque de 1965 à 1983, il fut l'attaché de presse de Tino, chez Pathé-Marconi.

Illustre collectionneur devant l'éternel, André Bernard, lui, est entré dans la manche de « l'Idole tout court » au début des années 60, à l'époque où son épouse, la très souriante Josy Andrieu, devint la partenaire principale de Tino dans l'opérette *Le Temps des guitares*.

On ne devrait pas remercier des amis, je le fais pourtant en insistant bien fort sur les cinq lettres du mot « merci », qui en rappellent d'autres très en faveur dans le monde du spectacle d'où Roland et André sont issus. En plus de leurs souvenirs très personnels, ils m'ont accordé leur confiance en me remettant des clichés pour la plupart jusque-là inédits.

Merci à vous deux d'exister.

À Paris toujours, comment faire autrement qu'ensevelir sous des brassées de mimosa Monsieur et Madame Bazinet? Du mimosa tendre et bien jaune comme celui qu'un visiteur bienveillant glisse parfois en saison entre l'anneau et la porte de fer qui, au Canicciu, gardent la chapelle où Tino repose. Appelons-les simplement Andrée et Maurice, parce qu'ils le valent bien ! Amoureux fous de la Corse depuis cinquante ans, ils ressemblent à ces centaines de seigneurs aux toits de neige que j'ai rencontrés tout au long de ces dernières années de « biographite » aiguë. Joséphine, Romy, aujourd'hui Tino, demain peut-être quelqu'un d'autre... Chaque fois, sans bouder mon plaisir, j'ai tout reçu de ces gens d'un autre temps. En espérant leur avoir apporté à mon tour. Dans les yeux d'Andrée Bazinet, j'ai retrouvé la douceur, la malice, la flamme, la bonté de mes deux grand-mères trop tôt rendues à leurs absences définitives. Unie à son époux (président du Club des amis de Tino Rossi), elle a tout mis en œuvre pour faciliter mes recherches. Alors, sans démagogie ; merci Andrée ! merci Maurice ! Pour les photos, pour les témoignages et surtout pour le reste...

Toujours à Paris, ma gratitude également à :

Madame Nita Raya ; Cécile Coutin et les membres de la Bibliothèque de L'Arsenal ; Martine et Dany Revel ; Madeleine et François Vals ; François Beller, fils de la grande Marie Dubas ; Jacqueline et Jean-Pierre Pinelli, ainsi que leur petite fille Daphnée. Merci enfin à Catherine Ergis (La M...).

En Corse...

S'il y avait une Légion d'honneur à distribuer « là-bas », elle reviendrait sans conteste à notre intarissable Jean Bozzi ! Par l'intermédiaire de la Providence et surtout de mon frère Simon, chanteur racé à l'immense sensibilité et musicien de talent, j'ai fait la connaissance de ce guitariste aux doigts d'or, compagnon de route de Tino pendant tant et tant d'années. Dans son restaurant *Le Ménestrel*, rue Fesch à Ajaccio, il m'a parlé pendant des heures entières. Pour moi, il a ressorti tous ses trésors, dont une lettre de Tino à Vincent Scotto écrite à New York en 1937. Merci Jean. Continuez à parler autant, parce que vous le faites bien !

J'associe encore une fois à ce présent hommage Cécile et Guy, mes parents, pour leurs propres souvenirs et leur soutien. Merci à mon oncle Antoine Pinelli, vivante encyclopédie de l'histoire du monde et des hommes. Merci à mon neveu Ange-François Alasta pour ses conseils, à Antoine Bonelli et Alain Colonna pour leurs renseignements, à Blanc-Musique pour son accueil et son dévouement. Merci au bureau d'état civil de la mairie d'Ajaccio, aux différents services des Archives départementales de la Corse du Sud (Marie-Lucie et Christian en particulier). Merci à Pascal Bontempi.

**

Nul n'est irremplaçable, mais on ne remplace jamais quelqu'un. Qui a dit qu'aujourd'hui Tino n'a plus besoin de rien? Même déguisés en morts, les artistes ont des soifs essentielles d'amour et de bravos.

De quel bois était celui qui se dissimulait derrière sa gloire étincelante? Avons-nous su nous approcher de sa vérité? Chacun emporte avec lui son secret. Une certitude néanmoins; en dépit des trophées présomptueux et des honneurs démesurés, en dépit de la ronde des millions et des tableaux de maîtres, en dépit de la vénération des foules et des clameurs assourdissantes, invariablement tout ramena toujours Tino auprès des siens. Un morceau de *copa* sur une tranche de bon pain entre deux *fiacchini* ajacciennes, le bruit des vagues sous le Scudo, deux accords de guitares qui glissent sur sa voix et vont se perdre dans le maquis et l'homme retrouvait sa place.

Paisanu, paisanu,
Quoique tu dises, quoique tu fasses d'autre,
Paisanu, paisanu
Tu resteras toujours des nôtres...

TABLE

Impression réalisée sur CAMERON par

BUSSIÈRE CAMEDAN IMPRIMERIES

GROUPE CPI

à Saint-Amand-Montrond (Cher)
pour le compte des Éditions du Rocher
en septembre 2003

Éditions du Rocher
28, rue Comte-Félix-Gastaldi
Monaco

Dépôt légal : septembre 2003.
N° d'Édition : CNE section commerce et industrie Monaco 19023
N° d'Impression : 033926//1

Imprimé en France

8th. August 2015.

C333773501

Also by Giles Waterfield

The Long Afternoon
The Hound in the Left-hand Corner
Markham Thorpe

THE IRON
NECKLACE

GILES
WATERFIELD

ALLEN&UNWIN

First published in Great Britain in 2015 by Allen & Unwin

Allen & Unwin
c/o Atlantic Books
Ormond House
26–27 Boswell Street
London WC1N 3JZ

Phone: 020 7269 1610
Fax: 020 7430 0916
Email: UK@allenandunwin.com
Web: www.allenandunwin.co.uk

A CIP catalogue record for this book is available from the British Library.

ISBN 978 1 76011 151 9

E-book ISBN 978 1 74343 930 2

Printed in Italy by Grafica Veneta S.p.A.

10 9 8 7 6 5 4 3 2 1

For my German friends

PART ONE

1

The afternoon was idyllic, the warmth tempered by the faintest breeze, with only the tiniest clouds scudding through the sky. London was looking as handsome as it could. On the way to the church the wedding guests glimpsed the park, the riders in Rotten Row, the great houses on Park Lane, and every window box in Wilton Row was crammed with flowers: the whole city seemed to be celebrating the happy occasion.

As the guests filled the church, you could hardly imagine a mere two families could have so many friends, but the ushers were well prepared. English on the left, Germans on the right. Like two armies. That was the principle, but there were so many more English that after a while the ushers put the bride's friends on the bridegroom's side. 'Let's invade Germany,' the English ushers muttered to one another, amused.

They were the nicest sort of Germans, you could see that at once. Watching the groom's family arriving, the congregation agreed that you'd hardly know they weren't English. Their clothes were almost exactly right: the men's tail coats fitted immaculately, the women's clothes were all they should be, the bridegroom's mother had chosen the ideal hat for a woman of her years, dark blue with a discreet display of ostrich feathers that suited her serene features and her fine black hair. It was evidently a large family, led by the short and undeniably stout but amiable-looking father and this dignified mother. There were at least two brothers and several sisters, and men who must be brothers-in-law. The German ushers had beautiful manners, and spoke excellent English. Only their hair showed they were not English; it was cut unusually, in a straight wave over the head, with precisely delineated edges.

The groom was most presentable, tall and fair. The best man had to be one of his brothers, a slightly shorter, cheerful-looking version of him. They chatted easily to one another. Their morning coats were impeccable and must have been made in London. The bridegroom had apparently spent years in England studying architecture, it was not surprising he understood English ways. Irene Benson could hardly have done better, that was the consensus. It was said the groom's father occupied a position at the Kaiser's court, his mother came from a landed family. How could one believe the stories about war with Germany when one saw such a family?

'They're so like us,' they murmured in the pews.

'And look at our own royal family. . .'

'And our beautiful new Queen Mary, such a fine young woman, and as German as can be.'

On the other side of the aisle sat the Bensons. Mrs Benson – small and slender, her face recalling youthful prettiness, her hair richly auburn – was extravagantly dressed. Her green hat was assertive, its ostrich feathers sweeping dashingly upwards so that when she moved, the upper extremities shook. Her dark green costume opened to reveal a handsomely embroidered blouse secured at the neck with a bronze-coloured neckband.

There was much whispering about her clothes.

'She does look fine, doesn't she? What a beautiful dress, most fashionable. Do you think she found it in Woollands? Or could she have gone to Paris, to Worth, even?'

'It's quite possible. They live very comfortably, you know. They say he is doing very well at the Bar. . .'

'Yes, you're always seeing his name in the papers – big cases. . .'

Mrs Benson gazed ahead, suppressing tears that were not due until later. Her son, a slight-looking young man, came to sit beside her, and there were some aunts and uncles and cousins. Clustered together was a group of young people who must be Irene's artistic friends, the women in ill-fitting sludge-coloured dresses with fussy embroidery, and soft velvet hats, who surprised the congregation's wandering gaze.

'What odd-looking people. Who can they be?'

'She was at the Slade, you know. She must have met them there.'

'Look at that long hair, some of the men have hair on their shoulders. Artists, yes, I suppose they must be.'

'Not even wearing morning dress. It's too bad.'

'I've heard she refused to be presented at court.'

'Well, at least she agreed to a proper wedding.'

Everyone was set to enjoy the occasion. Why, complete strangers spoke to their neighbours in the pews, so friendly was the atmosphere.

The church was full. Even in St Paul's Knightsbridge with its hundreds of seats there was hardly a spare place. The building trembled with polite rustling, waving of hands, craning of necks, whispering to spouses. The people in the galleries – the Bensons' long-serving maids, clerks from his chambers, that sort of person – stared downwards. The guests below never looked up.

Ten minutes late, there was a bustle at the west entrance. The whispering gave way to an eager hush, the organ burst into a matrimonial march. The west doors were thrown open to admit Mr William Benson, with his daughter on his arm. His saturnine face was as composed as though he were entering a law court – appropriately for a King's Counsel. But at the sight of the silks and muslins and feathers of the ladies spreading among the black morning coats like wild flowers across a ploughed field, the faces in the galleries merging into a single eager countenance, the white lilies in long silver vases, the sunlight transmuted into patterns of blue and pink and striking the face of groom and best man, his features softened. Though many could not see Irene's face, they could all admire her tall slender figure in white satin stitched with pearls, and the lace cascading from the chaplet of flowers. She was followed by two little girls and a taller girl, all in gold dresses, and two small pages, their soft complexions adorned with drops of sweat, like little jewels.

Thomas Curtius turned and looked down the aisle. He looked concerned; it was a serious moment. The bride, encumbered by the drooping richness of satin, was a long while walking up the aisle. She moved proudly, upright and elegant. When she reached the front of the church she turned towards her family and gave the tiniest wave. Finally she reached the bridegroom. Then she threw back her veil in a bold, careless gesture, the lace tumbling round her, reached her hand towards him, smiled. Who would not be happy to receive such a smile, so frank, trusting, loving? Silently but powerfully, the congregation expressed its approval. They were a beautiful couple. They were clearly destined for happiness.

At St Paul's they celebrated weddings almost every week, and the machinery was faultless. The vicar – handsome, urbane, silver-haired, as much at home in a drawing room as at an altar – assumed the air of kindly dignity, subtly modulated to fit the couple's social status, that he had refined over several hundred ceremonies. The choirboys, hair smoothed, faces shining, rapidly inspected bride and bridesmaids before languidly surveying the congregation. They sang with melting beauty. The best man produced the ring at precisely the right moment. The couple's responses were clear and confident. It was a perfect wedding. Except for the bird.

The bird was only a little bird – a swift, could it be? – but a noticeable one. People became aware of a faint fluttering that turned out to be beating wings. During the exchange of vows, a dark shape flew towards the middle of the church, and for a moment hung in the air. People involuntarily followed its progress round the church. The vicar, while smoothly intoning '. . . let no man put asunder. . .', thought, I told Sturgess not to leave the gallery window open, it really is maddening. Then the bird halted, somewhere. It had not gone. As the organ burst into the 'Wedding March', it re-emerged and flew towards the chancel, landed on the altar rail to the amusement of the choristers, set out on another flight, its wings beating hard, narrowly avoided the altar, aimed for the east window. As though seeking escape, it flew against the glass, once, and then again, and then once more.

As the bridal pair reached the west door, the bird fell heavily into a mysterious space behind the altar, and did not reappear.

2

'Pandora, darling, I asked you to tea for a reason. I wanted to show you the Golden Boxes. I think we should look at them together.'

'Ah, the famous Golden Boxes. I thought you'd seen them all, with Granny.'

'Only some of them. The history of her life was contained in those boxes, but she thought it best to forget. . .' Dorothea sighs. 'Have you had enough tea? And enough lemon cake? You must take it away with you, I know the young never have enough to eat. . .' She pats the sofa beside her.

'Someone might want to write her biography, I suppose. Could they do that from these boxes?'

'Oh I hope not, at least not while I'm around, it would be too hurtful. Still, let's look at the first box. Mother loved to keep things. . . Will you draw the curtains and turn on that light? And come and sit beside me.' She peers at the fire. 'That is, if you are interested.' Reaching down, Dorothea pulls a piece of silk off a large box. 'Well, here it is. The first of the Golden Boxes.' She dusts it vaguely.

'Does it need dusting, Ma? You're always dusting. . .' And Pandora laughs.

'Oh that's my métier. No, it doesn't need dusting, you're right. The studio was as clean as could possibly be. This box, it's nearly all photograph albums.' She pulls out a large leather-bound album. 'This is Mother's first album. Nicely labelled, you see, 1910. Mother was always precise about such things, she liked to keep her life in order.'

3

Nobody at the wedding reception seemed to read anything into the bird.

His parents had rented a house in Belgrave Square for the reception. They seemed mildly ill at ease in this pretend home, with its white and gold hall and its handsome staircase leading to the drawing rooms. But Mark, who at Cambridge had acquired a taste for uncomfortable grandeur, enjoyed the rooms and wondered if he would ever inhabit such a place himself.

The two families had hurried there for the photographs. There were pictures of the bride and groom on their own, with parents, with attendants, with their entire families. They took a long time to set up, particularly the last picture, which showed all thirty of them, arranged according to etiquette and height. Sophia made a fuss about being photographed, said she looked ugly and fat.

Keen to study the arriving guests, Mark had earmarked a vantage point halfway up the stairs. He loved to be an observer. Up the stairs the guests progressed, chattering like macaws. He supposed that, as a diplomat, he'd attend events like this all the time. He was excited by the idea of the Diplomatic Service. When Sir Ernest had taken him to lunch at the Travellers' Club, it was flattering to be told he seemed wholly suitable. Sir Ernest could drop a word. 'They still listen to me. I have a brief to look out for the right kind of fellow. . . You seem ideal: intelligent, a good First, you say; good background, character. No vicious tastes, I imagine?' They laughed.

His little sister squeezed her way down the stairs, as though in search of something. This turned out to be him. 'Do come out from there. It's too unreasonable of you to hide. I'm having to work ever so hard and you're a grown-up, you should be helping. Do come, Mark.' He waved her away.

He had no friends of his own here. Of course, when he was married, he'd invite friends by the hundred. Not that he had hundreds of friends yet, but he planned to. If he could participate in the Season, he'd meet people like those glowingly confident young men one met from Trinity and King's. These guests were not the sort of people he had in mind: lawyers and their wives, figures from the City, dons, one or two celebrated authors and several who scraped a living writing initialled reviews in *John O'London's Weekly*, clever women who wrote pamphlets on the poor. And of course his mother's new smart friends like Lady Belfield, about whom she was perpetually talking, though he wasn't convinced they were as smart as she supposed.

In the reception line, Thomas was friendly and brisk. Irene spoke at length to the guests, particularly her artistic set. The Berlin contingent were easily recognisable, with their cultivated faces, different from the mild, untidy Saxons among whom Mark had lived last year. He'd been intrigued by Paul, one of Thomas's brothers, whom he'd met the evening before. Paul was his own age, a student at Heidelberg. He had apparently mastered not only classical and German philosophy and literature, but English philosophy, literature and history as well.

Edward Jenkinson came up the stairs, talking to a dark, striking-looking girl Mark did not recognise. Edward, or Teddy, it was not clear which, was a new phenomenon in their family life. He seemed cheerful: clearly he liked a party. He waved jovially. 'Hello there, not joining in?'

Mark could see his mother gesturing at him. She liked him to be seen, since, as she often told him, he ought to be less shy; he was special, people would enjoy meeting him. It really was time to emerge, into the friendly company of Uncle George and Aunt Lavinia and their children. They were a lively, good-humoured family; their optimism always encouraged him.

The reception was engulfed in vivacious noise. The hospitality was lavish. There was champagne, champagne, champagne, and Mosel provided by Thomas's family, and vast quantities of little sandwiches and cakes from Searcy's. By the time they were ready for speeches everyone was a little tipsy, glowing in the balmy afternoon, the long windows having been opened onto the deep balcony and the plane trees in the square.

Everyone enjoyed the speeches. Mr Benson was characteristically dry. He said he would miss his daughter but at last he'd be able to finish the book he'd been working on for ten years as his younger children were less demanding. He welcomed so many friends from abroad. He thanked his wife, his constant helpmeet. She laughed and cried at the same time.

Friedrich, the best man, apologised for his bad English – 'I want to make better my English,' he stated, 'but not with an audience of five hundred people!' He laughed at his own jokes, it was hard to resist. He said, in capturing Irene Benson, his brother had won Germany's finest victory since Waterloo – 'though the fighting was hardly less violent, and when finally my brother wins the battle, we are all thinking, will he ever win such a battle again? But Thomas adores England – do you know about this? When he is young, he comes to London to study the architecture – always the architecture, he talks about nothing else, except Irene, and maybe one or two other girls, but they are a long time ago, you understand. Then he comes home and we hear always about England, how fine it is, the people are so friendly, the houses so comfortable, the humour so amusing, we are driven mad. We all think he would like to be English, he wants to look English, he has his hair cut by an English barber, he uses English slang, and I have to tell you, someone once actually thought my brother was English – Thomas was delighted, even though this person was blind and deaf and came from Russia. So when I first came to England, I said to myself, I am sure I will not like this country. In Germany we are suspicious, you know. They say it is so old-fashioned and the people are pompous and cold. But after a few days, I realise I am completely wrong!

England is wonderful, and beautiful too! I am a convinced Anglophile, within one week. Now I plan to come and live here and study business, so my English will be better than Thomas's and who knows, I may find an English bride.'

He paused for a moment. 'Of course, I cannot hope to find an English bride as beautiful, as kind, as good, as Irene. Now, with her, Thomas will become not only a fine man, but a fine husband and a fine father. With such a wife, he can face anything. Now, I say a few words in German.' He drew himself up to his full height. '*Und jetzt, meine Damen und Herren, ist es mir eine Ehre auf Sophia und die anderen Brautjungfern anzustoßen.* To the bridesmaids.'

They drank the toast and clapped and even cheered, and the English guests remarked, surprised, how humorous he was.

It was Thomas's turn. This was the man, Mark reflected, who was taking away his sister, but the speech disarmed him. Thomas thanked the Bensons for their kindness and recalled how he and Irene had met. Then he announced that he wanted to speak seriously. 'I apologise, it's our national failing.' He hoped that in an age when Britain and Germany shared many noble objectives – improving social conditions at home, advancing technology and scientific understanding, teaching the arts of civilisation to primitive peoples – they would not forget the gentler friendships and emotions they shared. The British and the Germans were kinsmen, sprung from the same stock, united by years of friendship. He cited the extended connections between the royal families of Britain and Germany. He trusted that his marriage would follow this example. 'Though ours will be a German house, it will also be English. I won't undertake to try to transform Irene into a German, or indeed anything else – I know that, whatever I say, she will behave as she chooses.' They laughed at that. 'But I hope that in our new home we shall succeed to create a household and family that will unite the best of the English and the German traditions, and that our friends from England will feel, when they walk over our threshold, that they are at home.'

And then, rather slowly, he spoke a few words in German, and if they did not understand him, everyone appreciated the warmth and affection behind his remarks. '*Laßen Sie mich mit einem Toast auf meine Braut beenden, an deren Hand durchs Leben zu gehen, mein Glück sein wird. Prosit!*'

The guests raised their glasses and surrendered to the enjoyable emotions appropriate to a wedding. Then Mark saw in the midst of the artistic set a back turned on the bridal couple. So Julian had come, after all. Mark knew that when Irene had told Julian about her engagement, he had shouted, burst into angry sobs, vowed he would never speak to her again. Now here he was, red in the face, wearing a not-too-clean suit.

Other people's lives were mysterious. Mark was thankful that he'd never had an affair, if it led to so much pain. But of course he too would marry one day.

His eyes returned to the new couple as they moved among their guests, Thomas in the lead, Irene a little flushed. He asked himself: this perfect love which means you lose yourself in someone else – was that what Irene felt for Thomas? Mark was sure it was what Thomas felt. But Irene?

There was a stir from the artistic corner, raised voices, jostling bodies. Julian emerged, pushing his way to the middle of the room until he was staring at Thomas, who, always polite, held out his hand to this stranger. Julian glared, moved towards the bride. He thrust aside the man she was talking to, and placed himself in front of her, legs apart.

Julian did not frighten Irene. 'I am happy to see you here.' She held out her hand. He raised it to his lips, kissing it fervently. She pulled it away. 'I'm glad you could come.' She took her husband's arm and they moved away.

Mark was disconcerted when Julian caught his eye. But he only said, 'Mark, hello. Happy occasion, eh? Pleased?' Mark felt sorry for him. Julian was not such a bad fellow, it was just that love made him miserable. 'I love her, you know that, I love her.'

'Yes,' said Mark.

'I always have. You see, Mark, it's not just a romantic dream. I just love her, everything about her, the whole woman. I can't imagine ever feeling like this about anyone else.'

'It might be best to try.'

'I can't.' Then he pulled himself together, looked penetratingly at Mark. 'She loves you very much. She was so angry when I mobbed you up at that party – sorry about that, old boy. She said, whatever I thought about you at first sight, underneath you're as good as gold. You'll miss her too.'

'Yes, I shall.'

Julian was fiercer and yet softer than when they'd met before. He was like a dark hairy animal. For a moment he could see why Irene had liked him.'Will she ever come back?' Julian's eyes glistened.

After a while, people moved downstairs to wave the couple off. Mark held back. In the almost empty drawing room he noticed himself in one of the long mirrors. Well, I suppose I don't look so bad, he thought. Hair fairly much in order, face pleasant if rather flushed, features regular. Move on, Mark, he told himself. Looking at oneself in a mirror is not something a man does. Then he saw, reflected, someone looking in his direction. It was Paul, Thomas's brother.

The two reflections regarded one another, Paul unsmiling but intent. Then Paul said, 'You must be sad, that your sister leaves you, and comes to us.'

They went down the broad marble staircase together and joined the waiting crowd. A moment later, Irene and Thomas appeared in their going-away clothes. Mark kissed Irene goodbye, shook Thomas's hand. Thomas put his arms round Mark. Mark stiffened, immediately regretted it.

As the couple stepped into the waiting Daimler, Mark was overcome by a sense of loss and hopelessness. He could not explain it. But the feeling did not last.

Paul turned to him, saying, 'Will you show me something of London, my new brother-in-law? My new friend, I hope?'

4

Pandora and her mother sit surrounded by albums. But the albums have been arranged neatly, as though they are to be seen in a certain order.

'Honestly, Mum, these wedding photographs are extraordinary. Look at them all, in their silk dresses and their tail coats, lined up like the royal family. When I'm married, if I ever am, I want the event to be about love and commitment, not about showing I belong to a superior social caste.'

'Darling, I'm sure you'll be running around naked celebrating Flower Power and smoking hash. Still, they look happy, don't they?'

'Your father was so handsome.'

'I remember him as handsome when I was a little girl. That's Aunt Sophia, frowning, hating having to wear a bridesmaid's dress.'

'I must go and see her one of these days.' Pandora moves closer to her mother and squeezes her hand. 'It's sweet of you to show me these pictures. I hope it doesn't upset you.'

'These don't upset me, no. The ones of Mother and Father in Berlin when I was a little girl, those make me sad.'

'Who's that young man beside your father?'

'Freddy, that's Freddy. He was the best man. I never knew him. They said Sophia was very fond of him. Two brothers marrying two sisters, what a thing that would have been. And that's another of Father's brothers, and that's my German grandmother, such a wonderful person. All dead now, all dead, except Sophia. At least I suppose the Germans are dead, I really don't know. Shall I turn the page?'

'Who is this confident-looking person? Cousin Edward, it says?'

'That's Edward from Canada. You know all those Jenkinson cousins who've made so much money? He was their father. Shall we turn over?' Pandora looks at her mother enquiringly. Her mother laughs. 'You look just as you used to look when I was telling you fairy stories.'

'It's a pity you never wrote them down.'

'Oh nobody would want to read anything by me. I remember Edward as large, and limping, and not keen on Germany.' There was a pause. 'There were rumours about Edward. . . Will you put some more coal on the fire, Pandora?'

5

One evening a few days after the wedding, Teddy and Mark sat in the drawing room drinking brandy. Dinner had been dull. Mamma had chatted about the wedding and how nice the Germans had been – things she had said already – and gazed adoringly at her nephew. Mark thought ruefully that he had been supplanted, as though Teddy were a long-lost son. Teddy, it seemed, was already making 'contacts', as he called them. He talked and talked, mostly about the shipping business in Canada. What he said was not dull exactly, but somehow crude. Papa had been almost silent, seemed distracted. Sophia occasionally asked difficult questions. Mark was glad when dinner was over.

Brandy was not usually drunk in that house, but now that Teddy had appeared, it seemed everything was possible. Once the others had gone to bed, Teddy sprawled on the sofa, his feet on an arm. His face was rosy to the point of redness but he was not bad-looking. He seemed unwilling to go to bed, pumped Mark for information.

'What are your sports, Mark?'

Mark muttered about doing a lot of rowing at school (which was barely true) and the subject passed. The truth was, he hated playing games, was ashamed of his ineptitude.

Teddy was prone to generalisations about the world, and Canada, and Britain, and whole categories of people. He disliked the French (especially French Canadians), and the idle working classes, and Jews. 'Jews, they're trouble,' he said. 'Best keep out of their way.' He had further aversions. 'One of the problems with this country – thank God we don't have too much of it in Canada – is you have so many fairies, as I understand. D'you ever come across them?' Mark mumbled something like a negative. 'Can't be doing with them, a danger to the nation, the whole way we live.'

Mark did not comment. What a pain this man is, he thought.

Teddy wanted a job, preferably in shipping, and a wife. 'A good straightforward girl, and if she's got connections, so much the better – I'm a bit of an old cynic.' And he laughed. 'D'you know a lot of girls?' He seemed disappointed when Mark said that at school you met none and at Cambridge very few, and that the girls you came across in a clergyman's family in Dresden were not always electrifying. 'We'll work on it together,' said Teddy. He had some introductions through people in Canada, he'd already arranged to call on a couple of chaps in the City. Clearly his sociability was well planned.

Towards midnight Mark began to feel so tired he could only nod. He wished Teddy would go to bed.

Teddy laughed. 'You look fed up,' he said. 'You look as though you were thinking, who is this stupid colonial, why doesn't he stop talking?'

It was exactly what Mark had been thinking and he laughed.

'I am a colonial, but I'm not completely stupid. D'you know how I was brought up? We kept the whole story quiet, but you'd better know, I think. When Mother died I was ten, and I was taken in by the vicar of our church and his wife. They were kind to me, they had no children of their own, they wanted to adopt me but somehow that was not possible. I was sent to boarding school when I was twelve, a school for the sons of churchmen. The vicar fixed it, Uncle Matthew, as I called him. It was very hard, high-thinking, not much to eat, so cold in winter you'd not believe it, in chapel your breath came out in an icy puff. Then I went to university, money came somehow through Uncle Matthew, he said it came from my father, but – more brandy, old boy? – but I never believed that. When I met my father in Toronto not so long ago he was a broken-down old man, no good to anyone – tried to borrow money from me, in fact. No one loved me much except Uncle Matthew and Aunt Anne.'

Mark looked at him in astonishment. He was crying. Crying? His big blustering cousin Teddy, crying?

'Sorry, old man,' he said. 'You don't want to hear all this. I must be drunk. I am drunk. Anyway, just remember, I had to keep fighting. Money – I realised how important it is, it's what shapes how we are. Anyway, when Aunt Elizabeth wrote and invited me to the wedding, I thought, well, why not? Why not get to meet my real aunt and uncle? Why not see the Old Country? And here I am.'

'Mamma is delighted you're here. It quite makes up for Irene. She adores you already.'

'A great lady, your mother. She seems like a mother to me. I plan to stay. Anyway, don't mind me if I talk on and on about the French, just a way of carrying on. Germans – Germans I do not like. . . Though they seemed pretty nice at the wedding. I think I'd better be going to bed. Good night, so glad I'm here. . .' And he lurched out of the room, cuffing Mark over the head in a friendly way as he went.

Mark followed him, reflecting as he put out the lights that perhaps Teddy was not such a bad fellow, not so insensitive after all.

On the boat train they hardly spoke. The night in the station hotel had not been as she'd imagined. They were both so tired that they fell asleep as soon as they were in bed, and woke at two to find the light burning. Irene next woke to the bustle of the traffic and the station, and lay wondering what would happen when her new husband stirred. Not much did happen. He smiled, gave her a kiss, put his arm round her neck and pulled her head towards him. Then he said, 'We must stand up and take our breakfast, we must be in good time for our train.'

The journey was quiet. She stared at the Kent countryside disappearing behind them, she found its prettiness comforting, as she always had when setting out to Paris or Dresden or Florence. But this time she was leaving for good. Each oast house, each church, seemed to be joining in a chorus of farewell.

Thomas had bought a book at the station that identified the historic buildings they would be passing, and from time to time he refreshed Irene's memory. This involvement in the past was not something she was used to. The last thing in the world she and her friends had ever done was look at old buildings; what they liked was to talk about the Post-Impressionists and Wyndham Lewis and Maeterlinck. But she felt it was good for her.

'Your countryside is so gentle. Wait till I show you Bavaria, you will love it, so dramatic, so spiritual. Sadly there is nothing to show you around Berlin, just scrub and woods.'

They still spoke English to one another, though she'd insisted that in

Berlin they'd speak German. 'We shall be a German couple, we must be German through and through,' she'd said sternly.

He'd smiled. 'Perhaps on Sundays we will speak English. And our children must learn English as a mother tongue.'

The sun negotiated its way past the stained window and the curtain, bathing Thomas's face in gold. He looked like a radiant Apollo. What would it be like, marriage to a god? But then the ancient gods had their weaknesses, while Thomas apparently had none. She almost wished he did.

She hardly knew Berlin. When she was studying at the Dresden Academy, her friends told her there was nothing to see in the vulgar capital, full of marching soldiers and notices telling you not to spit, unlike the refined, beautiful city of Dresden. Even the museums, they said, were fatiguing.

She shook herself. She was looking forward to the future. London had become too familiar. Now was the moment for her to achieve something new in her work, to escape the eternal feminine concentration on charming domesticity. Perhaps she could work as an illustrator, English design was much admired by the Germans. She must forget the debates that had gone on so long in her mind – Thomas or not Thomas, Germany or not Germany. There was no going back now.

It was a dull phrase, but the train seemed to pick it up. 'No going back,' repeated the wheels, 'no going back.' They grew closer to Dover and the boat and the honeymoon and Berlin.

Thomas had fallen asleep, his mouth had dropped open. He looked vulnerable, as he hardly ever did. Only once before had she seen him look truly vulnerable.

From the beginning, he'd never doubted his feelings for her. They'd first met one hot day taking the steamer down the Elbe with a group of friends to picnic at Schloß Pillnitz. At once, it was clear he admired her, though at first she hardly noticed him. They often met in this society of young people, living in what many considered the most beautiful city in northern Europe. Many of her friends were British, studying German or music or art, staying as paying guests with impoverished ladies. Irene was surprised at how free and easy life was; her German friends lived with little interference from their parents, whereas her own bids for freedom in London had met with continual protests from her mother. In Dresden one could easily meet any friend, male or female, and walk along the banks of the river or through the suburban streets with their drowsy gardens and their pergolas covered in wisteria, past the frescoed balconies dreaming of Italy. Soon Thomas wanted to see her every day; she wanted to see him perhaps every three days. What did she feel about him, she would ask herself every day at breakfast when an envelope addressed in his fine hand was handed to her by the Baronin, in whose house she was lodging, with the smallest smile.

He invited her to Berlin to stay with his parents. It had not been a success. She was irritated from the outset. The parents had been kind, but there were so many younger sisters and brothers around, who treated her as though she were certainly going to marry Thomas and must prove she was good enough. She resented this, and the long meals taxed her German. Thomas took her to see the things that interested him, mostly old buildings. She was bored, he was hurt.

Actually Thomas turned out to be surprisingly radical. He believed the trappings of the past, even the empire, must be swept away. In front of the Reichstag he spoke about the parliamentary system. 'It is a farce. They pretend we have a powerful parliament but the elections are adjusted to suit the Junkers, and the deputies have no real power. The Kaiser opened the building but to him it is just a nuisance, he considers he is divinely appointed.' I'm superficial, she thought. I can't ask the right questions about politics, I'm more interested in how to convey the effect of light striking a pot. He was explaining the social organisation of a living-colony being planned close to Dresden. My work, she thought, is private, for me and a few friends. What he does is highly public, for the state, for the good of great numbers of people. But isn't what I do worthwhile too?

The worst moments occurred on the last day, on a walk with his sister Elise down Unter den Linden. Irene did not enjoy Thomas's account of the regiments parading through the Brandenburg Gate to salute the Emperor. It was odd, no one could have called Thomas militaristic, he constantly complained about the deference shown to the army, and yet he seemed proud of such events. And she was annoyed when Elise proclaimed that London had no ceremonial street, that Berlin was much better provided. These people do nothing but lecture me, she thought. She stopped saying 'Schön', merely remarked that in Britain Parliament was more important than the army. This agitated Elise, who explained that the Kaiser knew his people and could not surrender his power to the Reichstag. The German system worked better, in England everything was in chaos. Irene merely smiled condescendingly. By the time they arrived home they were hardly speaking.

When Thomas saw her off the following day at the station he did look vulnerable. He had been looking forward so much to her visit, he said. She curled her lip and closed the window, hardly bothering to wave him goodbye. After an hour she began to feel uneasy. By the time she was back in Dresden, she felt she'd behaved badly, and realised that all they'd wanted was her approval. She felt sufficiently guilty to send the parents, and Thomas, grateful letters decorated with little drawings.

Soon afterwards she returned to London, and Thomas ceased to interest her. But after a year or so he visited England, and called at her parents' house at Evelyn Gardens. By chance, she'd had a violent quarrel with Julian that day. Thomas had been easy and confident, and had talked with passion about the excellence of work by Mr Voysey and Mr Baillie Scott. She liked him again. He delayed his departure by a week, and then a week longer. And when on the day of his eventual departure he'd asked her, much to her surprise, to marry him, she'd not said no. A month or so later, partly to stop her mother's nagging but mostly because her work was going badly and she was tired of her friends in Fitzroy Square, and also because Thomas was good-looking and good-natured and not at all like Julian, she accepted him. And as the wedding plans developed, it seemed easier to let the process continue.

Well, she must live in the present: a beautiful morning in July and the beginning of her three-month honeymoon. Thomas woke up, and smiled that tentative subtle smile of his. He leant forward.

'This is a happy moment, is it not, my darling?'

She smiled back. Yes, decidedly. Yes, a happy moment.

7

When Mark, late and flustered, arrived in Trafalgar Square, he found Paul looking through the new triumphal arch at the park and the palace. He wore a light blue tie and grey suit, making Mark anxious about his own flannel trousers and shapeless summer jacket, but Paul seemed not to notice, shook his hand vigorously, grasped his arm. Mark didn't think he had ever touched any of his friends like this. He must not flinch.

The city was quiet, as though nobody could be bothered to make much effort, not even the flower sellers with their wilting roses. The newspaper sellers urged passers-by to Read All About It, but sounded unconvinced that It really mattered. On such a day, who cared?

The great houses along Piccadilly and Green Park were being cleaned and tidied, blinds coming down, tubs of plants being removed. They talked about how in Prussia the nobility were poor and lived on their estates, and how Paul's aunt and uncle survived on what they could grow or hunt; and how Mark truly wanted to enter the Diplomatic Service and that in any case his mother was determined that that was what he would do and she must be obeyed. At which they both laughed.

'Would you like to go to Charlotte Street?' asked Mark. 'There's a German colony there, a successful one. But perhaps you're tired?'

'Not at all. So if you are to be a diplomat, my new cousin,' and he put his arm round Mark's shoulders, 'you will have to prevent the war between Germany and England that is approaching. You look shocked, but it is likely, is it not? We may find ourselves fighting on opposite sides.'

'We think Ireland is more of a problem. The Irish are very unreasonable, though perhaps it's reasonable for them to be unreasonable. And the Suffragettes are a nuisance too.'

'You have so many problems, but who would guess it, seeing all this luxury? In any case, it is hot, perhaps we can go to a café?' But Mark said that there were no cafés in London, really, and one had never been to a public house, was not sure what to do there. So they walked to Charlotte Street.

'Ah, so this is the German colony,' remarked Paul. 'What will all these good Germans do when war breaks out?'

'I'm sure our governments don't want war.'

'It's hard to say what our Kaiser wants. He'd like to be a great war leader, but then he adores England. You respect your King, no? We make jokes about the Kaiser all the time, in Berlin we regard him as the best joke ever. My father likes him though, because of his position he sees him quite often. It seems the Kaiser is aware of this marriage – your sister, my brother – and approves. No, I fear war is inevitable.'

'And so my poor sister is marrying into the enemy.'

'She will become one of us, yes. National loyalty transcends individual loyalties. Don't look so dismayed. We will look after her. Who are all these people in Charlotte Street, these Germans?'

'Shopkeepers, I suppose, and musicians, waiters. Business people too, there are many German businessmen here.'

'Well, there is money in England. You know Berlin, it is a rich city, and flashing – flashing?'

'Flashy?'

'My apologies. But there is so much poverty too. Thomas is always talking about it, he wants to make their lives better... You seem dejected, I'm sorry. It's just that at home we talk about war against England all the time. At my university some visiting Englishmen were attacked by drunken students, they had to take refuge in a restaurant until the police arrived. It is so strange to come here, and find you all so friendly and...'

'And?'

'So like us, in many ways. Your sister, she will be among friends. We may not like the concept of England, but we like the individuals.'

They stood outside an Italian restaurant, where Paul declared the food should be good. He was right. They drank red wine. Mark drank a good deal, he was nervous, he seldom went to restaurants. Paul ordered. Mark had never eaten spaghetti.

'A diplomat must learn to eat the food of foreign countries, you cannot always be eating roast beef.' Mark smiled feebly. 'You must come to Heidelberg, and I will show you a real German university. I suppose you want to be an ambassador?'

Mark shook his head. 'Oh no. . .' Yes, ambassador to Paris or Washington.

'I am sure you will be successful. Of course, you will have to obey the rules, as we all must.' Paul waved his fork in the air. 'None of us is free, we believe what we're brought up to believe, we behave as we're taught to behave. We are guided towards a profession, and then we follow it all our lives. Look at me, I shall complete my second dissertation and apply for a post as an academic assistant and perhaps become a professor in Greifswald or some such place, taking tea with professors' wives and trying to write a major book so I can be promoted to Berlin or München, as though a chair in Berlin or München were the summit of human aspiration. We are all slaves, and there is no escape, at least until our present society is destroyed, which is possible. I think Thomas would welcome such a resolution.' He looked sideways at Mark, who blinked.

'Am I a slave too?' he asked, and laughed.

'Yes, and it's no matter to laugh about. You do what your mother says, you give up your academic ambitions in order to enter the Diplomatic Service, now you will fight elegantly to reach the peak, and there you will be subjected to the whims of politicians who know nothing about the real problems. Well, you are a charming young man, I am sure you will be most successful if you are content to remain one all your life.' He spoke playfully.

Afterwards, Mark walked back with Paul to his hotel through the darkening streets, softly warm now, past the Soho shops and restaurants, past the parading women in Regent Street, through somnolent Mayfair to Bayswater.

The next evening Mark went to Charing Cross to say goodbye, clutching a little bouquet for Frau Curtius; such a sympathetic person, he thought. The Curtiuses were delighted to see him, and urged him to visit them in Berlin. Paul gripped his hand, and looked intently into his eyes. '*Bis bald, mein Freund,*' he said.

Mark waved goodbye longer than anyone else on the emptying platform. If he became a diplomat, he would constantly be saying goodbye, not just physically but spiritually. Like other station halls, Charing Cross, banal as it might seem to the daily crowds, was an ante-chamber to the enchanting adventure of abroad.

The train had disappeared. The station had become quiet under its bright lights. It could, he thought, also be a place of nagging anxieties and larger fears, a portal to a dark world, foreign in every sense. He looked at the ticket office and the boards announcing trains to Bromley and Canterbury, and smiled at his own portentousness. But he shivered.

He moved slowly towards the Strand. As he passed the news stall, he saw a man looking at him, half-smiling. Why did men smile at him in the street? He did not want their friendship.

He wished Paul were not going so far away.

8

It was in the church of Sant'Agnese in Agone that Irene first asked herself
whether she loved her husband. Or at least, for the first time since the
wedding three weeks before. Or rather, she knew she loved him, but was
she in love with him? Or rather, what did being in love involve when you
had a life sentence? Did it mean you wanted to spend every moment of
the day and night with that person, and missed him fiercely if he was
away? She knew this feeling very well – but about Thomas?

Thomas was reading from Baedeker. He had been reading – it seemed
– for hours and hours. He read well, but one could grow tired even of his
voice. They had risen, as usual, at six since at midday the churches closed
and it was obligatory to see at least eight churches or two museums
before lunch (a museum scored as three or four churches). She'd been
moved by the Early Christian churches, and liked to think of those brave
people celebrating Communion in their catacombs. What she could
not bring herself to enjoy was seventeenth-century Italian architecture
and ceiling paintings, her Protestant upbringing rebelled. She wished
the old Romans had been less pious. But to Thomas everything was
interesting. If she did not respond to a piece of information, he would
look surprised and gaze into her eyes as he read, to involve her. This
meant she could never yawn or sit down or let her eyes wander towards
the old ladies in black moving about their prayers. He had a little black
book in which he took notes. She observed this habit with a dogged
wish to find it charming, but realised that one day she might find
it irritating.

From time to time Thomas, at least in their first days in Rome, had pointed out inspiring views and urged her to draw, but she'd refused. She was not interested in making genteel renderings of famous sites. To work she needed to be on her own, she couldn't sketch in public while passers-by looked over her shoulder. But she did miss drawing. Only occasionally, in their bedroom, privately, did she draw a sliver of the courtyard, or her husband asleep and tousled. When he was her model, she felt, particularly fond of him but that was when he was not speaking.

A clock struck the three-quarters. It was almost twelve. All morning she had not liked to suggest that they might stop and drink coffee, but what she most wanted to do was stop talking about architecture, it would be enough to sit in silence, and watch the people promenading. In the Piazza Navona he had discoursed about Cardinal Barberini and Santa Apollonia and the laying of foundation stones, and the palace on the right and the palace on the left. And movement in Baroque buildings, apparently all in a state of perpetual motion. And now Thomas spied an important tomb – with a Baedeker star! – in the corner.

So, did she love him? As a surgeon might lift a specimen with the forceps for a closer examination, she wondered whether she might have made a mistake. Or rather, whether she might think so one day. Her father had told her once, when she was agonising about Julian, to distance herself from her emotions, to observe them dispassionately and analyse whether they were worth giving way to. She'd always followed this advice. They were staring now at the ceiling but at least this meant she could look upwards and not at her husband. Perhaps this detachment had stopped her understanding her real feelings about Thomas. He'd always confused her.

Directed to look at something else, she wondered whether she would spend her whole life playing the obedient wife. She thought fleetingly, I wish I were in Danvers Street, or even Evelyn Gardens, which are less beautiful than Rome, but where at least I was a real person.

She and Thomas were moving towards the sacristy, which contained some interesting minor pictures. It might be locked, but he was all too persuasive with sacristans.

Making love with him was not what she'd expected. Thomas changed personality in bed. At first correct and considerate, he soon became hotly loving, pushing his lips hard against hers, trying to enter her mouth with his tongue, muttering incomprehensible endearments. Then he would get excited, even rough. She was the first woman he had ever made love to, that was clear. At the conclusion (it felt like a conclusion), he would give her a single punctilious kiss and fall asleep. The new ideas about mental togetherness when making love had not reached him.

She thought, I must be a disappointment, he must find me cold even though he's accepted he is not my first lover. Does a woman who has slept with a man feel differently about him for the rest of her life, she wondered. She thought the answer was yes. And a man, about a woman?

Meanwhile Thomas had seen a painting that worried him. 'The book says this picture should be above the altar in the third chapel on the left side, but here it is above the door to the cloister. This must be the same picture, a Holy Family by Sodoma. Yes, it is labelled.'

'I suppose they must want to move the pictures now and again,' she remarked mildly. 'Perhaps there is a new priest who wants to make changes. As a new wife might want to make changes to her husband's house, that too is possible, I suppose.'

He smiled. 'Yes it is. Perhaps you are right, priests are human beings, after all. Even Catholic priests. For us Protestants, this Catholic apparatus can be difficult, no? We are always wondering why so much theatre is needed to reach God.'

She agreed. She wondered briefly whether it was her fault that he talked all the time about churches, not about himself or her, whether it was her passivity – her new passivity.

She dropped onto a bench. He looked at her, piercingly, and sat down beside her, put his arm round her, then pulled it away as though remembering they were in a church.

'It is difficult, marrying a foreigner,' he said. And then, tenderly, '*Liebling*. Don't you agree?' It seemed rude to agree. She shook her head.

'I mean,' he said, 'I don't always understand you. When we speak English. . .'

'Your English is perfect.'

'My English is mostly correct, but that is another matter. Your language is so full of ironies, I do not always know whether you are serious. If I cannot understand your language fully, how can I understand you?'

'There are other ways,' she ventured.

'Yes, but even with those other ways – I suppose you mean sexual cohabitation. . .' He lowered his voice here, as though the painted saints might be shocked. 'Or even flirting – even that is more difficult for educated people, the nuances are so great. . . Sex is a language too, of course, or so good Dr Freud would have us believe. But perhaps we should not talk about sex in this sacred building.' He peered at her again. 'And then there is the language. When you speak German, it is difficult not to correct you because I want your German to be perfect, like you.' He hurried on. 'But if I correct you, it is annoying, and our honeymoon should be a time of perfect happiness, how can it be perfect if I correct your word order?' He closed his Baedeker. 'Then I make you look at all these churches, my dearest. I am trained to look at such things, but for you it must be fatiguing. Shall we have lunch? A proper lunch, with wine?'

She blinked. Usually he preferred a modest lunch with water, before retiring to their room for a little passion and a long slumber. Not that he couldn't afford it, there was always money for books, or architectural casts or whatever he wanted, money not discussed but comfortably there. As in her family. With Julian, there'd been no money; she'd not minded, except when he'd tried to borrow from her.

'You are so English, I don't know what you are truly thinking.'

They were standing in the piazza. He was sweating. She did not sweat, she stayed cool even in extreme heat. He looked like a child, pink, eager to please. She was glad he was thinking about her rather than Borromini. Could you add together good qualities, she wondered, and by nurturing them, create a solid lifelong love? She laid her hand softly on his shoulder to see whether by behaving lovingly she could make herself feel loving. Was she play-acting? Was she expressing her underlying feelings? Really, she didn't know.

But if she was play-acting, she succeeded. He was touched, and took her hand.

'I know I annoy you,' he said. 'I am selfish, I have not been in love before, I do not know how it is done, even though I am in love with you since Dresden July 1905, do you remember?' He was always precise about dates. 'I want to learn from you, my dearest. You understand so much, about love, about everything.' He took her in his arms and kissed her. He had never done this so publicly.

'Lunch?' he said, releasing her.

They passed a flower seller. '*Signore,*' he said and pushed his basket towards Thomas, who took a single red rose. '*Luna di miele?*'

Thomas nodded and smiled, she nodded and smiled, as though to make it clear that this was the most magical experience of their lives.

The flower seller did not wave away payment as Irene thought he might. Instead there was an awkward pause while Thomas looked for change.

'How much?' he said, in a muffled tone.

The flower seller shrugged as though to say, 'Whatever you like.'

By this time Thomas had taken out his wallet and could only find a large note. When Irene made to help, he shook his head. He gave the note to the flower seller, who moved rapidly away without offering change. Thomas looked annoyed, caught Irene's eye, shrugged.

'It's a beautiful rose,' she said. He looked at her vaguely, as though bruised by this encounter with modern Italy, less tractable than a church ceiling.

He handed Irene the rose. Or rather, he went down on his knee on the pavement. She was touched but embarrassed. Such gestures could be made more gracefully, she knew. And she worried about his linen trousers. Still, she smiled delightedly, and put the rose behind her ear.

After lunch, they went to the hotel. Their room was pleasantly warm, the sunlight hardly penetrating the shutters. As though in unspoken agreement, they took off their clothes and lay down naked, as they'd never done. It was delicious, being naked in that heat. He took her in his arms. Again, seeing him through half-closed eyes, bright pink down to the neck and then white, she felt sorry for him. But not for long.

They stayed in bed all afternoon. He shouted 'No' when the chambermaid knocked at the door. They stayed in bed as the light expired until he said, 'Every dining room in Rome will be closing, we need some dinner,' and they threw on their clothes, laughing as they tidied the rumpled bed, and went outside into the warm soft air, the streets full of Romans strolling or sitting by the fountains.

Perhaps she did love him, after all. If only she could abandon herself to emotions, without having to analyse them. During dinner they said not very much, it was companionable. She felt differently about him, now. He gazed at her without stopping, sometimes did not answer when she spoke, merely nodded. Clearly he was wholly in love, 'hook, line and sinker', as her Chelsea friends would say. She recognised the signs.

Perhaps she should be firmer about how they passed their time. Perhaps he would appreciate that.

9

'This is my English granny's drawing room, what a period piece. So artistic in that peculiar Victorian way. All those whatnots and tapestry-covered chairs – there's one over there, it's hideous, isn't it? – and blue and white vases. Piles and piles of papers – she loved telling other people how to lead their lives. As a little girl I thought it was beautiful, and it was enormous, compared to today's houses.'

Pandora peers at the photograph. 'Well, I think it's quite charming.' She looks round the room. 'Some day people may feel that a beige interior with sand-coloured curtains is not so wonderful.'

'They may, but you like this room, don't you? Of course we did it up a long time ago.'

'I like it because it's yours, and I'm used to it. By the way, surely I recognise that sofa, isn't it in Irene's studio?'

'Yes, Mother did keep a few things. When you go through the studio you'll find more, I expect. When the probate is settled.'

'When the probate is settled.' Pandora stands up. 'But I suppose it's all right for me to go and look at the studio now, isn't it?'

Dorothea looks at her daughter sharply. 'Yes, I believe so. Of course you'll be selling it.'

'Oh but I don't want to sell it.'

'What on earth would you do with it, darling?'

'Live in it.'

'Live in it? But what a strange idea, who'd want to live in a funny old place like that?'

'I would. I love it.'

Dorothea is standing too, facing her daughter. 'I know you went there all the time. . . Pandora, why would you want to live there, how would you pay the bills? Surely you're better in a little flat with chums?'

'Mum, don't be so annoying. I'm twenty-six, let me remind you. I don't want to live "in a little flat with chums". And Granny didn't only leave me the studio.' Her mother turns away, frowning. 'I can certainly "pay the bills", as you put it.'

10

One September afternoon, the Bensons' friends assembled for Mrs Benson's first At Home since the wedding. She had given At Homes on the first Sunday of the month for years, with a shift lately away from literary and artistic guests and towards more social people, whom she had met through her charitable work. To the family, this September evening seemed especially different. Papa seemed quieter than usual, as though he wished the guests hadn't come. None of Irene's friends appeared – Mamma had anyway never entirely approved of them. Instead, in a body, several new people arrived and introduced themselves as friends of Teddy's: the men in tweed suits, the women in well-cut coats and skirts, all healthy and nicely presented, standing up straight and talking politely to strangers and handing round cups and plates. Mrs Benson was enchanted.

'No, Scoones isn't fun at all,' Mark said to Mrs Beaumont, one of his mother's oldest friends. 'The Diplomatic Service exams are so difficult. I pity the people who have to cram us, it must be soul-destroying, particularly if their candidate fails and they have to fill his dull mind all over again.'

'I'm sure you won't fail, Mark. Have you ever failed an exam?' People who knew Mark well and saw through the reserve that he presented to the world liked him better than strangers did. 'Are you excited by the thought of being a diplomat?'

'What does it mean, being excited? So many people are only truly excited by football and cricket.' He bit into a slice of cake.

'But you will be serving your country.'

'Oh yes. But I feel, if God and King need me, they must be in a bad way.'

'Of course cynicism is the thing at your age.'

Out of the corner of his eye, Mark investigated the room. Sophia was listening to an ancient professor. In her nondescript brownish dress, she looked like the schoolgirl she was. Long straight red hair, pale pinched face, inward-looking features. Seven years younger, she seemed infinitely his junior.

Sophia noticed him looking at her. As sourly superior as usual, she thought. Anyone would think he was already a detestable old ambassador. At present she was busy analysing the adult world, probing the falsehood and pretension endemic in society, and its oppression of women. She was not enjoying her conversation – if conversation you can call it, when he does all the talking, she thought – with the professor of archaeology. She longed to escape to *Ann Veronica*. Mr Wells's new book had to be concealed from her mother, but the story of a girl escaping from bourgeois respectability to become a New Woman engrossed her.

'Your little sister is growing up,' Mrs Beaumont remarked. 'She'll be striking when she's older.'

'Oh, d'you think so?' He looked at Sophia again, in a languidly considering way. She noticed, and attempted a contemptuous leer. He saw it and laughed. She looked cross but then laughed too.

'Shouldn't we rescue her? It might be nice if she met Andrew again.' Andrew was Mrs Beaumont's son.

'He'll think she's an awful baby,' said Mark.

'Don't be so superior, she's an extremely nice girl.'

At first the introduction was not a success. Andrew searched for a subject. He had just left public school, he had no sisters, girls were unfamiliar territory. His suggestion that this party was fun struck no spark. 'How do you stand on votes for women?' Sophia asked. He fumbled. She wanted to know if he was going to university, and when he said 'Oxford,' replied that she was more interested in the newer universities. 'D'you want to go to university?' he asked in surprise, and she replied, 'If I'm allowed to, you never know with parents. And university had an awful effect on Mark, at Cambridge he turned into a snob.'

She wondered if she was being too sharp. He's quite nice-looking, she thought, long eyelashes, sensitive face. But boys were a waste of time, she and her friend Laura had decided long since. She applied an acid test.

'Do you like Shelley?'

He opened his brown eyes wide. 'How can anyone not like Shelley?' Her face softened. He saw that this awkward schoolgirl might become that mysterious thing, a Beauty. 'What's your favourite poem?' he asked.

'Oh, *Adonais*. I think it's quite beautiful.' And she recited:

> He lives, he wakes – 'tis Death is dead, not he;
> Mourn not for Adonis. – Thou young Dawn
> Turn all thy dew to splendour, for from thee
> The spirit thou lamentest is not gone. . .

'What on earth is Sophia doing?' asked Mrs Benson, approaching her old friend. 'Reciting poetry?'

'Yes, it's quite charming,' answered Mrs Beaumont.

Mrs Benson examined the two young people. Clearly they had been introduced for a purpose, but Sophia was too young to be taking an interest in boys. Really, one had less in common with Christina Beaumont than in the past.

'Sophia!' she called, 'Go and help with the tea things, will you?' She plucked Sophia by the arm. Sophia looked furious but her mother led her firmly off. They found that Teddy had taken over tea, and was giving the parlourmaid directions. 'Oh Teddy, you are wonderful,' said his aunt, 'so helpful. Unlike my own children.' Pulling her mother's hand off her arm, Sophia slammed out of the room.

'What a silly girl,' said Teddy, 'just at that difficult age. Aunt Elizabeth, I want you to meet a very special friend of mine, Victoria Drummond.' Victoria Drummond was tall, with brown hair and a high complexion, expensively dressed, in her late twenties. 'My colleague in Canada gave me an introduction, and Miss Drummond – Victoria – has been very kind to me.'

'I'm so glad to meet you, Mrs Benson.' She spoke with aristocratic self-confidence, it was thrilling. 'Normally I'd be in Scotland at this time of year, but Edward told me I must stay in London so I could come to this. . . this gathering, which is such fun.' She did not call him Teddy, his aunt noticed.

'Thank you so much,' said her hostess, glowing.

'It's so nice of you to let me bring some friends, I hope you've met them all. Did you meet Bongo Ponsonby? He's so amusing. It's been such fun introducing Edward around, everyone loves a Canadian.'

Though she doubted that everyone loved a Canadian or if they did, that it was sensible, Mrs Benson readily assented. She was struck by Miss Drummond's proprietorial tone. Was Teddy already hers to be taken around? She suppressed a jealous sense that she had not had him long to herself. But then this young woman was so perfect, so *comme il faut*, and just the right height, an inch or two shorter than Teddy.

'Did Edward tell you, I'm taking him to Scotland for the shooting? He claims he's an excellent shot.'

'But how nice of you,' said his aunt breathlessly. 'Where will you be staying?'

'Oh, at my parents' place in Perthshire. You must come and stay too.'

'We'd love to.' What was this place, Mrs Benson wondered. A castle? A great mansion? Already she'd decided that Perthshire in September sounded the most beautiful place on earth, that this girl (could she be titled?) made her own philanthropic peeresses seem rather dull, that the names 'Edward and Victoria' sounded ideal together. . .

'I would so like to meet all the family,' Victoria said. She varied her tone – often clipped, it could become caressing, making each listener feel they were the most desirable person in the world. 'Dear Mrs Benson, will you introduce me to your husband? I should so like to meet him. And Mark. I think I've missed Sophia for the moment.' And she laughed indulgently.

They embarked on a tour round the more important people. Victoria was the personification of easy charm, while Mrs Benson talked to Victoria and Edward's friends, pleasant, forthright, chatty young people – so unlike her own children, who could be difficult. Edward followed. From time to time, Mrs Benson noticed, he faintly touched Victoria, and she him. It was done with a subtle intimacy, like a waft of the delicious scent emanated by this splendid young woman.

They reached Christina Beaumont, who was sitting on a sofa with her arms stretched along the back. She often did this, but this evening it was irritating, as though she possessed the place. Victoria was about to stop, but her hostess, seeing a titled Girls in Distress committee member close by, introduced her instead.

Noticing this, Mark, who sometimes surprised himself with his own kind-heartedness, went over to the Beaumonts and talked to them warmly, saying in his mother's hearing, 'Oh but you'll stay to supper, won't you? It's no good without you.' But they said no.

Edward and Victoria and their friends also left, in spite of being pressed to stay. Mrs Benson could hardly be bothered to preside over supper: she was so excited, Edward and his new friend had transformed her life.

11

'Thursday 22 September 1910, Mommsenstraße 78, Berlin. Dearest Mamma and Papa,' Irene began. Then she put down her pen. This was her first letter home from Berlin. She felt cheerful, sitting at her new desk in her new sitting room in her new flat. The sun was shining, the air was crisp, the street outside orderly yet bustling.

She was wearing a loosely cut dress, in a soft pale wool. It was the kind of clothing Thomas preferred. His views on clothes were pronounced: they were more than coverings, they were charged with meaning. Women needed to be freed from the elaborate costumes, evidence of the wearer's uselessness, that they'd worn for too long. He'd not gone quite so far as to buy clothes for her, but he'd bought her a straw sun hat with a bright ribbon round the band. When she saw it on her dressing table, she smiled, remembering discussions with her artist friends over whether hats were symbols of bourgeois convention. What would happen if one went out of doors hatless in London? They'd tried, walking bare-headed down Gower Street, provoking outraged looks which made them cackle with laughter. When she'd described this to Thomas, he'd looked at her with his patient, kindly smile. She would certainly be wearing a hat in Berlin.

Hat or no, she must convey happiness and optimism to her parents.

Here I am in my new home. I mean to write very often, but I hope you will understand if I do not write every single day, as I believe Princess Vicky wrote to Queen Victoria. We arrived yesterday to find Freddy and Thomas's little sister Puppi at the station. They were so sweet and welcoming. They came back to the house but would not come in, they said we must make our first entrance on our own. I wondered if Thomas was going to carry me over the threshold, but fortunately he's not given to such gestures!

It is an almost new building, in what they call the Reformed Style. Outside it's very striking, irregular in design, five storeys high and covered in roughcast painted pale green, adorned with sculpture. It has a charming front door, all black and white squares. You take the lift to the second floor, and that's us!

Our household was assembled. Imagine, your Irene having her own servants. I have a cook and a maid, and hardly a word can I understand – they're country girls. I could see at once they're nice girls, all smiles and as excited as I was, curtseying like billy-o. Gretchen, the cook, proudly showed me the kitchen and the beautiful new range as though they belonged to her, which I suppose they do. We'll muddle through – or rather, I'll muddle and they'll manage. They insisted we eat some belegtes Brot they'd made, though we'd dined on the train.

Gretchen is twenty-six, and Lisa sixteen. Lisa has never met anyone English before and has learnt some words, to make me feel at home. She said, 'Good evening, madam,' and looked at me anxiously, and then they both laughed loudly until they remembered to be respectful and stopped laughing. Then Gretchen tried. 'How does it go?' she asked. 'Good,' I said. 'I like my house.' At which they laughed a good deal more. Thomas looked on tolerantly, as though at children. He is interested in servants and workers, he thinks that a society can only flourish if all its people lead a full and healthy life. He knows the girls' parents, and asked how they were.

She'd wanted to say to the maids, 'There's no reason for you to treat me so seriously, I'm just Irene.' But of course, that was no longer true. There would be no more toasting cheese in front of the gas fire or sitting on the floor drinking wine or staying up until one heard the milkman on his round. No, she was a responsible housewife now. She sighed, but the letter must betray no sighs.

The flat has been redesigned by Thomas on the newest principles, appropriate for the best physical and mental development (this is how we speak). Thomas talks often about how the daily objects around us must be practical but graceful. We have a big sitting room onto the street, where I am now, with Thomas's study next door. Beyond that is the dining room, furnished in the most up-to-date manner. The space between the front rooms and the back is called the Berliner Zimmer, it's rather dark because the window's in the corner. Our bedroom is at the back looking onto another courtyard, with a spare bedroom, where I hope you'll come and stay, and another bedroom. For a child, she supposed.

The passage twiddles round to the bathroom decorated with white and blue tiles with the design of a little house in a garden, which Thomas put in. At the end of the passage is the kitchen. Gretchen has a little room beyond the kitchen, but Lisa sleeps in a cubbyhole under the roof, reached by a ladder. I was shocked, but that is the way here, and Lisa says she finds it much better than at home, where she slept higgledy-piggledy in a great big bed with her brothers and sisters.

Thomas has chosen beautiful colours, with stencilled decorations, and modern rugs and furniture by a designer called Bruno Paul. The curtains are all white and cream with abstract patterns. The furniture is very fine, though we aren't allowed big armchairs you can sink into ~~as at home~~ as you have in London! No, you sit upright. Actually there's not very much furniture since everyone is busy escaping from over-stuffed interiors, and enjoying the beauty of function. Thomas says the flat looks like an English house. I can't see it, but I naturally agree. Anyway, here is a photograph Thomas took. He does it well, don't you think?

She put down her pen. She did not say she'd been taken aback by the orderliness of the flat, the attention to detail, which left nothing for her to decide. She must never criticise Thomas or her new world to her family or her London friends. She must be loyal.

How distant this new world was from the old one, separated by so many hours in trains and boats, so many tickets and arrangements, such contrasting attitudes.

Thomas had taken on a new personality in Berlin. She thought that, unconsciously, he treated her like a character in a play. When she bought clothes, she was to bear in mind the colours of their rooms, the clothes must not be too high-toned or too dim. He'd suggested he might accompany her on shopping expeditions. When he asked her to sit where the light fell on her to advantage, she felt like Nora in her doll's house, and refused.

Afterwards, she scolded herself. He wanted her to be happy. Would it be best to consent, to subordinate herself, as women were supposed to do? She tried to imagine doing this.

> *Thomas has thought so much about my needs. There is a big desk for me at the window of the Wohnzimmer. I shall resume drawing, I might even ask if I can use his study as a studio when he's not using it. And there are many bookshelves, with space left for my books.* Not much, in fact. *There is a shelf of books about Berlin and Germany for me to study.*
>
> *We are so happy in this flat. I realise how fortunate I am, to be living in this city.*

She felt achingly homesick, suddenly, in a way she'd not done in Rome. She looked at herself in the mirror, and patted her hair. During the honeymoon she had worn it down first thing in the morning, and sometimes in the evening, as he loved her to do.

> *I know I am going to be happy here. Thank you for all your loving support, dearest Mamma and Papa.*

A tear fell onto her writing paper and smudged the ink, but she suppressed the damage with her charming new blotter with its ivory edges carved into the shape of sunflowers. No more crying, she told herself sternly.

There was a knock. Dabbing her eyes, she cried, 'Come in!' It was Gretchen, wanting to know whether she would like some coffee. She seemed excited by the prospect. 'No,' said Irene petulantly, as though drinking coffee at a fixed hour every morning was another ritual to be imposed on her, as though her new function was to be the constant genteel consumption of food and drink. Gretchen looked disappointed, and Irene cried, 'But yes please, it's just what I would like, how kind.' Gretchen beamed.

She must finish her letter. That morning Thomas had risen early, eaten a large breakfast, set off for the office. He told her he would be very busy at the office because of his long absence, but would spend Saturday afternoon and Sunday with her. It was all precisely planned. On Saturday they would go for a walk and attend a concert that he had chosen. On Sunday they would lunch with his parents and meet the assembled family. She looked forward to the walk. She dreaded lunch.

This afternoon my mother-in-law is visiting us here. That will be nice.

Nice? She was surprised at her own shyness. In London she'd met all sorts of people and gone to parties and not felt shy at all. But as for meeting all these strangers and being assessed for her looks and manners and knowledge of German and child-bearing abilities... It was worse, she thought, because a foreigner had got hold of their adored Thomas.

She wondered at the lameness of her English, already she seemed unable to speak English properly.

Enough for now. I must go out and make myself familiar with the neighbourhood. With dearest love...

Would her letter convey the proper level of happiness? Would her father read any doubts into it?

The coffee arrived on a lacquered tray, with little cakes on a plate decorated with a subtle pink and silver pattern, and a linen napkin, and a silver fork, all unfamiliar but clearly hers. It was touching, it was unbearable. 'Will that be all?' asked Lisa. Yes, more than all. Irene drank her coffee fast, ate one cake and hid two more behind the books, announced to her startled cook that she would be out to lunch, and fled into the sunny street. Would the servants, she wondered as she ran downstairs pinning on her hat, tell their master – her master? – that she had run out and never eaten the lunch they'd prepared?

12

Sophia stared morosely at her German teacher. Miss Wenham, in Sophia's view, was not qualified to teach anything. She was a plain woman of indeterminate age, who always wore the same coat and skirt and made everything uninteresting. Sophia half-listened to the questions going round the class. 'Will you go to Germany, child? Will you go to Germany, sir? Children, will you go to Germany? Has your friend been to Germany?' Miss Wenham would read out these idiotic enquiries in English and the girls had to translate them. Sophia could not imagine ever wanting to know whether Edith Martin's friend had been to Germany. It would be some time before she was asked to translate, since Miss Wenham unimaginatively went up and down the rows.

Sophia detested her school. She hated the building in Harley Street, where everything was ugly, from the brick front to the mistresses and almost all the male professors. She hated the smell of floor polish. She hated lunch and having to finish what was on one's plate. She hated curtseying to the staff, and attending the Class for Physical Exercise. She hated the dried-up old chaperones who sat wordlessly in classes taught by the professors, as though those ancient men posed a threat to one's morals. She hated the school's reputation for attracting less bright girls than the North London Collegiate. She despised the atmosphere of mildly artistic goodwill and the expectation that a girl's role in life was to do the Season and be married off. Apart from her friend Laura, most of the girls were frivolous and snobbish. It was unbearably dreary. She knew she could gain the college's Certificate of Associateship with no trouble, she couldn't even pretend to be anxious. Besides which, though she knew she wasn't anxious, she sometimes wondered whether, deep down, she might be.

She felt suffocated. If her mother had her way, Sophia's whole life would be spent obeying rules: marriage to a suitable man, living in a suitable house and producing a suitable number of suitable children. Or worse, living as her mother's companion, a prospect that was sometimes hinted at. I am only sixteen, she said to herself, and already I'm bored by my life. If only I could be a Suffragette and shake up the world rather than have to talk about the new altar cloth at St Peter's and whether Lady Belfield might come to lunch.

The big question was whether her parents would let her go to university. Papa skirted round the subject. Mamma, having allowed Irene to escape the Season, was determined that Sophia should do it. Without their support, she could never afford university, it was unthinkable. Queen's College was little help, preparing for university was considered odd. And then, did she really want to go? She didn't want to be a freak.

Miss Wenham looked in Sophia's direction. Defiantly, Sophia thought.

'Sophia, "Would that you were going to Germany!"' Miss Wenham looked her pupil squarely in the eyes.

A titter ran through the class. Sophia was momentarily disconcerted – was Miss Wenham humorously suggesting she would welcome her departure? The titter was irritating.

Actually it was rather a difficult sentence. She hesitated. '*Ach*' – she put a strong emphasis on this, it added authenticity. '*Ach, würden Sie doch nach Deutschland gehen.*' She stared back at her teacher.

Miss Wenham gave a nod, though a foolish smile still played around her lips. '*Dankeschön,*' she said flatly. She had probably spent quite some time preparing that one. She must be disappointed. Sophia, determined to learn German so she could talk to her new relations on the frequent visits to Berlin that she planned, always came first in the subject (and in most others, too).

The school bell rang. It was the last class of the day. As she tramped along hideous Harley Street, her thoughts touched on Andrew Beaumont. Did she love him? Not really, though he was sweet, always sending long letters from Oxford about poetry. She prodded a lamp post irritably with her umbrella. But at least somebody liked her. How strange it was, the way a person's life was shaped by their appearance, particularly a woman's. If you were unattractive, there was little to hope for. It was monstrously unjust.

She felt in her bag for the emerald-green silk scarf Mark had given her for Christmas. He wasn't so bad, Mark; he'd hit on exactly the colour she wanted, had taken a lot of trouble to find a scarf that suited her. What was more, the colour irritated people because it suggested support for the Irish Nationalists. Woven round her neck, it made her feel less like a schoolgirl.

There were other difficulties at home. Dear Irene had gone, who'd told her never to give way to despair, it was the worst of sins. Instead, Edward was installed in the spare room, now known as Edward's room. A poor substitute. He was always going to job interviews and holding forth about politics and preserving the House of Lords and holding the empire together. He had infected Elizabeth with his views, though she skirted round the threat posed by Germany, another favourite Edward topic. If Mark disagreed with him, Edward would wave him away like a tiresome child who knew nothing about the real world – though Mark was much more intelligent. Papa never commented on Edward.

She stared out of the omnibus at Park Lane. She hated what Park Lane represented. Nothing could be more despicable than those beastly dukes protesting about taxation that would slightly dent their enormous incomes but allow poor people some chance of surviving. Why did her mother long to mix with such people? When one evening Mamma had mentioned some titled woman she'd met, Sophia asked why anyone should be valued merely because of an accident of birth. Her father remarked, 'Well, I'm sure the Independent Labour Party would agree with you. But I can't imagine I'll ever see a society where an inherited title isn't regarded as a distinction. Perhaps when this Great War comes, we'll see change.'

She felt herself sinking into self-loathing. She sometimes suffered from this, though it was a relief that her friends did, too. What did life hold for her? Imagine growing up into Miss Wenham.

Close to Hyde Park Corner she saw a glamorously dressed lady walking alone. A lady of the night, she thought excitedly, how much more attractive she is than I am or will ever be. She peered at her own dim image in the window, and thought, what hope is there for me? Who would want ever to have free love with Sophia Benson in the fifth year at Queen's College Harley Street, thin and dull with carroty hair? My only admirer is much too timid for free love. She would have to settle for being a Suffragette, perhaps Suffragettes did free love when they were not chaining themselves to railings. She laughed, startling the other passengers, then remembered that she was feeling miserable.

When she arrived home she met Wilson crossing the hall with a tray. Wilson cried, 'Oh Miss Sophia, do go upstairs, there is such good news.'

What could this news be? Irene coming home? Edward leaving? She hurried up to the drawing room.

'Sophia!' cried her mother. 'Guess what has happened! Just guess! Your father is to be a High Court judge. He's just telephoned. Isn't that wonderful?'

Sophia was delighted, she thought her father the cleverest man she'd ever met.

'He has reached the pinnacle of his profession, almost. And he will be knighted. Just think, Sir William Benson!'

'Sir William Benson.' It did have a certain ring, however much one despised such baubles. 'That means you'll be Lady Benson.'

'Yes,' said her mother. 'Come and kiss Lady Benson, darling, and have some tea, and one of these cakes to celebrate. Now all we need is for darling Mark to pass his exams, and then everyone will be settled perfectly.'

She beamed. Sophia attempted a smile. Evidently she was incidental. No wonder she felt depressed.

13

Irene sat, trying to be amused by *Simplicissimus*, and waited. Thomas had said she must not answer the street doorbell but wait for her guests to be shown in. He'd also suggested she should hide a satirical magazine like *Simplicissimus*, which might be too strong for his mother. When the bell rang she hid it under a cushion and sat demurely.

Frau Curtius and Elise were ushered in and nervously she invited them to sit. They were her first guests here, she felt she was play-acting. 'Frau Curtius. . .' she began, but her visitor laughed and said, '"Frau Curtius" – no, I cannot allow that. My children call me Frau Mamma, will you too? And "*du*", please. I am always telling my husband there is no need to be formal. Secretly I think he quite likes to be called *Herr Gesandtschaftssekretär*, but I say it is not the title that is important, it is the man.'

They sat down. Lisa hovered. There was a pause.

'Would you like some tea?' asked Irene. 'Or coffee?'

'Well, since this is an English house, we should have tea.'

'Tea for three, please, Lisa,' said Irene, play-acting again.

'I do hope you like the flat.' Frau Curtius looked around the room. 'We perfected it while you were on honeymoon. But it worries me, there is nothing of yours here, not a picture, not a book. It must seem like a stranger's house.' She looked piercingly at Irene, who blinked. 'Well, that will change. My dear, I am very direct, my family often tell me I should hold my tongue, but it is meant kindly. Let me say two things. First – you must understand, for Thomas, the home is very important. He is always thinking about the house, its meaning, its function as a temple of domesticity, and so on and so forth. For him the habitation is central to the nature of a man or woman, a symbol of shelter, affection, inner repose. He is so earnest, the dear boy.' She paused.

Irene had been sitting very still. She had the capacity to sit like an embodiment of Patience. At the Slade, artists had loved to use her as a model, her figure and face suggested so much, stated so little.

'Yes, Thomas has talked about the family hearth.'

Her mother-in-law studied her tenderly. 'Thomas says you are a bohemian, the house may not be so important to you. You must see what suits you.'

'I am sure Irene has thought about these questions,' said Elise. 'She can decide for herself.'

'Well,' her mother replied, a little agitated, 'she has all these new things to worry about, perhaps an old lady's advice may be helpful. Marrying, moving to a new country – that is not so easy.' She smoothed down her skirts. 'You know, my dear, Thomas can be stubborn. When he was a child and building brick castles and houses, they had to be constructed as he determined. He and Elise would have fights, she too has a strong will.'

Surprised at this level of intimacy, Irene reminded herself she was a full family member.

Frau Curtius took her daughter-in-law's hand. 'These children operated in quite different ways. When Elise wanted something, she worked subtly. Thomas made a great drama, he told everyone why what he wanted was essential. But in the end, if one suggested other possibilities, he was willing to listen.' She squeezed Irene's hand. 'We are so happy you are here. You know, you are the first woman he has truly loved.'

Tea came in, with much clatter and the moving of little tables. A saucer was dropped by Lisa, who looked about to cry until Frau Curtius remarked, 'Well it is only a saucer and not even broken, what does it matter?' There were cakes full of cream, and *palmiers* from the court confectioners in Charlottenburg that Irene and Gretchen had chosen that morning. Irene looked at her mother-in-law nervously, but Frau Curtius nodded approvingly. 'What a fine tea. Well, we have an Englishwoman in the family.'

'I am sure I shall enjoy living in Berlin.'

'Oh, Berlin, you can say what you like. Berlin pretends to be a great city but really it is a garrison town with the Kaiser stuck on top, like a fairy on a Christmas tree. We're impressed by absurd things like the new Adlon Hotel – people think it makes Berlin look like Paris. How uncomfortable these chairs are! Thomas insisted. You are better at comfort in England, you must make this flat a thoroughly English, comfortable place.' She took another *palmier*. 'My dear, it will be lonely for you at first, with your husband at the office, he works so hard. When did he come back last night?' Irene coloured. 'But we, all of us, are not only your new family but your new friends. If ever you feel unhappy you must come and see me.'

When Thomas came home at half past seven, full of talk about his new scheme, he found a smiling wife sitting at her desk, with sheets of paper in front of her. Irene had pinned up her hair and was wearing a white silk dress with stitching round the neck and arms, and a long string of blue-green beads. She embraced him warmly. 'I am teaching Gretchen one or two English dishes,' she said. 'And I have had some ideas about rearranging the flat.' He looked surprised.

He did not look at the drawing of an imaginary country house that she had put on the desk. She had thought it might amuse him. She had spent some time over it, consulting his books and creating a house that was partly gingerbread and partly real cottage. He never commented, and after two days she tore it up.

14

Mark wished he were more polished.

He was sitting in a room at the Foreign Office, waiting to be interviewed. There were two other candidates there, a man called Wentworth-Stanley, a man called Scott. He knew them from Scoones. Both were assured specimens of young manhood, handsomely suited Etonians. They chatted familiarly, politely including Mark.

An usher came in and said, 'Mr Wentworth-Stanley?' and Mr Wentworth-Stanley went out, raising his eyebrows humorously. The other man, as though exhausted, picked up *The Times*. After a second he lowered it and said, 'I say, hope you don't mind if I look at the paper, a chap gets a bit. . .'

A chap did get a bit, it was true. It was reassuring that this happened even to a chap as perfect as this one.

Beside Wentworth-Stanley and Scott, he felt small and insignificant. He could not believe that, faced with such competition, they would choose Benson.

After a long while the usher returned. 'Mr Benson?'

Mr Benson stood up, nodded at Scott. 'Good luck, old chap,' Scott said with one of those charming smiles.

And Mr Benson went off, through the gilded halls, to meet his destiny.

15

They are on good terms, this afternoon, sitting on the sofa facing piles and piles of boxes.

'Ah, now this is Alexander.' Pandora looks puzzled. 'Alexander Steinbaum, he was a great figure in my childhood, a friend of the house, as they say in Germany. He used to come and visit us in London quite often. He was special, Alexander – passionate, always about to write a great history of Germany, and everyone made jokes because it was never written, and then after all he did write it and it was extremely successful. He ended up in America.'

'He was Jewish, I suppose?'

'Yes, yes. Anyway, he and his wife Beate, a very nice woman, they fled to London in 1933, but he didn't like London, and when he was invited to lecture in the United States he rushed off and that's where he stayed.' She looks at the photograph for a long while. 'Oh dear, this is bringing back so many memories. I think. . . Oh no.' She stops.

Pandora arranges tulips in a huge vase.

Dorothea shoots a look at her daughter. 'They're all dead now, I suppose one can talk about them. I'm sure he was in love with Mother, many people were.'

Pandora turns. 'And was she in love with him?'

'Oh no, not at all. No, no.' She laughs. 'He was small and ugly, as you can see, not at all what Mother liked. She liked handsome men.'

'Like your father.'

'Yes. Of course, there was. . . but that's old history.'

16

Irene sat wondering what to do – she could not face writing any more letters and it was raining – when Lisa announced that a gentleman had called. On hearing his name, Irene flew into the hall. 'Lisa, this is Herr Steinbaum,' she cried. 'He is Herr Curtius's oldest friend, he is always to be admitted.'

They embraced warmly, tea was ordered, she stood back to inspect him closely. He looked tired, but that was normal.

'I was so sorry to miss the wedding. I have heard about it, but as you know, I had so many deadlines. . . I hope you enjoyed it.'

'Yes, yes, it was wonderful, we were very sorry you could not come.' She and Thomas had been surprised, they'd wondered whether the thought of a big church wedding and having to wear morning dress and the ranks of Thomas's family (not to say hers) had intimidated him.

'I have not seen you for so long,' he went on. 'And the honeymoon, your months and months in Rome, was that perfection?'

'Have you seen the flat?' she asked.

'Yes, Thomas showed it to me before he left. Of course a wealthy man like your husband can create a handsome residence, and he has fine taste as well, that essential adornment of the *haut bourgeois*. He has everything a man could want, including the most beautiful wife in the world. But then he is rich, that is what he deserves.'

'And may I visit you in your flat?' she asked.

'Oh, I invite nobody, it's a miserable place. Tell me about yourself. Will you become a society lady? Will you devote yourself to entertaining? Or to *Kinder, Kirche, Küche*, as our Kaiser enjoins?'

'I–' she said, but he rattled on.

'Or will you work on your art, as I hope? Many people can do those other things, but only you can develop your talent.' He was not handsome, indeed he could be quite ugly, but at times he had an extraordinary sweetness of expression.

She was pleased; so few men believed women could create anything worthwhile. Even her husband seemed to have forgotten she had been one of the Slade's best students.

'And you, what are you writing, Alexander?'

He puffed out his cheeks. 'Oh, I am writing a critique of life in contemporary Germany. I am addressing the problem of reconciling a developing parliamentary state with the survival of autocratic power. I consider the contribution that a highly organised modern trade union movement could make to the development of the state. The current status of the armed forces, I analyse in relation to the theories of Professor Freud, who plays an important part in my approach.' He laughed. 'A good deal of material, as you see. The book will make people angry, I hope. Of course, I examine the role of Jews in modern Germany, but lightly. I think we are seeing progress in the attitude of the state and the people to the Jewish population.'

'And when will this work be published?'

He looked despondent. 'To tell you the truth, I have only written the first chapter. I have many ideas but no time to put them down. I have to be writing articles all night and all day or looking for stories. It's hard, being a journalist.'

'I thought you chose to be a journalist.'

'Did I never tell you? At the university I studied *Germanistik*. At the end of my studies my *Doktorvater* took me aside and said, "Herr Steinbaum, you have written an outstanding thesis, but you will never be promoted here. It is a pity you did not study a subject like botany, where being a Jew does not matter." So I threw my books out of the window and found work with the *Berliner Tageblatt*, where being a Jew is an advantage.'

'I am glad you have so much work, anyway.'

'Yes, but no full-time position. Well, at least I am becoming a little known – perhaps one day I shall be the Social Democratic Chancellor of the German Republic, and known to everybody. . .' He allowed himself to gaze at her for a moment. 'But my life will be cheered by your presence in Berlin. If you are ever lonely, telephone me and I will rush to your side with gossip, soulful thoughts, *Moselwein*, whichever suits you. I've brought you a wedding present.' He extracted a parcel from his case. 'A present for my dearest friends.' He blinked hard.

'Shall I unwrap it and do it up again for Thomas?'

'It's nothing very precious, I wish I could give you a Dürer.' It was a little painting, showing a landscape at sunset, blue hills disappearing into the dusk, and in the foreground a woman standing alone on a hill, staring into the distance. 'It's anonymous, but German I'm sure, from the early nineteenth century. It reminded me of you.'

When he had gone, Irene wandered into Thomas's study, and considered how it might be used as a studio. After all, there was nowhere else for her to work. And work she would.

17

On Sunday they attended the family ceremony of *Mittageßen*. Irene had not visited her parents-in-law's new apartment before. 'It is large, twelve rooms or so,' Thomas said. 'I cannot persuade them to live in a modern way, they say they have a position to maintain – though I convinced my mother to have a new style of bedroom, at least.'

They walked through the orderly streets. 'Bleibtreustraße,' she said. 'Does that mean "Stay True Street"?'

'No, no, Bleibtreu was a general. I can remember when Charlottenburg was all market gardens and villas, and Berliners came here for their summer holidays. The villas were charming, with gardens and fountains. But the city expands so fast, we must always be building and rebuilding and pushing further out. Menzel painted the edge of the city so well, little scraps of countryside with the buildings marching ever onwards.'

'I find it very pleasant,' said Irene. 'The regular height of the buildings, and the tree-lined streets.'

'At least here in Charlottenburg the houses are of good quality. But you should see the buildings going up in Kreuzberg, the entrepreneurs piling people into tiny spaces.'

'You must show me, I'd be interested.' She remembered, she'd once found this sort of discussion impossibly boring.

'Well, if I take you there, you'll see why my work is important. In Charlottenburg we think we are superior to the vulgar people of Berlin, even if a little dull.' He looked up and down the solid street. 'Here in the Pestalozzistraße I can't see a single person who is not obviously going to

church. But then dullness is the price you pay for respectability, you know.'
He liked to pretend she'd once led a life of debauchery.

They arrived in a square surrounded by new apartment buildings, with a red-brick church in the middle. 'There you are,' said Thomas, 'that is the Trinitätskirche, a monster of a church, Neo-Romanesque if you please. Was ever anything so stupid? The Kaiserin opened it, and the crowds applauded, just because the imperial couple was there.' He scowled at the church. 'If people are unable to see how unsuitable such buildings are for our life today, what hope is there for our society?'

What I feel for him, she told herself, is a mature love, unlike my love for Julian. Julian had been infuriating, he'd tease and tease until it was painful. But she'd missed him cruelly, hugged the thought of him when she could not hug his body, held imaginary conversations with him, breathed his pet names to the air. When things were going well with Julian, she'd been a whole and happy woman, most of all during their long hours of intimacy. Well, she mustn't be sentimental. She must remember that Julian 'would just not do', as her mother put it. It was not so much his hopelessness about arrangements or money, it was his roving eye. Always he said, 'But she doesn't mean anything to me, only you do, Irene.' But how could she believe him? These thoughts were so familiar that meanwhile she could go on asking questions about the development of public parks, Thomas's current topic. Thomas would be true to her, she was sure of that, he would *treu bleiben*. She smiled faintly.

Thomas noticed her smile – private, unconnected to anything he was saying. He continually found himself watching her. In Italy, they'd been so happy. In Berlin he felt himself on trial, and everything around him, his family, his friends, his work, their apartment. Was Irene happy? Was this the life she wanted? Did she love him wholly, for ever? When these thoughts overwhelmed him, he immersed himself in work and indeed the office piled business on him: as soon as he'd returned from their honeymoon, the head of the practice, rubbing his hands, had said there were two projects for his immediate attention. But even at work, the thought of his wife tugged at him, so that though at times he was brilliantly happy, raising his eyes from his desk and looking out of the window as if the view would contain his beautiful Irene, this happiness never lasted. He could not ask her why she smiled because the true answer might be – what? That she despised him, found his explanations tedious, disliked Germany? Yet he knew she did not think like that. And all the time he must remain civilised, suppress anger. Only at night, holding her in his arms, was he at peace.

She said, 'I feel I hardly know your parents, at least not your father.'

Thomas laughed. 'He is a dear man, he loves pretty girls and gossip, he giggles a good deal. I think you will like him.'

The houses in the Schloßstraße were handsomely self-confident. Each elaborately planted front garden was protected by a neat iron fence, and in the centre of the street rows of trees sheltered a sand path for riders. At the end stood the interminable yellow Schloß Charlottenburg, under its bronze-green dome. 'The people who live in this street like to think they are members of the court, though there's been no court here for years.' He pressed her arm tenderly, realising perhaps how nervous she was. 'They will be so pleased to see you. On Sunday mornings neighbours and relations call for a glass of port, but they leave at twelve. Look, we are punctual, it is two minutes past.'

Along the path they went, through the double street doors flanked by Renaissance columns with iron gargoyles protecting the bases, up a broad flight of stairs carpeted in deep red with lamps supported by golden arms and a mirror on the half-landing. The door was held open by a parlourmaid, who smiled and stared. Thomas took the maid by the hand and introduced her as '*Unsere liebe Mathilde*'.

Mathilde smiled even more broadly and said, '*Ach, die Dame ist so schön, gnädiger Herr.*'

Through lofty double doors bustled Frau Mamma, propelling her husband by the arm. 'My dear Irene, this is the first of many visits, we are all so happy.'

'Indeed we are,' chorused her husband, planting an enthusiastic kiss on Irene's cheek. She felt like an exhibit in a fair.

Frau Mamma walked Irene up and down the rooms with their high, moulded ceilings, and parquet floors, and tall windows looking onto the trees. Her *Salon* opened on one side into the smoking room. The opposite door led to the dining room, with the music room beyond, and then to a smaller room filled with flowers. 'My winter garden, obligatory in Berlin.' The focus of the *Salon* was a round table with a velvet cloth, surrounded by chairs and a long sofa. The green-papered walls were thickly hung with paintings in gold frames: pastels of early nineteenth-century ladies and gentlemen, watercolours of the Black Forest, a signed photograph of a personage in a gold frame topped with a crown. The low bookshelves were surmounted by gilded vases and busts of German philosophers and musicians, and piece after piece of Meissen.

'Family things,' said Frau Mamma. 'You might like to see the paintings I have bought. Come into the music room.' Off they went, followed by Mathilde, busily pretending to tidy the room.

'We like French painting very much, the Barbizon school particularly. This is Daubigny, do you like his work? You know, our director at the Nationalgalerie is trying to introduce us to these new Impressionists – I don't know what I think. Mathilde, the room is quite tidy, please go and help Bettina.'

'It is terrible what he is doing, buying this French rubbish,' said her husband. 'An insult to the public.'

'So the Kaiser thinks, though in my view the Kaiser should concentrate on battleships. This little still life is by Fantin-Latour – beautiful, don't you think? Herr Thoma here, in his paintings you see the soul of the country. . . Of course, we have our own shocking artists who use horrid strident colours. Though when Herr Steinbaum insisted I go and look at the new galleries, I did begin to understand a little why he and Thomas like the new artists. One must strive to remain open-minded as one grows older.'

'I am not at all open-minded about modern art,' remarked Herr Papa, and smiled happily at Irene. 'What I am open-minded about is female beauty, that is the best beauty to my mind. Hang Kant, for me women win the prizes every day.'

'Hush, Christian. So these are my pictures, and soon my other jewels will be here. Today it is just our children and their children. Usually some old aunts and cousins come, but I thought meeting the whole *Ahnengalerie* at your first lunch. . . Would you like to see my bedroom? It's been redesigned with the advice of a fine young architect.'

They went down a long corridor to a large bedroom. The room was white, with a few touches of green. 'He chose green,' said Thomas's mother, 'because he said I was evergreen. Was that not foolish of him? Naturally, I was flattered. He said we had to dispose of our great neo-Gothic bed with its tapestry hangings. We married into it but Thomas said it was absurd. Then we had a disagreement. I like *Jugendstil* furniture. Thomas told me that it was yesterday's fashion, but I said I'll be modern but only up to a point.' She laughed. 'When I gave away the old bed my husband was indignant, but now he's proud of the new room. Yes, our Thomas, your Thomas, can do anything.'

Irene smiled pleasantly and stared out of the window. When she looked back, her mother-in-law was considering her. She told herself, I must never let my guard slip, not for one moment.

Frau Mamma took her hand. 'And I must show you,' she said, 'this mother and child in porcelain. I think it's charming – don't you? – but Thomas says it's vulgar, so I keep it here out of sight. These material things, they're not important in the end, but they are enjoyable, and comforting too. The great test, I suppose, for people like us, would be how we would manage if our comforts disappeared.'

They heard the doorbell. In came Lotte, the second daughter, and her husband Max, the doctor, with one child holding her mother's hand and the little one carried by a nurse. Max kissed his mother-in-law on both cheeks, then her hand. They fell upon Thomas and Irene.

'I am so sorry that we have not yet visited you,' Lotte cried. 'We thought you would want to settle in. But tomorrow?'

Paul appeared, composed as always, and then Freddy, tousled as though just out of bed. 'Last night I went to a ball, I only got to bed at six. We are so happy to have you with us. What a honeymoon you've had, longer than many marriages these days.'

'Shhh, Freddy,' said his mother.

The last arrivals were Elise and her husband, Major von Steinaeck, in the resplendent uniform of the Garde-Infanterie-Regiment Nr. 4, with their son in a sailor suit, and their little daughter. Elise wore her crucifix prominently, like a rebuke. She kissed Irene politely. The major kissed her hand and retired to a corner.

The family talked as though they'd not met for months, rattling on as they moved into the dining room with its table covered in a stiff white cloth and vases of flowers, an epergne laden with fruit, shining silver. Irene sat beside Herr Curtius, Thomas beside his mother. It was above all, Irene thought, Frau Mamma who created this atmosphere of cordiality.

Herr Papa explained the dishes to Irene. They began with *Rindfleischsuppe mit Perlgraupen*, a subtle beef soup with grains of pearl barley, flavoured with celery and cauliflower and nutmeg, a soup much more flavoursome than anything one found in England. This was served with dry sherry. With an air of excitement, the maids re-entered with the main course, *Hirschragout*, venison in a piquant creamy wine sauce that revealed new tastes at each turn of the fork: dark bread, lemon rind, cloves, onions, *Gurken*. With this they drank Burgundy. And finally a sumptuous *Nachtisch* involving chestnuts and cream and little biscuits, and though everyone had already eaten a great deal the *Nachtisch,* accompanied by the finest *Rheinwein,* tempted them all, many of them twice. Irene blessed her loose clothing.

They questioned Irene at length, exclaiming at the excellence of her German. They wanted to know whether she liked Berlin, and (smilingly) what she thought of Thomas's ideas about decoration. They asked whether he chose her clothes, and roared with laughter when she said, 'Well, only hats. . .' He looked uneasy.

Herr Papa was much taken with his daughter-in-law. He was anxious she should enjoy her lunch, watched closely as she negotiated each course and burst into a proud smile when she said how delicious the food was. *'Mathilde! Unsere erste Schwiegertochter mag das Rehfleisch – erzähl Bettina das.'* In due course he proposed a toast *'Auf den König von Württemberg,'* and they raised their glasses enthusiastically. Then *'Auf den Kaiser.'* This was greeted with less ardour, even a mild groan.

'But another toast is in order: to the King of England!' cried Freddy, in English. General enthusiasm.

'And I have another toast – to Thomas and our new sister, Irene.' Paul bowed to Irene, and they all raised their glasses. She had to drink to each in turn.

After this there was a subdued hum. All through the meal Irene had been growing happier among these kind people in whose company she would be spending her life. When she caught Thomas's eye, she smiled back without reserve. Then the major cleared his throat as though about to make a speech.

'I too would like to say something. Irene, you are very welcome in this family.' The others shifted in their seats. 'But I have to warn you of something. You come to us as an Englishwoman. We Germans have no difficulties with the English as individuals, we stem from the same roots. But you must understand, not everybody in Germany likes the English.' Frau Mamma looked pleadingly at Elise, but her eyes were fixed devotedly on her husband. 'They say the English have not been good friends to

Germany. In our great war against France, England secretly assisted the French. Now England tries to prevent the development of our empire. And now they mock us in the newspapers, in the theatres, in novels, showing us as aggressive and bombastic. So you must not be surprised, if outside this family people are not always so friendly.'

He paused. There was an uncomfortable hush. The major did not lose his air of defiance. 'Naturally, I do not say I agree.' He bowed his head in her direction. 'You yourself are very welcome.'

Elise nodded a few times, as though he had settled the matter. The others looked at their plates.

'No person of any intelligence in England believes in these prejudices,' Irene said, not confident that this was true. 'I thought the same was true of Germany. Have you ever been to my country?' The major had refused to attend her wedding.

'No.' He cleared his throat. 'You should understand, what I say is not necessarily my own view, but that of some of my fellow officers, and the people at large.'

Thomas leant forward, but his mother put her hand on his arm and it was Freddy who replied. 'Heinz has strong views. As for me, I plan to go to England and live there as long as I'm allowed. I have another toast: to friendship between our nations. England and Germany!'

They drank to that enthusiastically. Conversation resumed, Herr Papa recounting ludicrous mistakes he'd made on his first visit to London, many years before. Elise and her husband left first, Irene and Thomas soon after.

'I'm very sorry,' said Thomas. 'I had no idea he would talk like that. I see him very little, their views are so unlike mine.'

'Must I expect to meet such attitudes often?'

'My mother will speak to Heinz. . .' He hesitated. 'You were a great success. I have seldom seen my father so animated. You will have to sit next to him often.'

'Often?'

'Every Sunday. . . No, no, my dearest, just now and again. Frau Mamma never complains if I do not attend. And there's another thing. I've been talking to my uncle and aunt about buying a plot of land on their estate, for our little house. Would you like that?'

She dragged herself out of her gloom. 'Yes, but can we afford it?'

He looked slightly affronted, as he did when money was mentioned, and waved his hand. She felt embarrassed, but she thought she had a right to understand their finances.

'Is it a beautiful place?'

'Beautiful? Well, it's not dramatic. But the village is as it must have been a hundred years ago. It is very natural – there you feel the beating heart of an older Germany, beneath the meadows and the beech forests. I think we could be happy there.' He looked at her in that adoring, pleading way of his.

As they walked home, she thought about what Heinz had said and how she might react another time. Would she speak out vigorously? Defending England would have seemed absurd to her until recently, but now. . .

Mark was examining himself in his bedroom mirror, a small mirror suitable for a schoolboy brushing his hair, not for a grown man. It was a dull afternoon, he was bored and anxious. It was more than a week since his examination, he'd heard nothing, he was sure he must have failed.

There were books beside his bed, more on the table in the corner, others spilling over the floor. Books in German and French, on art and architecture, novels, biographies, history. His mother and Wilson had protested and he'd been given another bookcase but that was full already. His books were his friends, they were always with him. So were his paintings, or rather the prints after early Italian Renaissance pictures he'd bought when he was fourteen, and the little portrait of him Irene had done just before she was married. One day he would be able to buy serious paintings.

It was his books that made him feel like a real person. And so did his writing, the essays on historical themes he might one day improve and publish, the book on Renaissance Germany for which he'd done a great deal of reading, the articles he'd written for journals whose editors his mother knew.

Looking in a mirror was not a sensible or manly occupation, but after all, artists painting self-portraits did it to understand themselves better. Anyway, was it necessary to be sensible and manly in private? He considered what his examiners would have seen. Brown hair, rather large eyes, mouth small. Perhaps a smile would help. He tried one, it was not an improvement. He wondered, could any girl ever find him attractive?

If he did fail the exam, what would people think of him? The reputation for cleverness – the school prizes, the Cambridge scholarship, the starred First – had always been his last resort when he felt unconfident.

If he failed, what would this timid-looking person do with his life? Try for the Civil Service? The Church – bishop yes, curate no? Journalism? The Bar? None appealed. He'd be compelled to have more serious conversations with his father and he'd be sent off to meet distinguished men for advice. But it would be public knowledge that he was second-rate. And what was worse, he'd have to go on living in this schoolboy's bedroom under his mother's eye.

There was a knock. He leapt away from the mirror. In came Wilson with a telegram. She seemed disposed to wait. The whole household was sharing Mark's suspense.

'Thank you, Wilson,' he said firmly, and she went out (though probably not far). He looked at the outside of the telegram. Did it feel positive? He opened it slowly.

It was good news. He had passed, in first place.

He grinned. It was not in his nature to shout in triumph. But his future was decided. Paris? St Petersburg? How soon before he became a Head of Mission?

He looked at himself again. When his face was smiling, it probably would do for an ambassador's face. It was not so bad after all.

One day a few weeks after her arrival in Berlin, Irene found her mother-in-law in particularly good humour. 'My husband says that I don't need to go to the court ball this year, he will release me. I do not enjoy the balls so much now, they are always full of people I don't want to see, but it is a fine spectacle. My husband would like you to accompany him. It is not the usual rule, but it can be arranged. Would that be to your taste?'

'I don't know, I have not been to many grand balls.'

'Well,' said Frau Curtius, 'the Schloß is certainly worth seeing when it is *en fête*. Now, I have something for you. . .' She handed Irene a flat black box.

It was a jewellery case. On the white silk lining lay a necklace.

'There is an entire parure, but this is the most important piece. A necklace for a Prussian lady. My mother gave it to me on my marriage. Such jewellery was made during the War of Liberation against Napoleon, when the ladies had given their gold and precious stones for the war effort.'

The necklace was made of iron, delicately wrought into flowers and medallions, light and exquisite. It chilled Irene's blood.

'You may come to like it better. The necklace may be severe, but it is modest and fine, as a good Prussian aims to be. You needn't look so unhappy, dear child, I don't want you to be an iron bride. But even if you hardly wear it, let it become a symbol to you of the best of Prussia.'

'Are you sure your daughters don't want it?'

Frau Curtius laughed. 'No, you don't escape that way. I have other jewellery for them. No one wears such jewellery today but I hope you will come to understand these old values of ours. One day, perhaps, you will give it to your own daughter.'

Irene tried the necklace on. It was elegant, she could see: decorated with vine leaves, almost gay in its severe playfulness.

'Does it suit me?'

'Almost anything suits you, my dear. You should be wearing your hair scraped back from your head, and a slender dress, in the manner of 1812. But yes, it suits you. I hope you will wear it from time to time, that would please me.'

20

For the ball Frau Mamma had lent her a ball dress she'd worn as a young woman, white silk and sparkling with silver. It had been altered by a dressmaker, because Irene did not want to buy a dress she'd never wear again, and Frau Mamma did not want her to hire one because word might get around, and Thomas was so angry she was going to the ball that he refused to help financially.

She dressed in her mother-in-law's bedroom, assisted by the dressmaker and Mathilde and by her own maids, who were in a fever of excitement. It was odd, they seemed to feel no envy. The dress fitted perfectly. Irene saw in the mirror someone almost unrecognisable. Frau Mamma sat and watched.

'Do I look all right?' asked Irene.

'You look beautiful,' said Frau Mamma. 'I am sure the Kaiser will compliment you.'

The Kaiser? Of course, Irene was not impressed by monarchy. Like Thomas, she thought that kings and princes did more harm than good and disguised their incompetence with tiaras and opera balls and military parades. She did not care to be presented to the Kaiser.

Herr Papa and her sisters-in-law and Bettina burst into applause when she went into the *Salon*. She set off downstairs on his arm, the staircase on this rare occasion looking grand rather than pretentious, and stepped into the carriage – it was a long ride but Herr Papa considered a carriage more appropriate for a man of his position than a car – and rattled through the glittering streets of Charlottenburg and across the dark dripping Tiergarten and along Unter den Linden and over the bridge to the Schloß, which was lit up by flaming torches, to be received by a smiling chamberlain with the guards saluting and up the great stairs past the gigantic guardsmen into the ante-chambers, the White Hall filled with men in scarlet robes and embroidered silver and gold uniforms, uniforms of all colours and black tail coats and women in white and lavender and pale blue, shoulders softly white, diamonds glittering, long white gloves, no one she knew, but Herr Papa introduced her and they smiled kindly, the rooms brilliantly lit, scent wafting from silver urns, the band playing the first waltzes, nobody dancing yet though the young girls tapped their feet, the royal princes entering from one end of the hall, and then a hush and the band struck up the national anthem, and everyone stood at attention, and there was more movement around that same door as the imperial couple made their entrance and of course it was a charade but what splendour and the Kaiser and the Kaiserin moved slowly through the crowd greeting people here and there, all smiles, all graciousness, and there was a stir not far from them and she realised that the fluctuating empty space that the chamberlains marshalled around the Kaiser was reaching them, and she felt excited and awed and terrified, terrified above all, and abruptly a chamberlain stood in front of Herr Papa and nodded meaningfully and there stood the Kaiser.

The Kaiser was all light and radiance and gleaming metal and moustaches and he said, 'Herr Gesandtschaftssekretär Curtius, will you present the lady?' He smiled affably and spoke English and that was most affable of all, and Irene curtsied as deeply as she could, reminded that Thomas had said, 'I do not want you curtsying to that warmonger, that absurd egoist.' And the Kaiser said, 'We are delighted, Frau Curtius, to welcome you to Berlin, we hope you will be very happy in our city.' And she said, with as much strength as she could muster, 'Sire, I am very happy already,' and the Kaiser smiled and the chamberlains smiled and the Kaiser said, 'I see you are a Prussian already. You are wearing the iron jewellery of the time of my great-great-grandfather, even though your husband's family is from Württemberg.' And Herr Papa said, 'It was a present from Frau Curtius, Your Majesty, she is as Prussian as. . . as. . .' And the Kaiser said, 'As dumplings.' And they all laughed at this imperial pleasantry and she fingered the necklace and did not know what to say and the Kaiser said to her father-in-law, '*Ganz charmant,*' and inclined his head and the imperial party moved away and Herr Papa kissed her on both cheeks and said, 'A triumph, my dearest.' Then the dancing began in earnest, she danced with Herr Papa and a gentleman from the Württemberg delegation and a gentleman from Hanover who trod on her toes and a pink-faced gentleman from Bavaria and Herr Papa again and her brother-in-law, friendlier than usual, inhumanly magnificent in his dress uniform, who asked in detail about her conversation with the Kaiser, and at last Herr Papa took her to have supper and she was so excited and tired she fell onto a little gold chair and drank a glass of champagne and thought maybe court balls were a good idea though Thomas would be so cross, and then a gentleman bowed and asked Herr Papa's permission and Herr Papa introduced him and he was apparently a duke and she danced again. Only on the way home, with Herr Papa humming and resting his hand lightly on her forearm, did she wonder as she fell asleep why this flummery had seduced her.

21

Mark had never felt so close to another person as he did to Paul in Heidelberg. He'd suggested that having some weeks to spare he might spend them in the city, improving his German, but Paul had proposed only a week. Mark went for ten days.

Paul was busy attending seminars and reading in the library. Mark sat beside him and read the Gothic script of books on the Dance of Death, which he had said he would do for his father, but his mind was always wandering to the figure beside him, a figure that read intently even when Mark stole a look in his direction. Precisely at the hour previously determined, Paul would stand up and return his books to the desk. They would go out into the sunshine and wander through the streets, Paul explaining in minute detail the history of the buildings, or sit on the terrace of a café and discuss the advance of the nation state or the ethics of the colonial movement or the implications of the Treaty of Vienna. They would wander beside the Neckar, companionably silent, or walk far into the countryside, Paul reciting poetry in German, Mark responding in English.

One evening, on a hill overlooking the vineyards, Mark feeling that no place on earth could be more spiritual or beautiful, Paul turned to him. 'You are my true friend. If such customs still existed, I would make you my blood brother.'

Mark laughed. 'Yes.' He could think of nothing else to say, he was so happy.

'Whatever happens between our countries, whether or not we find ourselves as official enemies, our friendship will transcend those divisions, we will remain friends as long as we live. Do you agree?'

'Yes.' Paul put his arm round Mark's shoulders. They seemed completely alone together. Not a person or a house was to be seen in the great golden landscape.

It was a moment Mark often remembered in later life, a moment of entire happiness. However those hopes might have been disappointed, the recollection made tears start into his eyes, even when he was old and distinguished and had put such dreams far behind him.

22

When Irene returned home after the ball, Thomas merely said, 'It's time we visited Wedding. Shall we go next weekend?' Yes, she replied. Alexander announced that he would come too, he grew up in such a place, he understood the people better than Thomas did. Thomas looked impassive.

At Leopoldplatz they stepped off the tram into a different Berlin. The straight streets were riotously untidy, punctuated by water pumps and shops with goods spilling onto the pavement and coal merchants and signs advertising use of the telephone.

'Welcome to Wedding.' Thomas was exhilarated but nervous.

'These houses are so ambitious,' said Irene.

'Oh, they pretend to be fine houses for fine people, but these pretentious façades with their herms ordered by the metre conceal rotten buildings.'

'This is where the great Berlin sport is practised,' remarked Alexander. 'Tuberculosis. It's so popular, that if one person has it, the others want it too, and they are taken to clinics, where they can all play together.'

'Do people live here so badly? Can we see how they live?'

'You can never understand how people live unless you live with them,' Alexander said. Thomas smiled faintly. 'That is something I have experienced, unlike Thomas. He wants to live simply in the country, but where does he site his modest home? In the shadow of his noble uncle. In Berlin, he seeks to help the poor, but does he live among them? He claims he wants to design things that can be mass-produced, but his own apartment is filled with exquisite handmade furnishings. Soon, no doubt, he will be moving to Grunewald or even Wannsee–'

Thomas interrupted him, exasperated. 'Irene, we can see the courtyards.' He indicated a mammoth of a building. Behind the huge central arch stretched further arches in receding dark and light stripes.

'This area is a little more refined, I suppose Thomas feels at home here,' said Alexander. Irene shook her head at him warningly and he flushed.

'The front building, you see, is for people with some money,' said Thomas. 'The *Vorderhaus* apartments have high ceilings, higher than any reasonable person needs, but high ceilings are adored in Berlin.'

Inside the building were courts filled with the workshops of saddlers, carpenters, cobblers. Irene wanted to know how much space people had, how people could bear to live in such confinement, particularly if they came from the countryside.

'You have an idealised view of the countryside,' remarked Alexander. 'It is not beautiful if you live in a hut. In the country the people are little better than slaves. You two only see the view from the *Landhaus*.'

'There's a sense of community here,' said Thomas. 'If someone's ill or alone, they're looked after. It is a spirit we must carry to our new communities.'

'You are so romantic, people want to move out from here as soon as they can.'

'My point of view is supported by our research. In planning our new *Siedlungen*, we have learnt from the positive elements of these places.'

'Very well,' replied Alexander, always more cheerful when contradicted. 'My position is extreme, but useful even if not empirically based.'

They advanced through the courts, where children were playing, old ladies looking on, people crossing to and fro. Irene felt uncomfortable, her coat and skirt must have cost several times what someone here earned in a year.

Thomas and Alexander were apparently unconscious of people's interest. At first it was the odd nudge, a silence, a group of staring children, but nobody addressed them. 'Do you want to see all the courts?' Thomas asked and Irene hesitated and said yes. The Fünfter Hof fell silent when they entered.

'You see the size of the court?' asked Thomas bitterly. 'Well, we have building regulations here in Berlin. The court must be at least five metres square, so that if there is a fire and someone has to jump, the firemen can hold out the right size of cloth. Isn't that far-sighted?'

Impulsively Irene greeted a woman looking out from her ground-floor window.

The woman examined Irene. 'Are you from the landlord? People like you only come here for a reason.'

'My husband is engaged on a project to create better housing for working people. . . for people. . . outside the city centre. I wanted to see this area.'

'If you want to understand this part of Berlin, let me tell you that for me this is a bad week,' said the woman, slightly imitating Irene's accent, as though unconsciously. 'My man is out of work and my lodger has left, and the only money we have is what I earn as a laundress. And we rent out a room, by day and then by night.' Thomas pulled at Irene's sleeve. 'Where do you live?'

'In Wilmersdorf,' said Thomas rapidly.

'Ah, I used to live in Charlottenburg. I was a servant there, it was not bad. Then I met my man, and had to leave my position, and we came here.' She was becoming more animated. 'Is that your husband, the big blond one? Not the little Jew?'

They stiffened, Alexander trying to smile.

'What is your husband, then? Is he a politician?'

'I am an architect.'

'What good's "architect" to me, if I have to go to the soup kitchen?

I expect you belong to the Catholics or the Liberals, always preaching, never helping.'

This irritated Thomas. 'No, I am not a member of those parties. I am. . .' But he did not finish.

'We're all Social Democrats here,' she went on, 'and we are working for the day which will bring about an equal society. At least, so my husband says. Shhh,' she said to a little head bobbing up and down above the window frame.

'I am a Social Democrat too,' said Thomas.

Irene turned to him, astonished. 'You?'

The woman was observing them. 'Have you seen enough?'

'Thank you,' said Irene. 'I would not want to disturb you.'

The woman nodded, pulled at the little head beside her and closed the window.

One of the boys in the attentive group behind them said, in faithful imitation of Irene's voice, 'I would not want to disturb you, I would not want to disturb you,' to the loud amusement of his friends.

'Why did you never tell me before you're a Social Democrat?' asked Irene as they walked away.

'I prefer to be discreet. It was Alexander who interested me in politics, took me to meetings, persuaded me to join the party.'

'Why should it be a secret?'

'You don't understand. My family would regard me as a traitor, some of them would not sit down at table with me. Some of our clients would never employ a Social Democrat.'

'For all his secrecy,' said Alexander, 'your Thomas is a good party member, he attends meetings regularly. That is where he's been when he comes home late. He is a good liar for the right cause.'

'But me, why didn't you tell me?'

Thomas put his arm round her. 'I thought you might not be sympathetic. You come from such a fine old English family.'

'You underestimate me.'

He stopped and looked at her. 'Oh, but it is easy to underestimate you, Irene.'

'You will disturb the traffic,' said Alexander, 'looking at each other like that. City regulation F1234 says that intimate looks, even between married persons, are at no time permitted on a public thoroughfare or park, and in private only up to 2200 hours.'

When they went home they ate a large tea, as usual on Sunday afternoons. Irene felt a little uncomfortable at first about the silver pots and the white porcelain and the piles of sandwiches and cakes, but she was very hungry, and the discomfort passed.

23

Sir William had escaped from the family dinner at the earliest opportunity. He and Edward had sat finishing the wine for a mere seven minutes. Edward did nothing but list the people he and Victoria had stayed with and brag about how his shooting had improved and how he'd ordered guns from Purdey's and how his job at the best shipping company in London held brilliant prospects. In this wasteland of worldliness not a glimmer of originality or intellectual curiosity was detectable. Sir William wondered how Victoria, whom he considered a sensible young woman, could stand having to spend so much time with him, but he supposed that Edward, large and blond with regular features, must be attractive to women, as he obviously was to Elizabeth.

The main subject of conversation had been the mansion flat near Buckingham Palace that Edward and Victoria would be moving into. It was described in detail: the large drawing room, the dining room, the den, the three bedrooms, the cook's room. 'All one could want at the start of married life,' Elizabeth had said.

'Yes,' said Victoria, 'it's the modern way of living, it will be so convenient.'

Edward had discovered that the flat below belonged to an ambassador's widow, and that three MPs also lived in the building. When appealed to, Sir William expressed passionate interest in seeing it.

His study was a gloomy room, with glass-fronted bookcases around three walls, and heavy faded velvet curtains, and a large partners' desk, though no partner ever sat opposite him. It was his refuge from the world and most particularly from his wife. When he thought about her – which he tried not to do too often – he realised how much she bored him. She was a kind woman, a good mother, he knew all that, and her charitable activities must be useful to somebody, but her social pretensions, her unceasing desire to move to a better part of London, her lack of any intellectual fibre... Clever independent women like his daughter Irene, they were the kind of women he liked. In the past he had comforted himself by remembering Elizabeth as a girl, so pretty and fresh, the child of the Rectory, entirely in love with him as it seemed. Well, those memories no longer meant much, now. He was surprised to find how upset he'd been by what she'd told him just before Irene's wedding.

He had been thinking about this business a good deal over the past months. Well, if she could surprise him, he could surprise her, and that was what he intended to do. It would be a little domestic revenge, one that he'd never witness himself but could anticipate with amusement.

Sir William penned a short letter, took a sheet of closely written paper from a locked drawer, and placed the two sheets in a large envelope that he sealed and stamped and slid into his attaché case.

On his desk lay a number of unopened envelopes. He looked at them without interest. One was from Maggs, possibly advising him of a volume for sale. He opened it – no, it was a bill, rather a large bill. He must stop spending quite so much money on his library; really, he was spending more than he could afford, but it amused him to be extravagant in this covert way. And his library on the theme of the Dance of Death was becoming quite an important one, one that was worth preserving and that would perpetuate his memory, perhaps.

He turned to the notes on the Dance of Death that Mark had sent from Heidelberg. They were unexpectedly brief but told him what he needed. Taking the huge portfolio of his draft book, he made some alterations. The study of the *Danse Macabre*, of the spectacle of worldly people caught up in a dance with skeletons, gave him more satisfaction than he could express.

Sometimes in court he would look at the other counsels, particularly a man he often encountered, all bluster and port wine and Conservative opinions and an annoyingly good brain, and think of their being swept away in the Dance. At dinners at the Inns of Court it amused him to consider how these self-satisfied people would soon be dancing away in a world where being a bencher would be meaningless. For himself he had no fears. Old cynic that I am, he said to himself, what partner will they find for me? I shall enjoy my last dance.

24

'I'm in the studio,' she cried. She had prepared the words. Not 'my studio' – too aggressive. Not 'your studio' – too self-deprecating. 'The studio' implied they both used it.

Thomas bustled in, anxious to see her. 'I'm sorry I'm so late, we had so much work. It's true – I have not been at the party headquarters.' He looked at her with his usual delight, then his expression changed.

'My dearest, what is this?'

'This' was a large pen and ink drawing, executed in a new exact style she had imitated from architectural books, finished in watercolour, and inscribed in bold *Jugendstil* script: '*Eine Gartenstadt in der Nähe von Berlin.*' It was mounted, and propped up behind the desk.

'It's a drawing of what your *Siedlung* might become.'

'But it is a marvel. It is so true – the whole spirit of our enterprise is expressed, a community bound together in friendship and yet free. The figures of the inhabitants are exactly what we are thinking of, people who have escaped the city, for whom the Friedrichstraße and the Alexanderplatz are distant nightmares.' He looked at her intently. 'Who did this?'

'Who do you suppose?'

'Just from listening to me, you created this beautiful drawing!'

'Well, yes,' she said, almost piqued. 'I am a trained artist, you know.'

'You are so talented. May I buy it?'

'It's a present.'

'Yes, but when I say I must pay you, you do not understand me. I mean, this is a wonderful gift for me, I am moved – but we must use the drawing for our practice, we have been looking for a draughtsman. We will publish the drawing, we will commission more, we will pay you professionally. You will be not only my partner in the house, but my partner in business. Will that be acceptable?'

'Yes,' she said, 'indeed it will.'

25

'Darling, will you pour the tea? I'd forgotten this box was so untidy.'

'Do let's look at it.'

Dorothea stirs her tea. 'I'm glad you're so interested in all this, Pandora.'

'I adored my granny, you know that.'

'Yes. Of course, she's completely out of fashion, all those paintings in the Tate they never show. It's sad, really, when she had such a reputation.'

Pandora seems irritated. 'I don't think she's forgotten, at all. Look at the obituaries. . .'

'Yes, they were nice, weren't they? Now, this album, this is all about my English grandparents visiting my German grandparents, in 1912. Father loved taking photographs and Mother would paste them into an album and add comments and do little drawings, like this one, the lion drinking tea with the eagle.'

'Do let's go through the book, won't we, Mum? Oh and what's that envelope?' Dorothea has slid a large yellow envelope under a cushion.

'Oh, nothing.'

'Nothing?'

'Some letters – I should burn them. This album, it gives such an impression of life just before the First War. Darling, why are you taking notes?'

'The story's so interesting, I want to get the details right.'

Dorothea looks at her daughter thoughtfully.

26

12th April, 1912

. . . Everything is booked. We come out on the 16th, the day after Sophia leaves school for ever, and are with you for two whole weeks. Probably quite long enough for you!

I've told William he must bring tails to Berlin – I suppose we shall be going to the opera and even perhaps to court? I will pack several evening dresses. By the way, I was surprised to hear that you and Thomas don't usually change for dinner, that seems very modern. But I imagine the older Curtiuses maintain standards. Do guide me, my dearest.

I'm counting the days. . .

27

. . . I wish you wouldn't come here, there's no point. I can't see you, and I don't want to. Don't you understand? All that is finished.

In any case, my family are coming over then, it would be <u>very very</u> bad if they saw you here. They'd be suspicious, though there's nothing to be suspicious about.

Why do you ask if I'm having a child, is it to tease me? No, not yet, but I am happy. I work as an illustrator now for German papers, and I'm making presentation drawings for Thomas's practice. Berlin is a remarkable place to be, we have many friends. This is the life I want.

<u>Please</u> do not write to me at the Mommsenstraße. Thomas is not jealous, but he likes to know who has written to me. In a spirit of affection, at breakfast we often exchange letters. If you must write, address it to that poste restante I gave you. But don't expect me to answer, or even to collect your letters.

28

Dearest Irene,

 I'm so looking forward to seeing you both. Life in Copenhagen is pleasant, but one does see the same people over and over again. The work can be repetitive, but Denmark is interesting, a political crossroads. We have to remember all the time not to say anything nice to the Danes about Germany and certainly not about Prussia, they hate each other. My landlady is a fine patriotic Dane, and I don't dare tell her I have a sister in Berlin. Once when I did mention Berlin, she said she hoped I was not going there, the people were vile. Simple people are so easily influenced by common prejudices, so much irrational hatred festers in people's hearts. And not just simple people's.

 I was in London recently. Mamma was in good form, busily making plans for my marriage even though the bride has not yet been identified. She introduced me to some nice girls, but her idea of a nice girl isn't mine. Edward and Victoria asked me to dine in their new flat – it's very pretty but I think they find living in a flat a bit infra dig. When Edward makes all that money he's always talking about, they can move. He launched into the German shipping industry and the Kaiser's schemes to rule the waves. He's convinced there'll be war within two years.

 What is quite comic is the way Edward talks about his family. We all know that Aunt Catherine's husband turned out to be a cad who went off with other women. But in Edward's version his father was a major businessman with political influence and landed property, who married into a famous Suffolk family. And from what he says you'd think Victoria was descended from the kings of Scotland (actually, I think she is).

Following your advice, though, I've decided I like Edward, at least in moderation. V. has made him less bombastic. She's become rather commanding, in America they'd say 'bossy', but she's a good sort, and kind. They found a dinner partner for me, a vacuous young woman, but I chatted about the long summer evenings in Copenhagen and let her dwell on the charms of embassy life.

I've booked into the Pension you recommended – I'd like a little freedom. But I'm looking forward to visiting Thomas's aunt and uncle at Salitz.

Yours affectionately,
Mark

29

My dearest sister, please do not be anxious about your guests from England. You know dear Irene – her family must resemble her. She says they will be happy to walk round your estate at Salitz, and ride, and see the country. They asked what they should bring for the evening, I said a smoking would be fine.

They don't know Germany very well. I am sure they imagine we eat sausages and drink beer all day when we are not parading in uniform. Or perhaps they think we're always listening to Wagner and discussing Hegel.

Why do I want them to enjoy their visit? Because I am proud of our country, and I hate the way some people speak about us in England. Did you hear about this new book, In a German Pension? It's about a house full of awful fat Germans, greedy and gross and obsessed with rank. It is a great success in England, apparently. I want to show the Bensons that we are decent people, like them. I think they will be surprised, I was certainly surprised at the wedding to see how we resemble one another. We are all good Protestants, after all. I hope I can show them that our values are shared, underneath all the nonsense from the Berliner Schloß.

My dear sister, what more can we do than fight our own small battles against the prejudice and cruelty that beset the world, through acts of kindness? Though each on his own can do only a little, if many do their best, perhaps the grains of kindness one day will make a mountain. We must continue to believe that as individuals, each of us can contribute to the whole. . .

30

Sweetest, dearest, let me see you alone, if only for a little while. We could meet somewhere private – a park, or a cemetery, there are hundreds of those in Berlin. You don't know it, but I came to Berlin last year, just to see where you live and look at the outside of your house and wonder which was the window of your studio. I was afraid of meeting you, I had to walk down your street at two in the morning.

I know I can only hope to spend a little time with you, to see your calm face, to watch your movements. Then my memory will be refreshed. Why won't you come back to England now and again? It is so selfish of you to stay in Germany.

I still love you as much as ever. But I know everything is different now. ~~It's just that every night I see you in my dreams, my darling naiad~~ – I'll cross that out – I mean, I so often think of you, my dear old cheese-toasting chum.

With my love, as ever,
Snake

31

Darling Laura,

Imagine – tomorrow we leave for Berlin. Could anything be more exciting? Two whole weeks in Berlin. I'll be able to practise my German with real people, not just Miss Wenham. (Actually I feel rather bad about Miss W, just before I left the beastly school, she gave me a copy of Goethe's Faust with a very nice inscription. I suppose one should be more patient with old teachers, their lives must be pathetically hard.)

My esteemed mother tells me it is my duty to look after her in Berlin. I have no intention of trailing after her with her parasol. I intend to be so horrid that she won't want me near her.

On a serious note – I went to Eleanor's dance last night, I was so sorry you couldn't be there. Mamma was my chaperone but once she saw the supper table she had eyes for nothing else. She was quite tipsy by the end, it was most amusing. Andrew was gazing at me like a water spaniel and I had a couple of twirls with him, but then I met Eleanor's brothers and their friends. Laura darling, to think we vowed that boys were a waste of time – how wrong we were. I met one called Vivian, in the Household Cavalry. He says he will take me out to dinner, and won't you come as my chaperone? We could dress you up as my aunt (like Charley's Aunt, but prettier) and after a while you could unveil and reveal your youthful loveliness to one of his dashing friends. . .

32

It was already past midnight but hardly dark when Mark and Harry reached the street door. Harry was another honorary attaché, elegant but shrewd and hard-working and (Mark realised) no less ambitious than he was. Mark could not manage Harry's air of detachment, however hard he tried: when he was working hard it was obvious. 'Don't look so worried,' people would say, or 'You do look tired.' Harry just looked calm.

They were friends, within bounds. When Mark had arrived at the embassy, Harry said, 'It's a shame you're not an Etonian, but a Westminster's better than most.' They'd get drunk together, and Harry would talk about the fun he'd had at house parties in England. But he could be lured into talking about poetry – English, Latin, Greek, French. They constantly watched one another's progress, or at least Mark watched Harry's; he was not sure that Harry observed him. Or rather, he suspected Harry did observe him but pretended not to.

They had been to the minister's summer party for his staff. They'd sat on the terrace in the bright evening, gossiping about the Danish royal family and the strange death of the old King as he took a solitary walk in Hamburg. The minister told a story about a Danish government minister and an actress, imitating the voices, making them roar with laughter. They danced, Harry a good deal, Mark not much. Harry was very popular with the minister's daughters.

Back in his rooms, Mark wondered, as always, whether he'd done well. At dinner he'd sat next to the minister's wife. They'd discussed improving his rooms. 'I'm so glad you don't have hunting prints,' she said. 'Harry's rooms are full of pictures of horses, family things.'

Mark was very aware he did not have 'family things' other than some faintly embarrassing Liberty vases his mother had pressed on him – but did this remark mean she had been to Harry's rooms? 'You should come and see my rooms,' he'd said boldly.

'Yes,' she said, 'I'd love to,' and smiled at him warmly. He thought she liked him, something he often needed convincing of.

Under the light-heartedness, the guests observed the minister's movements, especially when the minister drew Mark away and down the lawn. The rest knew better than to follow.

'You've been in the Service, what, almost two years? Shall we be able to keep you? So many young men are tempted away by business.'

'I'm very happy, I want to serve my country.' This was intended to sound cheerful and reliable but not too ambitious. Actually, he wanted to end up far senior to his host, who was merely Envoy Extraordinary and Minister Plenipotentiary in Copenhagen.

'By the way, you may expect to become Third Secretary, quite soon. Don't tell anyone just yet.' Mark looked respectfully gratified. 'Tell me, do you want to be a specialist? I mean, in the commercial section, something like that?'

'Not the commercial section, no, sir. I mean not particularly. I am very interested in Europe, and the United States. I suppose that's not very adventurous. . .'

'Travelled much in Europe, have you?'

'As much as I can, sir, given how few holidays we get.' The minister laughed. 'But I am going to Berlin, to see my sister.'

'Yes, I wanted to talk to you about that.' His Excellency looked Mark in the eye. 'Do you visit her often?' The question puzzled Mark. 'The thing is, old boy, we'd like you to look around you in Berlin. Things are changing in the Service. That report recently, you know, pointed out we have no agents at all – secret service agents, that is – on mainland Europe, only in Ireland. That seems perhaps a mistake.' He gestured vaguely. 'Beautiful, this herbaceous border, don't you think? We're not asking you to sniff around ports, we can leave that to the military and naval attachés, but. . . Who did you say your brother-in-law's people were?' Mark explained as best he could. 'That sounds ideal. Just get a sense of what people are thinking. Present yourself as an intelligent young man interested in the workings of the imperial court, the army, even business. If people trust and like one, it's remarkable what they'll say. And you can ask about political issues quite innocently – do they think the constitution is workable, how much of a threat do the Social Democrats pose, that sort of thing.' He tore a rose from its stem, sniffed it and stuck it in his buttonhole. 'When you're back, come and see me.'

'Yes, sir,' said Mark, uncertainly.

'Don't let it worry you, old boy. It's just that we need to be more precisely aware of what's going on. The diplomacy I grew up with – courts, chanceries – that's out of date. Germany's particularly sensitive, of course.' He scrutinised Mark amiably. 'I may as well say, Whitehall is interested in your progress. No doubt you have ambitions.' Mark tried to look self-deprecating. 'Why not? Most of us worry about promotion, a waste of energy in my view.' He gestured again at the border. 'Delightful, isn't it? Mark, you may feel you're being asked to spy on your sister's family, but we're only asking you to observe. We all want Germany to turn out well. God knows, we depend on one another.'

'I'll do my best.'

'Good. No pressure, old boy,' He sighed. 'We may not be living in such comfortable times much longer. By comfortable times, I don't just mean all this.' He gestured at the lawn stretching down to shrubberies, the ladies in white and lilac dresses. 'I mean individual liberties, enjoying the freedom to live as we choose. I hope I'm wrong. Shall we join the party?'

By chance, Harry was coming towards them with – Mark thought – the faintest tension round his well-shaped mouth.

'We've been discussing gardening,' said the minister blandly. 'Awfully dull subject for a young man. Hm, I hope the two of you find time to have some fun.'

'Oh yes,' they carolled cheerfully.

'What on earth did the chief say to you this evening?' Harry asked on the way home. 'He talked to you for hours. Fourteen minutes, to be precise.'

'He just asked how I was doing.'

'I see. I'm surprised it took him so long to enquire.' And they said good night.

Mark lived on the second floor of a plain classical house. He loved the light wood furniture, the walls painted green with a decorative border, the polished wooden boards. But he had to pack, following instructions laid down long ago by his mother: shoes and heavy items at the bottom of the case, layers of tissue paper to prevent creasing, a linen hand towel over the shirts, internal straps secured.

It was sad that Paul was only coming to Berlin for a few days. Mark sighed. The flow of Paul's letters had dwindled. He'd written to say that his doctoral thesis had been accepted *summa cum laude*, he was beginning his *Habilitation*. Then he announced that he'd met a young woman, the daughter of one of his professors. She was his ideal of womanhood. Their walks by the Neckar, the evenings they spent round the table in her father's house, were the happiest times he'd ever experienced. Her father was a remarkable man, with exciting ideas about the nature of Germany. 'He's not very enthusiastic about England. . .'

As he selected shirts and neckties, Mark remembered their own walks by the Neckar. He was happy for Paul, of course, but he would hardly be a special friend any longer: a married man, a different sort of friend. The professor's daughter would probably not be friendly. They would never take those bicycling trips round Bavarian churches.

He briefly knelt beside his bed, a ritual memory of childish prayers. He slid between the sheets. He told himself he did not feel melancholy. He lay a long while in the dark, before falling into a restless sleep, dreaming of Unter den Linden and opera cloaks and walking beside some unidentifiable river.

33

The Bensons' visit to Berlin was a complete success. The Curtius parents had worried that the English party would not like Berlin, Lady Benson that she would feel poorly, Sophia that she'd seem like a schoolgirl, Thomas and Irene that the families might disagree, and everyone that there might be another international crisis. But when the Bensons appeared in the Lehrter Bahnhof – with Lady Benson, striking in a new travelling dress, at the front, Sir William resting his arm on the shoulder of his tall, flame-haired daughter, Wilson excitedly carrying bags – from that moment it was clear everything would be all right. Their guests reminded the Curtiuses immediately of Irene; it was endearing.

Irene ran along the platform in a most unladylike way, skirting travellers and porters, waving and calling, 'Mamma! Papa! Sophia!' and throwing herself into her mother's arms.

'Irene,' said her mother, 'Irene, my dearest,' stroking her head.

Irene embraced each of them passionately, crying to her sister, 'Fia, how tall you are, how beautiful!'

'Welcome to Germany! We are so pleased you are here, it is such an honour for us,' said Frau Curtius. 'We planned to bring you a bouquet, but with all the luggage. . .' (There was a great deal, on a phlegmatic but beginning-to-be-impatient trolley.) 'So – we will all go to our apartment.'

Through the crowded days, everything went well. The family parties were numerous and convivial. Thomas's family were indefatigably kind; only Elise and her husband hardly appeared. ('They live in Potsdam, it is quite a journey for them, and they have small children.') Endless amusements were arranged: a private visit to the Berliner Schloß, an event that Lady Benson mentioned to everyone she met; the Museumsinsel; a picnic in the Grunewald; a boat excursion on the Wannsee. One sunny afternoon they trotted in carriages up Unter den Linden, past the palaces and the Staatsoper and the university and the cafés with tables on the pavements and the Adlon. 'You know,' said Freddy, 'that is where the Kaiser goes to take a good bath, the Schloß is so uncomfortable.'

Sophia enjoyed herself hugely, especially with Freddy and Thomas's youngest sister, Puppi, who was in her last year at school. Freddy was going to London in the autumn to work in the City, and was anxious to improve his English. He talked and talked, and when Sophia corrected his English, cried, 'I must be the stupidest man in the world!' They showed her the great department store Wertheim, with its ceremonial hall, its library and post office and bank, its exhibition of Modern Living Rooms, the Carpet Salon hung with huge oriental rugs, the Onyx Hall, the Marble Light Hall and the Fountain Court, the winter garden, the summer garden. 'This is the new Germany,' said Freddy. 'Wertheim is the most elegant department store in Germany, even the Kaiser and the Kaiserin come here. It is international, sophisticated. And who developed it? Why, a Jew, Herr Wertheim, because in our modern Germany Jews have all the best ideas. Only absurd ideas, like endlessly expanding our navy, come from Gentiles.'

When, in the Café des Westens, Sophia asked eagerly which famous people were there that afternoon, Puppi and Freddy looked uncertain.

'Irene could tell us,' Puppi said, 'but she had to finish an illustration. She is always so busy. Do you plan to be an artist, Sophia, like your sister?'

'No, I've no artistic talent. I might go to university. . .'

'Oh no,' Freddy cried, 'that is so dull. In Germany only the plainest girls go to university.'

'Hush,' said his sister, 'you sound so old-fashioned. I plan to be a teacher so I must go to college, and I am not dull, am I?'

They told the parents they were attending an evening party given by some highly respectable friends of Puppi's. After half an hour at the highly respectable party they left for a dance hall somewhere to the east of the Schloß, and full of the most exciting-looking people. Sophia practised the new style of ballroom dancing with Freddy for hours and hours until Puppi insisted that they must go home. Stifling their giggles, they crept into the flat's elderly, snoring quietness.

Sophia loved flirting with Freddy. She'd never really flirted with anyone before: talking to Andrew about Swinburne was hardly flirting. But she was not allowed to enjoy herself all the time. One morning when Freddy proposed a jaunt, Lady Benson announced, 'I'm afraid today I am not feeling strong, I shall need Sophia.' The next time, Sophia was released: she'd been a dismal companion, sighing, tapping her feet, staring longingly out of the window. Instead, Mark kept his mother company – his father, intrigued by the city, was not to be kept at home, and when not otherwise occupied visited and revisited the Dance of Death cycle in the Marienkirche. Mark seemed to appreciate the atmosphere of ordered comfort. The older Curtiuses found him a stimulating visitor, and Herr Curtius spoke to him at length about the relationship between Württemberg and Prussia, and the uncertainties of the German Diplomatic Service. Mark's German was so good that even Major von Steinaeck unbent and treated him almost as an honorary countryman, to whom he spoke about Germany's future as leader of a revived Holy Roman Empire. Mark was an attentive listener.

34

It was pretty dark on the embankment, now that the summer evening had faded into blackness. Only occasional gas lamps gave any light. It was as though the city authorities had decided that those pavements that led only to offices and warehouses and an indefinable muddle of minor streets scarcely needed lighting. The shops at the street corners were closed. On the further corner there was a *Kneipe*, the outpost of a great brewery, a dull place with frowsy lace curtains and a lamp outside and placards fixed to the walls, a place nevertheless that attracted numerous clients, singly or in twos, sliding in, sliding out.

You could hardly distinguish the faces of the people moving here and there. There were not very many, you might think at first, but if you stayed a while, undeterred by the smell of dirty water and the creeping dankness, you became aware of a hum, a continuous shuffle. Men standing singly in the shadows of the black buildings, smoking for the most part, now and again striking a match. Men walking slowly up and down, some well dressed, others rougher, peering into the shadows. There was little traffic, perhaps every fifteen minutes or so a cab might pass – who would want to travel down this baleful street? The prevailing sound came from the water, the water that snakes through Berlin. Now and again the faint murmur of voices grew louder as the speakers gained confidence, or subdued steps sounded on the cobbles as two sets of legs set off together.

The man walked hesitantly over the bridge, as though not knowing where he was going. A bystander could hardly have made out his face, his hat was pulled down so low. In spite of the warm evening, he wore a dark coat. He stared at the ground. In the deep shadow of a high building, he stopped and looked around.

He had been noticed. His coat did not disguise the fact that he was *wohlgeboren* or that there was a pleasant face half-concealed under the hat. He did not stay long beside the bridge, made as though to leave but lingered in the shadows. Though his face did not alter, attentive eyes might have realised that he was steeling himself, that his shoulders were growing steeper. Someone moved towards him.

'*Hast du Feuer?*' this person said, holding out a cigarette.

The man peered at his questioner. He saw a fresh young face, blond, rough, good-natured, at least it seemed so, moving closer to him. He felt, in this inhospitable, rustling street where drops of moisture fell now and again from the saturated buildings onto the pavement, the warmth of a body, tobacco on the breath. He produced his cigarette lighter, realised it was silver, wished he had brought a cheap one, lit the cigarette. The young man's fingers grazed his.

'*Danke,*' said the young man quite loudly, not like the flitting whisperers who seemed to form an invisible audience. He smiled and nodded. Then, a little hesitantly, '*Ich bin Karl,*' he said and held out his hand.

Friendly he certainly seemed. But how would he be in some greasy hotel room, or under a railway bridge? The man shook his head violently. His mouth contorted like a frog's. He turned his back on Karl, and hastened down the embankment and across the bridge to the safe world of busy streets and trams and cafés. He told himself he would never return to such a place. He could not understand why he had ever gone there. This would be the last time.

35

Irene gave a lunch for both families, at which English dishes (reinterpreted by Gretchen) alternated with traditional Silesian ones. The conversation was animated. The Germans were curious about politics in Britain, the crises over the House of Lords, the rise of the Labour Party, the strikes. The English asked about the German Empire and the Kaiser, and were surprised by Freddy's comic impression of the Emperor posing for the camera while hiding his withered arm. 'It is just that the All-Highest is always parading himself in public,' he explained.

'For us,' said Sir William, 'it is not easy to understand the current place of Prussia within the German Empire or the workings of the federal system.'

The Germans laughed. 'No, nor is it for us.'

'Look at us,' said Paul, 'we are a divided household. That is to say, Frau Mamma comes from Mecklenburg but is a Prussian on her mother's side, and Herr Papa comes from the south, but neither of them approves of modern Berlin. They hardly consider themselves Germans.'

Freddy waved his napkin in the air. 'Prussia is not Germany, you must not let it deceive you. Prussia is a monster, we do not like Prussia or the Hohenzollerns, though Papa has to pretend to. Don't get angry, Herr Major, allow other people to have different views to yours. You must understand, our Herr Major is a fine Prussian – though since she married, Elise has become more Prussian than the Prussians themselves.'

'Freddy, don't be so annoying,' said his mother.

'I'm not being annoying, I'm only being helpful to our English friends. Prussia is a fiction put together by the Hohenzollerns, not a true country like England.'

'Here we are in Berlin, the capital of Prussia,' said Sir William, 'and you say Prussia is a fiction.'

'You can't really say Berlin is a Prussian city, or even a German city.' Paul looked very serious, no doubt as he would when he was a professor. 'Berlin is a mongrel city. Most of the people here aren't Prussians at all. What these Berliners admire—'

'Aren't you a Berliner yourself, Paul, my dear?' his mother asked him.

'Frau Mamma, in spite of what Freddy says, I am first of all a German. What these Berliners admire is America: their awful Negro music, their clothes, their business methods, and the fantasy of the Wild West. The United States obsesses them.'

'It's not just fantasy,' cried Freddy. 'Initiative, freedom, equality, business enterprise, that's what we admire in the United States.'

The major erupted. 'I cannot bear this criticism of Prussia. Prussia is Europe's guardian, she preserves Europe from the eastern hordes. We have grown strong through sacrifice.'

'Yes, but do we want to be strong through sacrifice?' Freddy loved to provoke his brother-in-law. 'It's surely more useful to grow strong through business deals. People like you, Heinz, are always looking backwards to the Middle Ages, the Teutonic Knights. I am looking forward to co-operation between nations, with battles restricted to the boardroom.'

'For some of us, England is a fine model. Her parliamentary tradition, her liberties, her buildings – and indeed her daughters.' Thomas smiled at his wife.

'Of course we like England,' added Freddy. 'At least the sensible ones among us do.'

'I disagree,' said Paul. 'For me, the future for Germans lies not in an artificial union with other lands but in realising the nation's proper character. We must strive for a Germany that will be true to our best ideals.'

'Ah, listen to Paul,' said Freddy. 'Nowadays he's always talking about an ideal Germany. For me, a country with soul is a country that looks after its citizens properly, rather than sending them to die on the battlefield.'

Sir William asked Herr Curtius which country he saw as a model.

'For my generation,' he replied, 'it was France. We thought of Württemberg as a poor relation of France. Though we had to become part of Germany, we were fortunate that France was close by.'

'I hope now all is clear,' said Frau Curtius.

'Germany is so very much larger than England,' offered Lady Benson, who had been studying the atlas.

'Yes,' said Heinz disagreeably, 'but you have taken so much of the world for your empire...'

Thomas cried, 'Who will play tennis this afternoon? Tennis – now that's something we owe to our friends in England, as we owe so much.'

'Yes,' said Paul, lifting his glass up to the light. 'The invention of organised sport, that is the great British achievement. In Germany we have created modern philosophy, and art history, and the systematic study of the natural sciences, and the new music, and the science of warfare. To England the world is indebted for empire-building, and organised sport.'

'That's rather biased,' said Mark, stung in spite of himself.

'Of course it's biased,' answered Paul coolly. 'I wish to provoke argument.'

Irene rose, and the conversation ended. Throughout the discussion she had remained calm, concerned for the guests' well-being, detached. She was perfectly happy in Berlin. That was evident to everybody.

36

'These postcards show the Schloß and the park at Charlottenburg – we went there all the time. It was a beautiful place. I gather the palace was badly damaged in the war, I don't know how it is now.' She stares at the postcards. 'You should go and see for yourself, it's in West Berlin, you know. You could see how the Mommsenstraße looks these days.'

'I wish we were in touch with my grandfather's family. I find it odd, that you broke off relations like that.'

Dorothea avoids her daughter's look. 'You don't understand.'

'No. There's a lot I don't understand, Mum. You've become so English, you don't talk about things seriously. I don't understand why you married Daddy, to be honest. Or why you stay with him. You don't seem to have anything in common.'

'Pandora, don't speak to me like that.'

'It's true, isn't it? I think you're unhappy in this flat, doing nothing, feeling depressed, waiting for a man to come home who bores you.'

Dorothea sits very still. Her daughter realises she is crying, and puts her arm round her mother's shoulder. 'I'm sorry,' she says. 'I shouldn't. . . but I love you, I'd like you to be happy.'

37

Even on a fine day, the park at Schloß Charlottenburg was often quite empty. Once you left the environs of the Schloß, you found yourself in a generously spreading English garden; the tall white belvedere stood to one side, the great trees around the edge of the grassy field created an undulating belt of shade, and the winding paths coaxed you into green distances among curving streams and ponds crossed by iron bridges. The vistas were long: you could see quite a way across the grass, as though you were in open country rather than surrounded by the genteel royal borough of Charlottenburg. If you wished to be alone, or with one other person, you would hardly be interrupted.

On this particular quiet July afternoon, if you had stood high up on the belvedere and looked across the grass, you might have seen a youngish man enter the park and look from side to side as though he did not know the place. He was bearded, with long dark hair, not tall but stocky, and wore loose, light-coloured clothes that blended into the greenery. After looking around him for a moment, he hurried purposefully towards a grove of trees. He sat down on a bench in the shade. Then nothing much happened. Only the occasional mother with her children, a solitary contemplative, a young soldier with a young maidservant, wandered through the summer landscape, mildly talking, perhaps pointing out the play of sunlight on the leaves, or looking up at the belvedere on whose summit nobody appeared, nobody to look at the walkers following the meandering paths, disappearing into shade, re-emerging into the light.

Some minutes later another purposeful figure appeared, this time a young woman holding a parasol, walking briskly, gazing straight ahead, apparently oblivious to the beauty around her. As she neared the copse where the man was sitting, her pace slowed. The man sat smoking and watched her. Only when she was quite near did he abruptly stand and move towards her, arms outstretched. She stopped, out of his reach, and nodded.

After a short while the two of them approached one another. But they did not sit on the bench, which was visible from many points in the park; they stood in the deeper shade. Then they followed the winding way out of the sun and into the shade and back into the sun. The woman did not take the man's arm companionably, as you might expect when a young man and a young woman walk together among waving grasses and flickering sunshine and humming bees. Instead, they remained apart, talking, but only sporadically, the woman looking ahead, the man glancing at her, before they again disappeared from view at a point where the path turned into the shrubberies.

Quite a while later they could be seen again at the bench where they'd met. The woman extended her arm formally, as though to say goodbye. The man looked at her and took her hand, raising it to his lips and holding it there. The briefest moment later, she drew her arm away, turned, and moved, slowly at first and then with increasing speed, towards the park entrance.

He sat on the bench, watching her disappear. When she'd gone, he remained on the bench, often looking in the direction she'd taken. He smoked a cigarette, and then another, and after a while took a little sketch book from his pocket and began to draw, until the sunlight sank into a softer gold, and a distant clock struck six. Then he moved towards the park gates, and went on his way.

That was all an observer might have seen.

38

'Here are the two families at Salitz, where Thomas's Prussian aunt and uncle lived. It's East Germany now, of course – the house is an orphanage. Mother told me that the weekend when her parents visited the Lützows was very important for her, she felt the two parts of her life had been joined together. There they are, lined up on the steps of the manor house.'

'Who is the old man in the hat with a feather?'

'That's Herr von Lützow, and his wife beside him.'

Pandora studies the photograph intently. 'The house is quite small. I'm surprised.'

'They lived plainly, that was the tradition. They were darling people, I often stayed there when I was a child. They had a quality – it's hard to explain – they were fully themselves, they were content though never complacent. They believed it was their duty to do everything they could for others, their people, their family, their country.'

'What happened to them under the Nazis then?'

Her mother draws in her breath. 'Under the Nazis they lived more quietly than ever, they were old by then. He died just as the war was beginning, and she lived on there till the end of the war.'

'And then what?'

There is another silence.

'I knew it would hurt, doing this.' Dorothea is silent for a while, looks into the fire. 'I last saw the Lützows in 1936 when I went to see Father. They seemed unchanged. Salitz showed no signs of being Nazified. . . That visit healed many things. I stayed several days, they were very pleased.' She wipes her eyes. 'Tante Sibylle was like her sister, my German grandmother, only quieter. When she was an old lady she was like an old apple – a little gnarled and twisted on the outside, all sweetness within.' She makes a gulping sound.

'Don't tell me that story if it makes you sad. It's probably better to suppress some memories, in spite of old Sigmund.'

Dorothea sits up straighter. 'I'll tell you another day. Let's look at the album, there's nothing sad there.'

39

'I hope you will like our house. We are very pleased, that you here are – that you are here. You are all most welcome, by us.' Frau von Lützow spoke these English words slowly and carefully. At the end of her little speech, she patted her hair, coloured, smiled nervously at her guests, and turned to her husband. Herr von Lützow wore a dark green jacket with buttons in the form of stag's heads, leather breeches, a hat with a feather. His clothes, which his English guests would have smiled at in London, looked natural here.

'Yes, you are very welcome,' he said, also in English. 'From all of us, we welcome our English guests. We are proud, to be with you related. We are proud of our English niece, and now we are glad, your hosts to be.' The guests clapped.

The Lützows were standing on the steps of their house. It was built in the plainest classical style, two storeys on a basement, a flight of steps to the double front door. The house and its surroundings – the double gates with piers supporting heraldic bears, the avenue of oaks, the circular gravel sweep, the rose beds – conveyed decency and family pride. The front door was wide open. This was most unusual, as Frau Curtius whispered to Lady Benson, a mark of honour.

Sir William cleared his throat. He did not look nervous, he was at his most benign. '*Wir freuen uns, hier zu sein. Es ist für uns eine Ehre, bei Ihnen als Gäste zu kommen.*'

It was Lady Benson's turn. She too had prepared some words, but at the moment of delivery forgot her lines. She blushed, waved her parasol energetically, nodded, eventually said, '*Ja, ja. Dankeschön.*' Everyone laughed and applauded. She turned to Thomas. 'I'm so sorry, Thomas dear, that was hopeless, I felt so nervous.'

At the top of the steps, Herr von Lützow gestured towards his domain and spoke in German. Thomas translated.

'My uncle says, this is his property, and you are most welcome everywhere you wish to go. The house is quite small and plain beside an English house, but it is the house of his family, he loves it because he belongs here. He says, his family had some money in the early nineteenth century but they spent it on rebuilding the house, and what was left, his father gambled away.' Herr von Lützow, listening closely, shrugged. 'So now he must work on the farm. But he is proud of his farm buildings, they are over there, hidden behind the trees. He would like to show them to the gentlemen if they are interested.' They nodded enthusiastically. 'The house was built in 1816, we like to think that the great Karl Friedrich Schinkel was involved.' Thomas paused. 'Speaking for me, this is the place where Irene and I are building a house – our aunt and uncle have generously given us the land. Irene says progress is slow because I keep changing my mind, but for me this house is an experiment in design where I can try out my ideas.' He pointed vigorously. 'It is a nice spot, close to the woods but also to the farm buildings, we can smell the good country smells of pigs and chickens.'

'Have you chosen an architect?' asked Freddy, with a concerned expression. 'It is so hard to find a good architect in Germany. Maybe you should look for one in England.'

Thomas gave him a playful shove. 'Yes,' Thomas replied, 'in the end we found an architect who can be relied on. Now, my uncle says we should go indoors.'

In they went. One saw that money had been spent on the place a hundred years earlier, and very little since. The walls were covered in old wallpapers with roses climbing round trellises, the floors were scrubbed wood with only the smallest of carpets. The furniture shone with polish.

'We hope you will like the house,' said Frau Curtius. 'My sister is worried that you will find it old-fashioned. You don't mind that there is no hot running water?'

No, no, they assured her, they did not mind at all.

'This is a pure German interior of the 1810s,' said Thomas, 'almost untouched. This plain Empire furniture is much admired by architects today.' They wandered through the rooms. Through the French windows in the *Salon* they could see the garden with its straight path leading to a circular pond and a pergola smothered in roses.

'I love this place,' said Irene to her brother and sister. 'I feel at home here. At Salitz I feel I'm in a quiet, kind Germany.'

'I notice the village is quite tucked away,' remarked Sophia. 'It means nobody in the big house has to look at the villagers.'

'In England,' said Irene, 'do the owners of big houses want to look at their neighbours?'

'You've become very serious, Irene, since you moved to Germany,' said Mark. 'I don't remember you preaching at us like this.'

'Trying to be serious is more interesting than never saying what you mean. I hate having to conceal any emotions or ideas because you might be laughed at.'

'A photograph!' cried Thomas. 'We must take a photograph! The photographer is ready, he has come all the way from Schwerin.'

With much bowing, offering of better places to others and uttering of assorted courtesies, they lined up on the verandah. The photographer was installed on the lawn some way from the house. He moved members of the group a little to the left or the right, he asked everyone to stand patiently for a while, and after some minutes he took his picture. He bowed, and everyone applauded.

40

'That's my parents' house. Father recorded everything: the empty site, then the start of the building work, then the day the house was topped out, and eventually the finished house. It was very simple and charming, with its red tiled roof.'

'It looks quite small.'

'They thought it offered the essential minimum for civilised living: *Wohnzimmer*, as we used to say, *Eßzimmer*, kitchen, scullery. Upstairs there was a bedroom for each of them, and my room, and Gretchen's. Well, well, I hadn't realised how many pictures we had of the house. It was a little inconvenient, he was perhaps not the most practical of architects. Look, isn't that a lovely photo of Mother? She designed the garden, it was as pretty as can be. We were very happy there.'

'I wonder who's there now.'

'I expect it's divided up into two or three dwellings. It really was our home, more than the Mommsenstraße. Maybe you'll go there one day, my darling. Imagine your mother as a little girl, playing on the swing and shaking the apple trees in the hope the apples might fall off.'

Pandora smiles. 'And did they ever fall off?'

'No,' says her mother, 'they never did.'

'Apples don't always fall off, you have to pluck them. Mum, just tell me something: why did you give up everything when you were married – your job, and your writing?'

'It seemed the right thing to do, and there was the war, there was no time for writing, we just had to survive. And your father was away in his beastly prison camp. . . Why do you ask?'

Pandora hesitates. 'Don't you ever want to start writing again?'

Her mother does not reply.

41

Thomas and Irene liked driving out to the country in their little Adler. Both wanted to drive, though Irene's driving made Thomas anxious. He'd tell her how to hold the wheel properly, and grip his seat as she approached a bend. Yet one day he skidded into a hedge. A while later he grazed another car. She shrugged at the time, but when he next commented on her driving, she remarked, 'The evidence, my darling, suggests I am the better driver. Shouldn't I advise you?' It gave her a sense of freedom to steer her car along the tree-lined roads, with other drivers waving companionably.

The house brought them closer together. They walked round garden and house, inspecting progress, discussing the planting and whether the walls should be papered or painted, and which colours would be most beautiful. 'What mood are we seeking to create in this room?' Thomas would ask. She could see why his colleagues and clients held him in such esteem: he was very sensitive to atmosphere. It was true that the back door could hardly open because the space inside was so small, and that (to Thomas's distress) you could hardly step into the maid's room on account of the oddity of the plan – they could not afford a little house for the maid because they had spent much more than they expected – but otherwise the house was faultless. An especially happy day was the *Richtfest*, the topping-out ceremony, when a little pine tree decorated with coloured paper and ribbons was placed on top of the house. They invited the Lützows, and the pastor, and the carpenter, and the builder, and there was champagne and schnapps and beer. It was a merry time. They moved in late in 1913.

During the brilliant summer of 1914 they worked together in the garden. He often sang in his fine tenor, breaking off from his work, leaning on his spade, singing the folk songs she loved. She would kneel on the grass and look up, her face bright. He looked so natural and handsome, filled with love of the earth. 'If I succeed in nothing else,' he once said, 'I shall have succeeded in building a fine house for my family.' He often talked about the family that would soon be on its way. Occasionally Thomas would say things that mildly embarrassed her. 'Here, I feel the rhythm of the world. When I dig the garden and am surrounded by its goodness, I feel its great heart beating.' But she came to find such sentiments endearing.

In the country they lived very simply. '*Wir leben auf dem Land, und auch vom Land,*' Thomas would proclaim, though his aunt would remark amiably, 'Dear Thomas, you do not live off the land, you live off the landlord.' They tried keeping chickens but the chickens had a way of growing thin and dying. They grew vegetables enthusiastically for a year, but in the second year they silently agreed that for Berliners to grow vegetables in Mecklenburg was a mistake. Her flower garden was surrounded by a white fence, with gravel paths lined with box hedges and flowerbeds. To one side was the kitchen garden, and behind that an old apple orchard, half-abandoned when they came, where they created a *Spielgarten*, with benches and a swing. Thomas loved to work in the orchard, bringing the trees back to health. He would caress them, running his hand along the wood, standing for minutes at a time, considering them as though they were works of art. She asked him once if he'd given them names, and he smiled quizzically.

Usually in the morning she would work, in chalk or watercolour. Her watercolours were unlike the designs she had executed for Thomas's practice, or the posters she had started to create for the cinema. They were impressionistic, richly coloured, intense, you could hardly hope to recognise the forms. She did not show them to anyone. She was not sure whether she liked them, she would consider them at length, often tear them up.

In the evening they would eat their supper at the garden table or by the fire, talking mostly about the day's events. They would go to bed immensely tired and wake early, to the cooing of wood pigeons.

42

Sophia did not go to university in 1913. She was told by her parents to wait for a year, she was too young. She did not react submissively. 'Why should Mark go to university and not me? Because he is a man. Mamma, I know you only wanted to be a wife and mother, but not everyone wants to be a model matron. I was awarded the Queen's College Certificate of Associateship, which is equivalent to matriculation at university – surely that proves I'm worthy of some respect?'

Her mother pursed her lips. Her father, already sympathetic, was even more so when Irene pleaded her sister's case. Sophia threatened to leave home, to run away, to throw herself at the feet of the Mistress of Girton.

The quarrelling split the house. Sir William asked, 'How could anyone want to be looked after by such an argumentative child?'

Lady Benson said, often, 'It is her duty to stay at home and help me.'

They reached a compromise. Sophia would not have to be a debutante but she would attend a few parties during the Season. Since she wanted to read French and German at university, she would go to Paris for a year, and if she liked it, to Germany. Then, if she passed the entrance examination, she might be allowed to go to university. It was agreed that in Paris she would reside in a genteel household suitable for a young lady. A French duchess was found in the rue de l'Université, who would arrange lessons in French and music and art. In September 1913 Sophia left for Paris.

In this new setting, Sophia became so animated and contemptuous of convention, and attracted so many adoring young men, that the duchess asked her mother to warn her in person that she would have to return to

London unless she settled down. Irene laughed at her mother's description of the exiguous lunch with the duchess, at a table surrounded by girls of good family from all over Europe. Sophia, her hair put up in the most stylish manner, 'looked so pretty and funny, it was difficult to be angry'. She issued looks of withering contempt as the duchess outlined the rules of good behaviour *à la française* that she instilled in her young ladies. But when Irene suggested to her sister that by being so frivolous she was not making a good case for being allowed to go to university, she changed direction, she abandoned the young men – at least, most of them – applied herself vigorously to French, took German lessons, and applied to the University of Cambridge. She was accepted at Girton for the Michaelmas Term 1914.

43

The Mommsenstraße was quiet, quieter than ever, since many residents were away, enjoying one of the best summers anyone could remember. As usual the shops offered the people of Charlottenburg the fruits of peace. The *Bäckerei-Konditorei* proferred sweet and savoury pleasures: *Schokoladentorten* and *Mohntorten*, *Pflaumentorten* and *Apfeltorten*, *Wilhelminentorten* and *Englische Zitronentorten*, *Königskuchen* and *Linzer Torten*, *Marzipankuchen*, *mandelat de Turino*, *corbeilles à la crème*, and – smallest and most delicious – *petit-fours*, *petites mosaïques aux confitures, diablotins, croquets à la piémontaise.* The florist's shelves were laden with roses, lilies, carnations from the French Riviera. Oblivious to these delights, the nursemaids with their prams and the fashionable ladies moved languidly along the pavements, unable to hurry in the heat or think about anything except the anticipation of feeling cool.

Only the newspaper placards disturbed the calm: 'Germany Declares War On Russia'.

Irene was alone in her bedroom. She had been there for some time. Before her lay piles of summer clothes. In two days she was due to go to London for a month with her family, as she had the year before. '*Hat es Ihnen gefallen?*' Lisa had asked anxiously on her return, as though worried she might prefer England. And yes, she had enjoyed her holiday. But what had been almost better was the journey back, as she said goodbye at Victoria and sat on the boat and boarded the train at Ostend and travelled through the autumnal countryside. Though sorry to be leaving her parents, she'd been glad to be going home. She'd looked forward to seeing Thomas, who had written her long letters about how her plants were flourishing and the maids missed her. She'd looked forward to seeing her mother-in-law and Freddy and Puppi and Alexander. And to the peaceful harmony of their flat.

This afternoon the apartment did not seem peaceful or harmonious. The bedroom was suffocatingly hot. Out of perversity perhaps, she'd not opened the windows. The intertwined plants on the wallpaper threatened to grip her in their tendrils, just as the deep green of the walls and curtains might suck her into their depths. Even the bed, with its carved head and its white cover laden with coloured beads, threatened to smother her under mounds of linen.

She looked at the photographs on her dressing table, as though for guidance. The English photographs stood on the right. Her mother, photographed a long while ago in a flowing, artistic dress, smiled beatifically: Irene heard her voice, telling her to come home. Her father looked as impassive as ever, but she could hear his call too. Her dear Mark. . . she worried about him. . . what would he say to her? And would he have to fight? Please God no.

The German photographs stood on the left. A recent picture showed Thomas in a pale linen suit she particularly liked. It softened his appearance, she'd told him, and when he'd pulled irritably at the cloth, she said that a little softening improved him. He'd raised his eyes to heaven, but when he'd had his photograph expensively taken on the Leipzigerstraße as an anniversary present, he'd selected that suit. Beside him was a Curtius family group, a holiday picture taken just after her marriage: Elise's little boy and girl, Lotte's children lined up on the beach by the Baltic. It made her smile to recall grey mornings and sunny afternoons by the ocean, the children so merry in their sailor suits. Behind it was the family group of the Bensons and the Curtiuses at Salitz. She turned it to the wall.

Would the men all have to go to war? Of course Heinz would, as an officer, but what about Freddy? Even Thomas? And Alexander, now that Jews were full citizens of the Reich, would he be called up?

She sighed, oppressed by the throbbing irritation of indecision. She looked again at the piles of clothes. Lisa would have packed for her, but she'd sent the girls out for the afternoon, she could not stand their solicitous, enquiring faces. Her tickets were booked, there was nothing to stop her from going to London except the Diplomatic Notes, the rumours of mobilisation. If Great Britain stayed neutral, she could easily go. They said Britain would never declare war against Germany, her father-in-law declared the Chancellor was pro-British, the German ambassador in London was determined to prevent silliness, the Kaiser loved his English cousins. . .

The trains between Berlin and London were still running, said to be packed with English governesses and businessmen going home, and with German waiters and musicians and merchants coming home. The post still worked. Only the day before, she'd received a letter from her mother, outlining plans and ending, 'I do so hope there will be no problem about you coming to London, I'm sure this crisis will soon blow over.' Then she had scored two lines across the page and written, '10 p.m. I have been speaking to your father. He says – and I must agree – that in such times as these, all of us should be guided by duty, not by personal inclination. You must decide where your duty lies, my dearest. Of course we will understand, whatever it is you choose to do. Papa sends his love, as do I.' Irene could see her writing this, blotting neatly, dabbing her eyes with a handkerchief so her tears did not smudge the ink.

'Duty' – that was a hard word. At Queen's College they had talked about duty, about how from those to whom much had been given, much was expected. For men, duty meant serving one's country, but the concept also applied to women, as wives, mothers, Britons, citizens of the greatest empire in the world. There was no escaping: born into a certain level of society, you were bound to subscribe to certain ideals. Mark had been fed even more of this at school, where duty had been a constant theme. He'd parodied the school sermons. 'My duty,' he'd proclaimed at fifteen, 'is to enjoy myself at all costs.'

She stared at the walls. Where did her duty lie now? To her mother and father, and to the country where she'd grown up? Or to the country she'd married into?

She felt violently homesick. She was homesick for the house in Evelyn Gardens, for the butcher's and post office in the Fulham Road, for her artist friends. Almost against her will, she let the thought of Julian pop out of the box to which she'd consigned him. What would he do now? Would he join the army? He had a reckless side, enjoyed the thought of new experiences – it was the sort of impulsive decision he might take.

Her trunk was open on the floor, where she'd put it after Thomas had left, so as not to upset him. One case would be enough, one couldn't know what might happen to one's luggage, let alone oneself, at such a time. If she packed now, quickly, she could put the trunk away and Thomas wouldn't see it. The thought of her departure agonised him. This evening she would be animated and sympathetic, they would hardly mention her proposed holiday in England. But she knew that in bed he would turn away from her and face the wall, silent and awake, pulling away if their bodies made contact, while she simulated the deep breathing of rest. She wondered if she should go to the station and try to change her reservation to the overnight train leaving this evening, but the trains were full to bursting, she might not get a place. It was even rumoured that no more tickets to Paris or London were being sold. The doors were closing on her.

She put some summer clothes, already folded in tissue paper, into the trunk: a white-work dress with white embroidery on white cotton, a beige shantung silk suit, some embroidered cotton lawn blouses. She had chosen them with great care and wanted to show them to her sister and mother. She needed nothing else, she still had clothes at home. No, no,

England was not home. And how could she be thinking about clothes, when the world was bent on war?

She heard a key in the front door. Who was this? The maids were away, Thomas never came home during the day. Nervous, she went into the passage. But it was Thomas, sweating, his face strained. He held a newspaper, which he waved at her. 'France is mobilising, it seems likely she will declare war on Germany. If you are going, you must go now, while there are still trains. I passed the British Embassy, to see what was going on. It is closed, there was an unfriendly crowd, the police think there will be anti-English demonstrations. . .'

'I have not packed.' This was a ridiculous remark, she realised.

'Packing is not important.'

'My reservation is only valid tomorrow, I will not be allowed on a train today.'

'I will come with you. If there is no direct train to London, you can take a train to Hamburg, and then a boat to Copenhagen, where Mark will help you. . .' He turned away from her and put his hands over his face. He seemed to be shrugging. But no, he was crying. He had been so commanding a week ago. When they had talked about her departure, he had said she should stay in Berlin, had refused to listen when she said there was little danger of war, that she must see her parents. He had gone away and brooded, she supposed, and then come back into her studio where she was drawing a house set in a garden, as though drawing might calm her. He had shouted at her, something he'd never done, and for a moment she'd detested him, and all through this she'd worried (how could one care about such a thing?) that the servants might hear.

He was not at all commanding now. He stood silently, his shoulders heaving, his back to her, more like a child than a man. And yet like a man, for why should a man not show his feelings?

He said, softly but repeatedly, '*Irene, mein Schatz, ich liebe dich.*'

What could she say to that? She consulted her jury on the dressing table, the English on the right, the Germans on the left. Unanimously, they agreed that her duty was clear. And there was something about Thomas – pleading, affectionate; it was as though her heart were moving within her breast.

'*Ich gehe nicht weg,*' she said. '*Thomas, ich bleibe hier bei dir. Ich bin deine Frau.*' She stretched out her arms. '*Jetzt bin ich eine Deutsche.*'

44

'It's a telegram, my lady.'

'Ah. Miss Irene, she is not coming home. Oh, poor darling, but of course she's right, we told her. When will I ever see her again? And now she is our enemy, I suppose.'

'And Mr Freddy, my lady, what is to happen to him?'

'Mr Frederick is leaving today, he has to go to an address the German Embassy has given him.'

'Poor young man, he has been with us so long. And I understand there's a young lady in London very sweet on him, poor thing.'

'Would you help him pack his bags?'

'I tried, my lady, but he says he wants to pack his bags himself. I never saw anything like it. Such odds and ends, I don't know how he will fit everything in, even his dance cards he wants to keep, says they'll remind him of all the girls he's danced with. England's his second home, he says. But we can keep some of his things, I suppose, until this is over. . . I understand Mr Edward is enlisting.'

'Yes, he wants to be sure he has a chance to enjoy the fighting.' Lady Benson shuddered.

'There there, my lady, I'm sure he'll be all right. Very likely they won't send him into battle, they say it is just the single men who will have to fight. Very distressing for Mrs Edward, and particularly when she is expecting again.'

'He says it is his duty, Wilson.'

'Yes, my lady. But if you don't mind me saying so, when you actually know someone like Mr Freddy, it's hard to think of him as an enemy.'

'I know you are particularly fond of Mr Frederick, and so am I, but for the moment we must put these feelings aside.'

Sir William burst through the front door, untidy as though he had been running, clutching an evening paper.

'It's definitely war, they expect Britain to declare war on Germany tonight. Elizabeth, it is a catastrophe. They speak of being in Berlin by Christmas, but how is that possible when we have no proper army? What will become of us, Elizabeth? What will become of our young people?'

45

A VOICE FROM BERLIN –
HERR STEINBAUM WRITES:

It is holiday time in Berlin, and the finest summer we can remember, but now is no time for holidays. At the Schloß, crowds throw their hats in the air as the Kaiser, the father to his nation, emerges to shouts of loyalty. The wranglings of generations are abandoned as every party loyally proclaims its support for Germany. And if war is declared, all will be proud to offer themselves and their dear ones for the Fatherland.

In such days, petty worries and fears no longer matter. Financial problems, social ambitions, professional ambitions, love affairs become insignificant when the nation is united in the fight. The Catholic, the Protestant, the Jew, the atheist – Prussian, Saxon, Bavarian, Rhinelander – lay aside their differences, and join in love for the Fatherland. These are days of glory!

His flat was stiflingly hot, whether you opened the windows to the clamour of trams and crowds, or closed them and drew the curtains. As he typed, Alexander felt oppressed by Nietzsche and Hegel and the others whose busts lined up above his head.

In the distance he heard a military band. He'd always joked about bands in the past, but now he felt a spine-tingling pride and tearfulness.

He seized his newspaper copy, already overdue, pulled on his hat. He must witness his country at this moment of greatness.

Alexander, do you sincerely feel this enthusiasm you think you feel? a voice within him asked. Is this a valid emotion?

'Yes, I do,' he answered aloud, startling himself. Truly, he did.

As he ran down the dark stairs with their greasy brown walls, he thought, All I had hoped for – the chance to show I am a true German. A wonderful moment. He ran into the street, forgetting his errand, and turned, gasping, tearful, in the direction of the band.

PART TWO

1

'Should I draw the curtains, Mum?'

'Leave them, won't you? I love seeing the dusk. Darling, I had a letter from the Tate Gallery. They want to organise an exhibition about Granny, probably a small documentary exhibition. She'd have hated the idea of a documentary exhibition. . . They want to know whether we have any paintings.' They both laugh. 'And documents, letters, that kind of thing.'

'And?'

'I haven't answered. Daddy says we should be very careful.'

'He would. I think we should be very uncareful. How many paintings will they show, did they say?'

'The letter was rather vague. She said she'd like to come and see me, a woman called Alice Johnstone. Should I say yes?'

'I know her, she was at the Central with me. Can I be here when she comes?'

Dorothea looks non-committal, opens another photograph album. 'This is Aunt Sophia when she was young. Pretty. She looks angry, don't you think? Poor Sophia, she never could make up her mind, not till she made her big decision. Rather like you, only there's no sign of a big decision for you, is there darling?'

Pandora tries not to look irritated. 'I think it's best to see how one develops.' They both frown. 'Granny always seems to have known what she wanted to do. Oh I did love visiting her in her studio.'

'More fun than staying at home with your mother.' Dorothea takes more photographs out of the envelope. 'So here we are, Irene in Berlin in 1914.'

Pandora looks at her mother. 'Have you been through all these boxes already?'

'Possibly. After all, they are my boxes.'

2

She sat in the *Wohnzimmer*, her hands folded.

He stood beside the window, regarding her. He could not concentrate on what he needed to say, faced with her grave gentleness. He felt protective towards his English bride, captive in an enemy country.

The maids were out enjoying their free Sunday afternoon. Very likely they had gone off to the local barracks to watch the soldiers leaving for the front, a favourite activity of theirs. They were carried away by the romance of the war, the shouting crowds, the soldiers marching away to fight for the Fatherland, the garlands. Waving at the young men was delightful. The girls did not doubt the soldiers would be back soon, their bayonets wreathed in laurels.

'Irene, I think we should go to the parents'. If we don't go today, it will be much harder in the future.' She turned her head towards him. 'Mamma would be so sad not to see you. She asked specially, she telephoned me at work though she hates using the telephone.' He hesitated. 'Nothing will be said, I'm sure, that you'd find difficult.'

When the war began, two weeks earlier, the Sunday lunches in the Schloßstraße were suspended. Instead, the family was invited to tea at three o'clock; early, to save fuel.

'You will want to talk about German victories in Belgium, won't you?' They were speaking English, as they did when they were alone; it was a compact they'd made when war began. 'No, that's not fair of me.'

'Of course, the more victories are won, the sooner the war will be over.'

'The more German victories.'

'Well, I am a German. I want Germany to win this war. I don't approve of the war, as you know, but if we have to fight, I must want my country to win.'

'And me? Am I supposed to want Germany to win? Germany, which is responsible for this war, whatever the newspapers say.'

'It is the responsibility of both sides, it is the fault of the outmoded system of government. We want humanity to win.'

She frowned. 'Thomas, you make these statements, but what do they mean? Humanity is not a combatant, only a victim.'

He held out her coat. 'Please come, you'll feel much worse if you stay here alone.'

'Will Elise be there? Will she speak to me?'

'Elise is a lady, and a Christian. Of course she will speak to you.'

The streets were deathly quiet.

'Is Alexander all right?' she asked as they walked along. 'Why haven't we seen him?'

Thomas looked embarrassed. 'He asked me to tell you his news. He has volunteered. He didn't want to tell you himself, he thought you might be angry. He is still in Berlin – it will be a while before they need a man of his age, if they ever do.'

'Alexander! In the army! Why on earth?'

'He feels it is his duty. He thinks that by fighting hard in this war Jews will prove their loyalty to the Fatherland.'

At the Curtius house, the atmosphere was subdued though the room was quite full. The round table in the *Salon* was covered in a lacy white tablecloth, with the cups and plates from the Berlin service arranged round a silver heater, and plates of sandwiches, and a cake, and fruit in porcelain dishes, and bonbons. Frau Mamma embraced Irene and Thomas. 'An English five o'clock tea,' she said comfortably, 'only at three.' It was like her to say such a thing, at a moment when theatres were refusing to play Shakespeare. It was like her to draw Irene into the place beside her.

It struck Irene that the atmosphere had been highly animated until she arrived. The conquest of Belgium, the march towards Paris – how could they not want to discuss the triumphs of German arms?

'Lotte cannot come, the children are not well,' said Frau Mamma. 'She is lucky to have a doctor to hand.'

'And Freddy? And Paul?' Irene asked.

'They are saying goodbye to their friends, they will be back. They are living in the barracks with their regiments.'

There was a silence.

'When do Paul and Freddy leave?' asked Elise briskly. 'So many men are needed for a rapid victory, after the logistical success of our mobilisation.'

Frau Mamma showed no emotion. 'Next week, we think.'

Mathilde came solemnly in with the teapot, Bettina following with the coffeepot. At least now they could all fuss over offering one another plates and sandwiches. Irene wanted to say, 'You mustn't mind me, pretend I don't exist.'

After a while Freddy and Paul arrived, in uniform, looking exuberant. They were greeted with applause. Paul in particular appeared proud of his uniform. It transformed him.

They separated into groups. The noise level rose. Irene avoided Elise: she could not bring herself to ask about Heinz. She only knew that on the first day of war Elise had gone to the station with her husband, in a black and white dress with a red scarf at her neck, carrying his heavy bags. She had watched the train steaming out of the station, the men leaning out of the windows, shouting, 'See you for Christmas.' Then she had returned home and raised the black, white and red flag of Germany outside her window.

Freddy was not enthusiastic. 'Such a nuisance, this war,' he said to Irene in English, drawing her away from the others. 'My fellow officers think this is a necessary conflict. In three months, they say, we'll bring France and Russia to their knees. They like to discuss the philosophical and ethical implications of war. Even Paul says the decadence and self-indulgence of Germany will be purged by combat. But for me. . . I was so happy in London, I loved your family. And now I have to go and shoot Englishmen. Or let them shoot me.' He touched her arm lightly. 'For you it must be so difficult, Irene. Frau Mamma and I were talking, for us you are our dear daughter and sister.'

'You are very kind, Freddy, indeed you are.'

'I have something for you, a letter from your mother, she gave it to me just before I left, that awful afternoon. She said I must hand it to you in person, and of course I am obeying, mothers must always be obeyed. She was like a mother to me.' He gave her a crumpled envelope. 'I'm supposing you will be able to receive letters from. . . from them?'

'I suppose so.'

He smiled ruefully. 'Of course, if I find you are communicating with the enemy, then I shall be obliged to report you.' He looked round the room. 'I understand why Frau Mamma wants to bring us together, but it will be painful to remember those who are absent. Let us pray this war will end soon. With a German victory, but without a British defeat, if that's possible.'

Paul came over to them. 'What is my brother saying to you?' He spoke German. 'I hope he is preaching the certainty of a great victory.' Irene smiled wanly. 'These are glorious days. Now at last Germans can speak with one voice. Even those rats the Social Democrats have declared their loyalty to the common good.'

'Rats?'

'Mice, then. You cannot imagine how it was at Heidelberg when war was declared, it was transfiguring. I was not sad to abandon my doctorate, this war is much more important. Scholarship can wait, at Heidelberg only the women and the physically unsound will stay. The whole of my *Burschenschaft* has gone to the army.' He looked at Irene speculatively. 'We have a professor at Heidelberg, he hates England, he has been lecturing for years about English hostility to the Fatherland. Now he can speak of nothing but revenge. "*Gott strafe England!*" is written in huge letters in his lecture hall.'

'And do you agree?' she asked.

'I do not hate England, except as our enemy, and if I do it's because I love Germany. At Heidelberg, I would walk in the mountains, so mysterious, spiritual, and everything around me spoke of the greatness of the German nation and the German people. I am bound to hate my country's enemy.' He looked as though he were addressing a seminar.

'And if we reject the principle of war and fighting, what are we to do then?'

'Do we have a right to a private life, even a private intellectual life, when our country is threatened? I think not. It is hard, but also fine, that we should give up our own ambitions for this greater cause. At such times, we are moved by forces larger than ourselves.' He looked at Irene coldly. 'For you of course it is difficult, but it is clear where your loyalties must lie. Whatever you were before you married, now you are the wife of a German, and soon you will be the mother of Germans. When you married a German, you married Germany.'

She thought, what right has he to speak like this?

'And what is your brother doing? Mark, your clever brother. Will he go to war?'

'I don't know, I can't communicate with my family.' Actually she knew there would soon be a way to write to England, through a Danish friend of Mark's. 'As far as I know, he will not be released for military service.'

'I'm sure that will suit him. I cannot imagine Mark being eager to throw himself into combat.'

On the way home Thomas said, 'Thank you for coming.'

'I was glad to see your mother.'

'We don't need to go again for a while. We have a good excuse – Salitz. That must be our private world.'

'Thomas, you won't have to go into the army? I couldn't bear life here on my own.'

'I have to have a medical inspection, but since I'm thirty-five, and haven't trained as an officer, I would not be much use. It's most unlikely I'd be called up, there are many more men than are needed.' He put his arm round her. 'It would be terrible, fighting against people I admire so much. But we shall have to live carefully. Our practice may not have much work, it's already greatly reduced.' They walked past the windows of the shops, cruelly brilliant in the late afternoon sunshine. 'One thing, I would warn you,' Thomas went on, 'do not let yourself be heard speaking English in public places. People suspect spies everywhere. Be careful, my dearest, always be careful.'

3

'Sophia, you're late for breakfast, again. The eggs are cold. The coffee's cold. There is a war on, you know, we must be disciplined like the soldiers. Punctuality is the least we can offer.' Lady Benson ate her last piece of toast, efficiently crunching each mouthful, and opened her notebook that listed things to be done, a wartime initiative. She'd contemplated a further initiative – accommodating Belgian refugees – but decided it would exhaust the servants.

Sophia sat down crossly at the table. 'I don't want breakfast.' Really, her mother was the end.

Her father looked over the top of *The Times* and said, 'Good morning, Sophia.'

'What does it matter if I'm late for breakfast, when I don't have anything to do, except knit scarves for soldiers?'

'It was your decision not to go up to Cambridge this term,' said her father mildly.

'But I can't, don't you see? I can't sit in lectures while all the young men I know are going off to the war.'

'We understand, you've explained often enough. But we wish you'd find something else. No doubt there'll be a great demand for women, in all sorts of occupations, if the war goes on. At the club, we have waitresses now that almost all the younger men have gone. Not that I'm suggesting you become a waitress.' Her father gestured at the front page of *The Times*, with its lists of casualties. 'It's been a bad week, but at least we're told we scored military successes.' He sighed deeply.

Her mother was clashing plates. 'Don't just sit there, Sophia, eat your breakfast. The toast is cold, I can't ask Cook to make any more.'

'I don't want any bloody toast,' said Sophia.

'Sophia, never use that word!' from her mother; and from her father, 'Sophia, swearing shows a limited, vulgar mind.'

It was him she addressed. 'Here we are with thousands being killed, and all she worries about is cold toast and bad language.' She poured out some dregs of coffee.

'That's all there is,' said her mother with satisfaction. 'And please don't speak about me as though I weren't in the room. I need to get on, I am going to the canteen for my shift.' Lady Benson sat on committees to support the war effort, and worked at Lady Belfield's canteen providing cheap nutritious meals for working women. She'd suggested Sophia should help there, but her daughter said that ladies being gracious to the workers was more than she could stand. 'It's a pity you won't come to the canteen, the atmosphere is uplifting, people from all classes work together in cheerful co-operation.'

Sophia banged down her cup. 'I want to work in a hospital, and I want to go to France.'

'Oh Sophia,' her mother cried. 'To work in a hospital, why ever? And France, why France?'

'I want to serve as a VAD in an army hospital.' She fixed her eyes on her father. 'I've volunteered already. I went to the Voluntary Aid Detachment headquarters at Devonshire House last week.' She stood up. She was very nervous.

'I forbid it,' said her mother. 'It's out of the question.'

'But I must do something.'

'Well, if you're really serious. . .' said her father.

'I am really serious. In any case,' and she clenched her fists, 'if you are worried about the "young lady" aspect, lots of "ladies" go out there.'

'Married ladies, yes.'

'What difference does that make? D'you mean I'd need a chaperone? Chaperones are finished, Mother.'

'You'd be exposed to danger.'

'Why not? Our men are exposed to much more danger. Look at cousin Peter, and Andrew Beaumont. . . Why not women?'

'You might get ill, there'd be such germs around. And all those men. . .'

In spite of herself, Sophia laughed. 'Men are better than germs, I suppose.'

'The war will soon end, and a woman's reputation will always be important.'

'I don't care about bloody reputation.'

'Sophia!'

'I'm sorry. Anyway, in the hospitals the men would be wounded or dead. Or doctors or chaplains, who don't interest me.'

Sir William intervened. 'Sophia, if you can find out what you need to do. . .'

'I told you, I have. I've been accepted, I'm waiting to hear when they want me. But I don't want to quarrel with you, I want. . . I want your blessing, I suppose. I've been waiting for days for the right moment to tell you.'

There was a knock. It was Wilson. 'May I clear, my lady?'

'Would you mind waiting just a minute, Wilson?' said Lady Benson. Wilson looked exasperated.

'Do clear, dear Wilson,' said Sophia. 'I've no secrets from you. The thing is, I've volunteered to be a VAD in France.'

'Have you indeed, Miss Sophia? Well, if I may venture an opinion. . .' The family steeled themselves for one of Wilson's bracing remarks. 'All of us need to do our bit.'

Lady Benson looked annoyed. 'Thank you, Wilson. Will you clear the table? Anyway, my darling, I want you here. What am I to do without you?'

'One thing must be clear,' said Sophia, and she stood up. 'If you think I am devoting my life to staying at home and looking after Mother, I won't do it. I tell you, I will not do it!' She looked extremely firm, and her father regarded her with affectionate interest.

'Well, my dear,' he said, 'I think that's quite clear.'

4

Early in November 1914 Major von Steinaeck of the Garde-Infanterie-Regiment Nr. 4 was killed leading his men into combat at the first battle of Ypres.

The funeral took place at the Garnisonkirche in Berlin, where he was to be buried. His mother and widow spent many hours discussing the children's future. The son would be sent to the officer cadets' school, where he would receive a free education. He was a quiet, thoughtful child, but that was not considered: a military life was his duty, and in any case the major had left very little money. The daughter would remain with her mother.

For Irene these were painful days. At the funeral, her heavy black veil had given her some sense of privacy. Afterwards at the Schloßstraße she took Elise's hand and said the usual words. Elise merely nodded. She looked dignified in mourning, her hair cut short, her face pale, her black dress full and sadly becoming.

Some days later, Irene visited her mother-in-law. She went on foot. In these months she spent much of her time walking alone up and down the long, monotonous streets and through the squares, hardly pausing, speaking to no one, as though existing in the city but not part of it. When she first came to Berlin, Thomas had warned her against going around the city alone, unaccompanied women were often thought to be prostitutes. Now she didn't care. There was little else to do. She could not bring herself to contribute to the war effort or do good works. However fluent her German was, her accent was still recognisably English, people would be suspicious. Her commissions for illustrations had almost dried up. Thomas said there was less work available, but she thought editors avoided employing a British artist. In any case she had no appetite for drawing. Only occasionally did she execute a drawing, but she did not like the savage little sketches that emerged, dwarves and idiotic animals, things better left unexplored.

At home, she read, not English books but the books by Goethe, Lessing and Heine that Thomas had piled on her table when she'd arrived in Berlin. In this hate-ridden country, it was reassuring to read about other Germanys. She read and re-read *Effi Briest,* finding its picture of Berlin not so far from the city she'd known before the war. She asked herself what would happen in modern Berlin to a woman who betrayed her husband.

Sometimes letters came from England via Copenhagen through the Danish diplomatic bag. Irene would call at the Danish Embassy and be given a buff envelope. She wondered whether anyone monitored her visits; no doubt the comings and goings there were surveyed, but nothing seemed to be censored. She'd often leave the envelope unopened for a day or two, unwilling to hear voices from home. Her mother would write about her war work, and family news: Edward had 'left the country', as she put it; Victoria was pregnant again and little George was the loveliest child imaginable; Irene's cousin Peter had finished his training and was also about to 'leave the country'; Peter's younger brother was leaving school so he could 'join in'. Sophia wrote about poetry, primarily; she hated living at home, then she'd left home and was working as a nursing assistant at the Charing Cross Hospital in preparation for being sent to France. Mark did not write, presumably it was not good form for a diplomat. Irene wrote back about her window box and the garden at Salitz, never mentioning conditions in Germany. One never knew who might read one's letters.

Often, she simply stared out of the window. During the relentless November and December afternoons, the Mommsenstraße was grey and then white, as rain gave way to snow. On some days she could not bring herself to go outside, and by late afternoon was impatiently awaiting Thomas's return; though he had little to do, he insisted on spending a full day in the office. At the piano she played German music. She remembered how she had first discovered Wagner, aeons ago it seemed, and been transported to a new world. Sometimes she went to concerts on her own: she couldn't bear to chatter with acquaintances at such events, she hated the little complaining group of foreign wives. At the Philharmonic's afternoon concerts, she would sit surrounded by mutilated soldiers in grey and women in black, and try to lose herself in the music.

The cemeteries suited her mood. Among the reticent memorials of old Berlin and the grandiose temples of yesterday, surrounded by the whispering and rustling of the departed and their mourners, she would consider this Prussia where she was immured. She favoured the Garnisonfriedhof, the old garrison cemetery, concealed by trees and a high brick wall in the middle of the poorest Jewish quarter. She would walk up and down the neat paths, contemplating the graves of Prussian officers and officials, their wives and daughters: some plainly geometrical, others sporting angels, or pillars, or feathered helmets surrounded by wreaths. The graves were lined up like soldiers: even the neighbouring Linienstraße was named after regiments of the line. The railings round the tombs and the crosses were made of pierced iron, the stones incised with proud, reticent wording in Gothic script. She would wonder about the people lying under this mass of stone and iron – always iron, the material of Berlin – and try to imagine the living presences of Major-General Johann Herwarth von Bittenfeld or General von Tippelskirch, Commander of Berlin. No doubt they had embodied the Prussian tradition: service to the state, sober faith, probity, stoicism, duty.

Now the empty plots were being filled again. Once, seeing Elise kneeling at her husband's grave, she hurried away.

If she told Thomas she had been to a cemetery, he would look anxious, and suggest that the Tiergarten or the Charlottenburg park might be less melancholy. She'd reassure him that there was nothing morbid in these walks.

'Don't you want to see our friends?' he would ask. But no, she had not even visited Frau Mamma since the funeral; she was not sure how she would be received.

At the Schloßstraße apartment the blinds were pulled down. The street door was unlocked and she entered between the iron animal-head gargoyles which guarded the corners of the entrance arch. She'd always liked these gargoyles, playful fantasies in this solid city. She touched the one on the right, as she often did, for reassurance.

It was a cloudy day. The hall and staircase were unlit and uninviting.

As she turned the curve of the stairs, she saw the figure of a woman, veiled in black, coming down towards her. She knew too well who it was, from the cross that hung round her neck. Irene stopped. Should she wait for Elise to say something? Should she speak? Should she try to kiss her? She could hardly see Elise's face, only that it was pale, paler even than at the funeral. As Elise moved down the stairs, Irene attempted a smile.

The smile was not returned. Elise paused on the same step as Irene, and stared at her, expressionless. Then she said, quietly but in a tone Irene hoped never to hear again, '*Verdammte Engländerin. Du hast meinen Mann ermordet.*' And her erect black figure passed down the stairs.

Part of Irene thought, angrily, I did not kill your husband. My people did not start this war, yours did. I have been living in this hateful city when I could have gone home, because I am loyal to your brother. Why am I to blame? But her anger gave way to sobs, and she fell onto the stairs, grasping the great iron baluster as though it might comfort her.

The door of the apartment opened. She heard murmuring voices, and someone coming down the stairs then bending over her. This person put a hand on Irene's head, and stroked her hair. She was drawn to her feet, her waist was supported, and tenderly she was led indoors.

5

Mark did not particularly enjoy being back in London, particularly one day when he was walking across the concourse at Victoria Station on his way home from work. It was Saturday lunchtime, the afternoon was free. He was wondering how to spend it, London was so quiet these days.

Out of the corner of his eye he saw a woman, standing, apparently with no purpose. She was large, wore a hat with a feather and a brown overcoat, carried a capacious handbag under her arm.

As he was passing her, she swung round to face him, blocked his way. A little crowd mysteriously collected around them. She reached out towards him, hissed something, sneered at him. Someone laughed. The faces were not friendly.

He looked down at himself. There was a white feather in his buttonhole.

A man in front of him looked him in the eyes, nodded. 'She's right,' he said. 'Get into uniform, lad.'

Mark hurried away from the spectators, pushed the white feather into his pocket, fled into the Underground. He felt that everyone around him on the train was aware of what had happened, blamed him for being in civilian dress when the country was fighting for its life. Victoria Station must be avoided, he thought, but he could hardly avoid every public place.

He felt soiled, he felt he deserved to be soiled when his cousin Peter was at the front and Charles had left school early to join up, in spite of the certainty of becoming Captain of Cricket if he stayed. There was no explaining to an angry woman giving out white feathers that one was in a protected occupation; she would have no ears nor would the crowd that supported her.

The house was empty. A cold lunch had been left for him. He could not eat. He felt astonishingly dismal.

6

'So, Benson, you feel you should enlist?'

Mark was sitting in front of a panel of three senior officials. They all looked similar – silver-haired and aloof and piercing, as though stamped by their careers. He supposed he too might look like that one day.

'Yes. It seems the right thing to do.'

'White feather?' said the chairman.

'I'm sorry, sir?'

'Have you been given a white feather?'

He gulped. 'No. Well, yes.'

'We really must put a stop to that.'

Mark was aware of being inspected, politely but probingly. He stared at the table.

'Well,' the chairman continued, 'let's consider. There are fewer than two hundred of us in the first class of the Diplomatic Service. It's true our resources have been strengthened by men from Berlin and Vienna, but the volume of work has increased remarkably, one almost feels one is useful.' His colleagues smiled mildly. 'A great deal of effort goes into recruiting and training our young men, and we are not anxious to relinquish them. One or two have left, of course – how many is it, Elliot?' He turned to the man on his left.

'Three, I think.'

'Three, when it was felt that the battlefield would be a more appropriate form of expression than the equally vicious but physically less strenuous battles we fight. The same does not apply to you.'

'Were you in the Officers' Training Corps at school?' asked the man on the right.

'No.'

'Or at university?'

'No.'

'You harboured no youthful passion for the military life?'

'No, but things are different now.'

'Indeed. And have you joined our voluntary corps in the Foreign Office?'

'No, but. . . I've not known how long I was going to be in London.'

'Quite so,' said the chairman. 'Actually, I'm told it's rather congenial: parades on Hampstead Heath, good for the liver, the only danger is being attacked by your own side. I believe the members are particularly incompetent at drilling and shooting – what is that term the drill sergeant applied to them, Murray?'

'"Bloody Fairies", I believe.'

'Yes. So why this sudden desire for the colours?'

'I feel it's my duty.'

'That's wholly understandable. We all have a duty to our country, the question is how we fulfil it. Wars are not won by bullets and cavalry charges alone, you know. We in the Diplomatic Service have a part to play too, more so than Lord Kitchener might concede. Relations with our allies and with non-combatant countries are peculiarly sensitive. I would say diplomacy is crucial to the nation's war effort, notably in the United States. Difficult as it may be, one needs to retain a sense of one's own value, and not be swept into the prevailing chaos.' He looked closely at Mark. 'You know Germany well?'

'Yes, I lived in Dresden for a year when I was learning German.' He felt sad, remembering the peaceful household he'd stayed in. It was presided over by a Lutheran pastor, vague about everyday things but encyclopaedically informed on many subjects, and strongly Anglophile on the basis of a youthful visit to study English cathedrals. His mind drifted off, wondering whether the family now hated the English, in spite of having taught and entertained so many young Englishmen.

The chairman was regarding him, eyebrows raised. 'So did we all. Beautiful city, Dresden.'

'My sister is married to a German.' Mark realised he sounded miserable. He must be more positive, not show his emotions.

'I think we knew that. It must be distressing for you. I suppose you write to her through Holland, the usual thing? My wife is Bavarian,' the chairman went on. 'We try not to speak about the war, though we play German music together. Her nephews are fighting in the Bavarian Army, one of them has been killed. Our son is in the Grenadier Guards. The cousins were all great friends, they spent the summer holidays together in Scotland or in the Bavarian Alps, from their early boyhood. Well. . .' And he took his glasses off and polished them, blinking. 'It is all inexpressibly painful.'

Mark looked down at the desk. In the highly polished wood he could see his blurred face. The blurring seemed appropriate. Really, he did not know what he was feeling.

'I've seen the report you made on Germany a couple of years ago. Of course, some of the material was familiar, but it broached important issues, and showed commendable detachment.' He paused. 'All in all, Benson, I will not permit your resignation. I don't recommend an appeal. Is that clear?'

'Yes. Sir.'

'What we all need, Benson, is moral courage. It's in short supply just now – in contrast with physical courage, of which there is almost a superfluity at present.' His colleagues shifted in their seats. 'We propose to send you to Washington, as Third Secretary. A crucial embassy, as you'll appreciate. Congratulations.' The men on either side nodded and smiled. 'You will be leaving within weeks. It's a dangerous voyage and you may be drowned, in which case you'll have the satisfaction of feeling, as you expire – I understand one is quite lucid – that you have died for your country, if rather obliquely. But if you can put up with the weather and the provincialism of that over-ambitious little town, you should have an interesting time.'

'I'm very honoured, but– '

'Our ambassador has a severe problem, you know, persuading the US government to enter the war on our side. The President is extremely unenthusiastic, there's a strong pro-German faction, not to speak of the pro-Irish element, also rather boring. He'll make you work hard. I believe he has in mind for you to take an interest in relations with the press. Incidentally, there's no option to refuse.'

'I understand, sir.'

'And we may ask you to do things you don't particularly want to do, rather on the lines of the report you wrote in Germany. Personal scruples about investigating issues covertly are irrelevant. Is that understood?'

'Yes, sir.'

'Good. "Yes" is easily said but it may be morally distressing, you know. Another spy was shot in the Tower of London last week – well, you might find that your actions lead to such an event.'

'I'll do what I have to, sir.'

'Good man. Of course, in times of war, foreign postings are particularly sensitive. Diplomats must be careful of incautious behaviour, making the wrong friends. The German Embassy in Washington has a powerful propaganda machine. So be careful – that smiling lady may be in touch with the other side.'

'You're not yet married, I think?' asked the man on the left. 'You may well find a wife in Washington. They can be charming, well-bred American women.'

They beamed at him. He felt he was being welcomed into a highly skilled club.

'You'll be briefed at length, no time to waste.' The chairman held out his hand. 'Very good luck!'

Mark went out into the immense corridor. Was he disappointed? No – immensely relieved and excited. He wanted to dance down the corridor. In the Third Room, his office, his colleagues looked at him in surprise.

'You look very jolly. Promotion, is it? Fourth Secretary in Bucharest?'

'I can't tell you just yet.'

They congratulated him anyway, and one of the more boisterous threw a file at him. Such horseplay was frequent in the Third Room. Usually Mark looked bored at such moments, so they were astonished when he hurled the file back, knocking over the other man's inkpot, to general acclaim.

7

Dorothea puts the album away in the box. 'She seems to have stopped creating albums at this point. Albums suggest optimism, don't they? As though everything's been positive and is going to be positive in the future. I mean, you compose wedding albums but you'd not make a funeral album.'

'It all seems very old-fashioned to me. We just like to let life flow by.'

'Yes, you're very. . . what was that expression you used?'

'Laid-back?'

'Yes, laid-back. That's fine if you live in the sunshine.'

'I'm not so laid-back, Mum. I had a story accepted.'

Dorothea turns enthusiastically towards her. 'Oh, darling, I'm so pleased. Accepted where?'

'Well, it's a sort of underground paper. It's called *Chelsea Voice*, but it's not just Chelsea, London, it's Chelsea, New York too. Kind of hip underground. They don't pay but you get tickets to concerts. Lots of people want to write for it.'

'That's wonderful, darling. What's it about?'

'It's about the current art scene in London. It's cyclostyled, you know, not printed in the conventional way, cyclostyling is the way of the future.'

'I can't wait to read it.' She opens the largest yellow envelope. 'Oh look, lots more photographs. Grandmother at home, I think that must be. And this is Cousin Edward, in uniform, very dashing.' She sighs. 'Edward tried so hard. . .'

8

It was a happy afternoon, until the end. The drawing room at Evelyn Gardens was comforting, lit by the fire and the lamps, daffodils glimmering in the soft light. Mark thought how all of this would have been happily normal a few months before. Now it seemed precious and precarious.

Edward was going back to France after a week's compassionate leave to see his new son. Victoria had had a difficult pregnancy, but the new baby was adorable and gave them all hope. None of them was in mourning, they dressed as cheerfully as they could. Sophia's skirt was fashionably short and Edward twitted her, saying the *Daily Mail* would ban her. They avoided difficult subjects in favour of domestic issues: whether the Bensons would move house now that their children were away; the government's ban on professional sport; whether one should give up alcohol, like the King.

They touched on Mark setting off for Washington next week. Edward said, 'It's suffocating in summer and freezing in winter, and the spring and fall only last a few days. Apart from the government and the embassies, nothing goes on there at all.' They did not discuss the danger of the voyage.

Sophia recounted humorous anecdotes about working as a VAD at the Charing Cross Hospital. She did not tell them about starting work at 6 a.m. or laying 150 trays and washing dirty dishes. She did not talk about cleaning the stumps of amputated limbs and the discharges from the holes in men's bodies, or about the pus you hardly noticed on the ward, until you undressed and found it permeating your clothes and stinking. She didn't mention the perpetual noise ('Quiet for the Wounded' proclaimed banners outside the hospital, ironic when there was so little quiet inside), the gramophones endlessly playing the same tunes and the cries of 'Nurse! Nurse!' and the coughing from the fever victims and the groaning from the gassed and the moments when the screens went up round a bed and another soldier had given his life for his country and was bound for a better life in Heaven, as the chaplains put it.

Only to Mark did she talk candidly. 'I hate it, but it's my duty. No complaining's allowed, no questions – that makes things easier. The matrons' watchword is that the men are suffering, and we must suffer equally. It's understandable. They don't like little Lady Bountifuls when nursing is their livelihood. It's worse in France.'

'Fia, you're very young. . . And poor Mamma – no children at home.' He took her hand and held it between his.

'Poor Mamma will have to fend for herself.'

Sitting side by side in a corner, they looked conspiratorially at their family. They agreed that Edward had improved. He was less self-assertive, more thoughtful. He seemed a soldier from head to foot, even though this afternoon he was wearing a tweed jacket and flannels. Beside him, Mark felt insignificant. But at least, he told himself, he'd tried to get into the army, as everyone seemed to know. Edward had congratulated him as soon as they met, and Mark was pleased, though he was sure that, deep down, Edward despised him.

Victoria made an announcement. 'Edward says it's a secret but I can tell you – he may get a staff job.'

'If I did, I'd stay in France, of course. They want a liaison officer between the British Army and the Canadian regiments. They seem to think I could do it. I don't really want to leave active service, but if they want me. . .'

Coaxed by Sir William, Edward talked about life at the front. 'It's tough. Endless rain, endless mud. You get used to the physical side, it's when your friends die that you feel it most.' He checked himself. 'But there are good things too. The fighting can be exciting, hiding in a church tower and seeing the enemy coming over the top, it's better than shooting pheasant. . .' He glimpsed Sophia's face and stopped himself again. 'The men are tremendous, probably they were nothing special in civvy street but the challenges, the comradeship, transform them into heroes. That's one of the great things the war has done, made heroes out of ordinary people. . . Your letters make such a difference, you know, especially Aunt Elizabeth's, it's like having a mother again.'

'Your brother officers must have been with you since you started, you must be such good pals,' said his aunt brightly.

He looked at her. 'Yes, one or two of them.'

Another silence. Victoria rallied her smile and talked about what they'd be doing the following day, as though Tuesday were years away.

Edward had more to say. 'You know, one of the odd things about coming home is hearing what people in Blighty feel about the enemy. I've been looking at the newspapers and recent books, and everyone says the Germans are beastly savages. Funnily enough, out there you don't feel that. I know I used to be very anti-German, but when you see the prisoners, you can't see them as monsters. They've just as much pluck as us, and they're just as frightened. Just men. It's the Kaiser that's at fault, that's my view.'

Victoria made a rumbling noise. 'I disagree. In my view, a Hun is a Hun – they're untamed brutes out of those horrible pine forests. The Prussian system kept their brutality under control, but even Prussian discipline can fail. Look what they did in Louvain and Rheims. The world would be a better place with no Germans in it.'

There was an awkward silence. She looked around, recollected herself, bit her lip. Edward took her hand.

'I don't think Thomas is a savage, or Freddy, or any of them,' said Sophia. Her mother looked as though she were trying not to cry.

'I'm not sure it's wise,' said Sir William, 'to condemn a whole people. Where would we be without their musicians and philosophers and scientists? They've been misled, it seems an entire nation can be misled.

That's why this war is so terrible. We thought Europe was a civilised place, but now it seems the Germany of Beethoven and Goethe has been overcome by the Germany of Krupp and the Kaiser.'

'Victoria has strong views,' said her husband, 'because she worries about me. There's no need, my darling, I'll be fine.'

The clock struck six. 'Victoria, darling, won't you stay to supper?' said Lady Benson. 'I'm sure we could rustle up something.'

Victoria stood up, gathering her little son to her skirts. 'No, we must get back, for Baby. Edward wants to get to know Baby as well as he can, don't you, darling?' Her face crumpled for the briefest moment.

'Perhaps I could just call in for a moment tomorrow.'

'Tomorrow we're going on a little expedition, just the two of us,' said Victoria. 'Not even favourite aunts.'

'Or could I come to the station on Tuesday?'

'If you don't mind. . . I'm so sorry, but. . .'

The telephone rang. 'How irritating,' said Lady Benson.

Wilson came into the drawing room, looking agitated. 'My lady, it's Mrs Nash. I think it's bad news.'

Lady Benson went out.

It was bad news. When she came back, dabbing her eyes, she told them their cousin Peter had been killed in action.

9

'This little bundle of letters is from Uncle Mark. Granny's labelled them "Mark's letters, 1915 to 1918".'

'You liked Uncle Mark, didn't you?'

'I loved him when I was very young. He used to make me laugh and laugh when everyone else frightened me – I mean my English relations. Mark spoke beautiful German, and he was very clever, he would talk to me in German and then use some English words and then a few more and after a while I was prattling away in English. He was the first person in London I really trusted, and when I grew to like him, it was easier to like the others. Mark used to come and visit us in Hampshire, I remember it very well. I think it was a subtle technique of his.'

'What d'you mean? I don't know what you're talking about.'

'All in good time.' She looks teasingly at her daughter. 'Yes, Mark was delightful with children, it was as though they brought out the real Mark.'

'He gave me a large duck once, out of the blue, for my birthday.'

'Muck the Duck.'

'Yes, Muck the Duck. So there are no secrets here.'

'Well. . .' Dorothea hesitates. 'Why are you so interested in secrets, Pandora?'

'We all like secrets.'

'I suppose we do.' She yawns and stretches. 'Of course, things today are quite different to what they were when I was a girl, you can't imagine.'

'What do you mean, Mum?'

'About men. And men.'

'About men and men?'

'About men loving other men, about queers. When I was your age, no man who wanted to be a success could possibly admit to being attracted to other men, unless they worked in the theatre and even in that world only a bit. It was considered disgraceful. People would say, "Men like that" – that was the expression they used – "Men like that are not capable of having a happy relationship with anyone. Queer men are only attracted to real men, and no real man wants to be loved by a queer."'

'It's better now. We think that what is important is who you care about, and whether they care about you, and it doesn't matter who they are. Anyway, why are you telling me all this?'

'Well, Uncle Mark, you know.'

'Uncle Mark?'

'Yes, Uncle Mark.' Dorothea laughs, and leans back against the cushions. 'When he was being pompous as an old man, I used to think, Oh, you silly old thing, I know all about you.'

'Yes?'

Dorothea laughs again. 'You see, in his early days, the irreproachable Sir Mark Benson CMG was much more interested in young men than in young women. Nothing about that in *The Times* obituary, of course. I remember my parents talking about it when I was a child, they thought I couldn't understand. It amused them that he was so secretive – people in Berlin were quite uninhibited about sex. But Mark would never admit to anything out of the ordinary, and of course he became a model citizen and I believe he was rather horrid when his own son showed the same tendencies – so Margaret told me. I suppose his children might be upset if anything came into the open. Anyway, it won't come into the open, it's private, isn't it? Thank goodness he had such an understanding wife.'

10

To his surprise, Mark enjoyed his journey to New York. From the moment at Southampton when he stood at the ship's rail waving goodbye to his tearful mother and his less tearful sister (her brilliant blue dress attracted much attention), to the dawn when they approached the shining towers of New York, it was almost unbroken pleasure. Even the thought of the *Lusitania* could not dampen the exhilaration of being at sea, between opalescent skies and shining water.

The ship was pretty full. The atmosphere was tense but stoical: it was impossible to stop conversation drifting towards the possibility of a U-boat attack. Jokes were made about whom you'd most, or least, like to share a lifeboat with. There was a sense that the further the ship sailed from European shores, the smaller the chance of disaster. The war hardly seemed to affect life on board. Meals were copious: cooked breakfasts, solid lunches, long dinners with the First Class passengers in evening dress. People sat on the deck and were brought beef tea, they played deck quoits, listened to the orchestra playing its familiar (though strictly non-German) repertoire, prepared a musical performance for the last night. For Mark, the danger put his usual anxieties into perspective. When at any moment you might find yourself drowning beneath a huge ship, worries about your own failings seemed less significant. Mark felt he understood why soldiers found combat uplifting – and smiled, since at this moment of revelation he was accepting coffee from the steward.

The passengers were a mixed lot. Mark, always curious (who could tell what information might be useful?), elicited details from a purser.

There were a few older Americans long resident in Europe, who, since the war showed no sign of ending, were going home. His table included an elegant old lady called Mrs Salt from Philadelphia, who invited Mark to visit her family at their property on the Main Line. 'It's a very pretty area, only twenty-five minutes from the city. There are lots of big properties, some are chateaux, some are straightforward American, but what we like best are the English styles – Tudor, Georgian, Arts and Crafts. We have a farm and a pack of hounds. My son lives in the big house now, but I'm right nearby. Come and see us, some of my grandchildren are your age.'

There were a few British children being sent to safety. Passengers on official business, journalists, businessmen. People were impressed when he mentioned the British Embassy; he was surprised. 'Oh, you must meet my niece,' said one of the American ladies, and there followed the mildest flirtation, some table tennis, a moonlit walk along the deck.

He made another friend. Late on the first evening he was sitting in the smoking room, relishing feeling well when others had retired hastily to their staterooms. He heard a 'Good evening' at his elbow. It came from a man sitting close by. The man smiled and said, 'Mind if I join you?' Mark did not mind, one must be adaptable. The man was American, around thirty, pleasant-looking.

'George Bruegmann,' he said, and held out his hand.

'Mark Benson.' This made him feel unstuffy.

'Oh, I see you smile,' said the man. 'I'm never sure if English people know how to – English men, anyway. I hope you don't mind me introducing myself, there aren't many people our age on the ship. I just had dinner with a group of septuagenarians, thought I'd look for younger company. Girls tend to be suspicious if a strange man says hello.'

'Good to meet you, Mr Bruegmann.'

Mr Bruegmann's face crinkled humorously. He had strikingly thick dark eyebrows. 'A pleasure for me too, Mr Benson. You're coming to

America for a while, I assume, or you wouldn't risk being torpedoed. Actually, it gives me a bit of a kick – the thought we might be underwater any minute adds zest to the dry martinis.'

Mark must have looked blank, since he went on, 'Not familiar with the dry martini, eh? A sherry and port man? Well, we'll see about that. Are you visiting with us for long?'

'I'm going to be working at the British Embassy, this is my first trip to America.'

'Uh oh, I should speak to you more formally, you're an important person.'

'I'm just a Third Secretary.'

'Sounds important to me. In the United States, we tend to be informal. If you meet someone your own age, you pretty soon call him by his first name. Please call me George. If you'd like to, that is. And may I address you as Mark?' said George, smiling broadly again. 'Remember, we're on board ship, we can behave as we want. What the hell, we may be drowned tomorrow. Things loosen up when a ship goes down.'

They had another drink – 'I think your first dry martini had better wait till tomorrow' – and then another. George had been a naval officer, was now the New York representative of the long-established family business in Chicago, was returning from Britain where he had been looking at the prospects for wartime business expansion. They drank dry martinis every evening before dinner, more drinks after dinner. 'I see you have your eye on that nice girl from Philadelphia,' said George. 'I'd look further. Nice girls from Philadelphia are a little dull, let's face it. They're worse in Washington, they only talk about politics – and don't even think of a Southern Belle. Try a New York girl, there's nothing like them.'

He got Mark another drink. Mark felt he should not be drinking so much: in Evelyn Gardens the consumption of alcohol had more or less stopped for the duration of the war. But George was hard to resist, and he made Mark laugh, that was very endearing. They stood together as the ship sailed into New York harbour, and saluted the Statue of Liberty. As they disembarked, George said, 'When you've settled in, come and visit me in New York. And good luck!'

11

One morning in the early summer of 1915, Irene and Thomas sat on their garden bench. She took his hand.

'I have something to tell you.'

'What?' he said, alarmed. She smiled, it was typical of him to react so strongly.

'Good news.'

'Irene, you're not. . .?'

'Yes. December.'

He embraced her, then hummed loudly. 'A first grandchild for my parents, and Paul and Freddy said they would catch me up because I was so slow. . .' He broke off. 'I can't wait to tell Frau Mamma.'

'I have told her.'

'You have told her?'

'I love her, I wanted to tell her myself. And we told Mathilde and Bettina – we had a celebration.'

'You told Mathilde and Bettina?'

'Well, with women, you know, it is something special. . . I only told her on Wednesday, when I was sure. I wanted to tell you here, in our own house.'

'Oh Irene, dearest Irene, here you will be like the Virgin Mary in her *hortus conclusus*.'

'I don't think I qualify as a virgin, do I?' She took a deep breath. 'It will be a German baby, through and through, and it will have a German name, which we must choose carefully. Not Wilhelm.'

'No, definitely not Wilhelm.'

'Nor Wolfgang.'

'No, not Wolfgang.'

'Nor Horst.'

'Would I ever choose such a hideous name?'

'Of course, if it is a girl,' she said, 'which I would like just as much, we must also find a fine name, perhaps a socialist one, to suit your politics. I thought perhaps Mariana?'

'What about Dorothea, after my mother?'

'Yes, yes, I should like that. But one day, my baby will meet his, or her, English family. We shall be friends with my English family then, we will see them often, won't we, Thomas?'

He squeezed her hand. 'When we were married, I made a speech, you may remember.' She remembered, but she wanted to hear his words again. 'I said that I hoped we would create a house that would unite the best of English and German traditions. That is still my ideal. One day this war will be over, and we will rebuild our old lives and friendships. Our child will be a German child, but he will become a little more English every time he visits his English family, and with his mother he will speak English. In all this madness, we must not forget what really matters. Love, not of one's country but of individuals. Moral courage, the ability to escape from meaningless rules and to think for oneself. Such things as these.'

'I'm afraid those aims are forgotten now. War and hatred, they're so intoxicating.'

'But I have one hope emerging out of all this, Irene, that when the war ends, this farce of an empire will disappear. Instead we shall be citizens of a healthy new society, where the needs of the workers will be expressed in a truly modern social system. That's what I hope.'

She stroked his cheek.

'I agree with your hopes,' she said, 'and we must bring up our child to believe in them, mustn't we?

12

Washington, 5 June 1915

Dear old things,

I'm so sorry not to have written sooner but we work, we work, and then we work more.

I can't tell you much about details, you'll understand. Our job, even at my lowly level, is to present Britain as a country fighting for Justice and Peace against an evil enemy. Actually, we meet the evil enemy often, at official receptions, but we have to pretend not to see one another – it's hard for some of my colleagues, who played tennis with them before the war. The Germans are very aggressive, they're constantly organising rallies at which German Americans proclaim their loyalty to the Fatherland – they even shout 'Shoot the President', because he's seen as insufficiently pro-German. There are millions of them, wanting the States to enter the war on their side. It's especially difficult in the mid-west: German food, German newspapers, German faces, German beer.

On the other hand, it's hard to understand how they were so stupid as to sink the Lusitania. Their embassy has the effrontery to put notices in the papers saying that anyone who travels on a ship that sails under the British flag, or even docks in Britain, is liable to attack

My chief is a brilliant man, he handles a mountain of business but always stays clear-minded. Of course his great purpose is to persuade the Americans to come in on our side, but it's hard work. I'm surprised at the anti-British feeling here.

Something that surprised me too at first is the number of blacks here. It's practically a nigger city, outside the government and embassy area: arriving by railroad you have to go past the most dreary housing full of black families before you reach civilisation. The porters and waiters and most of the house servants are all niggers. At first they gave me the creeps, but I've got used to them, they're so cheerful and friendly.

I'm going next weekend to stay with Mrs Salt from the ship.

13

Pandora comes in, advances towards her mother.

'Darling, how nice to see you.' Dorothea coughs. 'Is that dress quite wise?'

'Don't you like it?'

'I'm not sure it does you justice. It's so floral, so. . . um. . . psychedelic. Did you make it yourself?'

'Obviously you don't like it.'

'If you were sixteen, darling, it would be the greatest fun, but you're twenty-six.'

'Oh, for heaven's sake. Does it offend you, shall I go home?'

Dorothea makes a rumbling noise. 'I'm upset, to tell you the truth. I've been reading all this stuff about the First War. Shall we skip tea, it's quite late, and have a drink? Sophia would have approved.'

'Sophia's not dead.'

'No, but that Sophia is. Mix me a gin and tonic, will you, darling, and one for you? Daddy won't be home for two hours at least. Oh, and that woman from the Tate is coming here next Wednesday.'

'Oh really?' Pandora looks all innocence. 'Would you like me to come too?'

'Thank you, darling. I think, this time, I'll see her on my own.'

14

'Benson, you're late.'

'Only three minutes, Sister.'

'You are late. Three minutes, thirty minutes, it's by the way. When our soldiers go over the top, they can't be even three seconds late.'

'Yes, Sister.' She knew all this by heart. 'I'm sorry, only I was so tired this morning.'

'We are all tired. If you spent less time chatting to the patients, you might be less tired. The fact you're only a VAD is no excuse. You must behave like a proper nurse.'

'The poor fellows, they need someone to talk to them, they're so far from home.'

'Your job is to look after the patients' medical needs, Benson. This is not a convalescent ward, there is no time for social pleasantries.'

'Yes, Sister.' She sounded as contrite as she could. It maddened her to be late, she aimed to be so professional.

'Buck up, Benson. You work hard, I know. And from today you have new duties. As you know, this building is full of Germans.' She spoke as one might say it was full of rats. Sister Marsden did not care for Germans, the Huns were the worst people in the world, lower than natives in Africa, because they pretended to be civilised but they were savages who'd never changed from the days of Attila. She knew every detail of the atrocities in Belgium, the children they'd bayoneted, the nuns they'd raped. There was absolutely nothing good to be said about Germany. If anyone dared to argue with her she'd lose her temper. 'The Bryce Report, may I remind you of the Bryce Report? It's all there, the full record of German atrocities, compiled by our former ambassador in America, do you doubt him?' She said she understood that Sophia spoke German, as though it were an unpleasant personal habit.

'Yes, I learnt it at school.'

'From today, you are assigned to duties on the German wards. Someone has to communicate with the Hun. But you will speak to them only in the course of duty, you understand?'

'Very well, Sister.' She acquiesced, though she knew, as doubtless Sister Marsden did, that she would still steal time to ask questions and admire the photographs of loved ones that were always offered for inspection, just as she did with the British soldiers. When she saw these poor broken men, how could she not comfort them? How could she mind that they were German?

This was a first-resort casualty hospital. It was some way behind the lines but you could hear the guns almost all the time. When there was a big battle, the Red Cross ambulances came in all day, bodies were piled up like sacks. Even when things were quieter, men were brought in. The wounded did not stay here long: if they survived for a few days they were sent on trains to Boulogne and Blighty, but many left only to be buried.

The hospital was housed in an old château, though you'd hardly know it. All the old furnishings had gone. It was years since the fountain in the courtyard had played, the urns and statues had left only battered plinths, the park was rank with weeds. The chimney pieces were chipped, the walls were roughly whitewashed plaster. The bare floorboards were stained: however hard the prisoners scrubbed, the stains never came out. Many of the room partitions had been removed, the wards stretched into a shadowy distance. Only the chapel in the courtyard retained some of its old appearance, still served by a priest, still used by a few local people, and now the site of an uneasy ecumenicism where visiting army chaplains held services from time to time. Usually the hospital maintained a certain order, in spite of the blood, the filth, the frequent sense of mounting chaos, but when the fighting was particularly bad, all she and the others could do was select which bodies might possibly be saved and which could only be left heaped on the straw.

Sophia had been there for two months or so, she hardly remembered how long. This was her third hospital, they opened and closed as needs changed. She did not think she was a particularly good nurse, she was too upset by what she saw. At the end of the day she was so tired that sleep was the only option.

The wounded German prisoners were housed in a wing that was even more dilapidated than the rest. British soldiers stood guard at the entrances, even though most of the prisoners could hardly walk, let alone run away. These patients were given adequate medical attention but little more.

The sister in charge turned out to be the amiably hearty type. She seemed pleased to see Sophia, said how useful she would be and told her to make a round of the wards. 'Make sure all the Huns are still alive, won't you?' she said. Sophia must have looked at her strangely because she went on, 'Well, I don't mean to be unkind. They don't behave in a particularly German way, except they will speak the language. They're surprisingly polite and grateful.' She sighed. 'Well, some of them will go home one day, when all this is all over.'

Sophia walked round the wards. There were three of them, on three floors, with a separate room down a long passage for those considered close to death. The rooms were bare and cold, but at least this morning the sun was shining. There had been heavy fighting, and many prisoners had been taken. Most of the men lay motionless, some breathing painfully or crying out from time to time. The smells were hardly drowned out by the disinfectant.

At the end of the ground-floor ward, a few men were sitting on their beds, waiting to be moved elsewhere. They were quite cheerful. 'Good morning, Nurse,' they said in English, saluting as she passed. 'Are you our new nurse? Congratulations.' And, 'Could I have a beer, please, Nurse?' She did not smile: being familiar with patients, particularly prisoners, was not encouraged.

In the top ward, something stopped her. She recognised someone, even though he was quite altered, even though he was a wretched shadow. She did not want to recognise anyone here. Especially not this one. He had a bandage round his head and was staring into the distance, his eyes unfocussed.

She stopped. What was she to do? She could not stop and speak to him, she was on duty. But then, how could she not?

At the end of his bed was the patient's chart, with his name, rank, number. It was Curtius, Captain. His eyes met hers, or so she thought. She tensed her mouth, expecting him to recognise her. But he seemed not to see her, his eyes closed.

At least he was not in the room for those expected to die, or for the drastically amputated.

'Are you all right, Nurse?' said a voice. It was a nurse she didn't know. VADs were not expected to stand staring at patients.

'Yes,' said Sophia. 'Sorry.' She moved down the ward, looking to the right, looking to the left, mechanically, not knowing what she saw.

15

20 June 1915

Dear old things,

My weekend was as nice as could be. The Salts live in an area known as the Main Line, where rich Philadelphians have built themselves large country houses. It's arable country with low walls between the fields, and little woods, and every so often a big house. Atholl is a grey stone baronial building. The interior is in various styles – William and Mary, what they call Adams, clubland. Thomas would detest it, he'd find it impure. It's grand but comfortable, with a panelled gallery and drawing rooms and a library, and cosy rooms as well. They have family portraits even though they only made their fortune two generations ago, in iron. Iron is considered highly respectable, though they don't talk about money, it's just assumed you have it.

They're mad about England, at least what they think of as England. They play golf and have cricket clubs, they read Punch and The Illustrated London News. Mr Salt, my friend's son, has his suits and shirts made in Savile Row. But people here are proud to be from Philadelphia, they consider it the best place in the world. Philadelphia has the earliest of everything in the States, the first hospital, the first gentlemen's club. They consider New York an insane, vulgar city, and Washington full of skulduggery.

There's no garden at Atholl but a park and an ornamental farm with white fences along the fields. They have a pack of hounds and at night you hear them baying in the kennels. All round the edge of the farm there are smaller houses for other members of the family, actually they're very roomy. We visited several of these relations, I felt I was being shown off. It's very friendly, unknown people leap up, holding out their hand.

We talk endlessly about the war, I never feel fully off duty. People take one by surprise, you think how easy and genial someone is, then suddenly they ask a tough question, and don't let you wriggle away with a joke as people might at home.

The war seems immensely distant, people talk as though it has nothing to do with them, like a theatrical entertainment which has gone on too long. It's hard to recognise that Europe's increasingly irrelevant here.

There were some nice people staying at the weekend, especially the Salts' daughter Margaret. She's a graduate of Bryn Mawr, it's a new women's college, though when I mentioned it to a lady in Washington she said Bryn Mawr girls never wash. Old Philadelphia families don't usually send their daughters there.

I know I ought not to be enjoying myself but I'm afraid I am. I do work extremely hard, H. E. hardly lets us stop, constantly wants to know whom we've been seeing, what Americans are saying about the war. He thinks that this war will be as bad as the Thirty Years' War, Europe will tear itself apart, only America and China will survive.

We're beginning to have some hot days, my apartment is very stuffy. I try not to move around too much – some might say that's typical of me. H. E. is moving to Manchester-by-the-Sea for high summer, but I have to stay here.

I'm going to New York next weekend.

Very much love,

M.

16

Sophia was assigned to the lowest ward. It was not his, it was the room for the least serious patients, some of whom could walk around or sit and play cards. Though many of them had lost limbs, they seemed optimistic. Some were in their forties, even fifties. She was struck again by the men's good nature, their friendships, their dedication to one another.

Some of the prisoners had worked in England before the war, and were eager to talk about it. They wanted to know where she lived, whether she was married or had a young man. When she spoke German to a man in distress who kept calling for his mother, they were enchanted. Within an hour every prisoner who was capable of understanding knew she spoke the language. Where had she learnt German? Did she have German friends? Did she know Stuttgart? Schwäbisch Hall? Berlin? Had she ever seen the cabaret at the Wintergarten, or been to the Luna Park? The answer was yes in each case, but she could not bring herself to say so – the memory of her carefree holiday in Berlin made her sick with sadness. One man said, 'Will you marry me? It would make me happy and I shall be dead soon, I shall be no nuisance, and I will leave you my flat in München, it is very elegant, and I have some fine works of art.' His friends told him to be quiet. She moved between the beds, calming the men if they became too animated, saying she would be back the next day, and all the time she worried about Freddy.

By the evening she'd decided she had to tell Matron, the daytime matron, who looked as though she might be sympathetic.

She knocked at Matron's door. Matron seemed to be taking a nap, and regarded Sophia disapprovingly.

'Yes? Nurses do not come to matron except by special appointment through their ward sister. You know that.'

'Matron, I'm very sorry, but I have to tell you, I know one of the patients here.'

'That's not unusual. Nurses do find they know patients. Patients come here from all parts of Britain. Have you just come to tell me that?'

'He's not from Britain.' Matron looked at her uncomprehendingly. 'He's German.'

'German? Oh, I'm sorry. What do you want, then?'

'I want to be allowed to sit beside his bed and talk to him if he can understand me. When I'm off duty, of course.'

'I can't allow it. A friendly word, yes, but we cannot allow fraternising with the enemy in hospital, any more than in the field.'

'Matron. . . The thing is, he's not just a friend. He's my brother-in-law.'

'I see.' She looked appalled.

'I know him very well, he lived with us for two years in London, he's. . .' And she burst into violent sobs.

Matron let herself forget she was matron. She told Sophia to sit down, unlocked a drawer, took out a flask, gave Sophia a drink. This made Sophia feel better. She'd never drunk whisky, only the rough wine provided in great quantities in the *estaminet*.

'My poor child,' said Matron, reaching for the glass and helping herself. 'He may get better. What is his name?'

'His name is Freddy.'

Matron raised her eyebrows. 'Surname?'

'Curtius.' She was on the verge of another crying fit. It was childish, unprofessional, she told herself, but she couldn't stop.

Matron consulted a register. 'No one can say we aren't efficient here, in spite of it all.' She found the name, and frowned.

'I'm afraid the outlook is not good. It's a head wound. The chances of recovery, even survival for more than a few days, are very slight.'

Sophia stared at her, wordlessly. Matron lowered her eyes.

'Nurse, in these exceptional circumstances you have my permission to spend half an hour with the prisoner.' She sighed. 'With the patient. He is not often conscious, I understand. You realise, you must take great care not to excite him. I will speak to the ward sister.' She took another sip from her glass, which was decorated with a comic picture of fat people on a beach and the words 'A present from Scarborough'. Sophia never forgot that glass, it would appear to her years later in her dreams. 'I am very sorry, my dear. We live with so much suffering around us that it hardens us.'

'Thank you. You're very kind.'

'Well, we can hold onto a bit of kindness, whatever else has to go. What's your name?'

'Benson.'

'I mean, your Christian name.'

'Sophia. I've almost forgotten it here,' she said drearily.

'Sophia, you shouldn't delay. Go and have your dinner – even if you don't want it, you must keep your strength up. Go to the ward when you're ready. They'll be expecting you.'

17

New York was seductive. Mark could not go there every weekend, it wouldn't be approved of and the minister liked to know his staff's movements. But as often as possible he would jump on the train and be transported across the great rivers and past the brick towns to the most exciting of American cities.

He went for the first time in June 1915 because George Bruegmann invited him to stay. George had a bachelor apartment off Washington Square. Mark liked the narrow spare bedroom with its fold-up bed and its typical Greenwich Village view of chaotic brick walls and disorganised backyards. George told him to treat the place like home.

One hot Saturday evening Mark arrived in New York extremely tired and on edge. The news was excruciating, the casualties unbearable, the Gallipoli initiative turning into a disaster. The atmosphere at the embassy was pessimistic: if anything, American public opinion was turning against the Allies. Everyone there knew somebody who had been recently killed or wounded, often a close relation. Five from Trinity Hall had been killed, and a don who'd taught him. Mark would put all this out of his mind at work, but at night he'd dream of his friends' faces shot to pieces.

George was at home, having a cocktail. This was normal on a Saturday evening. What was not normal was that George was only wearing a singlet and shorts. Mark had not really seen his body before. He became aware that he was looking George up and down.

'Come here.'

Mark went over. George stood up.

'We're on our own.'

Mark nodded politely.

'I think you should take off that jacket, it's a warm day, you don't need it.' Mark hesitated, and obeyed. Then George did what Mark had done, slowly inspecting Mark's body from top to toe. When he'd finished he put a hand on Mark's thigh.

'Ever been kissed, Mark? Properly? By someone you know.'

No answer.

'That's what I thought. Well, here goes.'

Mark resisted.

'From the moment I first saw you,' said George, 'I wanted you, and I knew it was possible. I have an eye for these things. Forget convention, do what you really want to do.'

No answer.

'Oh come on, Markie, you like me and I like you. Nobody's going to know, you're safe with me. It's just pleasure, it doesn't mean you're a queer, this is just close friendship with another man.' He stroked Mark's body. 'You need to extend yourself – and look, you have extended yourself! Well. . . you need to follow a lead as long as that one.' He took Mark by the shoulder. 'Don't look so grim. I want you to try an experiment.' And he stroked Mark's cheek.

Mark shook his head.

'It's what the Ancient Greeks did, you know. Have you read Havelock Ellis? Interesting about male love: nothing inherently wrong about it, genetically determined, a genuine form of love.'

'I've not read him.' Mark realised how cold and stiff he must sound, but what was he to say?

'Well, his works are banned in England. A member of His Majesty's Diplomatic Corps is not going to read him, is he? But you're in America now, Mark, we like to cross new frontiers. Anyway, I wouldn't be the first one, would I?'

Mark looked away.

'Just the first whose name you've known, is that right? Isn't it a little odd, to want to make love only to people you don't know?' He put his arm round Mark's shoulder, and shook him. 'We'll make a pact. If, by ten, you aren't enjoying it, you can get out of bed.' Mark jerked his head. 'And in the morning we can go to Macy's, and you can buy me a red tie, and I'll buy you a true blue tie.' This made Mark smile just a little, a red tie meant you were a man who liked men.

'That's my boy.' And George steered him towards his bedroom.

18

She did not eat her dinner. She sat by herself in the corner of the *estaminet*, and stared at the wall. The other nurses were looking at her, she was sure, and whispering. They must all know something, she didn't mind. No doubt they thought she and Freddy had been lovers. She did not care for the other nurses; on the whole, they were primarily interested in any ambulant man they could get hold of. The nursing assistants were more sympathetic, but they came and went, and she'd refused to join in their homemade entertainments, it was like being at some awful boarding school.

Thirty minutes was one thousand eight hundred slow, tedious seconds. Even the hospital was a little like being back at school, only here you learnt how to tell if someone should be left to die, and how to close the eyes of the dead.

In the lavatory she glanced in the mirror. She wanted to look as pretty as she could, in case Freddy's dark eyes met hers in the good-humoured quizzical way they used to. But she looked pale and dreary, great bags under her eyes.

As she went up the stairs, she thought about Freddy when she'd first known him. They'd had such fun in Berlin. They'd loved dancing together, he'd taught her the foxtrot and the tango. They were a fine couple, Puppi had said in that sweet, soft way she had. In London they'd gone dancing again, though not often, because she was still not much more than a schoolgirl, and he was a young man working in the City, and they had to take a chaperone. He had teased her a great deal, he loved making her blush, which was not difficult. When he was sitting in the drawing room before dinner, reading the newspaper, he would ask the meaning of difficult English words, and she would lean companionably on the back of his chair and look over his shoulder, reading sentences aloud in a playful German-English accent. Now and again, she would rest her hand lightly on his shoulder or stroke his head. She admired his silky black hair. She'd say, 'This pomade, where on earth did you find it? Your hair is like an oil field.' And he, half-listening, half-reading the business pages, would laugh and reach up his hand to hers for a second. It was very easy, like being brother and sister, though at the back of their minds they were always aware that his much-admired brother was married to her much-admired sister, and this made their friendship special. But she was sure, she thought she was sure, they'd never been in love.

She reached the top of the curving stone staircase. One minute to go – timings were precise in the hospital. She stopped on the landing, listening to the ward's horrid symphony of groans and shouts. For a moment she could imagine how one could be like the senior nursing staff, dissociating oneself from the patients, seeing them as malfunctioning machines, wanting them as fast as possible either to work properly again or expire.

Sometimes she'd thought Freddy and she might marry one day. But not yet, she'd wanted to see more of the world, meet lots of people, have adventures, not settle down yet. Then she'd gone to Paris.

It was time to enter the ward. The sister was standing by the door and nodded to her.

'You must be very quiet. Captain Curtius must not be stimulated. You may speak to him if he opens his eyes and looks at you, but softly.'

Sophia was not sure she had her eyes completely under control, but she tried her best.

'You must be brave, Nurse,' said the sister.

Why, Sophia wondered, why must she be brave? 'I suppose I mustn't touch him?'

The sister was silent for a moment. 'You may hold his hand, if it seems right. You will know, as a nurse. The last thing they lose is their hearing, so if you speak to him, he may respond.'

'Half an hour?'

The sister hesitated again. 'Don't you worry too much about that.'

They had put a chair beside his bed. She sat down. She looked at him properly for the first time. She had been unable to bring herself to do this earlier. There he was, sweet-natured, humorous Freddy, who, she now recalled for some peculiar reason, had never quite mastered the present continuous form in English – 'I am doing this'. What was he doing now? He was lying dead pale on a hospital bed, with a great bandage across the right side of his head and his hair chopped off. Dandyish Freddy who had taken such pleasure in clothes, scrumpled into a rough, yellowish night shirt.

She held his hand and spoke to him, as the sister had suggested. 'Freddy, it's Sophia, do you remember me? Irene's sister. Do you remember me, Freddy?' For a moment she thought she felt the faintest pressure, one finger pressed lightly against her hand. But she could only say a few words, now and again.

She was aware of the man in the bed behind her, staring. She did not mind. The ward was quiet for once, only the man who kept begging to be allowed to go home still made a noise.

She thought back to her sister's wedding, and Freddy's speech. He had been so full of life and hope and friendliness. Like a puppy, she'd thought on first view. Now he was no puppy but a dead dog. The words insinuated themselves into her mind.

Freddy only opened his eyes once. She thought they flickered at the sight of her, but then they closed again. She tried to give him water, he would not take it.

She sat for what seemed an age. In the end, the sister came and stood beside her. Sophia nodded, and stood up, looking once more at Freddy.

The sister touched her arm as she went past, and it was comforting in this place where touching other people was mostly confined to handling dead or damaged bodies. She went back to her own ward, where the sister said to her, 'You should go to bed, Nurse, you look done in.'

Freddy died the next day. Usually there was only a very brief ceremony for an enemy soldier, if his religious affiliation was known. Then his coffin would be sent for burial in one of the cemeteries that were spreading over the landscape like an unnatural crop of weeds. Sophia took action. She caught an Anglican chaplain making one of his visits to the hospital, told him that Captain Curtius was a devout Lutheran (as he should know, she told him), and should be given a proper funeral in the chapel.

'But he will not be buried here, I can't commit him to the earth,' said the chaplain, flustered. He was a large, florid-faced young man, with a slightly false heartiness, like a prefect at a fourth-rate public school, Sophia thought contemptuously.

'I don't care, do as much of the service as you can,' she said.

And so a little service took place. Sophia was surprised that she was not the only mourner, several of the nurses attended too, including Matron. It was kind of them, she thought, they did not know Freddy, they'd never seen him when he was the flower of the field, only as a wreck, a number in a ward. She did not cry, she held her head high. Matron said to her, 'Well done, Nurse.' She went back to her duties, because there was no alternative. Battling on, that was the only thing to do.

She felt horribly old – as though the girl who'd gone dancing in Berlin had existed a century ago, and now she was quite another person.

19

8 October 1915

I've been very bad about writing, I do apologise. Anyway, now Washington's back to normal, and I'll do better.

I saw the minister today. He's pleased with my work, he says. I have been asked to organise our press work, talking to journalists and passing on selected information. There have been some positive leaders. The way we handle the press is much softer than the German approach, we've always been too gentlemanly. We thought the Lusitania would swing public opinion, but they concocted a story that the ship was filled with weapons and people believed them.

It's hard not to feel hostile towards Germany, but our ambassador is very sensible. He served there, and likes the country. He says, when we win the war – he's convinced we will, once the Americans join in – our objective must not be to finish the Germans off, but to lead them into more sensible ways. As he puts it, curing the fever doesn't mean killing the patient.

I saw my friend Margaret Salt at dinner last week, back from summer in the Berkshires. Don't worry, I'm not going to marry an American girl, though if you met her you might think it was a good idea.

20

From another yellowing envelope Dorothea extracts a sheaf of black and white photographs, curling up at the ends, a hair or two twisted among them. 'Babies, this must be the babies envelope. This is. . . this is me, for heaven's sake, aged nothing, in my mother's arms.'

'Don't look so sad, it's a lovely photo.'

'She looks so loving, so proud – what did I ever do to make her proud? Except have a child. She liked my baby – you, my darling – and when she did those paintings of mythical infants, she used you as a model.'

'It would be interesting to study how she prepared her paintings – mentally, how she used her own experiences.'

'I don't think she would have wanted people to analyse that. She was very private, was Irene.'

21

Berlin, the 4th of December 1915

Dearest Mamma, you are a grandmother! My little girl was born three days ago. She's the loveliest baby you ever saw. We're calling her Dorothea Elizabeth. Soon I shall be going home, Baby and I are looking forward to that.

I'm sending you the notice from the Vossische Zeitung, and the invitation to the baptism in our flat. That's the German practice, they make a little altar in the drawing room.

I want darling Mark to be the godfather. I would like to ask Alexander, but he's a Jew, it's not possible. And dear Frau Mamma – German grandparents often become godparents too.

I wish you could be here. But you will see Baby soon, I'm sure.

Your loving daughter,

Irene

22

28 January 1916

Dearest darling – I am SO DELIGHTED!!! And I have not seen Papa so cheerful for a long long time. He says it's typical of you to make us happy when everyone's so miserable.

Papa's not been well, he had a touch of pneumonia, but he's better. He is often silent, the war upsets him so much. He's working on his Dance of Death book – I can't believe it's good for him, he works away all evening, and he's black with gloom by the time he comes to bed. I try to persuade him to go out. At the beginning of the war we felt it was patriotic to stay at home, but now we ask, how will it help the war effort if we stay in and glower at each other over a little bit of fish? It's surprising how sociable people are, though the talk is always about war, war, war.

The good news is that Mark has been promoted to Second Secretary. He'll be an ambassador soon, I'm sure of it.

That poor dear Andrew Beaumont has been killed in action. His mother is so proud, but he was her only child. I do my best for her. She has found a wonderful spiritualist, at least she thinks him wonderful, who can put her in touch with Andrew. He (the spiritualist) has a house off Belgrave Square, which reassures her, though your father says Belgrave Square doesn't bring her any closer to the 'other side'. The spiritualist brings her messages from Andrew, he says he's watching his mother from Heaven, and taking a great interest in natural history. Your father says it's all nonsense, but I think it has value. It's a pity the sessions are quite so expensive, Christina has no money and won't accept any.

Dearest Edward is out of hospital. The wound was not as bad as they feared, and he walks perfectly well with his stick, though he will always have a slight limp. He will be going back to his old firm shortly. Victoria is so patient and good. She's learnt to type, and plans to work as a stenographer. She says one must always look forwards. I think I told you, her eldest brother was killed, the same weekend Edward was wounded. But she has two other brothers, and they are a military family, perhaps it's less painful for them.

I am still canteening, but I've changed canteen, I got rather tired of the women workers. Young women these days have more money than they know what to do with. You see them in twos and threes in restaurants, drinking, smoking, and dressed up as though there was no war on. I've found a canteen at Waterloo run by Lady Limerick, which provides meals for soldiers on the way to the front. My goodness, we do work hard, hardly a break for four hours on end. The men are nothing if not informal, they call us Aunty or Grandma like women of their own class, though all of us are ladies, many with a capital 'L'. It's curious, you know, before the war people like us never met the working classes, except servants and shop girls. When I come home it's difficult to speak to Wilson and Cook in the old way.

We miss you. Your father has your photograph beside his bed. Send us a photograph of Baby and you, it will remind us that not everything is black in this strange world of ours.

With all my love,
Mamma

23

Madison Avenue was at its decorously inviting best. Mark and George had lunched in a little French restaurant and the wine and the company had persuaded Mark to relax, more than a little. They'd chatted about the embassy, and his efforts to talk round the press. Mark remarked, 'I suppose I shouldn't be talking so freely,' and George smilingly said, 'You're safe with me.'

Now they were sauntering along Madison Avenue and wondering whether to go for a walk in the park when he heard a loud English voice.

'Why, Mark, hello!'

It was Harry. Mark looked at him in astonishment, then horror. What was Harry doing in New York? He was supposed to be in Mexico City.

'I should have warned you I was coming to the States, but it's confidential, I can't tell even you what my business is. I'm not coming to Washington or of course I'd have. . .' He looked at George.

'George Bruegmann.' George held out his hand.

'Harry Mansell. Mark, after so long in the Service you ought to know how to make introductions.' He and George laughed.

'How long are you in the States, Harry?' asked Mark, trying to sound pleased to see him.

'Oh, a few days in New York, then business elsewhere. I'm on my way home, my posting in Mexico's over. I tried to enlist but they said no. You too, I gather.'

Mark looked at the sidewalk. Then George made himself highly agreeable, gave Harry his card, told him to look him up if he had time to spare in New York.

'It's good to see you, Harry,' said Mark. 'I' (he avoided saying 'we') 'am going to meet a friend, can't really stay. . .'

'See you soon, no doubt,' said Harry. 'Good to meet you, George.'

Mark and George walked along in silence.

'So, where are you going to meet your friend?'

'Which friend?'

'The friend you're going to meet.'

'I'm not going to meet a friend, you know that.' Then, with an effort at warmth which sounded hollow even to him, 'You're my friend.'

'So why did you tell such a stupid lie? Did you think I was going to say to that man, "Mark and I have to get back to my apartment because we want to make love"?'

Mark had never seen him angry before. Was this a quarrel? They had never quarrelled. Mark hated quarrelling, and George was good-natured and equable, that was understood.

'D'you think I liked standing on the sidewalk while you pretended I wasn't there? You were embarrassed, were you? Embarrassed to be seen with me, as though people might think you were associating with a queer?'

'Don't talk like that, not on the street.'

'Not on the street, because someone might hear, and think, "Dear little Mark from the embassy. . ."'

'Don't, please don't.'

'Someone might think dear little Mark was a queer. Which of course he isn't, he just likes going to bed with men. Or rather with me, it's nothing serious. . . I don't want to embarrass you, let's each go our own way. Unlike you, I do have friends I'd like to visit, but I don't think you'd like them, they're inverts.'

Mark realised he was opening and closing his mouth like a frightened rabbit.

'Oh and by the way, if you intend to stay tonight, use the spare room.'

Mark went back to the apartment. He passed his eyes round George's living room, he would never see it again. It was spare, with pale walls, the minimum of furniture, as tidy and convenient as you might expect of an ex-naval officer's quarters.

He packed his bag slowly, putting in all the things he normally left between visits. He wondered what he should do with the cufflinks George had given him as a birthday present. He often wore them. They'd been a reminder of George, but unobtrusive. He decided to leave them. That would signal the end of their friendship, he supposed. He put the little black box on top of the chest of drawers and made for the front door. On his way across the living room, he changed his mind, went back and fetched the cufflinks. He wrote a little note: 'I'm so sorry, Mark.' He caught the train to Washington and drank several cocktails in the restaurant car. They made him even more miserable.

24

The telephone rang. It was Miss Chapel, that pillar of rectitude, whose only peculiarity was that every day her little dog was deposited in the bottom right-hand drawer of her desk at the embassy.

'Mr Benson?' What was this? She normally called him Mark. 'Could you possibly come and see Mr Gray for a moment?' This meant at once. Mark hurried upstairs.

'Oh, come in, sit down.' Cold. Or at best, formal. 'Something rather boring has cropped up.' The minister looked at Mark as his housemaster might have done, had he ever misbehaved.

'You have friends in New York, I understand.'

Mark stared at him. 'Yes,' he said, 'I do.'

The minister tapped his pencil against a vase.

'Can you tell me anything about a particular friend? Mr Bruegmann, I understand.'

'Mr Bruegmann?'

'Leaving aside the individual, what does that name say to you?'

'I don't know.'

'Oh come. It's a German name, isn't it?'

'Yes I suppose so, I do have a friend called Bruegmann but he is as American as can be.'

'Well, we've discovered a little about him. He works in New York but his family live in Chicago.'

'I knew that.'

'His father is a prominent member of the German-American League. In the present climate, national loyalties are so heightened that people can think it their right, even their duty, to let patriotic considerations override personal loyalties. Which may mean that they behave in a way that's not altogether what one might call cricket. . .' He lit a cigarette. He seemed rather on edge. 'Do you see what I mean?'

'Do I? Oh God.'

'Not necessarily "Oh God", but you should be aware of the possibility, if you go on seeing Mr Bruegmann. I understand you and he are on very friendly terms, that you stay with him.' He tapped a glass with his pencil. 'We have to be careful, all of us. You've not been spied on. It's just that a colleague met you and Mr Bruegmann by chance and on doing a little investigation, felt he should alert me.'

His old friend Harry.

'You might not want to go on meeting Mr Bruegmann so often. . . Cigarette?' The minister smiled as though the lecture were over, stretched. The lecture was not over, though. 'How old are you, Mark?'

'Thirty.'

'Thirty, yes, a very good age, when the passions and anxieties of the twenties have passed, but youth and ardour are undimmed. A good time to get married, perhaps.' He toyed with his paperknife, which was large, solid and silver with a sharp edge.

'I suppose it is.'

Gray stood up and looked out of the window as though fascinated by the brick building across the street. 'Think of the advantages of a good wife, someone you can share everything with. You don't want to get a reputation for being emotionally unstable, temperamental.' Mark knew what this language meant. 'There are so many nice girls around these days, keen to find husbands. Haven't I met you in the company of one of the Philadelphia Salts?' Gray was engrossed in the view, had his back to the room. 'I will only repeat the need to be careful, given the war news is so bad.' He turned round, looked Mark in the eye, pointed the knife in his direction. Then he smiled, rubbed his hands together, placed the knife precisely on his desk, in line with the top of the blotter, slightly adjusted its position. 'God knows what any of us will be doing in a year's time, perhaps we'll be junior members of the German Imperial Consular Service. Alternatively, we may have a British Embassy in Berlin – how would you like to go there? Don't worry about what I've said, just bear it in mind. And I do recommend marriage. There's not much happiness any other way, you know.'

Mark did not see George again. When George wrote, he threw the letters away unread. And when George telephoned, he promised to ring back but never did.

25

Irene had a painful errand: saying goodbye to Frau Mamma.

In October 1916 Thomas was called up. He had been given a commission related to his professional experience – he could not tell Irene more – and sent somewhere nearer the eastern front – he could not say where. They'd said goodbye rather formally. He'd assured her he would not be in danger and would need sometimes to return to Berlin. She told him that she planned to move to Salitz until the end of the war. The house was not built for winter, he remarked. She said, she could not be colder than she was in Berlin. And no, she would not miss the city. She did not say that nothing could keep her in that icy prison of a flat, overlooking dirty pavements and peeling house fronts. The cold was enveloping except in bed, but with Thomas gone, even bed would be cold. Standing in a line for potatoes or turnips was a daily duty. Bread made from acorns, coffee from carrots, and turnips, turnips, turnips, for *Frühstück*, for *Mittageßen*, for *Abendbrot*: the *Bäckerei-Konditorei* on their street sold cakes made of wax, and its bread was hard to eat unless one had a special arrangement with the baker. She worried constantly about her baby. Clothing was almost unobtainable; clothes and shoes made of paper yarn looked convincing until the cold struck. At least Frau Mamma gave Irene sumptuous old-fashioned baby clothes adorned with lace and ribbons. They were absurd, but they kept Dodo warm.

Irene felt watched. She was sure that under official orders the *Hausmeister* scrutinised her letters and packages, and observed her callers.

It would be a blessed relief to move to Salitz and live modestly, they had very little money.

She was unable to work. When she tried, she could do nothing, turning away from her paper or canvas in disgust.

She could not say how lonely she felt, now that she sensed reserve, if not worse, from the family. Lotte would enquire how she was and Max would advise her on her health, but they never invited her to visit. Even affectionate little Puppi had turned into a passionate patriot, following reports of battles and advances and retreats on a map. She was engaged to a young officer but he was never mentioned, as though Irene might report on his activities. Only Frau Mamma's kindness never wavered.

She went on foot, though walking through the streets was painful: the roads were empty but for the occasional *droshky* and even less frequent car. Along the pavements, among the citizens in heavy overcoats and hats from better days, moved a silent army of widows in deepest black. Everywhere lay the war-wounded, their faces grotesquely distorted, their legs or arms missing. It was hard not to wish them somewhere else.

The Schloßstraße was not outwardly changed. The door was still opened by Mathilde in a white apron, though now she wore mittens. Everything was in good order, polished and dusted. But when Irene made to take off her overcoat, Mathilde put out her hand to stop her. It was soon clear why. It was astonishingly cold in the *Salon*, and almost dark. Frau Mamma sat in her usual chair, with her knitting by her side. She and Lotte were sitting under thick rugs, wearing mittens and fur hats.

'Come and kiss me, dearest Irene,' she said, 'that will warm me. As you see, we have almost no coal, we only light the stove after dark when the temperature is below zero. Are you and Dorothea keeping well?' Irene unfolded the rug prepared for visitors. 'We will have some tea, or what we call tea nowadays. I am sure you are wise to go to Salitz. I'd live there myself, but Christian has to be in Berlin – though it is hard to say what he does here. The poor Kaiser is never here but is always getting in the way at army headquarters. They say he is so depressed he hardly knows what he is doing.'

Lotte intervened. 'I think, Frau Mamma, you should tell Irene the latest news.'

'Yes. It's not good. Is news ever good now? Paul. . .'

'What about Paul?'

'He's alive, thank God. But very bad. We had a telephone call today from his colonel, a friend for many years. You know that when his wound healed, Paul wanted to go back into the army even though he was not strong. After two days. . .' She stopped, dabbed her eyes. 'He fainted several times, became delirious, was sent back to hospital. They hope soon to send him back to Berlin.'

'I am sure he will recover, Frau Mamma,' said Lotte.

'We can only pray,' said her mother, 'though God seems indifferent to prayers these days, I suppose he has too much on his mind. I wonder if he sometimes feels guilty.'

'Please, Mamma,' said Lotte, 'don't.'

'Why not? Here I am, with a son and a son-in-law dead, and another son wrecked, at least for the moment, and my eldest called up though he is nearly forty – what do I have to thank God for?'

The tea arrived in the Berlin service, with a tiny heap of sugar in the elaborate bowl decorated with flowers, and three small rusks. 'Will you have some tea? It is disgusting, as you know.' Frau Curtius looked almost angrily round the room. 'It is strange, to be living in these fine rooms full of relics of prosperity, but not to have enough to eat. If it were not for your hamster expeditions to the country, I don't know what we should do. I hate the cold more than almost anything.' She shuddered, and clasped her cup with both hands. 'At least this liquid is hot. You know, I have a plan, let me see what you two think. That furniture and panelling in the *Herrenzimmer* – I am thinking it might make itself useful.'

The young women exchanged anxious glances.

'It is out of date, is it not? Who wants *altdeutsch* furniture now, who wants to be reminded of Old Germany? Look to what a pass it's brought us! It's solid timber, it would keep us warm for weeks. A man, or even a woman, with a good axe could easily cut it up.'

'You are thinking of burning the beautiful panelling in the *Herrenzimmer*?' Lotte was incredulous.

'Anything to be warm. Anyway, I never liked that panelling. Your father insisted we should keep it when we moved in, but now he hardly cares. Why retain memories of the good old days when they've passed, and weren't really so good?'

Irene stared at Frau Mamma. This tone reminded her of Thomas in unguarded moments.

'Don't look so surprised, I'm not mad, my dear daughters,' said Frau Mamma, almost merrily. 'However horrible this war may be, it does encourage one to throw one's prejudices into the fire, doesn't it? And that absurd panelling, too.'

26

In a large room in the Foreign Office more than a hundred diplomats were assembled. The room was bare. So were the diplomats.

By mid-war, every possible source of manpower was being investigated, including the Diplomatic Service. Being in London at the time, Mark was summoned to the inspection.

Nervous as he'd been beforehand, he found the proceedings deliciously ludicrous. It was an astonishing sight, between the chiliastic and the orgiastic. Never before could so many diplomats, punctiliously clothed men on the whole, have been lined up in the buff. Most looked embarrassed, indeed outraged, unsure whether to conceal their genitals. A few chatted, most stared glassily into the distance.

He stood in a queue, ready to give his details. Nearby stood Hallett, highest of high-flyers, rumoured to style himself on Lord Curzon. Normally he was immaculate in the stiffest of collars, but now he revealed a lily-white skin, spindly legs, a concave, hairless chest and (a glance revealed) almost nothing between his legs. Mark suppressed a smirk, and had to cover his mouth when he glimpsed Weeks, an obnoxious Wykehamist clearly not suffering from wartime privation, whose paunch swelled under strangely feminine breasts. Mark looked quickly downwards at his own body. It looked OK, as New Yorkers said.

Standing in another line was Guthrie from the Eastern Department, a man Mark had always admired: a figure of Grecian beauty, casually graceful, his perfect nose complemented by the manly curls adorning his noble head. He, at least, seemed unembarrassed: could he be aware of the surreptitious glances he attracted from men brought up to idealise classical beauty? Behind him stood Mann from the Northern Department, his hairy body massive but well proportioned. Mark realised he was becoming too appreciative and pushed his papers downwards.

Approaching the head of his queue, he saw Harry. Naked, he looked rather good. It was curious, he'd never thought of Harry as attractive – well, he supposed his outlook had changed. Harry cried, 'Mark, hello! You look excellent,' and burst out laughing. Mark laughed too, though nobody else did. 'Let's have a drink when this is over,' Harry suggested.

Probably Harry did not realise that Mark knew he had sent that message to Washington. Mark would pretend they were the best of friends, indeed he always felt rather friendly towards Harry, was flattered that Harry liked him. Harry could feel superior to Mark if he wished to, while Mark could see his old colleague more clearly for the rival he obviously was. And probably Harry had behaved quite correctly – George had not been a suitable friend.

Mark was passed A1. After a moment of terror, he remembered his interview with the Foreign Office panel; probably nothing would come of this. He no longer wanted to die for his country.

That evening, Harry and Mark renewed their friendship in the semi-darkness of the Travellers' Club. The kitchen was closed because it had a glass roof and a Zeppelin raid was feared, and the coffee room was closed because the female staff had been sent home. An aged manservant served them a bottle of champagne and an apology for a sandwich on a starched linen napkin set on a silver tray, and they had a very amusing time in the gloom of the morning room, gossiping madly and assessing one another's professional prospects but never mentioning their meeting in New York until, deferentially, they were told the building was being locked up.

27

Mark loved his visits to Atholl. He would stay at the big house and call on old Mrs Salt, enjoying her dryness, her travel memories, her understated good manners – it was odd to remember how he'd been brought up to think Americans loud and vulgar. He'd go riding with Margaret, who found him a quiet horse, and showed him how to handle it. 'I'm sure you'll be a good rider,' she said, 'with more confidence. Anyway, who cares? We worship athletic achievement here, but for me it's quite uninteresting whether someone can hit a ball.'

Margaret was small and slender, with black hair and blue eyes. She was an independent-minded young woman. Her grandmother told Mark that as a child she'd refused to attend the dancing classes for the daughters of Old Philadelphia. When she reluctantly went to the Assembly Ball, she'd shocked and enthralled her fellow guests by appearing in a scarlet dress that was only marginally decent. Before the war, she'd travelled to Istanbul and Egypt. Now she wanted to do a doctorate in English Literature.

Margaret told Mark how impatient she was with Old Philadelphia's complacency and obsession with the Social Register. She preferred to talk about literature. 'You're still stuck with Shelley, aren't you?' she said to him. 'Have you read Donne and Marvell? No? But you must read them, they're so subtle, yet direct:

> *Had we but world enough, and time,*
> *This coyness, Lady, were no crime.*

We would sit down and think which way
To walk and pass our long love's day...

One of the great seduction poems, you know.'

She liked to discuss politics, and how the world might change when the war was over. She would talk about the Socialist Party of America. 'I see no alternative to socialism. In a generation it will offer the only solution to the problems of a capitalist society,' she remarked once. Mark smiled in the oblique way he used when she baffled him.

She'd ask Mark about himself, and if he answered elusively or frivolously, would tell him he was afraid of confronting emotion. Then she would change her style of attack – though that was hardly the word, she was too gentle. She said he must be willing to address what she called 'serious things' – the spiritual life, which was as important as intellectual life or friendships or careers or that nonsense known as 'social life'. She'd become frustrated when she asked him about his religious beliefs and he offered flippant replies. 'Religion is not a matter of ticking off attendances at church. The spiritual life should be the still centre of your existence. There's no obligation to be a practising Episcopalian, just because you were born one – you should explore. I think of becoming a Quaker, like my forebears.' He did not answer. 'The trouble with you is that you have a sweet disposition but you let yourself be ruled by convention. You should keep your ambitions in perspective.'

28

'These are postcards of Paris, I suppose Sophia must have bought them during the war, funny old sepia photographs. Oh but look, here are the premises of Madame Lanvin. That's where Sophia bought her famous dresses.'

'What did you think of Alice, Mum? Did you enjoy talking to her?'

'I thought she was a clever young woman.'

'She's certainly that. What did you think about the exhibition at the Tate?'

'I haven't decided. Daddy thinks—'

'Who cares what Daddy thinks?'

'Daddy thinks we should not get involved. We should lend, but not comment on Mother's life.'

'He's an old stick.'

'Don't speak like that, Pandora.'

'I don't believe in that sort of authority.'

'Nor me.' She sounds annoyed. 'Really, you have no understanding of what it was like in Berlin in the 1920s.'

Pandora revives. 'You've never really told me about it. For example, why did your parents come apart, more or less?'

'I do like gin and tonic, shall we both have one?'

'You never answer questions, it's so annoying.'

There is a sharp silence. Dorothea turns and looks her daughter in the eye. 'Are you wanting to write about Mother, Pandora? Is that why you're so interested in all this material?'

'I've never said that.'

'No, you've never said that.' Dorothea stares out of the window. 'There was a fashion for Victorian sons of famous men to write lives of their fathers. I think in order to succeed, you have to venerate your parent.'

'Venerate?'

Dorothea looks impatient. 'Admire, deeply respect, whatever you like. I'm not sure I did feel all that, about Irene.'

Pandora looks at her mother, appraisingly.

'You don't need to look at me like that. Yes, I respected her art, and I loved her. But when I was growing up in Berlin, was she a good mother?' She withdraws from Pandora's hand the envelope she has taken from the pile. 'We don't need to look at that envelope. She cared about her art much more than about us, she'd stay for hours in her studio and visit artists and dealers, and leave me to grow up on my own.'

The telephone rings. Pandora offers to answer it, her mother says she will go, leaves the room. Pandora delves into the box, takes out two envelopes, puts them in her bag before her mother returns.

'So if you are thinking of writing about your grandmother, remember that her art obsessed her, at least as she grew older. And I don't even know whether her art will survive.'

'I think she had a wonderful talent.'

'I was so surprised when your curator friend said they are now planning a major exhibition.'

'I hope you were pleased. By the way, I've had an article accepted by the *New Statesman*.'

'Darling, how marvellous. What is it about?' Pandora hesitates. 'About Irene, is it?'

'No, it's about being the granddaughter of a famous artist. What effect it has on one, if one tries to be creative oneself. It's about me, not her.'

'Did you mention me? I suppose not?'

Pandora blushes. She is very fair, the blush shows all over her face. 'I thought you would prefer to stay private. But I do mention you and Daddy in passing.'

'Very suitable, Pandora. That's what's we are, transient.'

29

When Sophia was persuaded to take some leave in the winter of 1916, she decided not to go home. She did not want to be paraded about as a brave nurse. She wanted to be on her own, as she never was at the hospital.

She went to Paris. She stayed in a little hotel near the Faubourg Saint-Antoine, ate tasty if sometimes slightly suspect meals, walked for hours along the grey banks of the Seine, among the intimate alleys of the Île Saint-Louis and the dark ruined warren of the Marais. As she walked, she told herself not to dwell on the amputated limbs and the gangrene. Here in Paris, a city that even in wartime whispered of a happy future, she could hope that one day, perhaps quite soon, another life might begin. She found a restaurant where they tolerated a woman on her own, particularly when she told them she was a nurse, and always gave her the same table. She was buoyed up by admiring looks from men in the street. But she was quite firm if any man, particularly a soldier, tried to talk to her. She'd seen enough soldiers.

After two or three days she felt lonely, and on impulse, finding herself in the rue de l'Université, rang the doorbell of the old duchess she'd stayed with before the war. To her surprise, the duchess was delighted to see her. She no longer had well-born young women assembled in her narrow bedrooms or round her frugal table. *'Je suis seule, dans cet grand appartement, seule avec la cuisinière. La vie pourrait devenir bien triste.'* She produced a bottle of port, and pressed a glass, and then another, on Sophia. *'Je vous inviterais à dîner, mais il y a si peu à manger, ça ne serait pas correcte.'*

Sophia told her about the hospital and she listened keenly. She thought Sophia should inject the German patients and kill them. Sophia was astonished at the brutality the war had unleashed in apparently mild people. She recalled that there had never been any German girls staying with the duchess. '*Je déteste les Boches,*' the old lady went on, and she talked about the Franco-Prussian War when she had been Sophia's age, and how cruel the Germans had been, and how Parisians had suffered. 'I never thought we would see all these privations again. Until recently, our life was so comfortable. Anyway, one thing it shows is that being a duchess is not much help when life is difficult.' This seemed to amuse her. 'I am also a marchioness, you know, but being a marchioness is not worth a *sou* these days, any more than being a duchess.' Getting a little tipsy, she offered her guest yet another glass. It was remarkably cold in her apartment, even in the room she inhabited (there was a lumpy divan in the corner, which was no doubt her bed). Sophia accepted the port.

She gave Sophia some advice: while in Paris, she should buy some clothes. 'Your clothes are so clearly English, my dear, and therefore naïve, and also a little shabby, which is a pity. I know English people like shabby clothes, but in Paris, as I surely told you when you were my guest, clothes are not a duty but one of life's essential pleasures. Of course, English tweeds are *supportable*, but some of the clothes my English girls arrived in were risible. Go to Madame Lanvin, I am told by my friends she is very clever, she has things for young women. They say she believes that in these times to maintain faith in such things as fine clothes is to maintain faith in civilisation. Buy as many clothes there as you can afford – you will not regret it. Mention my name, even these days it may be useful.'

Smiling at the thought of Sister Marsden's reaction if she returned to the hospital in the latest Paris fashions, Sophia set off to Madame Lanvin. She was nervous at first but the nervousness did not last. The rooms on the rue du Faubourg Saint-Honoré were modest, welcoming, with striped wallpaper and rows of pictures, and huge cheval mirrors.

Within five minutes the *vendeuse*, nodding at the name of the *duchesse*, had discreetly looked Sophia up and down, ascertained her father was a judge, grasped what she was doing in France. Would she be coming back to Paris? Would she be going soon to London? Would there be friends, and parties? She looked at Sophia's crude short haircut, and tutted, and said, 'Such beautiful hair, and they cut it like that – well, I suppose nurses are not supposed to set their patients on fire.'

She disappeared for a moment, and re-emerged with various things in enticing wrappings. They looked at heavenly little hats, severe and yet gay. Sophia had never seen such hats. She eventually lined up six on the counter. She wanted to buy them all, but the *vendeuse* shook her head and only let her take one, and after a good deal of discussion, two. Sophia tried on a delicious green silk dress with a panniered skirt. A *robe de style*, the *vendeuse* said it was called, it was a favourite design of Madame Lanvin's. The *vendeuse* pushed Sophia's hair up on her head, took her gently by the arm, moved her in front of a mirror. Sophia gasped, almost cried. The *vendeuse* smiled and said, '*Ça fait du bien, une jolie robe.*' Sophia felt she was thawing into a human being. It was delightful chez Lanvin, the *vendeuse* was so kind. She said that Madame Lanvin had started by devising clothes for her own daughter, she cherished the spirit of youth.

In the end Sophia selected a day dress and a little suit, a velvet beret and a pair of gloves. She chose a short evening dress made of blue-green silk chiffon with a tulle and lace tunic and a rose-coloured sash, adorned with roses and leaves on the tunic and around the neck. Then she saw another, longer dress, also chiffon; she hummed and hawed, it was so beautiful to look at and to feel, she stroked it longingly. But the *vendeuse* said, '*Mademoiselle*, you do not need another evening dress, one is quite enough. There will be other occasions. Once people have bought from Madame Lanvin, they return.'

Some of the things would be ready for her in three days as a special favour since she was nursing the poor young men; some would be sent on.

When she was ready to leave, she felt much more attractive than Nurse Benson had been. The *vendeuse* asked for her address, and smiled when Sophia mentioned the hospital.

'No, no, we will write to your father.'

'But. . .'

'No, no, much better to write direct to Papa.'

Then she gave Sophia a large envelope. 'For you, a present from the house. For your brave work, for France and England.'

'Oh,' cried Sophia, 'may I open it now?'

It was a green silk scarf, like the scarf Mark had given her but infinitely more elegant. She put it round her neck. The *vendeuse* shook her head, untied the scarf, rearranged it, and nodded.

'*Vous êtes seule à Paris?*' she asked. '*Ce n'est pas très gai, pour une jeune fille, d'être toute seule.*'

'*Ça ne dure qu'une petite semaine,*' said Sophia. '*Je suis tout à fait contente.*' Kissing the *vendeuse* on each cheek – she looked surprised but not displeased – Sophia ran out of the shop.

When she was in the restaurant consuming a piece of steak – horsemeat, she was sure – and some red wine, she asked herself whether it was frivolous at such a time to spend money on beautiful clothes. Her older colleagues would certainly think so, but then they resisted any deviation from the line of duty. She said to herself, our youth has been stolen, and if we want to snatch some of youth's pleasures, that is our right.

She ordered another little carafe. It was amusing to think how shocked her mother would be at her drinking wine on her own, it was not what an Evelyn Gardens girl should do. But in France wine was an everyday feature of life. In any case, she doubted the values of Evelyn Gardens.

She was afraid of becoming anaesthetised to grief. A few weeks earlier Laura's fiancé had been killed. Laura had refused to wear mourning: she'd announced that death was the final statement of the absurd. Two days later she had gone to a party, flirted wildly and got drunk. 'I meant to get drunk,' she'd written to Sophia. 'There's nothing to value and hope for any more except pleasure, there's no more sadness left in me. Or rather, to tell you the truth, darling, I'm so depressed I can hardly bear to live, only I must.'

Thinking about Laura made Sophia anxious, so she stayed in the restaurant and drank some more wine. As she left, she was smiled at again. This man looked charming. And not too young, she'd seen too many destroyed young men, she liked the idea of a man who could be relied on. This one looked intently, admiringly, at her, perhaps because her hair was still up as the *vendeuse* had arranged it, or it might be the scarf. Her waiter had been particularly attentive at lunch, she thought, though he'd seemed anxious when she ordered her third carafe. She let her eyes rest on this stranger for a moment, but a moment only: after all, she was a well-brought-up girl, she was a VAD, she was English, her father was a judge, weren't these good reasons not to return a Frenchman's smile? But she couldn't help thinking how attractive a Frenchman could be – charming, manly and yet sensual. In the hospital she never let herself think about men being attractive, but here. . .

A moment after she'd passed him, she did something she'd never done before, and glanced back. He was standing looking in her direction, quite intent, it made him even more attractive. She wavered, almost turned back, then in her head rang admonitory tones, and she hurried down the street. When she reached the corner she thought that she'd made a mistake, but he had gone. She was furious with herself, then and for a long time after.

30

Irene and Dorothea and Gretchen travelled to Schwerin by train. The family coachman who collected them talked all the way about country matters, the number of deer shot by the master, the state of the horses, the lake overflowing. They found the house creaking a little, but welcoming.

Settled in Salitz, she was surprised she'd not moved there sooner. When you went out of doors you encountered cheerful ducks rootling in the grass. The barn beside their house was centuries old: with its great overhanging roof, its wooden struts and plaster walls, it looked like a part of nature, a hulk surviving from an older way of life. Beyond was the pond where a chapter of interesting events took place daily. Then more farm buildings, the half-empty stables, the cowshed, the granary, the piers and modest gates leading to the *Gutshaus*. And the kind, sheltering woods all around.

The village sprawled along the country roads, its one-storey houses well cared for, with thatched roofs and cheerful gardens. A few years ago she would have despised such a place. Now it seemed a refuge.

Here they were not cold or hungry. Wood was delivered every week by the estate forester, and they were given eggs, milk, cabbages, potatoes, occasionally venison. She told Tante Sibylle that she should pay, but her aunt patted her hand and said, 'Heinrich and I must look after future generations of the family, mustn't we? Who better to eat our food than the wife and child of our dear Thomas?'

Spending so much time in her house, Irene appreciated Thomas's feeling for colour and materials, the revival of old skills he'd inspired in the estate carpenter. She often contemplated the motif he'd designed for the house: a linked T and I, intertwined with roses and oak leaves, carved on the beams of the parlour, in the hall, on the wall above their bed. She was also aware of the practical problems, the draughts, the smallness of the kitchen.

Tante Sibylle often called to play with the baby, and perhaps, Irene thought, to keep an eye on them. Every Sunday they were invited for lunch. The talk would be about the farm and the neighbours and the hunting, which was Onkel Heinrich's favoured sport and made a major contribution to everyone's diet. Tante Sibylle would reminisce about the Mecklenburg of her youth. The Lützows had straightforward views on the war, which had been caused by the English desire to prevent the expansion of Germany's empire and commercial reach, but they did not blame her as an individual. They'd ask Irene about her family and life in England. 'We understand that living conditions in London are as bad as in Berlin.' This seemed to console them in an unmalicious way. They asked often about Sophia, who'd become an almost angelic figure for the German family: they had all read the long letter she'd written to Frau Mamma after Freddy's death.

One issue divided them at first. Every Sunday the Lützows went to church, occupying the family pew in the modest building filled with memorials and records of charitable giving. Irene did not attend. But when Tante Sybille had said more than once, 'Shall we see you in church this Sunday?' or 'There was a fine sermon today,' she realised what was expected. She found the experience soothing, the plain old hymns and forceful sermons reminded her of ancient values.

It was a quiet life: tending the garden, reading to Dodo by the fire, helping Gretchen. In the afternoons she would walk alone in the woods and through the meadows, choosing on rainy days the long straight roads lined with trees that ran between the swelling hills with their broad fields and low hedges. The countryside absorbed her. Even going into Schwerin,

as she occasionally had to do, became painful. She only went to Berlin –
which she saw now as a place of cruelty, a colony of rats hurrying up and
down their runnels – to collect mail, hurrying away as fast as she could.
Salitz began to seem like her proper home.

Now and again Thomas would visit, after official business in Berlin.
Am I pleased to see him? Irene would ask herself. She was glad to have
her husband in the house and to sleep beside him during the cold nights.
She was happy to talk to him about how they might improve the garden
and the orchard, and about their child, but he never mentioned his work
in the army, or even where he was stationed. What she did not like was
when he became physically affectionate. She wondered why she'd become
almost indifferent to him. Her quiet routines and creative solitude were
disturbed by a man who saw the house as his property and its inhabitants
as his dependants. When he left, she almost forgot him.

She was done with feeling guilty. She felt ashamed only when Thomas
said to her, *'Mein Liebling. . .'* He stopped and looked at her, and said,
'Bin ich immer noch dein Liebling?' It was not said flirtatiously. Kissing
him tenderly, she was sure she had kissed away his fears, but her heart told
her she was play-acting once again. She knew she did love him, in her way,
and could love him properly again, but for the war.

The months went peacefully by. The birth or death of a duck or
a cow was a great event at Salitz, comparable to a regiment's death at
Passchendaele. Dorothea was a happy child. Though Irene depended on
Gretchen, she hoped Gretchen might meet a young man. Gretchen had
saved money; in normal times she could have left domestic service to
marry, but there were no available single men in the village, only one or
two war-damaged cripples who were already in demand.

The most important thing was her work. She made the dining room
into a studio, sealing up the window that looked south. When Thomas
questioned this arrangement she adopted an unfamiliar stubborn
expression, and he changed the subject. At first she would sit there looking

at her old sketchbooks, playing with drawings of almost indecipherable forms. Gradually she gained confidence, drawing unspecific sketches derived from her imagination – until one day of hard grey rain, when the outside world was entirely excluded from the softly lit little house, an idea struck her and she gave a cry of recognition. She could make something of this idea: it would be different to anything she'd done before, more difficult, more interesting.

31

In September 1917, on doctor's orders, Sophia was sent home to rest, and told not to return without medical approval. She'd refused to go earlier, told the senior nursing staff she didn't need leave, they didn't have enough auxiliaries with her experience. What she did not say was that she was afraid that her mother would press her to stay at home, or that the discipline of the hospital sustained her.

In the end they insisted. 'You are exhausted, Nurse,' Sister said. Sophia asked whether her mother had intervened, but Sister replied curtly that the nursing staff were quite capable of making such decisions. What Sophia did not realise was that she had worked too long at the military hospitals without any proper break. Though she had become an excellent nurse, she had begun to drop things, to lose her temper, in a way that disturbed her colleagues. The battle of Passchendaele, which had flooded the hospital that summer, had turned her into a machine, ruthless in carrying out her duties. Her white skin had become paler than ever, lit only by a flaming spot of colour on each cheek. Whenever her hair threatened to grow into its natural richness, she would chop it off, the auburn locks piling on the floor and leaving her head a spiky muddle, until Sister said, 'Nurse, you should ask another nurse to cut your hair. A neat appearance is more than ever important, it reassures the men.' People tended to be frightened of her, though with the patients she was always gentle. She worked almost entirely on the prisoners' wards.

She was driven to Boulogne in a crammed lorry and collapsed immediately into exhaustion, sleeping whenever she could, her head, which felt as if it were stuffed with warm damp flannel, falling on the shoulder beside her. She slept again in the crowded troopship full of men going on leave. 'It's Dover, Nurse,' they said out of the darkness, 'don't you want to see Blighty?'

Up and down the steps she dragged her luggage, into another troop train. It crawled through Kent, stopping now and again for no apparent reason. Then they were enveloped by dull houses and autumnal trees and allotments, the air growing dirtier and foggier as they progressed, until the train steamed into grey, dripping Victoria Station. The fog had crept into every crevice so you could hardly see the ceiling. But from the fog emerged a blur of expectant faces.

The doors of the carriages were thrown open, the men threw their kitbags on their shoulders, surged towards the barriers. The nurses stayed in their compartments till the crowds cleared. Sophia, now half-awake, was reminded of what they had heard about similar crowds in St Petersburg. Ultimately, what was the difference between those revolutionary-minded men and women, and these peaceful types? Could British soldiers and workers be relied on to stay friendly and co-operative?

She was one of the last to leave the train. On the concourse stood her mother, with another woman. Struggling towards them, Sophia wondered who this other person might be. The woman came forward, holding out her arms – it was Victoria. Sophia had dreaded greeting her mother, fearing tears, exclamations, melodrama, but she'd forgotten her warmth. When Mamma put her arms round her, Sophia thought, this is bearable, better than bearable. She'd not been embraced for a long while, though people had offered. In her mother's arms, she couldn't feel angry.

On the way home Sophia sat still, perfunctorily answering questions. As she'd feared, her mother had made Plans.

It was odd to go home. 'It's just the same, darling, though I don't have many flowers now. You know, you've been away two whole years. Now, what would you like to do?'

'I don't know.'

Victoria, firm and competent, intervened. 'In my opinion, Sophia needs to go to bed, and stay there till she is positive she wants to get up.'

'Yes,' said Sophia. 'D'you think so?'

'There's a fire lit in your room, darling,' cried her mother, 'I ordered it specially. You must be comfortable.'

'Lunch in bed,' said Victoria. She led Sophia upstairs.

'Don't forget my bags,' said Sophia. In hospital one had to be constantly careful.

They put her to bed, and she slept for three days. The Plans were postponed.

She grew used again to quiet and privacy and attentive service. Though her mother talked about the shortages, there was quite enough to eat. Her father asked her, gently, about her experiences. She found that they agreed about the need for immediate peace negotiations, were both concerned about the alarming enthusiasm of British workers for the revolution in Russia, the discontent over conscription and living conditions. 'The government,' he said, 'must be willing to make compromises with the working classes.' He seemed much older than when she'd left.

One morning, Sophia woke up full of energy and announced she wanted to see her friends. 'Which friends?' her mother asked. This checked her: which friends indeed? But she rang up Laura.

'Darling, how divine,' Laura said. 'I thought you must be dead, like everyone else. Let's have tea this afternoon.'

Sophia said she was convalescing.

'Oh don't be a bore – let's meet at Gunter's at five, I have to do my job until then.'

Laura was ecstatic when Sophia arrived among the little gilt tables and the chairs filled with prosperous-looking people consuming ices. 'Let me look at you. I want to see how a heroine looks.' She scrutinised

Sophia. 'This is Laura's diagnosis. You still look exhausted, darling, and much too thin and pale. But you've grown up, my goodness you have, you're a dazzler. You just need feeding up, not impossible even today. . . I call myself pretty, but I call you beautiful.' Laura had always been softly pretty, with skin you wanted to stroke, blue eyes, wavy fair hair. 'And that dress! It's heaven! Where on earth did you get it?'

'I bought it in Paris,' said Sophia, blushing rather.

'So that's what you've been doing, buying clothes in Paris, you naughty girl. We're going to be best friends again, aren't we? Pick up exactly where we left off?

'You may think,' Laura went on, 'that I sit around all day drinking tea. Actually I do work, though not heroically like you. I'm a nursing orderly in Lady Dorset's hospital for officers, it's in her house. I have to be there at six in the morning, such a bore, but I can have fun in the evenings. We certainly do have fun. We almost never sleep. You must come to our parties, just tell your mother you're going on a thrilling evening course to learn about a new type of bandage – she won't object, parents are easily kept under control these days. But don't tell her about our parties, they're a secret. And strictly, strictly, no chaperones.'

32

Travelling back to Schwerin one misty afternoon in September 1917 with a package of envelopes, Irene was startled to see the hands of two people who normally never wrote.

Mark wrote that he would be visiting Copenhagen in October, on business, and wanted to see her, it had been so long. Could she visit Copenhagen for two or three days?

She was delighted, though she worried a little when she thought about the arrangements; it had never occurred to her that she could escape Germany. She must speak to Thomas. Or perhaps it would be better if she did not speak to Thomas. In the end she merely told him that she would be away for two nights.

She was not pleased to recognise the handwriting on the other letter. How on earth had Julian found out how to write to her? She pushed the letter into a drawer. The next day she took it out, intending to tear it up. But, she reflected, that would be cruel: she could guess his emotions when he was writing the letter. Dodo fell over and wailed and she put the letter away.

Three days later she peered at the envelope to see if he'd added any of his comic squiggles. In a corner she made out a tiny snake, with a doleful face. Smiling reluctantly, she hid it again.

The following morning she opened the letter.

Dear Irene,
I wanted to let you know that I am still alive, but wounded, just a bit. I joined the Artists' Rifles and have been on active service in France.

They gave me a commission, God knows why. Personally I would discharge myself for incompetence.

It was unspeakable in France. Fortunately I got a bit of a wound in my right leg, and was sent home, which is why I'm writing from hospital. I may get better quite soon and have to go back. I wish I were brave enough to be a conchie.

I did a few drawings in the trenches, but it seemed perverted, drawing disembodied limbs sticking out of the mud. But now I'm planning a grand series of pictures about peace, and love, and Resurrection. I think I may become a Christian, that must surprise you.

I heard from a friend who heard from a friend who heard from your good mother (she would <u>not</u> like to know I'm writing to you) that you are a mother. What a lucky baby, I'd love to wake up to see you bending over my cot. She must be a very special baby. ~~Is she going to be an English person, or a full-blooded Hun?~~

(Sorry, break here while I drink immensely strong cup of tea provided by blushing female orderly.)

Reading that last bit, I've crossed it out. It was meant to be a joke, but it's not funny. I should write this page again but to tell you the truth writing is a strain. They give me some potion which slows me down. By the way, there was no amputation, I am still the fine figure of a man you remember, with all my fingers, though rather grey in the face.

One day the war will be over, and perhaps we'll meet again as friends, if the Germans haven't finished me off.

The awful thing is I love you as much as ever. I know it will only put you in a rage if I say that, but I can't help it. I won't ever not love you.

Always, dearest Irene, very much love, J

She folded the letter, wondered whether to tear it up, put it in her writing box. She would never write back. But she might send a brief message. She was glad he was alive, but she wished he would meet another woman. As she'd told him, it was pointless for him to go on loving her.

She fixed her eyes on the photograph of Thomas beside her desk. 'Thank God I'm married to him,' she said aloud.

She shook herself and went to the kitchen where Gretchen was playing with Dodo. Dodo chortled and waved her arms and was reluctantly surrendered.

Private domestic virtue, Irene said to herself, perhaps that was one answer to this hideous world, however modest it sounded. For a woman trapped like her in an alien place, love and loyalty to the husband, rearing children, maintaining a happy home – those were the things to value, weren't they?

'Do I believe that, Dodo? Do I? What do you think, my little treasure?' Dodo gurgled and waved her hands.

Irene gave her a kiss and forgot about the letter from Julian. Dodo had most sensible ideas, even though she could not yet express them. Above all, Dodo embodied, in her tiny cheerful form, hope for the future.

At least out of this horror something positive might grow. And her mind moved back to her drawings.

33

Sophia wore the blue-green chiffon from Madame Lanvin for the party. She was afraid it might look out of date, or not fit: it was so long since she'd been to a party.

'I'm going to be out this evening, with Laura,' she told her parents. 'She's having a few people to dinner.' Mamma said she hoped she wouldn't be late back, what with the raids and those wild American soldiers.

Sophia put her hair up, twisting it round her head and pinning it with an arrow pin from her mother's jewellery case, leaving her neck (which was long and, she'd been told, fetching) naked. Naked, that is, except for the emerald earrings that Andrew had given her ages ago. She then thrust a mackintosh cap onto her head, and wrapped herself in a gabardine of her father's.

It was raining hard, but she felt exhilarated. She was first going to Laura's house, to meet Laura's friends. She'd left home early because there were very few cabs, the Underground might not be working, the buses were always packed. But the Underground was punctual even though the platforms were crowded with people sheltering from possible air raids, and she soon reached Sloane Square. It was raining harder than ever. It struck her how private London was on a dark autumn evening, no lights anywhere except when a door opened or the lowered lamps of a hansom cab shone on the road. Slithery black pavements, water sloshing from the road, a few people scuttling by. Occasionally from a public house you heard voices, but you could hardly see individual buildings. Nothing could be more depressing than the streets leading to Chester Square: dull little house after dull little house with dark doors and black window frames.

Laura's front door led to a different, softly inviting world. 'Miss Laura would like you to join her upstairs, miss,' said the parlourmaid.

Laura, fresh and delicious in a fluffy negligée, was sitting at the dressing table in her pink and white bedroom, surrounded by piles of clothes. When she saw Sophia, she looked impressed. 'Another lovely dress, darling, divine colour, and that rose-coloured sash, where on earth did you find it? You're so clever, you're a nurse in those ghastly hospitals and yet you have hundreds of clothes. . . The shoes, not completely right but I can help you there, it's so lucky we have the same size feet. . . And I'm going to do something about your hair. . .' She'd been organising Sophia ever since they'd first met aged thirteen. 'Perfect. But, darling, you've not made yourself up, even one bit.'

'I don't have any cosmetics, I know it's feeble. . .'

'Sophia, you're entering a new world, where girls enhance their natural loveliness with the help of little jars. Not crudely of course, we don't want to look like tarts, not too much anyway. . . Sit down, I'm going to be your instructor. We'll see what a little powder can do for you, and the tiniest bit of lipstick. Your colouring is beautiful, you hardly need anything, but the boys do like a bit of ooh lah lah – stop wriggling about – and we want to please the dear boys before they go back, don't we?'

Sophia looked in the mirror and was shaken to see a vamp with reddened cheeks and lips and hair primped. It was like going onstage in costume – one felt self-conscious but also self-confident.

The drawing room was lit by electric lamps and warmed by a great wood fire. On a table stood plates of sandwiches, and decanters. It was much more inviting than Evelyn Gardens.

'It's so warm here,' said Sophia. 'Delicious.'

'Yes,' said Laura, 'the wood's from our country place. What will you drink, darling? I'm sorry there's no wine, it's hard to get anything drinkable.

But Papa doesn't mind me drinking his whisky, he gets gallons of the stuff from Scotland. Then there's gin – the parents think it's awfully common, but Bevan hides the bottle for me in the piano. No one ever plays, it's a very good place. I think gin is rather nice, will you have some?'

'Are your parents away?' asked Sophia.

'They're dining with the Churchills. I wouldn't be able to offer you a drink if they were here, they think it's vulgar to drink before a meal. But when they're out, I generally have a drinkie, it keeps the devils away. Fortunately they're always out, though Papa says these days you hardly get anything to eat at dinner parties. He's used to six or seven courses, now it's down to three, served by the parlourmaid, because the butler's gone. It's so odd. . .' she mixed the gin with something sticky and green, 'how some people go on living just as they did before the war. We'll have a revolution ourselves before very long, don't you think?' She tasted her drink. 'Mm, delicious. Will we be shot, or shall we become lady commissars? Would I look good in a peaked cap? Don't look shocked, darling, I know how serious things are. Try this – gin and lime, just what a girl needs. So when Mamma says, "Darling, d'you think you should be going out so much?", I reply, "What about you? Does the war effort really require you to stay in a house party every weekend?"'

'What a lovely drink. Gin seems an awfully good idea to me.'

Laura peered meditatively into her glass. 'Have fun while we can, that's my principle. After all, after this fighting there may be no one left to marry, unless we marry a blind man, as those selfless women offer to do in the newspapers, though they always want an officer – no matter no eyes, as long as he's a gent. How would you like to go to the altar on the arm of a hero with no legs? Harder I suppose, if he had no arms. . .' She stared into the fire.

This depressed Sophia. Coming back to England, she'd thought she could forget the war.

'Don't look so miz. We'll cheer you up. My friends and I, we have a creed. "Let's give our brave boys a good time. They do everything they can for us – we'll do everything we can for them."'

'What d'you mean?' said Sophia. 'D'you mean, you. . .'

'Some of us do, some of us don't. It may be the last chance, darling. Of course there's the boys' class of 1918 coming up, but we're getting a bit long in the tooth for them. Soon I won't stand a chance beside my little sister. She'd be coming out now, if anyone did come out any more.'

The doorbell rang and a moment later in came three girls.

For a moment Sophia felt small and nervous. They were all spiffed up, though not as their mothers might have wished. They exuded a blithe self-confidence that might well alarm anyone not from their world of high birth.

But Clarissa, Harriet and Virginia were as friendly as could be. They were enchanted to meet Sophia, bombarded her with questions, scarcely waited for the answer before hurrying on to the next question. They had to know everything, immediately, about her and her family and about nursing in France. The leader was evidently Clarissa, whose father was a peer. She was delighted that the war meant she'd not had to be a debutante but could try other things. Her father had forbidden her to be a bus conductress, so she had a job in the Admiralty. 'I'm paid thirty shillings a week, it's lovely earning your own money and being useful. We four, we're a little club. . .'

'Pathetic isn't it really, like being back at school?' said Virginia.

'What can you do when there are no men around for more than five minutes? But now we're going to be five, which is much more fun. How brilliant of you, Laura, to find such a nice new friend.' With all this friendly attention and another gin and lime, Sophia felt much more cheerful.

When all the sandwiches had been eaten, Clarissa announced, 'Time to go, girls. We've got a car. It's Harriet's father's official car, with Harriet's father's official chauffeur. He seriously shouldn't be doing it, but since her papa's away, he said he would, isn't that darling of him? And we're using official petrol too, so naughty.'

'I told him we're doing our own war work, entertaining the boys back from the front,' said Harriet, 'and he quite saw the point. Only he won't stay to take us home, we may have to stay till the morning, isn't that too worrying. . .'

'Some people think we're bad girls,' said Laura. 'They talk about our Dance of Death parties, because of the poor soldier boys who go off the next day to be killed. But in my opinion they're just jealous.'

The party was in Charles Street in Mayfair. The shutters were closed, you could hear nothing from outside. But when you went in, you realised that the house was full of people, all young, more girls perhaps than men, though the men were numerous and almost all in uniform. Sophia, who knew more than she wanted about military insignia, saw they were mostly Guards officers. They talked uproariously, they flirted, they disappeared amorously, they helped themselves to drinks from the apparently endless bottles that appeared on the sideboard under the eye of an amiable young man in a dinner jacket, who turned out to be the son of the house. It was the first time Sophia had been to a party with no servants, unless you counted Christmas gatherings at the hospital, which were hardly parties.

Above all, they danced. They tried the foxtrot, they tripped up in the tango. They laughed loudly when a group of dancers fell to the floor and stayed there in a playful heap of warm young limbs. Sophia turned away, she did not like heaps of limbs. At one point someone said, 'Zepps, I think I hear Zepps,' and they quietened down till another voice cried, 'To hell with Zepps, this is a party, who cares if we're bombed?' and, 'Turn up the music, they make such a bally noise.' There was a roaring nearby, but they ignored it. Then a pause, and, very close, an explosion. 'They've probably got the Ritz,' said someone, and they cheered. The dancing never stopped.

Sophia thought, these young men, half of them will be dead in a year, and we girls, we'll be half-dead too. But who cares? Who bloody cares? And she had another drink.

It was a well-mannered party, because these were high-bred young people who'd had good nannies. Laura and Clarissa introduced Sophia to a great many people. She had another drink, she enjoyed it less. She danced with a man with fair hair in the Coldstream Guards who said the war would be over next year, and a short man who'd been wounded but was going back quite soon and who said the Germans were exhausted, and (briefly) a man with bad breath and sticky hands who pushed himself hard against her. She bumped into Clarissa, who said, 'Don't drink too much, it's beastly being ill,' but she ignored this and began to feel extremely gay and seized hold of a shy boy, probably no more than eighteen, and pulled him into the dancing, and soon found herself with a tall man with sandy-coloured hair, she liked him very much but could not quite make out his face because he had four eyes and two noses but he held her close and she felt she was sinking into him as though her legs did not belong to her and suddenly she was not in control of herself and put her hands over her mouth and he shouted to people to get out of the way and carried her out of the room and she was aware of being very, very sick on the stairs and wishing, in some remote part of her mind, that there was no stair carpet because it was going to be so horrid to clear up the mess.

When she woke up it was daylight and she had just dreamt that a patient was ringing the bell in the hospital, but no, it was someone knocking at the door. She felt worse than she'd ever felt in her life. She had no idea where she was. Only when someone came in holding a cup of tea did she begin to remember. She was lying on a bed, fully clothed, with a coverlet over her, and that nice son of the house was grinning at her. 'It's noon,' he said, 'I think you'd better get up. Laura telephoned, she's told your mother you're staying with her because of the air raids, but she thinks you ought to go home now. Cup of tea?'

'No, I think I'm going to die.'

'I don't think so.' He was very nice, she thought blurrily. 'But you should be getting home.'

'I don't think I can, I feel too ill.'

'I'd love you to stay of course, but it's a little difficult – sorry to be a rotter. . . By the way, there's a note for you from David, the chap you were dancing with before you. . . had to go to bed.' He laughed. 'He called round, hoped to see you, but then he had to go out to lunch. He liked you, even though you were sick all over his jacket.'

'Oh God, how awful.'

'Just have a little wash, perhaps take off that make-up, which is a bit smudged. The Underground should be running. Remember, you've been staying with Laura. I gather your mamma's a bit batey, there may be a Zeppelin raid on the home front.'

He was right, there was a lot of noise at Evelyn Gardens. Mamma had not slept all night, thought Sophia had been killed by a Zeppelin, would never allow her out on her own again, London was so dangerous, why hadn't she telephoned? Sophia apologised, pursed her lips, toyed with her lunch. But all this was bearable because the little note that she had put in a special place in her handbag said that David had *very much* enjoyed meeting her, and would love to see her again, and was not going back to France for ten days. That afternoon he telephoned and asked if he might call, he knew this was rather prompt but in wartime you had to be. He came to tea that same day, and dazzled Lady Benson (she was grateful, when meeting someone titled, to be titled herself, it made her much more confident). When he'd gone, she said he was perfectly charming, such beautiful manners, so intelligent, so handsome. Sophia agreed.

34

'Of course, we're probably being watched,' said Mark. 'Maybe it's that nice old lady in the corner, maybe the waiter.'

'They can't hear us, though, unless they lip-read. Do you think that old lady lip-reads? She seems more absorbed in her cake.' Irene looked at her own cake with pleasure. 'It is such heaven to be out of Germany. . . It was only when I'd struggled through the frontier controls and found myself in Denmark that I realised how glad I was.'

'I wanted to speak to you here in the public eye, so that no one could suspect any subterfuge. I'm sure our hotel is full of spies, Copenhagen is such a meeting place. And when a British diplomat arrives, they can't help being curious, even if he's only wanting to see his dear sister. . .'

'Do you really think anyone is interested in me? In Berlin I thought I was being watched all the time, but now I'm a little country mouse, I can't seem a threat to German victory.'

'No. But you could become one.' He beckoned the waiter, ordered more hot chocolate. It was snowing outside but the café was embracingly warm and pretty with its chandeliers and cream walls and red velvet banquettes and tinkle of silver and crockery.

She blinked at him. 'How do you mean, I could be?'

He sat up straight, peered into one of the huge mirrors that adorned the room. 'Irene, I have been officially asked to make a request of you. We want you to look for some information. No, don't speak, just listen. Ah, here's the chocolate, thank you, we enjoy it so much. Sugar? Just listen. We want you to find out where Thomas is posted. Or perhaps you know already?'

'No, he can't tell me, it's secret information.'

'You could find out, if you tried. He'd probably tell you.'

'Why do they want to know that?'

'Won't you have another cake? They're so good. We have reason to believe that the Germans are planning a major attack on the western front, now that the Russians have withdrawn from combat. We believe they are planning to do this as soon as the weather is better, before the Americans send major detachments of men and weapons to Europe – which they can't really do before next spring. We need all possible information about their plans. At this stage we can read most of their ciphered messages, but there are still many gaps.'

She had stopped eating, was staring at her plate.

'Irene, try to look as though we are having a light conversation.'

'What d'you want me to do, throw my arms in the air and yodel?'

'No, just smile and look cheerful. We have to disguise our feelings, sometimes.'

'Quite what are you asking me to do?'

'I'm asking you to talk to Thomas, see what you can extract from him. He visits you quite often, you say. Find out where he is stationed, what his duties are.'

'Like Delilah and Samson, you mean.'

'Yes, but there's no need to cut off his hair, and he won't be arrested.'

'Are you sure? And what about me? I'd be in trouble, if anything were found out.'

'Look, the old lady is leaving. If necessary, Irene, you may have to go through his papers.'

'His papers? Go through his papers?' She was surprised at Mark, she had never seen him in this mode, so determined, so steely, almost cold.

'When he comes to Salitz, doesn't he bring papers?'

'What do you want me to do, say, "Darling those papers look so fascinating, do let me have a look"?'

'I want you to use subterfuge. Yes, I know this may seem distasteful, but we have to abandon those old ideas of propriety and honour, circumstances don't allow them. I want you to send him out of the house for an hour or two on an errand, you can invent something. Send the child away at the same time, and the maid. Say you need a rest – only make sure he doesn't take his briefcase with him.'

'He wouldn't do that.'

'Then look through the papers, extract any information you can about building projects, the construction of railheads, accommodation for troops. You will need to send details in a letter to Mother but in code and in invisible ink. I will explain. . .'

'I can't do this. I'd be betraying my husband.'

'You will be serving your country.'

'Is England my country any more? I live in Germany, my husband is German, my daughter is German. . .'

'We must think beyond those old loyalties. You are a citizen of Europe, of the world.'

'That's just the sort of thing Thomas would say.'

'Don't you see? The Germans will never win the war, not even now Russia has withdrawn. They may win a campaign or two, but now that the Americans are in the war, Germany's beaten. Can't you see it, living in that miserable, starving country? Can it possibly be victorious?'

She was silent.

'What you can do, dearest sister, is help bring the war to a close. You may help to make the war end sooner than any of us imagine. Think of that.'

She shook her head.

'Do you want more men to be killed, just so you can indulge the luxury of personal scruples?'

'And if he finds me out, or my letter is intercepted. . .?'

'Be brave, Irene, you always were brave.' And he stared into her eyes, it was quite unsettling.

She pushed at her uneaten cake with her fork. 'And you, Mark, do you act as a spy? Is that a part of your duties?'

'No, I just have to keep my eyes open. I do what has to be done. Duty, you know. Duty.'

'I never believed in that sort of duty.'

'You don't need to, living in Salitz. You can enjoy the pleasures of withdrawal and artistic self-expression. But you believed in duty when you stayed in Germany in 1914, didn't you? Duty to your husband and your new family?'

'It could have been love.'

'Yes, and the two are not necessarily distinct. Shall we go? We can talk more about this tomorrow, but not tonight. Tonight I want us to enjoy ourselves.' And suddenly he changed, casting aside his domineering manner, smiling fondly, once again the affectionate brother she had always loved.

35

Sophia and David met as often as they could. Lady Benson did not try to prevent them. As she said to her husband, he came from such a good family and had won a DSO and was going back to France, one must be as kind as possible. Sophia wouldn't come to any harm.

After the first day, Sophia liked David a good deal. After the second day, she knew she was in love. 'So this is what it's like. Whizz bang – like being hit by a howitzer.'

Laura said, 'Darling, I'm so pleased, he's a heavenly chap. I've known him for years. . . Only don't fall too much in love, it's so dangerous these days.'

Her advice was useless, they both knew that. When she and David were apart, she thought about him without stopping. Being with him almost hurt, she was so happy. Five days. Four days. Three days. She would count out all the things they were planning together, because that made the remaining time seem longer. They saw *Chu Chin Chow* (his choice, they agreed it was idiotic), and heard George Robey and Violet Lorraine singing 'If you were the only girl in the world', until they decided not to do anything that would stop them talking to each other, there was so much to learn. He cancelled everything else. He took her for lunch at the Berkeley Grill and to dinner at the Ritz, where he knew half the diners and the restaurant gaped admiringly at Sophia. Though one was only allowed three courses at dinner in restaurants, the head waiter knew him well and little extra courses kept arriving. ('It's cheese,' said David, 'that doesn't count as a course.') They had delicious wine, though as David said 'Darling, decidedly *not* too much, that jacket of mine may never recover.'

Afterwards they went into the dark fogginess of Piccadilly. 'Did you know, the Germans almost hit the Ritz that night – there's a huge shell hole in Green Park. If it had hit us, it would have wiped out a whole slice of young London society, though mind you... Shall we have a drink at Rupert's house?' That was the house where the party had been. 'I think he has some cocoa, nurses like cocoa don't they?' They went through Berkeley Square in the fog, all sound around them muffled, walking as slowly as possible to prolong the intimacy, past the great trees dripping with moisture and the shuttered noble houses. He surprised her by suddenly stopping, and saying, 'Do you know this song?' And he sang, in rather a fine baritone, his breath ballooning out:

> *Roses are shining in Picardy,*
> *In the hush of the silvery dew,*
> *Roses are flow'ring in Picardy,*
> *But there's never a rose like you...*

She couldn't speak for happiness.

As they left the square, he stopped her and said, 'Shall we get married, as soon as the war is over? They're sure the Germans can't hold out much longer. Would you like to be the Hon. Mrs Fraser, my darling?'

'Oh yes, yes, David, I would.'

'Wish you could meet my people, but they never move out of Scotland these days. Well, when this damn show is over...'

When they reached the house, it seemed years since she'd arrived there for that party. 'You do have your latchkey, to your own house, I mean?' he asked. It seemed an odd question.

Inside it was dark and cold. She could not see anything at first, she could only smell lavender, old polished wood, marble. He did not put on any lights. He stood a little away from her. She wondered what was going to happen.

Then he moved close to her, a tall presence. Only his breathing told her where he was, then the nearness of his body, not quite touching her.

'Darling, since we're going to be married. . .' he said.

She arrived home at six, having by some miracle found a cab. She slept for an hour or two, changed out of her blue-green dress (he loved it, it seemed not to matter how often she wore it), dashed into the dining room to greet her parents (nothing was said about not having been back that night, she supposed they didn't know), and rushed out for breakfast at Claridge's. They drank champagne, the head waiter smiling and shaking his head. 'The war's not over yet, Mr Fraser.'

36

The house was empty at last. Thomas had set off with Dodo through the snow to visit the Lützows. Gretchen had gone to her parents for the night. Irene was alone. Thomas had begged her to go with them but no, she had a headache, she needed to rest, then they would enjoy their evening together. She did look strained, Thomas had agreed, stroking her hair as he often did. It was easier for her to be warm and affectionate with Dodo, to wrap her in the coat Tante Sibylle had given her, so Thomas could carry her on his back across the snow. Don't hurry back, she'd said, they love your visits. . . She watched him walk down the garden path they'd planned together. At the gate he turned and waved, and she waved back before they disappeared in the swirling snow.

She stood by the door for a while, just in case they came back. She knew where his briefcase was, in the room she used as a studio, where he worked sometimes. She had done with scruples, all she wanted was to carry out this job efficiently.

She locked and bolted the front door and the back door, just in case they returned unexpectedly. The day before, she had told him, in passing, that if she was ever alone in the house she locked the doors, it made her feel safer. This was quite untrue.

She had gloves ready. She grimaced, asked herself, would I be a good spy? Perhaps it ran in the family. She was sure Mark sometimes engaged in espionage.

The briefcase was locked. This, she expected. Thomas had taken his keys with him, but he kept a spare set in a drawer in their room.

She had checked the day before, when he was playing with Dodo.

She felt icily calm. She found the keys, unlocked the case. It was full of papers, more than she could possibly read through. She looked through them at speed by the dim light of the oil lamp in their bedroom, with the curtains drawn – after all, she was supposed to be resting there. From the headings it was easy to see where Thomas was stationed, the work he was engaged in, the plans for new railheads and troop movements. It was the locations, the dates, the numbers that were wanted, rather than technical details. She made her notes on two pieces of paper from an old sketchbook. It took her less than an hour, she had time to spare – she'd told Thomas she needed at least two hours' rest. She was confident she would be able to sense their approach but, once, she thought she heard the door latch being pressed down, though it was only the wind shaking the branches. And another time, the cuckoo clock made her jump.

She ran again through the papers, replaced them precisely in the right order in the briefcase, locked it and put it away, replaced the keys, took off her gloves, hid her notes. Thomas would never find them, he regarded her work materials as strictly private. She was sure she had found information that would be useful to Mark's colleagues. Now she avoided the bedroom, knowing that if she lay down she might give way to an ocean of doubts, might even repent. Instead, she prepared supper.

When Thomas came home, with Dodo asleep on his back and gripping a tiny carved pine tree, he found his wife in her studio. She looked, he said, like an artist in a play. She had changed into one of her evening robes and put her hair up, she looked as appealing as anyone looked then in Germany. She embraced him warmly. They had a happy evening. She asked him to sing, and when he said he was out of practice, she declared he need have no fears, she was an easy audience. He did sing, Dodo lying in her mother's lap listening. They ate their supper by the fire, as contented as could be.

Two days later she went to Berlin and delivered a letter to the Danish Embassy. She was just in time for the next postal delivery to Copenhagen, as planned. It was a sweet letter for her mother, full of news about Dodo and the cows and her painting. The letter, she said, was also intended for Mark, telling him among other things that she was re-reading the poems of Heinrich Heine – that was the code they'd settled on. Under this letter was another, written in the invisible ink contained in the bottle of scent Mark had given her.

In due course her mother wrote back. Mark had left again for Washington; she hated his leaving. He had asked her to tell Irene how much he'd enjoyed her letter, it was so full of nice news.

Irene wondered, now that she had betrayed Thomas, whether she could ever love him in the same way. She had, she supposed, done her duty. She wondered whether doing her duty meant, in some twisted way, that she had betrayed herself.

37

Two days after their night together, Sophia waved David off at Charing Cross Station. They kissed each other for a long time, under the station clock. It was not a very proper thing to do, since they were not married, but they were engaged, and neither cared much what anybody thought.

She tried to be brave as the train pulled out; only one or two little tears slid out. She knew that was the way he'd want it. Being brave but not boasting about it, putting a good face on things, keeping a grip, those were the qualities he valued.

Once the train had disappeared, she went down to the ladies' lavatory. He couldn't see her, she could cry as much as she wanted. The attendant put her on a little chair and said, 'There, there, dearie, you should see the ladies I've had crying in here, I'd need forty mops for all the tears I've wiped up. Never mind, the war will be over soon, and he'll come home.'

But he never did come home. He was shot six days later by a sniper. She got a letter from him, written the day before he was shot, saying the days with her had been the happiest of his life except possibly the day when he'd been in the winning side at Lord's.

Everyone was very kind. She sat on Laura's bed for hours and hours, and Laura told her about her own young man, and how she'd felt when he was killed. That was a help, though at least she and Toby had had each other for a whole year.

'Life is a nightmare,' Laura said to her. 'So many people killed, just one after the other, for no reason. I'm so depressed sometimes, I feel almost mad. But we have to keep going. Work helps. Having fun helps too, even if it can be rather sickening.'

38

It had been a tiresome evening. On and on she'd talked, unable as always to grasp that if one had nothing to say, it was best to be quiet; unable to understand how melancholy he felt, how unwilling he was to talk. The war effort, Lady Limerick's canteen, how young girls were wearing expensive clothes, whether the cook would stay... And the way she looked at him nervously... He'd retreated to his study.

He sat down at his desk. He pushed away *The Times*. It was unbearable, reading the list of war deaths. All too often he knew them, the sons of colleagues or his children's friends or young men who'd worked in his chambers. He thought of his old friend Johnson, who had been the headmaster of a great public school until he had broken down one day. He had stood at the lectern in the school chapel, reading aloud the death toll, and the tears had poured down his cheeks, and that had been no example for boys about to be soldiers, and he had had to retire.

He could not bring himself to look at his legal work. The thought of having to sit in court tomorrow sickened him. His view from the bench of the world's weakness, cruelty, dishonesty, greed and hypocrisy depressed him every time he sat. Humanity seemed a wretched business, the pursuit of justice a hopeless venture.

His eyes passed over the papers on his desk. There was a letter from the bank about his impressively large overdraft, which did not make cheerful reading. He thrust it into a drawer. Really, it was easier to ignore such things. Another bill from Maggs.

'I'm never going to finish my book,' he said aloud. It was the first time he'd consciously admitted this, it was almost a relief. He looked at his shelves, with their neatly arranged tomes and files on the theme of the Dance, and at the cabinet that held his engravings. He opened a drawer and read a letter from his old college, and nodded with satisfaction. This was surely the right thing to do, this would ensure that all his efforts would not be forgotten, that the hours and days and weeks – not to speak of the thousands of pounds – he had spent on chasing up ancient texts and engravings would not be wasted.

39

'I'm going to visit Great-Aunt Sophia in New York, I've made up my mind.'

It is a fine spring evening, they are outside in the garden.

'Have you indeed? And how will you pay for that?'

'Irene left me a legacy, you may remember.'

'Aha. Why do you so much want to see Aunt Sophia, I wonder?'

'It's natural, isn't it? Anyway, I'm curious about her. About the way she disappeared.'

'I can see that.' Dorothea pulls out a tiny weed, though the garden is immaculate. 'It was odd, when I was a child she came once to stay in Berlin, and Uncle Mark was there, and everyone had a lovely time, she was such fun, and then after she'd left I sensed something had happened to her but I didn't know what. I'd ask questions, and they were never answered. Then they said, she's gone to America.'

'It's odd she never wanted to come back to England.'

'She almost came back for Granny's funeral, but in the end she said she'd mark the occasion at home.'

'Perhaps she couldn't afford to.'

'Oh, her husband had plenty of money. . . Don't you think the violets are heavenly? Look, sheltering under those bushes. She might not be pleased to see you, of course.'

'She's asked me to stay.'

'Oh.' Dorothea scrutinises her borders. 'How did you get her address?'

'You showed me some of her letters – 118 Riverside Drive, it's easy to remember. I'm going at the end of June. I'm excited.'

Silently they go inside. Dorothea locks the door to the garden. They go into the sitting room. It is rather cold. They remark that sometimes in spring the light makes one feel the temperature has risen, when actually it hasn't.

40

Sophia went to one or two parties with her new friends, but they reminded her of David and she did not want to talk to other men and left almost at once. Living at home became less easy. Her mother began to depend on her to keep the servants happy and fetch library books and mix her medicines. Her father was quieter than ever.

She decided to return to nursing. The people in the Red Cross office questioned her at some length. Finally they asked if she was engaged, and she burst into tears, furious with herself. They gave her a cup of tea, though as she admitted to herself (but not to them), what she would have liked was a strong drink.

In March 1918 she was back in France, in time for the great German assault. She was kept busy. Amid so much suffering, her own sadness seemed less important.

41

'There are some letters from Mark here. Irene was always very fond of him. Though when he was middle-aged he became one of those grandees who prefer the company of other grandees.'

'He was nice to me. I went to stay with them when they lived in Paris, d'you remember? He was pretty old, of course, and rather cool, one felt one was being examined. But one Saturday afternoon he said to me – I don't know why – "Pandora, come and see a bit of old Paris with me, a few special things." And off we went, just him and me. I was seventeen, I suppose, just a schoolgirl, but he was so kind and enthusiastic, and we walked for miles and stopped in little cafés and he showed me the Left Bank and the Marais, it was all fascinating, and I felt quite at ease with him. It was as though he'd taken off an uncomfortable mask and was feeling much better. And then that evening there was a dinner party and the mask was on again. But he was always nice to me after that.'

'Funny old Mark.'

'Do you think he was happy, Mark? When he was old, I mean?'

'Happy? Oh, I don't know about that. What does it mean, to be happy?'

42

'Margaret, I have to tell you something.'

'Oh, but I know what it is.'

'How can you know?'

'You're leaving, aren't you? Where are you being sent?'

It was a delicious spring afternoon. They were leaning against the fence, gazing over the soft green meadows of Atholl. She was looking as charming as he'd ever seen her.

'Well, yes. Back to London for a while, the Service is in flux, now that it seems the war is ending. But not for two or three months. I'm due some leave.'

'Oh, where are you taking it?'

'I thought I'd travel in the States, perhaps go to Nevada, that kind of place.'

'Nevada, it's so big and wild, is that really a good idea, Mark dear?'

'I thought we might go there together.'

'What, just the two of us? That's very radical. I mean, I know we're witnessing the break-up of civilisation, but that does seem extreme. . .'

'With some married friends, I mean. I thought the Grays from the embassy – they're planning to go. . .'

'Yes, but they're married! And we're just friends.'

'More than friends, I hope.'

'Is that so? More than friends? You've never even kissed me properly.'

'I thought perhaps if we were engaged. . .'

She turned away from her inspection of the fields. 'What are you saying, Mark? Is this a proposal? Really, you English. . .'

'I suppose it is.'

'You suppose it is, do you? You should make up your mind, it's important. As you might say, a chap should have a clear view of such an issue.' She laughed that laugh of hers, but she was not altogether amused. 'I think we should walk out of the sun, it's a little too hot, especially in the midst of such passion.'

They sat down on a fallen tree in the shade.

'It's a funny thing about foreigners,' she said, 'they're much more attractive to me than Americans. Black men – at one time I found them madly appealing.'

'Black men?'

'Yes, black men. Lots of white women find black men attractive, though they don't say so. And I've meant to say to you, I don't like the way you speak about "niggers". It's a cruel term and it doesn't become you.'

'What do you mean?'

'I've travelled, I don't in the least think white people are superior. I hate it when anyone despises other races because of their colour. Because you and I are educated and well off, we think we belong to a superior caste – but we don't, we're just lucky.' She patted his knee reassuringly. 'To continue my narrative, I went off my German professor around 1914. Then I don't quite know which nationality I moved on to. . .' Mark looked at her dumbly. 'There's Englishmen, of course. They can be a bit bloodless, but it does seem possible to be attracted to one.'

'Does it?'

'I believe so.'

'Do you?'

'Yes, Mark. Oh, my dear, can't you imagine a girl might be attracted to you?'

'Me?'

'Yes, you, Mark. You. Shall I put it in a more English way? I do not dislike you at all, though of course only up to a point. And you don't dislike me, do you?'

'Of course I do. Don't, I mean...'

'My, this is passionate stuff. Was ever woman in this spirit wooed? Well, if you like me, I give you permission to kiss me. But only if you do it as though you meant it, not like a member of Her Majesty's Diplomatic and Consular Service.'

After a while she drew herself away. 'So, you can do it. Mark, I can imagine becoming not unfond of you. How about you, what do you feel?'

He blushed. 'I've never been in love, to be honest.' He put the thought of George out of his mind.

'No? Well, you'll recognise it when it happens, it's unmistakable.'

She told him a lot about herself. He told her some half-truths about himself. She told him there was no chance of an engagement yet, they were not ready for it, and she'd certainly not come to Nevada. But when he looked doleful, she said she might visit him in his next posting when the war was over.

They were met with curious looks from the folks sitting on the verandah. 'Been playing tennis? You look very cool.'

'We've been talking,' said Margaret. 'A pleasant thing to do on a hot afternoon.'

Mark felt reassured, confused, hopeful, anxious, all at the same time. He liked her very much, more than any other woman he'd met. She understood him better than he did himself. Could they one day be happy together?

43

The journey from Cologne to Berlin was long and foul. The train was filthy, the windows broken, everything useful had been ripped out of the carriages. Every possible space – seats, luggage racks, corridors – was crammed with soldiers and unruly or intimidated civilians. He stood the whole way in the corridor. He was wearing uniform, he had no other clothes, but without insignia and under a civilian overcoat: officers risked having their epaulettes torn off, if not being thrown into a canal.

Almost for the first time in his life he felt he was not under some form of control. It was an unnerving sensation. Indeed, control seemed to have broken down in every sphere. When the Armistice had been announced, it was not clear what anyone should do. They said disorder had broken out in many cities, Berlin was in chaos, the Kaiser had fled. Thomas desperately wanted to see his parents. He spoke to his commanding officer, who shrugged. Thomas saw this as consent, and caught the next train.

He arrived in Berlin in the early evening. As the train pulled lethargically into the Lehrter Bahnhof, he was reminded involuntarily of meeting Freddy off a train years and years ago, of Freddy's dropping his suitcase and waving enthusiastically with both hands when he saw Thomas. Perhaps on this very platform. Of all the people who'd died in the war, he missed Freddy most.

The station was calm, apart from groups of soldiers and sailors wandering about and shouting. There were no taxis. A few trams were running, but he did not want to be observed; he would walk.

It was his intention to go first to the Schloßstraße, and then, somehow, to Salitz. But he was consumed with curiosity about what was happening at the heart of the city. He took a back way past the Charité Hospital and the theatres to the Museums Island. The streets were quiet, the rumours had been exaggerated: only now and again did you hear gunfire, or see a lorryload of soldiers. The Museums Island was sepulchral. He edged along the Altes Museum, to peer across the Lustgarten towards the Schloß. It had been closed up since the beginning of the war, except for whenever a victory was announced from a balcony. Now it was full of activity. Soldiers and sailors stood guard at the entrances, but they were slouching, holding their rifles upside down. They stopped anyone except privates. The soldiers looked haggard, shabby, fierce; the sailors cleaner, more cheerful.

It was a strange sight, the Schloß with no Kaiser. The only thing that was certain was that he had abdicated. The newspaper placards announced in screaming capitals: 'KAISER WEG!' It was said he'd fled to the Netherlands, taking railway carriage after railway carriage of personal possessions, and that the enemy press was baying for him to be tried as a war criminal.

He walked down the almost empty Unter den Linden. There were no guards at the Neue Wache, nor at the Kronprinzenpalais. Only outside the Russian Embassy stood the usual policemen. Some cafés and hotels were open, with their lights low, their curtains drawn, a man at the door controlling admission. The electricity and gas services were apparently still working. If this was a revolution, it was an orderly one. But on the other side of the Brandenburger Tor, the Reichstag was brilliantly lit, people coming and going, watched by a shifting crowd.

As he gazed up at the Reichstag's stony mass, he felt exalted. He'd always viewed the pompous building with scepticism: it had promised so much, achieved so little. Now, at last, it might become a real parliament, like the Palace of Westminster, where the nation's fate would be determined by men – and women, too – chosen by the whole population. Here the spirit of a united Germany might flourish, with people of every *Land* united to shape a better future. Here, the spirit of 1848 might be realised. The thought uplifted him. A voice said in his ear, Thomas, your mind is always filled with dreams, you'll be disappointed. But to this voice he replied, But the empire is gone, now at last we can create a better future.

It was late, and the Tiergarten was threateningly black: little bonfires here and there (how irregular this was) suggested possibly hostile encampments. He would walk briskly. He was glad he'd brought his revolver.

He had eaten nothing that day, there'd been no food at the stations or on the train. He was stiff from having stood for so long.

He arrived at the Schloßstraße an hour or so later. Under the dim gaslight, in the ominous silence, Thomas felt the precariousness of life in these streets. Mightn't the inhabitants of these handsome houses be dragged out and slaughtered? Would his dear parents end their lives in violence, as in Russia? He must protect them.

He rang the doorbell. Silence. He rang again. Nothing. Again. He threw pebbles up at the windows, but they made only the thinnest noise. He wondered whether to shout, worried that he might wake the worthy couple on the ground floor, regular Sunday morning visitors in the old days. He decided against shouting. He would have to find a hotel, or wrap himself up and sleep in the garden. It seemed symbolic that the eldest son of the family, a husband and father, an architect, an officer, should sleep under a bush outside his parents' house. Ludicrous. Uncomfortable, too.

A gust of wind blew towards him. He looked at the shrubs and decided against sleeping outside. Impatient, he picked up a stone and threw it at the window of the *Salon*. It made a dramatic crash. Then he shouted, as loudly as he could, '*Vater! Mutter! Hier ist Thomas, euer Sohn. Ich bin wieder in Berlin. Macht die Tür auf!*'

Another long silence. Finally a faint light appeared upstairs, and a face peered from the window.

'*Ich bin Thomas,*' he shouted. '*Laßt mich rein.*'

The face looked down a little longer, then disappeared. The faint light in the *Salon* vanished. A while later the street door opened. In the nervous little man in a dressing gown that hung loosely upon him, Thomas hardly recognised his father.

'*Warum bist Du hier, Thomas, und nicht bei deinem Regiment? Bist Du krank?*'

He felt an overwhelming sense of pity.

'*Nein, der Krieg ist aus. Ich wollte mich versichern, das es euch gut ihr geht.*'

'*Es geht uns schlecht,*' said his father. '*Deine Mutter, deine liebe Mutter, sie kann nichts mehr ertragen.*' And still he examined Thomas. '*Du bist doch kein Deserteur, Thomas?*'

'*Nein,*' said Thomas, '*es ist nicht mehr möglich, Deserteur zu sein, die deutsche Armee ist am Ende. Darf ich hineinkommen, Pappa?*' It was a childhood name for his father, he'd not used it for years.

'*Ja, komm, Thoto.*' His father reached out, touched him on the arm. Up the familiar stairs they walked, which he'd always mounted in expectation of welcome and warmth. Now, dread crept over him. He saw dirty carpets, unpolished brass, as though a spirit of housekeeping that had once had a deeper meaning than mere cleanliness had fled. The flat was unbearably cold – that, he was familiar with – but there was a smell he did not recognise, a mustiness.

'Will you go to bed?' said his father. 'It's so late. I suppose there will be sheets on the bed in Freddy's room, your mother could never bear to shut up that room. It is so long since anyone slept there, not since Freddy last came home on leave – when was that?'

'I'll sleep in my clothes, I won't have much need for them in the future, thank God.' He sensed the optimism he'd felt in front of the

Reichstag draining away. Ignoring his father's bleats, he made for the *Salon*.

'No, don't go in there.'

The room was a ruin. Everywhere chaos, but as though someone had tried to order the disorder. The pictures were piled up, leaving dark unfaded ghosts on the walls. Frames, some cut into pieces, lay in another pile. Coverings had been torn from chairs and thrown into heaps. The round table, the altar of hospitality, was pushed into the corner, battered, as though someone had hacked at it. Books lay jumbled on the floor. The Meissen had gone.

'Yes, the porcelain,' said his father. 'Mathilde wrapped it up and hid it, it was the last thing she did for us.' He was almost crying. 'Your mother hates this room now, all she wants is warmth. She says she will burn everything we have, if only she can be warm. She is ill, the poor thing, her mind is touched. She may be better when she sees you. I must go to bed. My dear boy, I am glad to have you with us, even though I do not understand why you are here.'

44

While appreciating that Armistice Day was exciting in principle, Lady Benson sat on her own, feeling curiously gloomy. One heard shouting and singing outside, motorbuses hooting. The servants had gone out, chanting the catchphrase 'Eleven eleven eleven eighteen'. She had no wish to follow them. Mafficking was for the young, and common people. She stared out at the communal garden with its allotments, thinking about all the people they'd known who were dead.

Her mind dwelt on Edward. He was not the man he had been. His mind was slower, he got tired easily. In the old days he'd been so forceful, but now it was clear – though unsaid – that he would not rise to the top of the firm. Under pressure he lost control, trembled and shouted for no good reason. She'd seen this once when little George had annoyed him, he'd struck the poor mite, before Victoria took the child away and soothed her shaking husband.

Victoria was an angel. If she had a fault, it was being too adaptable, too ready to work for money. At least now, with two of her brothers dead, there might be some money to spare.

Still, one was lucky. So many of her friends had been bereaved. But what use were her three children if they lived abroad? Irene could not come home, Mark only occasionally – which left her with Sophia. Well, this nursing business must come to an end. It was unfortunate, in a way, that the child was so good-looking, she might turn someone's head. Well, now she'd had her fun and games, she must settle down and look after her poor old parents.

She looked drearily round her drawing room. It looked so old-fashioned, she wanted something modern, light, cheerful. It must be possible soon to buy attractive materials and furniture again. Of course, now they might finally move house, though William had been difficult lately about money. It was true everything cost more because of the war, but really there was no need to fuss.

She heard the sound of a cab, the front door opening, footsteps. William looked unwell, though that was usual.

'I feel very weak. I'm going to bed.'

'I'm so sorry, my darling.' They needed a holiday. Cannes, perhaps.

What a disappointment, on a day like this, being alone with a sick husband. At least Edward and Victoria were coming to dinner. She'd told them not to change, it was absurd to put on evening dress for a dubious rissole.

45

After an uncomfortable night, Thomas found his mother in the kitchen. She was wearing an old bed jacket, and stirring some liquid in a pan. Her hair hung around her shoulders.

'*Morgen*,' she said, neutrally but with a look of surprise. She peered at Thomas, puzzled, as though wondering who this half-familiar person was.

'*Ich bin dein Sohn, Thomas.*'

'*Nein, ich habe keine Söhne mehr, sie sind alle tot.*' Her sons were all dead.

'*Ich bin Thoto, Mamma.*'

'*Nein, Thomas war ein junger Mann als er noch lebte. Er war schön. Wer bist du?*' She sounded reproachful, not angry, at the suggestion that this man might be Thomas.

He put his arms around her. She resisted feebly, softened for a moment, then extracted herself.

'*Der Herr ist mein Gast,*' she said. '*Eine Tasse Tee für den Herrn?*'

'*Ja, Mamma, ich nehme gerne Tee, aber nicht schwarz, sondern wie die Engländer Tee trinken, mit ein bißchen Milch. So hat Thomas immer Tee getrunken.*'

'*Ja, das hat er,*' she said thoughtfully, as though wondering how he knew Thomas had always taken milk with his tea. She gestured towards the table. In her gesture, he saw a shadow of the old hospitality.

She looked at him searchingly. He returned her gaze, recognising in himself a mixture of emotions: pity, fear, sadness and, somewhere, analytical curiosity.

He decided to try an experiment on the lines of work he had read about in current psychiatric practice. It could not do any harm. He stood a little way from her and sang a lullaby she used to sing when he was a little boy, when she came in, wonderfully beautiful in her evening dress, to say good night:

> *Guten Abend, gute Nacht*
> *dein Bett ist gemacht,*
> *alle Freunde wollen jetzt ruh'n*
> *gute Träume wünsch ich nun!*
> *Morgen früh, da freut sich*
> *schon der neue Tag auf dich.*
> *Morgen früh, da freut sich*
> *schon der neue Tag auf dich.*

She seemed startled, as though a memory had been woken. As he sang, she stared at him with a tremor of eagerness, beating her hand. After a while, she did something he felt was significant, she gathered together the locks of her hair and pushed them up on her head, finding in the pocket of her bedjacket a comb to hold them in place. She seemed more like the mother he knew.

Did her expression change? He did not know; he thought he saw in her eyes something like the light of reason. Then she spoke again.

'Bist du wirklich Thomas? Bist du mein Sohn?'

Her father's death was a hard blow for Irene. She'd looked forward passionately to seeing him again, and she was determined to return to London for the funeral. After hours waiting at the booking office at Schwerin railway station amid restless crowds, she discovered a train that would take her and Dodo to Hamburg, from where, with her British passport, they could reach Copenhagen and then London. To her astonishment the international telegraph system was working and she received messages from her mother and Mark.

'I shall miss you so much,' Thomas said.

'I shall be back quite soon, when Mamma is settled.' But back to what? She packed only a few clothes for herself and Dodo, and her drawings.

'What, are you taking those with you?' he asked.

'I may show them to some people in London. . .'

One other thing had to be done. On the evening before they left, she asked Thomas to take a farewell note to the big house, with an excuse about not coming herself. As soon as he'd gone, she fetched the jewellery case with the iron necklace and wrapped it in a piece of cloth. Beyond the children's garden was a little orchard. The garden spade was ready, the ground prepared. With nervous speed she buried the case, her tongue protruding between her teeth. Over the ground she threw autumn leaves and leaf mould. Nobody would guess.

That night, she responded to Thomas tenderly, but they had to depart in the darkness of early morning.

She wondered, as she turned back to wave, whether she would ever see the little house again.

The tea party after the funeral resembled those infinitely distant At Homes before the war. The same drawing room, the same cups and plates (though much less to eat), many of the same people. But it was not really like old times. The room was filled with black clothes, some of them rubbed from over-use. Today, meeting an old acquaintance, you'd rapidly calculate their wartime losses. And now there were other dangers to fear, not least the flu epidemic that had killed Sir William.

The entire family was there, except Thomas. Irene had arrived the day before, with her little daughter tightly grasping her hand. Sophia was back from France. Mark was living in London before his next posting. Edward was in evidence. The aunts and uncles attended, with a remnant of children. A large congregation mourned this witty thoughtful man, including a surprising number of strangers who thanked Lady Benson for her husband's kindness.

The Benson children were scrutinised. 'Irene has changed so much, very pale – and those clothes, really not English at all.'

'And is that Sophia?'

'She's been a nurse, you know, they say she was very brave.'

'She's not been looking after herself, she looks like a working woman.'

'Striking though.'

'I suppose that's the brother.'

'Elegant. Good shoes.'

'No signs of suffering there. Of course he was safe in Washington.'

During the funeral tea the children looked after the guests just as they had when they were young. It was Victoria who took charge of the widow, led her to a comfortable seat, brought people to talk to her.

Victoria talked freely about her work: having started as a stenographer in a firm of auctioneers, she had been promoted to chairman's secretary. 'I love it! The chairman even listens to my advice, and the work is so interesting, and now the war is over, we expect a great deal of business, people selling up, you know. I ought to regret it, but if you're in the business. . . I wouldn't give it up for anything.' When a lady said, 'But won't you leave, now the war is over?', she replied, 'Certainly not, I enjoy it and we need the money.' The lady was shocked.

Afterwards the family sat, exhausted, around the drawing room. 'At least I have all my children around me,' said Lady Benson, 'the last time we were all assembled was for Irene's wedding – what an occasion, only ten years ago. . .'

'Eight and a half,' said Irene.

'It seems a century. I am so happy to meet my grandchild.' Actually, meeting Dorothea had been a disappointment, the child was plain and quiet, spoke hardly a word of English. 'You must all be here tomorrow, when Mr Morgan comes, the solicitor.'

The children stayed up late.

'How does it feel,' they asked Irene, 'to be back in London?'

'Oh, very strange, I don't know what I feel about this country now, I've lived so long in a place where England's detested.'

'And will you stay for a while?' asked Mark, who was sitting beside her on the sofa. 'It would be lovely for us if you did.' He slid his arm round her and gave her a little kiss on the cheek.

'Oh, a little while. Mamma needs me, and Dodo must improve her English, and realise this isn't a country of monsters.'

'Thomas will miss you. . .'

She almost looked angry, an unfamiliar expression for her. 'I've lived in Germany for Thomas's sake, all through the war. He can allow me to be English for a while.' She paused. 'You can't imagine how awful it's been, like a long crucifixion.'

48

In spite of their black jackets and wing collars and pinstriped trousers and attaché cases, the two men of business seemed ill at ease; though there was no apparent reason for it, they had been kindly received.

Lady Benson introduced them. 'This is Mr Morgan, Papa's solicitor and executor. This is Mr Weston, Papa's man of affairs.' And in an undertone to Mark, 'The bank manager.'

Mr Morgan cleared his throat. He made the usual remarks. He cleared his throat again. 'I have asked you all to be here to explain the will. There are some rather particular circumstances.' He cast his eyes sideways at Mr Weston, but Mr Weston's eyes were fixed on the carpet.

'I don't think I need to read the will out, I will give you all copies. In brief, there are several smaller bequests, actually rather a large number, for sums of £100 or so, to people unrelated to the family. Also £500 to Mrs Wilson, a lady employed in this household for many years, I understand.' They all smiled. 'To each of his children Sir William has left £10,000 in trust, of which the capital may go only to the legatee. There are some individual items left to each of you, I have made a schedule.' They tried to look detached.

'In addition, Sir William has stipulated that all his books and manuscripts related to the theme of the Dance of Death should be left to his college at Cambridge, under the name of the Benson Collection. Corpus Christi College, I understand, has an outstanding library. This bequest is to be accompanied by an endowment of £20,000. Nothing may be sold, the library must remain intact. It is my duty, with Mrs Curtius, to ensure that these procedures are followed implicitly.' Mr Morgan's air of discomfort increased. 'The remainder of the estate, with one exception which I will outline, goes to Lady Benson, including the house and its contents.'

'I am so glad, you will be quite comfortable, Mamma,' said Irene.

Mr Morgan and Mr Weston exchanged looks. 'We all hope so,' said Mr Morgan, 'but I should ask Mr Weston to explain a little more.'

'Yes indeed,' said Mr Weston. 'Yes indeed. I am of course familiar with Sir William's affairs. I have been looking after them for over twenty years, and may I say how much I regret. . . A man of such distinction. . .'

'Thank you, we are most grateful.' Mark looked impatient.

'Yes. If Sir William was in any way to be faulted in his handling of his financial affairs, it was perhaps in his generosity. I understand that on occasion he would not charge fees if he felt the client could not afford them. Most. . . most. . . most Christian and commendable, but from the bank's point of view. . . He also made many donations to charities. And a great deal went on his collecting, very large amounts in some years. In all, the rate of expenditure was quite considerable.' He wiped his brow, though it was by no means hot.

'What is this leading to?' asked Mark.

'Yes, yes. I cannot at this stage give you a full summary of Sir William's financial position, we still have to explore various aspects, but a great deal of his estate is indeed tied up in the library. . . The point is that at present Sir William's credit account is. . . is. . . is quite heavily overdrawn, to the extent of – well, I am sure the ladies do not wish to be bothered with such details.'

'Oh, the ladies will not be offended by the mention of money,' said Irene.

'Very well, then,' and he consulted a piece of paper. 'Sir William's current account is overdrawn to the sum of £19,582. 2s. 6d.' They tried not to look shaken. 'Of course, we are aware that Sir William had considerable investments, on which I have advised him on. . . on. . . on occasion. There was never any difficulty over that overdraft, but in latter years the outgoings have. . . have. . . have tended to exceed the incomings.'

Lady Benson burst into tears. 'I never knew, I always thought we were completely comfortable.'

'Please don't distress yourself, Lady Benson,' said Mr Weston. 'As I say, there are considerable investments, which of course can be realised. They will easily meet the bequests. But I am afraid that the sum left after the bequests have been paid will be modest. Of course there is the house, that can be sold.'

'But how am I to live? How am I to feed myself? Will I have to leave this dear house and live in a boarding house with a lot of dreary widows?'

Irene looked puzzled. 'Need the bequests amount to so much? If each of us is to receive £10,000– we could pass our legacies on to Mamma.'

Mr Morgan rubbed his cheek rather hard. 'I fear the transfer of capital is not permitted by the terms of the will, though there is no control over income.'

'I don't understand, it's as though everything has been done to make sure I'm as poor as possible.' Lady Benson burst into sobs. Sophia took her hand, the sobs subsided.

Mr Morgan coughed and looked more uncomfortable than ever. 'There is one other bequest, and a stipulation which I have left to last, as it is rather complicated. Mr Edward Jenkinson also receives a bequest of £10,000, and Mrs Jenkinson, £3,000.'

His aunt brightened. 'Oh, Edward, darling Edward, I am so pleased.'

'But on one condition.' Mr Morgan gave the impression he would sooner be anywhere else. 'On condition that you, Lady Benson, explain to your children the material contained in this letter, within a month of your husband's death. I regret to say, this must be done in my presence. It need not be done now.'

'What material?'

'I have not thought it appropriate to open the letter, Lady Benson, though Sir William did give me some understanding of its contents. I can only say. . .' and perhaps the merest shadow of a smile crossed his features, as though he recalled the novel with a similar title, 'written on the envelope is "Lady Benson's Secret". If you wish, the secret may remain yours, Lady Benson. But if Mr Jenkinson is to receive his bequest, your secret must be shared.' Lady Benson gave him the strangest look and stood up, took the letter, opened it unsteadily, glanced at the contents, gathered herself, faced her astonished family.

'No, no,' she said. 'I know what secret is meant, though it was hardly a secret – I told him voluntarily, though there was no need for me to tell him at all. But how could he do this, as though he were laughing at me from the grave like the figures in that beastly picture,' and she gestured at the engraving of the Dance of Death over the fireplace. 'I'd better tell you now, while you're all here.'

Edward stood up. 'Shouldn't we go? It's nothing to do with us.'

'But it has everything to do with you. You see, Edward, you are my son. I am your mother. That's the secret.' She gazed at him, and in spite of herself she smiled as though proud of what she was saying.

There was a peculiar silence, interrupted only by the crackle of the fire. Her children – her four children, as it turned out – gaped at her, unable to speak.

'Perhaps, Lady Benson, you should explain.'

'Yes, yes.' She looked round the room, flurried and embarrassed, yet eager. 'You see, years ago, when my sister Catherine and I were girls living in Suffolk – we were very young, innocent, we had no idea of anything – a remote cousin from Canada, Robert Jenkinson, used to come and stay. We both liked him, I suppose we competed for his attentions. He said he wanted to marry me – I was longing to be married, and he proposed. I was pretty, you know, prettier than Catherine, everyone said that, and we became very close. Then out of the blue Catherine received a generous legacy from her godfather. Within days Robert proposed formally to her instead, and she accepted him and our parents agreed. I was so angry. . . The wedding followed very soon and after that I discovered that. . . that I was. . . well, going to have a child. I was so young, you see, and he was so handsome, he'd even given me a ring. I went to Robert and Catherine in London and told them.' She was half-sobbing by this time. 'And Robert was unkind, but not Catherine, and they said I would have to stay with them as their companion so that when the child was born no one would know and Catherine would adopt my child and take it away to Canada. Robert was very firm about this – we were afraid of him, he could be so angry, and of course he didn't want anyone to know what he had done. And that's what happened, and I never knew my little boy because he was taken away when he was only a few hours old. I never knew him until. . . until he came back. Nobody else knew the history but when Edward wrote to say he was coming over, I couldn't stop myself, I told William everything, I felt I had to, I couldn't deceive him. Deceive him any longer, I suppose.'

'You told Papa?' asked Irene. 'And what did he say?'

'He said, in that way he had, that I would be pleased to be reunited with my son. He did not say very much else. I think he was angry that when we were married. . . Then he said that I shouldn't tell you, Edward, you would be upset, and the others would be upset too. But you aren't upset. Aren't you pleased, Edward darling, to know who your real mother is?'

Pleadingly, she held out her arms. He looked at her coldly, moved to the furthest corner of the room. 'So I'm a bastard, that's what you've done to me. You gave birth to a bastard.'

Victoria put her hand on his arm. 'Edward, darling, it's a secret. Nobody outside this room need ever know.'

'That's not the point, there's still the shame, the shame of being a bastard. And rejected by my mother. . .'

'Oh, Edward,' she said, 'I didn't reject you, I wanted you more than anything. And ever since you arrived here, haven't I shown you how much I loved you?'

He did not reply.

It was a curious moment, one they all remembered for the rest of their lives. The sombre room in the darkening light of a winter afternoon. The seven figures in black: Mamma gazing eagerly at Edward, who had turned his back on her, her other children still seated and staring as though transfixed, the two men of business by the fire, studying the floor. And added to these seven, one or two felt the presence of another being, one who had inhabited that room, who had planned that moment, and who had successfully discomforted so many members of his family.

49

Dorothea and Pandora sit in the drawing room. No boxes have been taken out of the cupboard, no papers laid out on the table. It is late afternoon, Pandora has been there for an hour or more, making conversation.

'Have we seen all the boxes, Mum? Or is that all you're going to show me?'

'There is more material, yes, but it's less interesting, it's mostly about Irene's career as an artist – reviews, catalogues, that sort of thing.'

'I'd love to see it. . .'

Her mother does not look at her. 'Yes,' she says, 'one of these days. Not today.' And she shifts around, as though they should be moving on to something else.

'Honestly, Mum, it's as though you've decided that all this material is your personal property, only to be shared when you feel so inclined.'

Her mother looks away, hesitates. 'Darling, I want to tell you something. Your friend at the Tate, she's asked me to write an essay for Irene's catalogue.'

'She's what?' Pandora slides away along the sofa. 'She's what?'

'She said I had memories that no one else could have. She wants me to write about my memories of the 1920s in Berlin. Isn't that nice?'

'But you've not written anything for years and years, have you? Not since I was born, or at least that's what you've always told me.'

Dorothea frowns. 'How d'you know? I know you see me as a stupid, limited woman who has spent her life as a wife and mother, but how do you know I've not been writing? I don't tell you everything. I showed her a reminiscence I'd written about Irene, she liked it very much.'

'I'm sorry, I–'

'I'm looking forward to it. I have a great deal of material, not just in these boxes but my memories too. She wants eight thousand words. And when it's finished, perhaps I will write a life of Irene. What d'you think of that?'

'If it's what you want to do. . .'

'Unless, of course, you're planning to do it yourself? In that case, of course I must give way, since after all you have been published in the *Chelsea Voice*.'

'You don't need to be sarcastic.'

Dorothea strokes the large sleek cat sitting on her lap. 'I'm not as stupid as you think.'

They stare at each other angrily.

50

The afternoon after the reading of the will Irene and Sophia sat in the drawing room at Evelyn Gardens. Shivering, they looked out of the dirty windows at the pouring rain. Lunch had been thin and nasty because the servants were tired and there was not much in the shops. The Jenkinsons had all been invited but Edward stayed at home and Mark went out to lunch, which made Sir William's absence weigh even more heavily.

'Edward is so sad,' Victoria said to Lady Benson. To the others she admitted he was not sad, he was furious, he felt betrayed; it was Lady Benson's fault he was illegitimate, it was a disgrace. The little boys were subdued, and shied away from their granny all in black, and did not once speak to their little German cousin. Edward's absence depressed Lady Benson even further. After lunch she announced she was going upstairs to rest, Victoria departed, Dodo retired to the nursery to talk to Wilson. The sisters sat and watched the clock. A fire seemed an extravagance in this house where for the first time poverty was not remote.

They discussed yesterday's revelation. Was it an act of cruelty by their father, this clause in his will? A determination to establish the truth? A joke? If it was a joke, who was the victim – was it Mamma or was it Edward? Mamma was oddly unembarrassed, as though being able to announce her motherhood of this fine young man was liberating, even exciting. She had talked about it the night before, 'Robert had promised to marry me, I didn't think I was doing anything wrong. If he had kept his word, Edward would have been born legitimate. . .' They'd stared at her in silence.

'I find it upsetting,' said Sophia. 'Mamma is difficult sometimes, but she's always been available, she's been a refuge, always kind and loving. Suddenly she's no longer the completely safe person I thought she was.' She hesitated, looked at her sister's kind face, continued. 'When I was in Paris during the war, I would see handsome men and they would look at me in that way Frenchmen have. But I never smiled back, and one reason was the thought of Mamma and what she would think. Or rather my notion of who Mamma was. Even though she'd never have known, I felt I'd be betraying her.' She shivered. 'Oh God, it is so cold. I was also repelled by men's bodies, having seen so many. . . It was not until I met David. . . I've never talked to anyone about all this.' She looked at Irene gloomily. 'Perhaps you were less inhibited than I was, were you?'

'What do you mean, darling?' Irene looked away and into the empty fireplace.

'Well, that man. . . What was he called?'

'You know what he was called.'

'I hope you're not going to see him.'

Irene stood up and also said how cold it was. She said she was not shocked but equally not glad to have acquired Edward as a brother, though Victoria as a sister-in-law was a bonus. What she found most difficult was that Mamma had never told them the truth. She would have been afraid, Sophia thought, afraid of disgrace and rejection, having her family broken up.

The door burst open and in came Mark. He'd exuded cheerfulness ever since the announcement of the day before. The sisters had both noticed, they could not account for it.

'Good Lord, it is cold in here. Where's Mamma? Is she entertaining a gentleman?'

'Mark!' they cried in unison.

He announced that it was time for a change from Evelyn Gardens. They'd been there too long, dwelling on grief and money and their mother and their father. They should enjoy themselves for a little while. He wanted them to see his chambers in Jermyn Street, he proposed going there at once. They protested, he insisted, they gave way, they collected their coats and hats, asked Wilson to look after Dodo, hurried into the street. Mark summoned a cab, his sisters protested again and climbed in. They drove through the grimy streets full of men in khaki, to the gentlemanly reticence of Jermyn Street, shops below, the discreetest of chambers above.

'I've rented this flat while I'm in London. Mamma wanted me to live at home, but I'd have suffocated. I told her I could never promise to be punctual for meals and would drive the cook mad. That persuaded her.' Into the building they went and up in the lift, Mark commenting on the odour of mahogany and leather and hair oil, and it disgorged them on the top floor. Mark told them his flat had belonged to an officer who'd been killed in the war, whose parents could not bring themselves to change it.

He urged his sisters to look round. 'It has some of his things and some of mine. He's like a benign ghost, I feel he's pleased I'm here.' They wandered about, curious, they had never seen their brother in a place of his own. The rooms contained things that had to be Mark's: old china, and Venetian glass, and American Indian pottery, and paintings. Irene asked diffidently whether he would like another of her works; when he had so many beautiful old things, he might not want a modern painting. But he accepted excitedly and she said she would paint a still life especially for him. Mark proposed a celebration and when they asked why, he declared they should celebrate being together for the first time for years. And he added, 'And the acquisition of a new brother.'

'You seem pleased, Mark, to know that Edward is our brother.'

He smiled, non-committal. He did not say that if one had a secret, it was reassuring to know that other members of the family did too. And perhaps he was relieved that his overbearing cousin had become a vulnerable half brother. But meanwhile they must have a cocktail, he was going to give them a gin and lime.

'I've had a gin and lime before,' said Sophia ruminatively. 'Now, where was that?'

They protested about gin at teatime but drank it with enthusiasm. Mark proposed a toast – 'To us.' Then Sophia proposed a toast to Irene, the artist. Irene toasted Mark, the ambassador. Mark toasted Sophia, and paused. 'To Sophia, the what? What are you going to be, now you are free, little sister?'

'I am not free. But if you insist – Sophia, the mother's companion.'

'No, Sophia,' cried her sister, and Mark added, 'The writer? The doctor? The social reformer?'

'Sophia, the victim of the war.' And she emptied her glass.

The silence that followed, a flickering, volatile silence ruffled by the sound of hooves and motorcars and the hissing of the gas fire, was interrupted by Irene.

'If you're a victim of the war, darling, we're all victims of the war.'

'Not me,' said Mark, 'but I refuse to be ashamed. You've been heroic, darling Sophia, but now it's time to stop being heroic and enjoy yourself a little.'

Irene and Mark exchanged glances, advanced on their little sister, pulled her hair, short as it was, cuddled her, kissed her cheeks, and she laughed again. Outside, the foggy afternoon turned to darkness, and the shop windows and the street lamps glowed in a pale recollection of before the war, and the black-coated and uniformed passers-by bustled along the unremitting pavements. But inside, when Mark drew the curtains, and the room was lit by a single lamp and the flames of the gas fire, they created for a short hour their own make-believe world, as they had in childhood when Irene, the best of elder sisters, had devised fairyland plays for Sophia. They hid their black clothes under scarves and lengths of silk mysteriously produced by Mark, they drank another cocktail, they discussed their childhoods and whether their father had been a disappointed man and what they thought now of their mother. They knew they would be separated again, but for a few moments, away from the frettings and proprieties of Evelyn Gardens and with the world shut out, they were united and happy and hopeful.

'To us all!' cried Mark, and they held hands and echoed him. 'To us all!'

PART THREE

1

They are having tea at the long table that runs along one end of the drawing room, away from the street. Outside, the soft evening light trembles in the rain. Dorothea sits at one end of the table, collected, serious, as though ready for action. In front of her stands the tea tray, rather as an artillery battalion might be lined up. There is no cake today, no biscuits even. Pandora sits close by, but not very close.

There is another box of papers to look at, Dorothea announces.

Pandora plays with her bracelets.

Does she want to see it? Yes, maybe, Pandora says carefully. She must not sound eager, nor must she sound indifferent.

Dorothea offers her more tea, pours out some for herself, looks round the room. They must hang up more of Irene's pictures, which are standing frame to frame in the basement. This comment arouses no response. Probably, she says, she should destroy some of these private papers. A book about Irene should be a book about her work, not her life.

They do not look at one another, pause before speaking.

Dorothea says she is finding her essay about Irene as artist and mother difficult to write, because Irene had not been a very good mother. Can she say that in the article, she wonders?

There is another long pause.

'You see, darling,' says Dorothea, 'I loved my father, I really loved him. And Mother unconsciously was always pulling me away from him, that's what I think. It was so confusing, Mother on the one hand, Father on the other, England, Germany. As time passed they would wrangle about

England and Germany, it was supposed to be humorous but there wasn't much humour in it.' She drums her fingers on the box. 'I loved Salitz, but would she let me go there when I was growing up? Almost never. She didn't like going back there herself, she didn't like remembering the Great War, that's what she once told me. But would she ever give up a private view or the chance to meet a patron? And yet she could be so wonderful, I forgave her everything.'

Pandora stands up, puts her arm round her mother's shoulders.

'Darling, have I been a horrible mother? Have I been bad to you?'

'No, no, you've been a lovely mother, you are a lovely mother.'

Dorothea opens her handbag. She carries it everywhere, something her daughter finds maddening. Now she dabs her eyes.

'It's one thing to look at those letters and photographs from the early days but when I start reading about events I remember. . . Sometimes I open a book and see a dedication, "To Irene from her loving husband" – it makes me so sad.' Dorothea opens the box standing on the table and shows her daughter a piece of paper, which says, 'Throw away anything that shouldn't be seen.'

'It's typical of her.'

'Why typical?'

'Because she puts the responsibility onto me, she appears responsible and thoughtful, but she avoids making decisions of her own.' Dorothea takes out a bundle of letters. '"1919–20". That was when she began to be famous.'

Pandora sits mute, knowing that the best way to persuade her mother to do something is not to try to persuade her.

'Well, it's forty years ago now, no. . . it's even longer. They're all dead. Only my generation is still left standing, more or less. I suppose you'd better read the letters, darling, if you want to, they're from various people. Poor Father, he was so good and patient. And then Julian, I detested Julian.'

2

10 May 1919

My darling wife,

There is real hope at last! At last, the fighting in the streets is dying down, we can begin to believe in the success of our republic. And I think my ideas for the new community may soon be realised. We've found an ideal site: three hectares near Zehlendorf, about five kilometres from home. If we can get a financial backer, there is nothing to prevent us.

Herr Ulrich and I are thinking about the plan of each flat, and how much space is needed to live decently. The flats will each have two to four rooms, a kitchen, a separate bathroom – highly important if we are to introduce hygiene into every home. There will also be houses, which will be a little larger. Socially and architecturally our community will be the reverse of the Mietskasernen, with their absurd social hierarchy. In our Siedlung, everyone will enjoy the same possibilities, only need will earn you a larger apartment. There will be no more representational rooms, no more high stuccoed ceilings, parquet floors, double doors. These flats will be practical and light, with electricity and excellent plumbing. There will be no superfluous adornment; the decoration will derive from pure colour, and will be related to the life lived there. We are looking into providing communal kitchens and dining rooms, and communal laundries. There will be no room for servants, physically or morally, and no need for them.

The setting will be beautiful. The houses will stand among grass and trees, so that our people can live in the midst of nature, yet travel easily to work. From their windows they will see, not the dirty wall of a Hinterhof, but the sun shining on pine trees. One question: should people have their own gardens? Herr Ulrich thinks we should plan an individual garden behind each house. But I prefer to give each dwelling a balcony, and make the open spaces available for the whole community to play and sunbathe and engage in sport. Our pure plain houses will be surrounded by nature.

Do you like these ideas? Many of our thoughts derive from England, but we have taken them further. It is inspiring, to find our two countries again linked by shared ideals.

The Mommsenstraße tenants are leaving in three months. I would like to go back there, and with you. When do you come back? We could fill the walls with your works, my dearest, but perhaps you'll have none to spare.

It will be exciting to create a room for Dodo. How does she look now? I only have a photograph from a year ago.

Mamma is almost herself again. She gets tired, but her mind is clear. She's angry with herself for having been ill. Mathilde is back, she has been working hard, and the parents' flat looks much as it did before the war.

If only I could visit London, but it is impossible for a German except with help from a well-placed person. Perhaps Mark could help me.

Write to me again, when you can, my dearest. I treasure your letters, I read them aloud to my mother, she hears your voice in them. She says, all she needs for a full recovery is for you to come home.

I miss you so much.

Your loving husband

3

10th of May 1919

Weeny Irene,

Why must you be so virtuous? Why don't you do as you want to, just for once? You're an artist, you're free.

Come and live with me, won't you? It is heavenly to be together, just like the old times, I can't believe how happy it makes me. When I'm with you I'm a different person. I don't need to be talking to you, just knowing you are in the same room is enough. At that party in Fitzroy Square, I thought, with every year you grow more beautiful. But I'm still only allowed to kiss you as though at a garden party. I want to give you a _real_ kiss.

What keeps you in England, after all? Not just the exhibition, surely? Something makes you want to stay, could it be your friend Julian? On the other hand, you won't let the Snake coil round you, something prevents you. Is it your dear old mother? No, I suppose it's a sense of duty to that dull stiff Thomas of yours. . .

Do you remember when I drew you naked on the daybed in my studio? I think it was the most beautiful drawing I've ever done. I got many offers for it but I turned them down, and now my beautiful Nude hangs where only I can enjoy it. But I want the original.

Stop worrying about morality, Irene darling. We'd have such fun, and don't we deserve it? And not just fun – were any two people ever as happy together as we were, all those years ago in Danvers Street? Surely it's virtuous to be happy.

I'll be in the Café Royal tomorrow at seven.

Lots of kisses,

Snake

4

Dear Irene,

Your friends in Berlin miss you! Berlin is bleak without you, even now with the lilacs in flower and the poor dear city coming back to life, and many things happening – new journals, art galleries, theatre productions. There is still not much to eat unless you are attracted to turnips and animal lungs. And life is still not peaceful. There's trouble for a few days, and some wretched politician is assassinated, and then the violence stops, and all the while the shops open and the trams run and children go to school. And then maybe it starts again.

As for me – I have gone back to journalism. I'm still only working here and there, I long for a permanent position. As you can imagine, your friend Alexander has much to say on many subjects. Actually, I am being published widely, I am considered a champion of the new republic.

I often dream about the war and that office where I filled out useless forms all day. Do I feel my time in the army was wasted? In a way, of course, but then the experience has completely altered me, I feel fifty years older. Now I understand that studying in Berlin and talking for hours in cafés did not qualify me to pontificate on every subject. I am bewildered by how little I understood, or understand now. But what I do know is that when I feel surrounded by hatred – as a journalist, a Social Democrat, a Jew – when I see this hatred screaming aloud in the press, I must have the courage to respond with strength and reason, and belief in my own values. It's tempting to stay silent and continue with one's own life as best one may, but that's no solution.

What the war made me fear was people's capacity to be swallowed up in mass emotion. It is so seductive, marching behind a flag, believing one is serving a cause far greater than oneself. One's own fears melt away. Alas, those of us who believe in parliamentary democracy can't march in step and sing rousing songs, the best we can offer is prosperity and calm, which at the moment poor Ebert and Scheidemann cannot do.

I've abandoned my book on the empire but I think of re-casting it as a history, somewhat satirical, like that new book Eminent Victorians. I wish you'd contribute some ludicrous drawings of the old regime to catch the attention of our cynical public.

I see Thomas often. He has such a kind heart that the goodness left over from his family and his friends he extends to the people of Berlin and indeed the world. I have to tease him, he is almost too virtuous. He is always saying, 'When Irene comes back...' His sisters look after him, especially Elise. Her view is you will never come back. She says you are a typical Englishwoman, friendly in good times, hostile in bad ones. She has introduced him to a friend of hers, an officer's widow. This lady invites him to tea in Potsdam, he does not go. But Elise is persistent.

Come back soon. Whatever Berlin is, it's not dull. If you think she would accept them, please give my best wishes to your mother, and of course to that charming Sophia.

I wrote to you before but probably my letter did not reach you.

With very best wishes,

Alexander

5

Some time in May

Lily of the valley, Rose of Sharon – I'm sorry, I didn't mean to be rude about Thomas. I can't help it if I find him a bit of a bore, can I? He is a good, clever man, if you like. But don't expect me to be enthusiastic about him.

I am so pleased you're working again, I'm sure that is because you are back where you belong. And painting, painting! When did you last paint? As I recall, you never painted much even at the Slade. You feel liberated, clearly, but you need to take liberation further.

Be my Sheba soon, with love from Solomon.

6

Weeny Irene,

I knew I was right – it was perfection, wasn't it? We achieve such closeness to one another, a union of mind as well as body, understanding and loving the other person through each movement and expression. . . Darling one, come and live with me.

Darling, I can't bear not to see you. I've loved you ever since we met at that party back in 1904, and now it's 1919 and we've been through All That and here we are alive and healthy and attractive (you, at least), and what's more, living in the same country. For God's sake, why can't we be happy together?

I've made a doll for Dodo, a Scottish doll. I have taken a great deal of trouble, she's a real Scottish lady with a tartan skirt, rather like that sister-in-law of yours. When are you both coming to tea, so I can give it to her?

REVIEW FROM A LONDON JOURNAL, JULY 1919 OXFORD GALLERY, BRUTON STREET: AN EXHIBITION OF MODERN ENGLISH ARTISTS, 30 JUNE – 30 JULY 1919

In a respectable showing of mixed works by a number of young artists, the works of Irene Benson stand out from a visual point of view, though their ultimate meaning is not clear. This previously unknown artist presents a series of twelve coloured drawings on the theme of the Dance of Death. These are large and apparently decorative images, with a fine sense of colour and design, which make an immediate impression. On closer inspection, they turn out to be more complex works, almost in the nature of caricatures. They show contemporary figures – soldiers and sailors, businessmen and judges, architects and artists – visually united in activity that stretches across each individual work to form, as it were, a chain. The participants are dancing what looks like the foxtrot, or drinking, or making love, but the occasional clue indicates that their partners, under their shimmering dresses and dark suits, are Figures of Death. In the last drawing the artist suggests the abyss into which all these figures ultimately will fall. While Miss Benson is to be admired for her sense of colour and design, her interest in caricature is less easy to accept. She shows none of the gentle, contemplative quality that we associate with young women artists. Still, this is an interesting talent, and we look forward to seeing more of her work.

8

Monday

My darling,

I have found the dearest little cottage in Hampshire, it is quite cheap, and as pretty as you can imagine, with a garden filled with fruit trees, and a sheltering hedge. It might be cold in winter but we shan't be there then. It has a bedroom for us, and another bedroom and a little room for Dodo, and a sitting room and a shed we could use as a shared studio. I will work on my cycle about Christian redemption, and you will produce many more landscapes, and perhaps a portrait of me – you've never done one, you know.

I've taken the house for six months and I am going there whether you come or not.

Imagine how happy we shall be. I shall hold you in my arms and smother you in kisses, while the branches beat against the windows on stormy nights. In the morning we will go out into our little Paradise, and eat freshly baked bread under the apple trees, naked if the sun is shining.

On consideration, it might be best if Dodo stayed with her grandmother some of the time, don't you think? We need to get to know each other again completely.

I have sold a painting – hurrah, hurrah – that big one of Camden Market (£30). I know you have sold most of your drawings, I suppose you have a great deal of money. Obviously you know how to please the public. Thank you for sending me your reviews, I've not read them all, but the piece by Clive Bell was excellent. It sounds as

though the critics are alarmed by your work, I think probably they find it too strong. English critics are so timid.
    Love from Snake

5 August 1919

My dear wife,

You have been away from home – your home, mine, our child's – since December. There is something keeping you away, something you are not telling me.

I intend to try to get permission to travel to England, I shall write to Mark. I shall stay as long as is needed. I am not threatening, I am only setting out the position. I need to know what is keeping you.

I have looked back at my letters to you. I think I have been too gentle. You know, when one's country has been defeated, it destroys one's self-confidence. But that does not mean I shall let you disappear from my life. You are my wife and the mother of my child, and I want us all to be together again.

Oh my Irene, is it because you see me as an enemy of your country, that you do not write? Do you hate me, because I am a German?

Write to me, Irene,

Thomas

10

Lovely one,

It's only three days now till you come back, but that's three days too long. Dearest, living with you is something I have dreamt of for years. Having you beside me all day, drawing you, sleeping with you night after night – it makes me feel human again, it makes me forget the horrors of this rotten country.

I think it might be best if Dodo stayed away. I love her because she is so like you, but I find it difficult when she talks about 'Papa'. She's better in London with her grandmother, don't you think?

You might like to know, I have sketched out the Day of Judgment triptych, it will be very strong. I shall need a large studio to execute it, that is always my problem, I have such huge ideas but no large space to work in.

Love from Snake

11

18 August 1919

Dearest Irene,

What a bad girl you are, running away with that man. We talk about nothing else – Mamma is <u>terrified</u> of divorce and scandal, which is pretty ironic coming from her. One might want to run away, but shouldn't one try to deal with one's responsibilities by staying? Or are we really the people we were before the Great War? I hardly recognise the person I was in 1914, she seems like a child to me – but even so, would I run away from all my responsibilities, particularly my child, and that dear Thomas? I do feel you should go back to Germany. I think you'd be happy there now, and Dodo too. Anyway, I've written to Thomas to say he is always welcome at Evelyn Gardens. If you are skulking in Hampshire, I shall give him directions.

It's lovely having Dodo here. I'd love to have children, but how do I find a man I like? The question is: is it better to marry someone not very interesting or attractive, or stay single in the hope someone better might turn up? Or have a friendship with a brisk chum who also lost her fiancé, cocoa in front of the fire, tweed skirts, long walks over the Downs. . . Oh dear oh dear.

It's time for lunch. When you and Dodo aren't here Mamma and I quarrel and she tells me I'm a monster and I tell her she's a selfish old dragon, and I cry in my room and then at dinner we're quite good friends. But the thought of spending twenty years here. . .

Anyway, you are a bad girl. And in the long run you and Julian would not be happy, you've grown out of him. He's all hot air, but what does he achieve? Other than seduction, he's good at that.

12

'There's a gentleman, for you, ma'am,' Mrs Higgins announced importantly. 'A tall gentleman.'

'Oh?' said Irene. No one called, ever. Irene was hardly in a state to receive callers. She was lying on the lawn in the hot sun, half-asleep, wondering whether to embark on another cycle of drawings, and how long she could reasonably stay in Hampshire this time. She was wearing a light summer dress with almost nothing underneath. As soon as Mrs Higgins left, she would take the dress off.

'Did he give a name?'

'No, I was to tell you he wishes to speak to you urgently. I showed him into the sitting room. I couldn't leave him outside, he is a gentleman. Probably foreign, I would say, though he speaks very good English.' Mrs Higgins scrutinised Irene. She came in twice a week and did some cleaning and trimmed the lamps. Though not good at cleaning, Mrs Higgins was expert at observing the cottage's domestic arrangements, which Irene was sure – from the knowing looks she got in the village shop – were widely circulated. She tried to avoid curious stares, staying within the protective garden hedges or walking on the empty Downs. She was often alone since Julian sought inspiration on his own, though apparently not with much success: Redemption was not advancing. Visits to the pub revived his enthusiasm but not his progress.

Irene stood up. 'I'll come directly.'

She walked into the sitting room in her bare feet. Thomas was standing with his back to the door, looking out of the window. He did not hear her. He was holding a travelling bag, which he'd bought for their honeymoon. He clutched his coat, as though he did not care to put anything down. His shoulders were hunched, his clothes, once faultless, were shabby. He looked very thin.

She felt oddly abstracted, as though watching a play in which she was a character.

'Thomas.'

He turned. They stood still, considered one another. She thought, he looks tired, and anxious, and older. She felt protective, in a way she remembered from another world. He thought, she is in blooming health, her dress hardly conceals the contours of her body, her face is brown and unlined. With a jolt, he recognised she looked much better now than she ever had during the war.

'I had to come.' Then, 'I don't need to stay very long.' He looked enormously sad. She merely noted this. She was determined not to feel sorry for him.

The door burst open. 'Would you like a cup of tea, madam?' asked Mrs Higgins. She had become suddenly rather gracious in her manner.

'Oh, I don't think so,' said Irene.

Thomas raised his hand. 'Actually. . .'

'Oh, would you? How thoughtless of me.' It was a relief, playing the hostess. 'And perhaps a biscuit? There are some biscuits, aren't there, Mrs Higgins?'

'Yes, there are a few digestives, but no chocolate biscuits.'

Mrs Higgins said this severely, as though the lack of biscuits was reprehensible. Both Irene and Thomas very faintly smiled.

'Shall I put out three cups and saucers?'

'Two will be enough.'

Mrs Higgins went out. 'We have some coffee, but Mrs Higgins doesn't really know how to make it.'

'We still don't have real coffee in Germany.' He stood immobile but uneasy, like a man waiting for a train.

'Won't you sit down? Won't you put down your things?'

'I'd rather not.' He gripped his hat and bag tightly. She looked out of the window and wondered how she might feel about leaving this beautiful countryside.

'Did you have a good journey?' She felt again that she was saying someone else's lines.

'No. It was painful, and very slow. The French officials and the British officials inspected my papers over and over again, they were not friendly.'

There was another silence.

'I'm not planning to stay long. I walked from the station, I can catch the train at 12.41 hours. I have my return ticket.'

He thought, I am despised in this country because I am a German, and in this house because I am me. He could not prevent himself from assessing the room. It was mean and small, with a ceiling that bulged downwards, and rackety old furniture. Irene – it must have been Irene – had arranged some flowers in a green vase, and there was a small pile of books, and leaning against them, a landscape painting. It was sensitive and bold, it must be hers. He felt violently jealous.

'Oh, but you must have some lunch.'

He threw down his hat and coat, turning towards her as though squaring up for a fight. 'Lunch? What has lunch to do with anything? We are in one of the most difficult situations any couple can find themselves in. You have left me, that is what I understand from your sister, who received me most kindly, as did your mother, like people with hearts. They are honest with me, they tell me you are living with your lover. In this situation, I am not interested in lunch. I do not want to eat your food and discuss the weather. You are unfaithful, you are humiliating me, we might be speaking about divorce, and you offer me lunch.' He made a noise like a sob. 'In spite of all, I want you. I want you to come back to me. I want you to be my darling wife again.'

She stood immobile. 'Oh, Thomas,' she said. Oh, Berlin, she thought. Berlin, grey and cold in the winter dusk, the endless snow, trams clanking along long, hard streets.

'Why have you stopped writing to me? Every morning I am running to find a letter from you, but after the first month, they never come.'

'I'm very sorry. It was so hard to write. . .'

The cold and the hunger and the turnips and the women wreathing roses round the bayonets, it all ran before her again like a dirty frieze.

'What can I say? I am angered with you for not writing, that Dodo has stayed in this house with this man, for your unfaithfulness. But in the end, I can only say these words. I love you, Irene, I always have, I always will. I forgive everything, if only you will come back.'

Back to the Lehrter Bahnhof and the noise and the vulgarity and the honour of Prussia and the over-arching importance of duty and – oh God – the iron necklace, the necklace she thought she'd buried.

In came Mrs Higgins, clinking. 'I found some fresh biscuits, Mr Julian must have bought them in the village, madam,' she remarked, busily putting down her tray and examining Thomas like a searchlight. 'You and the gentleman must be old friends,' she proffered.

'Yes,' said Irene. 'Thank you, that will be all.'

Mrs Higgins tossed her head and marched out. Thomas was about to speak when Irene raised her hand and went to the door. Outside, Mrs Higgins was crouching.

Thomas had sat down. 'The customs officials wanted to know the purpose of my journey. What was I to say? That I had come to find my wife, who had run away?' He pressed his hand against his eyes. 'Forgive me. Coming to England is so disturbing.'

'I know how you like your tea.' She went over to him with the cup. She extended her hand as though to soothe his forehead, drew it back.

'Thank you. A nice cup of tea, that is always the answer, is it not?' He stood up abruptly and the table fell over, throwing the tea onto the floor.

'I am not going to plead with you. If you do not choose to come back, then I will return to Germany, and you can live with this man. We can divorce, if you wish. But you must decide now.'

'Now?'

'Now. You have had long enough to think about it all. I wait no longer.'

She felt a curious sense of relief, even though she still hardly knew what she was going to do. 'Not even five minutes?'

'One night, yes. I will stay in the village, I see there is an inn there. Tomorrow either you come to the inn before ten o'clock, and we go back to London together, or you stay here. In that case we will never meet again. It is your choice.'

She sat with folded hands, looking out of the window. He thought, she is so beautiful, with that quality of repose. Or is it, perhaps, self-absorption?

'I should warn you, I have very little work or money, we could not live as we used to, and there is little food to be had in Berlin. It will not be comfortable.'

'I wouldn't care about that, as long as Dodo had proper food.'

'Things will improve. The future is exciting, we have the chance to make a new society.' He quietened down, as though soothed by her company. 'I would be so happy. I realise how difficult I have often been, I will try to be less selfish.'

'You never were selfish.'

There was a little silver clock in the sitting room, which she had brought down to help furnish the quite horrid cottage, as it now seemed to her. It chose this moment to strike the hour.

'Twelve,' he said. 'I gave you that clock, no? We chose it in Leipzig. If you want to say no, I will have the time to catch the 12.41.'

'No, no, I don't want you to catch the 12.41. I mean. . . I don't know what I mean.'

The door opened tentatively. It was Julian, hot, in his walking boots, wearing an open shirt. He had no doubt been to the pub.

What a dramatic moment it would have been, Irene thought, if he and Thomas had met on the road. Or would they have behaved in a perfectly gentlemanly way, and just nodded?

'Ah,' said Julian. 'An unexpected visitor. Am I interrupting you?' He held out his hand to Thomas. Thomas stared at it. 'Actually, I met Mrs H on the road, she told me a foreign gentleman had called and was having an important conversation with you. What can we do for you, Dr Curtius? Have you come to lunch? Lunch here is a bit primitive, but we probably have some pork pie.' He looked at the broken cup on the floor. 'I see you don't like our tea.'

The three stood motionless. The men looked at Irene. She eyed the little clock as though it might offer an answer. She wondered whether they would hit each other. But there was only silence.

'So, my darling, are you going back to your husband?' said Julian. He spoke as though it were settled. She was surprised, he spoke tenderly.

'I don't know, I don't know.' She thought, that sounds so feeble, but it's true. Why couldn't Racine have written her lines?

'I know you too well, Irene,' said Julian. 'I'm sure you'll be going back to Berlin. Sense of duty, duty to your child, husband, all of that. . .' He looked at Thomas. 'You look done in, old chap. What you need is a drink. There's lots of that here, whatever the other deficiencies. I knew you'd go back to him one day. It won't do, will it?' And he gestured vaguely at the room.

She looked at him, dumbfounded.

'I expect you both want to go now, but I can't have you leaving the house as though we were enemies. Irene, I shall never see you again, probably. Nor you, Herr Doctor Curtius, or shall I call you Thomas – we are artists here, we are quite free and easy. So why don't we sit down together – first and last time – and drink a toast to friendship, and love, and whatever. . . Friendship between England and Germany, that sort of thing. . . You make better speeches than I do, Thomas. Oh God, I do love her, but so do you, I can see that.' All the colour had gone from Julian's cheeks, his hands shook as he found glasses and a bottle. He poured out whisky for each of them. They each took a glass but only Julian drank anything. None of them spoke.

13

They are sitting on the sofa. Outside they can see the white mass of the apple blossom, tinted pale orange by the street lamps.

They are silent. Dorothea reads a letter, hands it to Pandora without comment; then another. Pandora reads intently.

After a while Dorothea sits back. She is allowing Pandora to read these letters, she says, because she trusts her. But she does not want anyone else to read them. Why should they know about these private emotions? She does not want the world to gloat over her parents' inner lives.

Pandora has changed lately. Her clothes have become dark, discreetly elegant. She is to be interviewed shortly for a job on a national paper.

'Yours is an admirable point of view,' she says. 'But I don't think it's realistic. When Michael Holroyd published his life of Lytton Strachey a year or two ago it changed everything: biography is not the same any more. Now people want to know everything about the subject, and it's because we realise that sexuality is central to people's personalities. It can't be concealed.'

'But do we need fully to understand the person, to delve into all their secrets?' As though unconsciously, her mother closes her hands over the papers in her lap. 'Can't we let people rest in peace?'

'That's a limited point of view,' replies Pandora, pulling the bracelet off her wrist and dropping it on the table. 'If we believe in truth and history then we must not flinch from the difficult aspects of the past. That's what the Germans do, they try to forget the Second World War.

If one of my German relations was a Nazi, I would need to know. Concealment is never healthy.'

Dorothea does not reply. She reaches over to Pandora, pulls the letter she is holding out of her hands, ties the string round the bundle of letters, places the bundle back in the box, locks it.

'What have I said?'

Her mother looks at Pandora defiantly. 'There were many happy times, you know. If people have been happy together and then lose one another, memories of that happiness can make the pain even more bitter. But I think it's better to recall the good times, and value them. When Mother and I were in England – beastly England, as I saw it – and she was with Julian, I often prayed we would go back to Berlin. I so wanted my parents to be together, and then they were. And there were many happy days in the Mommsenstraße, and at Salitz, and with my German granny.' She walks back to the sofa, where Pandora is sitting. 'Pandora, tell me truthfully, as you love your mother and she loves you – do you mean to write a book about Irene?'

'Would you mind if I did?'

'That would depend.'

Pandora avoids her mother's eye. 'I adored her, you know, and when I sit in her studio I feel she's very close. It would be a loving biography.'

'And how would you describe my father, whom you hardly knew?'

'I'd listen to you, if you were willing to talk to me. I'd talk to Uncle Henry. . .'

'Oh, Henry is not so interested in people, Henry is only interested in his business and his cars. If you want the truth, you must talk to me.' She walks around the room, adjusts the flowers in a vase. 'And to Sophia, I suppose.'

14

Pandora walks along Cheyne Walk. She has been meaning to visit Irene's studio – her studio – for weeks. The thought of going back to a place where she has spent so many happy hours with Irene, but in Irene's absence, makes her nervous. But she must go. She'd thought of taking one of her girlfriends, but then they'd be inclined to nose around and suggest improvements. So she is going alone.

It's a windy day, the Thames is choppy – like her, she thinks. In the big old houses of Cheyne Walk, there's no sign of life. How will it be, living in this neighbourhood?

She is frightened of going into the studio: it might be neglected and dusty and full of old paint rags and mice droppings. Irene could not work in a space that was not immaculate, but after so many weeks. . .

She turns into a side street. It's not so posh round here. First right, then first left. There are hardly any studios round here any more.

The white wall of the building looks as it always did. Hesitant, fearful, she turns the key and goes inside.

The room is very light with its huge northern skylight. She sees at once that it is spotless. The canvasses stand where they have always stood, the paint-spattered table is where it always was, the piles of paper and sketchbooks have not changed. But what is surprising is the vase of white tulips on the table. Irene loved tulips.

She stands in the middle of the room for a few moments. Then—

'Pandora, is that you?' From the little kitchen at the back of the studio comes a familiar figure, Mrs Avery, the lady who worked for Irene for years. 'Hello, dear. Yes, it's me. I'm so glad to see you, Pandora, I've been waiting for you for weeks, thought you'd never come. What kept you? I'm in every afternoon to make sure the place is in good shape. I've tried to keep it nice. How does it look, dearie? And would you like a cup of tea?'

'Oh yes, I would.'

'There, give us a kiss, in memory of your gran. I'll make the tea, and you can tell me what you'd like changed before you move in and when that's going to be, and any improvements you might be making – the bathroom is very old-fashioned. Oh, and there's a letter for you.'

'A letter? Who from?'

'There, on the table.'

The letter is addressed to 'Pandora'.

My darling Pandora,

I don't have so long to live now. But I am very happy to be leaving my studio to you. Sell it if you want, my dear, I don't want it to be a burden, but I hope perhaps you will keep it, and look after my plants, they will respond to your care.

With dearest love,

Irene

Mrs Avery comes back in, with two white teacups and a white teapot on a black tray.

'The best,' she says. 'I thought we'd better have the best cups on such an occasion. Don't cry, dearie, this is a happy place. Will you want to be living here, do you think?'

'Yes,' says Pandora.

15

On the train and the boat and the train they all stayed quiet. Approaching Cologne, he said, 'Welcome back to Germany. Welcome to the land of food shortages and inflation.'

'I remember how it was.'

'It is different now, but I hope you will be reasonably comfortable, in spite of everything. In the new society, life will be much better for women. And for the workers, too.' He had changed to German, particularly when speaking to his daughter, who cheerfully jumbled the languages.

The carriage was quite full. When her side became crowded, Dodo wriggled off the seat next to her mother and looked up at her father. As she clambered onto his knee, he smiled, a slow soft tender smile that Irene well remembered, a smile that illuminated his face.

They arrived in Berlin in the late afternoon. 'We must take a taxi, with all this luggage,' he said, 'though they say the taxi fare is twice as much when you arrive as when you leave.'

'Are we going to the Schloßstraße?'

'No, no – home, to the Mommsenstraße. The tenants are gone. It was a little sad, but I repainted some walls, I was able to find some paint. White, a pure colour without associations. I've changed a few things. I didn't know if I was going to be living there alone.' He spoke softly. 'Gretchen will be very pleased to see you.'

The thought of Gretchen was consoling. Irene was reminded of the day she'd first arrived at the Mommsenstraße, of how strange she'd felt.

She felt strange now. In 1910 the street had been so prosperous but now it was grey and sad.

The street door burst open and Gretchen flew out. They embraced, they kissed, they cried, Gretchen exclaiming at Dodo's height, they grew confused about the luggage and nearly left bags on the pavement, they tumbled upstairs.

'Will you take Dodo to her room?' Thomas asked Gretchen. 'I hope she will like her room, I put up some new wallpaper, with bridges and castles and meadows.'

He opened the door into the *Salon*. Much of the old furniture had gone, it was very spare. 'It is the new aesthetic,' he said in that way he had, partly serious, partly self-mocking. 'I've not completed the work, I'm merely making proposals. I wanted you to make the important decisions. Come, I will show you the studio.'

The studio was transformed. There was a new easel; a table, where her paints and brushes were laid out; bookshelves, containing, she saw at once, nothing but her books; new blinds; the chaise longue from their *Salon*. She'd sometimes remarked that she would like to hide its stylised flowers under pale grey covers. It had been re-covered, in soft grey velvet.

'It is your room,' he said. 'I have put everything here of yours that I could find.'

She could hardly speak. She thought about Julian and the leaking lean-to where she'd tried to work, and how she'd hated this flat from afar, remembering the war. She turned to look properly at Thomas. He stood facing her, as though on trial. On his worn and handsome face she saw patience and anxiety.

Recently Irene had heard a new catchphrase: 'something snapped inside me'. She was reminded of this expression, something did 'snap'. She thought, it's inexplicable, this is the crucial moment – not those summer days in Dresden, not the wedding, certainly not the honeymoon, nor the day she'd announced she must stay in Berlin because she was a true

German. No, it was this moment, now. Irene, she told herself, I do love him, it's not my reason that tells me, it's my heart.

She met his eyes. She knew her Thomas. He understood.

When Dodo came into the room in search of her parents, she found them sitting together on the chaise longue. Unhesitatingly, she walked across the room and stood in front of them. She took her mother's left hand, and her father's right, and moved them together. She looked at the two of them hand in hand, and nodded.

16

Mark sat at the highly polished table opposite the highly polished senior.

'I'm sorry we have been slow to tell you about your next posting. As you realise, there's been a good deal to sort out, with embassies reopening and many new ones to think about. But I can now tell you: Berlin, that is our proposal – the embassy will be reopening next summer. Would Berlin be of interest?'

'Indeed it would.'

'Excellent. Of course there'll be formalities, but. . . Your German's in good shape?'

'Yes, I was rather hoping. . .'

'Quite so. We understand your sister is married to a Berliner. When you go there, you'll need of course not to go native. Still, such links can be helpful. The press can be hard on men with German connections, but they won't bother you.'

'I look forward to it.'

The distinguished senior said, 'Diplomacy won't be the same, now – that concept of the chancelleries of Europe creating a balance between the powers. Working together to create a League of Nations, taking proper account of the United States, that's what we have to think about, not to mention economic issues. Germany presents particularly complex problems, the possibility of socialist revolution is never far, and you and your colleagues will be most important. Firm to the Germans but friendly, that's what we need to be.'

Mark smiled. 'I imagine the ambassador will be dealing with policy at that level, not me.'

'You'll have a part to play. We expect a good deal of you, in fact.'

Mark left the room feeling as though he'd drunk several glasses of the finest champagne. He was indeed heading for the summit.

17

The farewell party to mark the final departure from Evelyn Gardens was quiet at first. Not as many people came as Lady Benson had hoped, it was not like the old days. Christina Beaumont, now Mrs Peterson, came with her funny old stick of a new husband, she seemed embarrassingly attached to him. Edward gave his mother the briefest kiss. He and Victoria brought some business friends, she couldn't see the point of them, she'd had such interesting guests before the war.

'You will be sad to leave this house, how long has it been?' people said.

'Thirty-four years,' she'd repeat.

'But how convenient to have a flat,' they said. 'And what will you do with all your beautiful things?' This was hardly sensible, she knew her things were hopelessly out of fashion, but she had no money for new ones.

Then Laura arrived, wearing a blue silk dress decorated with silver braid and a bewitching cloche hat. Her hair was cut short at the front and gathered round her ears, it was most becoming. She seemed very light-hearted. 'These days, if you want to find a young man, you have to work at it,' she remarked when congratulated on her appearance. To Sophia, she said, 'I'm going to tell you my secret, darling. I'm opening a dress shop, just off Curzon Street. It's going to be a huge success, and we're going to have hats and dresses for the fashionable young woman, all the newest things from France. Papa is putting up the money and I'll be the manager. Do tell me you think it's a good idea.'

'It's a spiffing idea.'

'I thought you might come and help me. You have such a feeling for clothes.'

'What, as a shop assistant?'

'No, you goose, on the dress side. I want you to help me to choose the best models, and go to Paris to investigate what's being worn – you'd enjoy that and your French is good. I'll give you a share of the profits and a salary. And you'll wear our clothes at parties and people will say, "Where on earth did you get that dress, it's too marvellous." And you'll whisper my name.'

Sophia did not reply. Laura inspected her, saw she was rather flushed. 'You are quite well, darling, aren't you?'

'Yes, I'm all right. Why do people keep asking me? Victoria's just asked me. And thank you very much, but I'm not interested in working in a shop. How about Clarissa? She's much more the kind of person you need.'

Laura moved away, looking puzzled. Sophia noticed with annoyance that she and Victoria were looking in her direction, discussing her. She sat down. She wished she'd not nipped up to her bedroom twice that afternoon.

Mark too seemed to be studying her. 'How are you doing, darling?' he asked.

'Fine, fine,' she replied, and hiccupped. She wondered if her voice sounded slurred. Mark was looking at her in an analytical sort of way, curious, but kind. She felt she could confide in Mark. 'I'm so unhappy, Mark,' she said. 'Ever since the war ended, I've been unhappy. D'you understand how I feel?' He nodded, and took her hand and stroked it. She wondered if people were looking at them, this was an odd thing for Mark to be doing in the middle of their party, but she was happy that he was doing it, she felt so much at ease with Mark.

To her surprise, because she felt – or at least she thought she felt – quite normal, Sophia found that she was staggering, and had dropped her cup and saucer on the floor, and had to hold onto an armchair to stop herself from falling over. There was an immediate sharp silence throughout the room, but for a moment only.

'I think you might want to go upstairs and have a rest,' he said, and as though by magic Laura appeared, and helped her up, and they left the room.

Nobody seemed to notice, and if they did they never showed it. On and on they talked: 'The rise of the Labour Party, it's so very alarming, imagine if they formed a government. . . The rise of the Labour Party, it's inspiring. . . The cost of living, one can hardly afford a loaf. . . The Ballets Russes, enchanting, I hear. . . Poor Elizabeth, he left her nothing, such a strange man.' And after a while: 'It was so lovely, like before the war, thank you so much.' And, 'How sensible of you to move, we're so looking forward to visiting you in your new home.'

Laura reappeared as the last guests were leaving. 'Sophia is fine, she's asleep. It was just, it was just. . . I hope I can persuade her to come and work with me.'

'It seems clear,' said Mark, 'that living at home is not the answer, particularly since the new home will be so. . . so intimate. Dear Mamma, I think you have to recognise that.'

'Yes,' said Victoria, 'what's clear is that Sophia needs a new life.'

18

Embassy life in Berlin was more formal than in wartime Washington. In Berlin, young unmarried members of staff were treated as the ambassador's family. Every night they assembled in evening dress in the upstairs drawing room, sat at dinner in order of precedence, at the end of dinner stood as the ambassadress left, followed her upstairs for coffee, played cards or billiards, went home not very late.

At first Mark found this routine pleasant. He'd always wanted to inhabit a huge house. It was enjoyable to walk through the salons to the ballroom and consider how one might fill the rooms with paintings and furniture. He became familiar with his colleagues, knew which were clever and which less so. They endlessly discussed the Treaty of Versailles, and the Babel of political parties in the Reichstag, and the fragility of the centre. The ambassador entertained enthusiastically, bringing together people who would never normally have met.

Still, Mark began to want variety. He put it to the ambassador that he might usefully extend his range of acquaintances, gathering more informal impressions of the city and the country. The ambassador was sympathetic.

At first Mark went to restaurants and the opera and rather correct nightclubs with his colleague Robert. Robert knew a German couple who were anxious to make English friends, through whom they met two vivacious unmarried sisters whose father had just ceased to be reigning prince of a tiny but impressive-sounding German principality and who joked incessantly about their titles. They also met a student of philosophy with another ancient name whose studies were apparently perpetual, and an ex-army officer who sold cars but was going to sell wine, and some strikingly blonde war widows who never mentioned their late husbands, and some Russian princes and duchesses who congregated in the innumerable Russian restaurants. Almost all the German members of this group were 'von's, and often Grafs or Gräfins: Grafs clung together, it seemed. Mark and Robert would find that when the bill arrived, their friends had been called to the telephone or were animatedly chatting at a distant table. But they did not object, since the Germans were honest about avoiding the bills. 'We're not Jews,' they'd say, 'we've made no money out of the war, but we'll be rich again soon, and then we'll buy the champagne.' One of Mark's reports explored the persistent nationalism and monarchism in traditional circles.

And he experimented elsewhere. He'd abandoned the company of Robert, who'd been disconcerted at a party near the Wannsee by a girl with violet hair who thrust her hand into his shirt and squeezed. Through Irene, Mark met publishers, artists, gallery owners; through Alexander, journalists, Jewish for the most part (there were no Jews in the Graf set) and female couples, said to be typical of Berlin. 'Poor girls, with the men dead, they must find friends somewhere. . .' people would say. He was invited to parties given by wealthy businessmen who were happy to have their sumptuous houses filled with the artistic young and to feed them inexhaustible champagne and cold meat and salmon, parties where the waiters and waitresses were readily fondled by the guests, parties that ignited when the theatres closed and the entire cast of a new play arrived, parties that lasted until dawn.

People seemed to like him. Though the Graf set might joke about revenge on England, they never expressed antagonism. The ex-officer who sold cars told Mark that he'd fought solely against British regiments and greatly admired their courage and professionalism.

After a while Mark's colleagues began to remark humorously on his yawns. He worried sometimes that he was not working hard enough, but the ambassador seemed satisfied.

Mark's new friends talked about sex in a way he'd never experienced before. They might ask him whether he preferred men or women, and smile when he said, 'Women, naturally.' If invited to sleep with someone, he always refused. Only very occasionally was he tempted, but then the gossip in these circles. . .

19

They stood in the empty drawing room. The last packing case had gone, only a few sticks of furniture no one wanted stood isolated on the bare boards. The room looked huge and shabby.

'My God,' said Sophia, 'it's so dreary, you can hardly imagine this was the centre of our existence. Just like our old world – taken apart.'

'The kitchen is worse,' said Victoria. 'It makes one shudder.'

'I'm surprised anyone wanted to buy this old hulk, you'd think they'd pull it down and build something for today. At least Mamma and I no longer have to discuss whether to accept £3,600 or hold out for £4,000.' Sophia walked to the back window and gazed out. 'To think, when I was a little girl these gardens seemed like Paradise.'

'You're not sad to be leaving, are you, Fia?' Victoria put her arm round Sophia's waist.

'Oh no, oh no, not at all. It's been so depressing, with Papa's study locked up like a tomb, and the servants leaving, and Mamma worrying about the cost of coal.' She pulled at a strip of loose wallpaper. It came away easily, and she pulled harder to reveal a gash of bare plaster. She looked at it in surprise.

'Why don't we sit down for a moment?' said Victoria. 'Sometimes one needs to say goodbye to a place properly – rooms can hold so many memories. Saying goodbye to my parents' old house, all sixty rooms of it, that was quite something.'

They sat down on the largest sofa, the one with broken springs that for years the family had left for guests.

'You're very kind, Victoria. You have so much to worry about and yet you come and help us as though you had no other concerns in the world.'

'Oh, I just do what has to be done.'

They sat in silence for a moment.

'I am thinking of going on a little jaunt,' said Sophia.

'A jaunt?'

'Well, a journey. To France. To the battlefields. To see if I can find David's grave.'

'Sophia, darling, is that wise?'

'What has wisdom to do with anything?' She gave a laugh. 'I could make quite an event of it, I suppose, and locate your brothers, and little Andrew, and why not the Nash boys, and Laura's young man, and of course Freddy, and any manner of other people. . . If I look for one man, then why not all of them? Those ghosts, they won't go away. Other people seem able to forget them. I can't.' She sat very still. Victoria turned to look at her.

'Sophia, don't cry, don't. . .'

'Oh, can't I cry just a little, Victoria? Let me cry. You're like a sister to me, let me cry with you if it doesn't embarrass you. I want to stop being brave for a moment, being brave all the time is so difficult. . . I keep remembering the war, I was so futile. . .'

'You weren't futile, you were very brave.'

'I could have tried harder. . .'

They were quite quiet.

'I think we should go now, dearest,' said Victoria.

'You know, seeing this poor old house quite naked, I feel that comfortable world we grew up in. . . has collapsed.'

Victoria looked at her carefully. 'We'll survive, you know, at least most of us will.'

'We? Who are we then? I suppose you mean we British. Those poor Germans though, will they survive?'

They stood up, patted their clothes into place, put on their hats and coats.

'Do I look a fright?' asked Sophia.

Victoria considered her. 'I have seen you looking better.'

'I am sorry to be so hopeless. . .' But Victoria hushed her, and took her arm, and they walked down the clattering stairs, and left Evelyn Gardens for ever.

20

It had been a busy day at *Modes de Laure*. Not that dozens of people had come in, but those that had were people who counted. Two elegant ladies, one of whom wrote a fashion column; an older lady, known to be rich; three middle-aged Americans of the low-voiced New England sort. Sophia talked to the Americans for a long time, a married couple and a male friend of theirs who wanted a present for his daughter. Sophia showed them materials and designs, made discreet suggestions. The Americans asked Sophia if she was always there in the shop, and she replied, 'Always in spirit, not always in the flesh.'

The man on his own asked whether she had ever been to America. No, she said, but she longed to. He smiled again, a nice smile that crinkled up his face, and gave her his card, and said that if she ever visited the States she must let him know. 'The house is not quite so comfortable since my wife died, but it's convenient for Boston and New York, I think you'd like it.' She asked him whether he was staying long in London, he said he had a visiting professorship in Leiden, he would be in Europe for a few months. The couple came forward at this, pressed her – to her great surprise – to visit them in Boston. 'You can't stay with him now that he's on his own, what would the neighbours say?' said the woman, and they all laughed. He had grey hair, though nice grey hair, he must be almost twice her age, but then. . . How delightful Americans were, she thought.

By six they had all gone. Laura emerged from her office and found Sophia lying on the armchair in the front room.

'You've worked so hard, Sophia, you always work much too hard.'

'I can't help it. I sold lots of frocks. Those Americans, in particular. . .'

'You know, darling one, I never intended you to act as a shop girl. I wanted you to look for new fashions in Paris.'

'I'm not quite ready to go up and down the fashion houses of Paris looking at clothes and dealing with alarming people. No, I am quite happy here, thank you. Laura, those nice Americans – can you guess where they were going on to?'

'Paris, was it?'

'Paris, and the battlefields. The man on his own – his brother was killed in the fighting, he told me – he's a professor but he's going to look for his brother's grave. The system is quite efficient for finding war graves, he is going to write and tell me what one does.'

'Did you give him your address, you bad girl?'

'I said he could always reach me here. Mamma would intercept any letters that arrived at home. Oh, does one ever meet anyone who's not been affected by the war?'

'I wish you could forget the war, my dearest.' She stroked Sophia's forehead.

'Oh, never. I thought I might go to the battlefields too. I know where David was killed, and Freddy. I can look for Toby, too, if you tell me where he fell.'

'I don't think you should do this, darling, really I don't.' Laura sat down on one of the little chairs, something she never did, there was no time. 'I know it's superficial of me, but I need to forget the war if I'm to make anything of the future. If I thought about all those people I'd go mad.'

'Perhaps I will go mad.' Slowly Sophia folded up a piece of material. 'If I try to shut those memories out of my conscious mind, they attack me in my dreams. It's best to confront them. Lots of people do search for the graves of their loved ones, you know.'

'Well, if you must go. . . I know how determined you are. Perhaps you'd let me come with you?' Laura sighed and the tiniest of tears came into her eyes. 'I suppose we might find Toby's grave. I might be glad to do that.'

'Come with me, do – it won't be fun, but it might be healing.'

21

Dearest Irene,

I have a new activity, evening classes at Birkbeck College, it's
a college for working men, they're nearly all men, but I try to look
sensible. I am studying German, my class is small, nobody wants to
learn German at the moment. It means that two nights a week I don't
have to have dinner with her – and if I want to escape, I can pretend I
have an extra class.

Our lecturer is a dear man called Mr Smith. He asked me to see
an exhibition with him last Saturday, and we had high tea in Lyons
Corner House in the Strand. We had poached eggs and a pot of tea
and talked about German literature. He lives with his mother in west
London. I couldn't help smiling because it was so different to dining
with David at the Ritz, but David couldn't talk about Goethe as Mr
Smith can. He asked me to call him Alan, outside class. I asked him to
call me Sophia.

I'm glad you're so rich in Germany with all that English money.
I hear some impoverished English people go and live in the most
magnificent hotels in Germany because the pound is worth so much
should we send Mamma to live in the Adlon? Lately she's cheered
up because Edward has become friendlier, comes to visit her, has some
scheme he wants to involve her in. We think he may have lost his job.

Give my best love to your darling husband.
Fia

22

The Cosy Bar was tucked away in a side street. There was a *Stammtisch* for the regular patrons, and red velvet banquettes, and artificial flowers hanging from the ceiling, and on the tobacco-stained walls photographs of film actresses and actors; the lights round the bar flashed off and on, and the radio played the latest dance music, and people foxtrotted cautiously round the tiny dance floor. There were a few girls and many boys, slender and mostly blond (naturally or otherwise), who smiled at any man who looked even mildly prosperous. The barman greeted Mark warmly and he sat down, enjoying a faint sense of erotic expectation.

'*Guten Abend,*' said a young man. '*Ich bin Karl.*' Mark remembered an evening when he'd met another Karl beside a canal, and had been terrified. This evening he was not terrified. This Karl was fair-haired, nice-looking, probably in his late twenties.

Karl was a manager in a hotel, he'd lived in Berlin for several years but came from Erfurt, there was nothing to do there. He played the stock exchange, making sure that every day he was at the exchange or on the telephone at the exact moment when the new mark–dollar exchange rate was announced. He'd made quite a lot of money.

From time to time he stole a look sideways. He was shy about asking questions, only asking Mark's name ('Andreas' tonight), his nationality ('*Bist du Amerikanisch?*' and yes, he was), his job. '*Geschäftsmann,*' said Mark: 'businessman' usually satisfied people. Then Karl asked Mark what he would like to drink, and laughed at his air of surprise. 'Money is not a problem for me.'

Karl informed the barman that the price was to be set at the rate for Berliners, and paid. Then he dropped his briskness.

'Are you in love?' asked Karl.

'No, I'm not.'

'Have you been in love recently?'

'I don't know.'

'One knows when one is in love. I would say that you have never experienced real love. Even in a place like the Cosy Bar, it is possible to meet someone very special. Do you believe me?'

The following morning, on his way home in the taxi, Mark wondered whether he could possibly fall in love with a man. He thought not: in the end real love between men was impossible, it was fundamentally unnatural. Then, as the taxi approached his apartment building, he looked at the note Karl had written with his address and telephone number, and there in the corner was a tiny heart with an arrow through it. How banal, he told himself, how absurd. He folded up the note again, put it away. It was extraordinary to think one might fall in love, just like that, that it could be so spontaneous, so illogical. So unreliable, too, no doubt.

23

'Mark, darling, I'm afraid there's almost nothing to eat, but Thomas has prepared something. Did I tell you, Gretchen's leaving us, going to be married at last?' Irene was lying curved on her grey velvet sofa. She enjoyed playing the idle bohemian sometimes. Thomas was attending a political meeting. 'You know, Mark, nowadays I only think about myself, never about public affairs, it's much the best solution.'

'You think about me,' said Dorothea, who was leaning against her mother. 'And Daddy. And she talks a lot about you, Uncle Mark, don't you think she doesn't. *Die ganze Zeit* she worries about you. I'm not meant to say that.' She peered at him. He did not let himself react visibly.

'Dodo talks too much,' said her mother. 'Really, she should go to a convent school, where they would keep her under control. Don't you think so, my darling, a school with strict rules?'

Dodo laughed. She was not a particularly pretty child, but amusing.

'Dodo, won't you change into your nightgown? Can you manage on your own?'

Challenged, Dodo disappeared.

'By the way, Irene,' said Mark 'may I ask you something, something you are not to tell anyone else? I am thinking of leaving the Diplomatic Service.' And he explained.

'But I think it's a splendid idea, Mark darling. You'd be your own master. Would you stay in Berlin?'

'I might, I suppose.'

She wiggled a pencil at him. 'Would there be, I wonder, a reason for your staying here? A reason you've not revealed to us? Even a person we've never been told about?'

He hesitated, coloured. 'No.'

'Mark, darling, don't look so defensive. This is the age of Dr Freud, we can talk about such things without shame. I did wonder whether you have a lady friend here in Berlin.'

'No, I haven't.'

'Or indeed a gentleman friend.'

'No, no. Irene, why are you interrogating me like this?'

'Darling, don't be angry. You can tell me anything, you know. I'm concerned about you, as Dodo suggested. I want you to be happy, my darling brother.'

But he pursed his lips. He could not speak. He felt ashamed of himself, guilty, foolish. But he could not speak.

Dodo reappeared in her nightgown, and thrust a large book at her uncle.

'What's this?' said Mark. '*Grimm's Fairy Tales*? Any one in particular?'

'Hansel and Gretel.'

Engrossed, they did not notice Alexander and Thomas coming into the room. Only when Mark was reading about the wicked witch did Alexander screech, 'I have the children now, they shall not escape from me again,' rearing up in the air with hands outstretched and fingers tensed like claws. Dodo screamed and gripped her uncle's legs.

'That's so typical of Germans,' said Mark, 'the violence just beneath the surface. Here we are peacefully enjoying family life, and then the Alexander Beast disturbs it.'

'But I'm not a real German, I'm just a little Jew,' said Alexander.

'How was your meeting?' asked Irene.

'Oh,' said Thomas, 'it was depressing. These people argue and argue and never decide anything. I sometimes feel I should give up politics,

I have so little to contribute. More interesting is the fact that dinner is ready.'

When they had helped themselves to the great dishes of food, Thomas urging them to try everything and to take more sauce, Alexander leant towards Mark.

'Now, I would like your views. Last week at the British Embassy, where you kindly invited me, I met two senior ministry officials. I scarcely ever encounter such people. Who were they? Just as I expected: Prussians who have worked at the same ministry for decades. Do they support the republic? No, they long for the old, glorious days. It's the same in the army, the universities. They despise the Reichstag, and when they see twenty political parties bickering, who can blame them? It was Ebert's great mistake to think they could create a republic based on friendship with the old order. So what does the embassy think about this situation?'

Mark smiled, cut up a piece of salami. 'How would it have been possible to train up a new generation of officials in so little time?'

'We must believe in the republic,' said Thomas. 'If people like us give up hope, there's no chance of Germany recovering.'

'Is it too much, after all the horror we've had to bear,' asked Irene, 'to be allowed to lead a private life, and leave politicians to their games?'

'A happy personal life is not a right, it is a privilege to be fought for,' said Alexander. 'There's nothing for it but to fight, even if so many people have given up. We need a strong leader, a man like Walther Rathenau.' He turned back to Mark. 'You never answered me. Another question, then: what do you think about Rathenau, you at the embassy?'

Mark had been enjoying the calmness of the room lit by a lamp suspended above the table, the linen tablecloth with its intricate pattern of plants, the classic simplicity of glasses and brightly coloured plates, the atmosphere of grace and concord that surrounded his sister. He envied them, he who never spent an evening alone at home. But Alexander was saying, 'Well? Well?'

Mark collected his thoughts. 'We admire him as a highly intelligent man, addressing difficult issues, though limited in what he can achieve. Do you still think he is the great hope for Germany?'

'Very diplomatic. In my opinion, Rathenau is a visionary, he can dissect existing intellectual and political systems. He understands we need a new system for a modern age. Rathenau as a leading minister, perhaps even as Chancellor – a Jew as Chancellor, what a thing that would be – might persuade the French and the English not to kick Germany down as she tries to stand up. I suppose he is a homosexual too – how would it be to have a homosexual Jewish Chancellor?'

Mark grunted. 'Impossible.'

'It is sad,' Alexander went on, 'people hate Rathenau. At that reception, I mentioned his name to those officials, they closed their faces. . .'

'Do you think we are ready for Rathenau as Chancellor?' asked Thomas. 'I would like to think so, but. . . More potato salad, Mark, do you eat enough?'

'I eat much too much.'

His conversation with his sister was running through his head, but he never told her any more, that evening or any other evening. Nor would he ever take Karl to dinner with his sister, much as Karl would have liked it. The two worlds had to stay apart.

24

They did not find David's grave, only the place marked in the guide to the battlefields where an attack had been made on 6 November 1917, the day he had fallen. Grass was growing over the crazy maze of trenches that stretched for miles to each side of the little ridge. They did not care to look too closely into the rough ground between the trenches. It was a freezing day, and they hid themselves in their long cloaks.

'I suppose you will want to write to his parents,' said Laura.

'I met his mother, did I tell you? Coming here, I realise that for David the fighting might have had its appeal, however terrible it was. Even when he was with me, something was urging him to return to battle, like a true knight. He'd have been proud to die for his country. . .' She cast her eyes over the vast, massacred landscape.

They found Toby's grave the next day. He had been badly wounded, and had died a few hours later: his batman had written to Laura describing the courage he had shown while being carried out of the trenches, and his death. There among two hundred or so rough little crosses was inscribed: 'Captain Toby Slater, Durham Light Infantry, died 24 July 1916'.

They looked at the grave for a long time, in silence.

'We would have been happy together,' said Laura, 'I know we would.'

'I'm sorry I never met him,' said Sophia.

'You would have liked him. He was such a funny one. Quite radical, he was: he'd say to me, "Women have the same rights as men, you know. I want you to be more than just a wife, I want you to be a person in your own right." I suppose that's why I do what I do – even though selling clothes to rich ladies is a funny way of being a person in one's own right.'

The following day they went in search of Freddy's grave. 'I had a letter from Puppi, Freddy's sister, after the war,' said Sophia. 'She said how much they'd all appreciated my writing about Freddy, that a friendly voice from the other side had meant a great deal to them. I'll write to her if we find the grave.'

They found the château where she had worked. The building was boarded up, desolate, the land around it hardly recognisable as a garden, the sheds that had sprouted over the park were collapsing. 'That was where I mostly worked,' and Sophia pointed to a long, crumbling wing. 'Nobody wanted to look after the prisoners.'

At one end of the village lay the local cemetery with the graves of patients from the hospital. They wandered along the serried resting places of men forced to be as uniform in death as they'd been in life.

'Hauptmann Friedrich Curtius. . . Here he is! Oh, Laura, here he is.' And she gulped. 'I can't think of him as Hauptmann Curtius, to me he was our Freddy.'

'Were you. . . do you think?'

'I don't think so. He was like a brother.'

'I suppose none of the German relations can visit these graves yet, I see no flowers.'

'Thank goodness I brought some for Freddy.'

A burst of rain struck them, and they clung together, grateful to feel a warm body among so many cold ones.

'Shall we go back to the beastly hotel and get warm?' said Laura. 'I think we need. . .' She did not finish her sentence.

'You mean we need a drink,' and Sophia laughed. 'I've stopped, for ever, but I want you to have several. You can mention drink in my hearing quite safely now, without me starting to pant with longing.'

As they were driven back to the hotel in their rickety taxi, Sophia said, 'It has been very strange, coming here, and seeing this awful landscape again, awful but silent. . . I feel purged.'

That night, in her mean bed with the scratchy sheets, she dreamt again. She saw faces crowding in on her, faces she recognised but could not name, faces of young men in uniform, some wounded, some merely pale, impassive but staring, raising their hands towards her as though saying goodbye. When she woke, in the narrow room where the thin curtains hardly excluded the gaslight, she did not know where she was, she only knew she felt relieved, as though the faces had drifted soundlessly away.

At breakfast, Laura announced she was going on to Paris. Sophia should come with her, and they would visit all the fashion houses. But no, said Sophia, she must go home soon. Laura, ever efficient, sent a telegram booking Sophia's passage, and one other telegram, over which she spent a fair amount of time.

Three days later on the boat, Sophia bumped into the American man she had met at Laura's shop. She was delighted to see him. He too had been in France and had found his brother's grave. Ignoring the spray and the rolling of the ship, they had a long talk on deck. He gestured once or twice towards the saloon, but she shook her head and they stayed outside amid the wind and rain, but sheltered. When they disembarked, her cheeks were very pink and her eyes were very bright and her hair was all in a tangle, the result of the wind and the rain.

25

Mommsenstraße, 10 June 1923

Dear Mother,

I am so happy to be here in Berlin. Irene is so kind, and seeing her and Mark and Thomas is the greatest treat. I'm so glad I decided to come.

The flat is quite changed since we were here with Father. Thomas has made it all very white and modern and sees it as a showplace for his design work. Irene has the loveliest studio. In fact the whole city has changed, it is not at all the big gay confident city it was when we were here before, it is very shabby now and the buildings even in the best quarters look neglected. We saw a huge statue from a building near here lying in the street, he'd broken his nose, the poor old god, it was a sad sight. People look rather pinched and white and dress as though they've not had new clothes for years. Here and there you do see very rich people – we went to an elegant restaurant the other day and the wealth of the diners was rather awful.

We had tea with the old Curtiuses, and they were very dear, and send you their very best wishes. You know that as well as Freddy they more or less lost Paul, who was so badly wounded in the head that he cannot speak and lives in a home in the country. His mother goes to see him every month but when I asked if I could go with her she said it would make me too sad and that the place is filled with war victims, a quite dreadful place. I said I was used to such things, but she shook her head – it was one thing, she said, to witness such things in wartime but to see men condemned to a lifetime of imprisonment within their own bodies was terrible. I don't believe the other members of the family go very much, if at all, except Elise, who visits out of a sense of duty. Mark was Paul's friend, you'll remember, but he never visits. I think he'd find it too upsetting.

Puppi came to visit the other day. She is a schoolteacher in Dresden, and sweetly earnest, and dedicated to her teaching, and committed to politics – she belongs to one of the liberal parties and campaigns for them. She says Dresden is more genuine, less harsh, than Berlin.

And Alexander we see often. He is doing very well, his book on the future of Germany has been published and is much admired by many, though hated in right-wing circles. He tries to flirt with me but I tell him I have an admirer in London. Actually, I think he has a young lady.

Irene is becoming famous. When I tell people I'm her sister they open their eyes wide, and ask about her when she was a young girl. I try to think of something interesting like she won the art prize at Queen's College.

Being here for such a long time has given me the chance to think about myself with a little more detachment than usual. Dearest Mother, I want to say sorry for being so difficult and impatient, which I know I am. You must find me a trial, I do understand that, I hope you will forgive me. Whatever happens to me, I want you to know I love you very much. You have always been a loving mother to me, and have wanted the best for me. Don't ever forget how much I love you.

Yours, ever and ever,
Fia

26

While Sophia was away, Edward invited himself to tea with his mother. He said he'd bring a friend he wanted her to meet. She was delighted. The friend was called Mr White, and apparently knew a great deal about money.

Wilson served tea. She did not like the look of Mr White, and was doubtful about what he and Edward were discussing with her mistress. She made a number of incursions into the sitting room with fresh hot water, until she was asked not to return. Instead she listened at the door.

What she heard alarmed her. Mr White – not a gentleman, in her view, an over-fed young man who did not strike her as honest – outlined a scheme for making a great deal of money from a new type of bicycle, with lots of explanations about why this bicycle was so special. He and Mr Edward would be partners in a new company which was bound to succeed, it offered something unique and of the moment. Mr Edward was putting in some money, as was Mr White (Wilson doubted this), and many other people were interested in investing. They were offering her the opportunity to invest as well, an opportunity that would bring her great financial reward as well as the chance to collaborate with her beloved Mr Edward. There was a rustling of papers at this point, Mr White's voice becoming increasingly urgent. Behind the door, Wilson seethed.

Quite soon, she heard Mr White saying, 'Sign here, would you? And here?'

The gentlemen left rapidly, looking cheerful. Bit by bit, Lady Benson revealed to Wilson what had happened, though in simple terms, assuming

Wilson would be incapable of understanding anything about money. But Wilson was not stupid, and what became clear to her was that her mistress had handed over to Mr Edward and Mr White every penny she had.

27

Mark and Irene saw Sophia off at the station.

'You've been such an easy guest,' said Irene, 'and such fun. I do hope. . .'

'I've had a divine time.' Sophia hesitated, then she said, 'I am so sorry to say goodbye to you, dearest Irene, dearest Mark.' And she burst into tears, holding onto Irene as though she never wanted to let her go.

'But you will see us soon in London, or here.'

'Dearest Fia, you don't need to cry so,' said Mark. 'Here, take my handkerchief.'

Still she clung to them. But whistles were blowing, doors were slamming, and at last she hurried onto the train. She waved and waved as the train set off. Mark and Irene walked slowly along the platform. They stopped, looked at one another in puzzlement.

'That was rather extreme,' said Mark. 'It's not as though she were going to the New World. Does she hate going home so much? She did seem rather distracted, didn't you think?' He took her arm and they hurried through the station.

Lady Benson went to Victoria Station to meet Sophia's train, excited, there was so much to tell her. But she was not on the train. Lady Benson could not believe it, she waited on the platform for half an hour in case Sophia had fallen asleep in her carriage, she questioned the guards at length, but no, this was the Berlin–Cologne–Ostend train. Sophia was not on it.

She ran to the post office, sent a telegram to Mark in Berlin, went back to the station. There was no possibility of her being on any other train that day. Mark telegraphed back to confirm that he and Irene had seen Sophia off.

Lady Benson gave way to the most horrid fantasies, could not sleep, talked endlessly to Wilson about what might have happened, visited the German Embassy, the offices of the German Railways, rang up anyone she knew who was well connected. No information.

Mark sent another telegram, saying they had sent out messages to all the shipping companies asking whether a Sophia Benson had embarked in the past two days. After some delay, a message was received from Norddeutscher Lloyd to say that a passenger bearing that name had embarked on a ship to New York. Was she to be detained on arrival?

She must have been kidnapped, thought her mother. Back in Berlin, Irene and Mark laughed, in spite of themselves. They did not think she had been kidnapped.

Two telegrams arrived from the ship, for Lady Benson and for Mark: 'ALL IS WELL STOP DO NOT PURSUE ME IT WOULD BE COUNTER-

PRODUCTIVE STOP WILL WRITE SHORTLY STOP FONDEST LOVE SOPHIA'.

Lady Benson wanted her to be detained. Mark sent a telegram to the shipping company to say that the passenger was not to be stopped.

They did not hear anything for a while. Then on the same day letters arrived, with American stamps, in Berlin and in London.

10 October

Dearest Irene,

I'm married! I was married yesterday to Professor John Clark.
It was a civil ceremony, the witnesses were John's son – he's much
older than I am, you see – and the housekeeper. We had the wedding
breakfast at his house.

Victoria and Laura will have told you about John by now. He is
the dearest man, I am sure you'll like him. He is a professor of history
at Boston University, he is fifty, his first wife died several years ago
and he has been unhappy and lonely, especially since his brother was
killed. I don't think he is unhappy now.

Laura introduced us, she planned it all. She met John when he was
visiting London, she thought, aha, he will do perfectly for Sophia. She
brought us together at the shop, and apparently he liked me, and then
when we'd visited the graves she arranged for us to meet on the boat
coming back to England. He asked me to marry him, then and there,
on the deck, can you imagine? It was so romantic, and I liked him very
much, and I said I'd have to think about it, and he kept writing and
we met in London, and I thought he was better than nice. The person
who finally persuaded me was Victoria. She said, go, you must go,
clearly he is the right person, and sometimes one must take risks.

Then John wrote and said he was going back to the States and he'd
be on a particular ship leaving Rotterdam and he'd booked a passage
for me. . . So I came to see you and Markie in Berlin, and said a major
goodbye though you didn't know it, and I arrived at the embarkation
hall with my passport and my luggage, and there was John looking

anxious and lonely in that huge hall amid all the bustle and I went up behind him quietly and I pinched his neck and he turned round and said, I knew you would come, I knew you would come. And off we sailed, and as the lights of Europe faded, I thought, goodbye Europe, and goodbye to so much unhappiness.

I want you to meet John soon. I love him a great deal even though I don't know him very well, but when someone is so keen on you it's rather persuasive. He keeps saying, what a lucky man I am, I can't believe how lucky I am.

Irene dearest, you must forgive me for not telling you sooner. I couldn't, I just couldn't. If I'd said anything, you'd have felt so uncomfortable, you'd have worried about Mamma, you might have told her, I'd have felt guilty and perhaps not gone. Victoria and Laura, they both said, just go, tell them afterwards.

I'm writing to Mamma today. I do feel guilty, a bit, but this was the right thing to do, I know. I'm so happy, you can't imagine, or then probably you can.

Your very loving sister,
Sophia Clark

Mathilde opened the door, as usual. She looked surprised to see them, and nervous.

'These are for you.' Irene gave Mathilde two envelopes. 'For your wages, dear Mathilde, in sterling – it is so heavy carrying millions of Reichsmarks around. This other envelope is for the household expenses. £1, for the next two months.'

Mathilde seemed agitated. 'Thank you, Frau Irene. Frau Elise is here. And Frau Curtius has a visitor.'

Voices were approaching down the corridor. Frau Mamma appeared with Elise and a man they did not know. Herr Papa followed, looking mildly agitated, as he generally did these days.

'Ah, my dears. . . Herr Rippert has been advising me.' Frau Curtius did not introduce him further. Herr Rippert scrutinised them with an inquisitive half-smile, promised to be in touch, left.

'Who is Herr Rippert?' asked Thomas.

'Oh, a man of my acquaintance. Mathilde, what can I offer Herr Thomas and Frau Irene? Mathilde has found a grocer who gives us credit, so now we have real food again, real coffee. How we will pay it off, I don't know, but let us enjoy his kindness while we may. Won't you come into the music room? The *Salon* is still so cold.'

'How fortunate you are, Frau Mamma,' Elise remarked, pinning on her hat, 'to have a visit from our English relations. They are used to comfort, it must be strange for them to come to an ordinary German home.'

'Elise, that's enough.'

'And Irene is very busy painting her strange pictures, she must be uneasy in a house where the old conventions of decency and nature are observed.'

'Elise, you know that's not true,' said her brother. But Elise had gone.

Coffee appeared, and proper cakes, like cakes from before the war.

'Poor darling, her life is so hard. I gave her a drinkable cup of coffee, and she suspected I'd been buying on the black market.' Frau Mamma looked at them blandly. 'If Mathilde is so clever, who am I to complain? At least it seems Elise has met a gentleman who is interested in helping her. No, he is only a friend, he is pleased to meet a real German lady. Elise says he comes from quite a different background, but she is teaching him elegant manners. He takes her out to dinner and to the opera, and brings presents for the children and helps her find dresses. I cannot disapprove, she had to sell everything, even Heinz's medals.'

One or two paintings were leaning against the wall of the music room. Frau Mamma did not refer to them.

'Have you been to the theatre? I understand there are some fine productions. And your next exhibition, Irene?'

'Who is Herr Rippert?' asked Thomas again.

'Oh, an adviser.' They waited. 'Herr Rippert is an art valuer. He came to value our things. Nothing more than that.'

'Why do you want your things valued?'

'I just wanted to know. . . Now, tell me about Dodo.'

Irene looked at Thomas and Thomas looked at Irene. She spoke. 'I have a suggestion. May I give you some English money, or lend it, if you prefer? It would be so easy for me to help you, the money I receive from England makes me rich in Germany.'

Frau Mamma looked at Herr Papa as though instructing him to speak. He seemed nervous, but determined.

'It is very kind, we appreciate your offer, but we cannot take it.'

'But Papa,' said Thomas, 'don't you understand, it can be a loan. There is no point in your living so uncomfortably and worrying about money when your own children can rescue you.'

Herr Papa looked pleadingly at his wife.

'We are most grateful, but we cannot accept,' she said. 'This is not because we don't love you, or because we do not see the good sense of what you say—'

'Then why? Why?'

Frau Mamma rubbed her face with her hand, and Herr Papa stared out of the window. In the end, she spoke.

'Irene, we love you as our own daughter. But don't you understand. . . this is English money. How can we accept it?'

They sat in silence and then rose to go. With an air of determination, Thomas opened the door of the *Salon*. The pictures had been taken off the walls, and pieces of Meissen stood here and there on tables. The Curtiuses looked embarrassed.

'Herr Rippert. . . I did agree to sell him a few things. He offered so much money, it must be a good arrangement. Your dear father is so unwell, I cannot always be asking Max for medicine. He is taking the Liebermann, and the Thoma.'

'The Liebermann, and the Thoma! Your favourites!'

'Don't be angry. I did not want to sell him anything, but Christian is very anxious, he insisted.'

'Anything else?'

She cheered up a little, looked rather sly. 'Well, yes, I sold him four pieces of Meissen. He has taken them away already, in return for billions and billions of marks, so much that even now I think the money must be worth something if we spend it fast. To tell you the truth, he chose not very good pieces – late nineteenth century. We were beginners when we bought them, we always kept them in the cupboard. I told him it was because they were so precious. Was that very dishonest of me?' She laughed. 'You see what I am driven to. *Die hochgeborene* Frau Gesandtschaftssekretär

Curtius deceiving an antiques dealer. The worst thing about him was the way he swaggered around, picking things up and turning them upside down – I had to restrain Mathilde. But what are we to do? This inflation, this inflation, it never ends.'

Irene looked at the threadbare *Salon* and the winter garden filled with empty pots. 'We have another suggestion. You could leave Berlin. You could live at Salitz, in our house. You would not have many expenses there, and Tante Sybille would look after you.'

'I can't expect my sister to take in two of us—'

'You could live in our house. I think you would be happy there. Why live in Berlin, if you don't have to?'

31

'This is my last party in this apartment, dear children. Perhaps my last party ever. Don't you think the table looks pretty? Tomorrow we will leave and everything that happened here will be only memories, but I wanted you all, especially my grandchildren, to remember me as a hospitable mother and grandmother.'

Frau Mamma had summoned the family the evening before she left for Salitz. For the first time in years, the stoves were lit throughout the apartment. Some of the guests had almost forgotten what it was like to be in a properly heated interior. Most of the rooms had been dismantled, but in the *Salon*, lit with candles, a semblance of domesticity survived. On the round table covered with a white tablecloth stood wine glasses and decanters, the Berlin bowls and plates, stuffed rolls and fruit, marzipan and sweets.

In the old days they'd all talked volubly. Now they could hardly speak. The grandchildren eyed the sweets in silence. Frau Mamma's children stood in a semi-circle, uncertain what she might say.

She looked around the room and smiled. 'You all look very solemn, my dears, but this is not a funeral, just a farewell. Whatever the threats outside, let us allow ourselves a few hours of family happiness. We should remember those who are no longer with us. Heinz. Freddy. Paul, in his way.' Elise crossed herself but betrayed no emotion. She might be English, Irene thought irritably, the way she hides her feelings. 'But let us be grateful that so many remain, that Thomas returned safely, that Irene is here, that there are so many young people in the family. These terrible times cannot last for ever – I know Germany is strong enough to rise again. I am confident that

Thomas will build his housing schemes, that Irene will become the finest painter of her generation, that Max will become a professor, that Puppi will be the principal of a Gymnasium, that Elise will find happiness again. As for the grandchildren, why, there is no saying what they will achieve, living as they will in a new Germany, strong not in its military power but in its prosperity, its creativity, its respect for justice. Dear children, let us drink a toast to Germany, to the old Germany we loved and the new Germany we look forward to.' She looked around her. 'But you have nothing to drink. Thomas, Max, some punch. . .'

They drank toasts, they emptied the plates, they talked loudly, they could almost imagine it was a party before the war. Before they left, Frau Mamma summoned them to the dining room, which was filled with packing cases.

'We are not keeping very much, we are not sentimental. I've never believed one could take one's possessions in a van to Heaven, still less the other place. Cases will be delivered to each of you tomorrow. Keep what you want, sell what you want. There will be some surprises, I hope nice ones.' She looked rather impish. Taking Irene by the elbow, she pointed out several large cases. 'Irene, I know which of my pictures you like best. Well, I am keeping the Liebermann for the moment, since you persuaded us not to sell it, but there are some other things for you. And, my dear child, you will find something you may not want, but it is suitable you should have it. That iron necklace. . . Here you will find the rest of the parure – tiara, bracelets, earrings, rings – all in their velvet boxes. I cannot enjoin you to wear them, but at least I can say, you must promise never to dispose of them. Keep them one day for Dodo, to remind her of her Prussian grandmother.'

And she made a noise, a sort of snort, almost mocking. Though Frau Mamma had never spoken about her daughter-in-law's long stay in London, Irene realised that she had understood – intuitively, Thomas would never have revealed anything – how nearly Irene had never come back.

32

'I think I like the Krumme Lanke best. Or the Schlachtensee? I don't know.'

'Where I am, that is best. No?'

'Yes. Where you are is always best, Karlchen. Take your hand off my stomach, will you? Someone might see us.'

'Many people have already seen us – really, it does not matter. There is nobody here from the embassy, they do not spend their weekends sunbathing at Krumme Lanke.'

They were lying on the rough grass just beside the lake, a little distance from the main paths. Mark felt more comfortable there. At the weekend they would join crowds of Berliners, families, hikers, male couples, female couples, scantily dressed or naked, swimming, eating and drinking, lying on the grass. They would find somewhere quiet, Karl in the sun, Mark in the shade, and they would swim through the caressing water to the lake's quiet centre, where Karl would disappear at a rapid crawl and wave before speeding back to dive between Mark's legs. They felt at one with nature, floating side by side. Karl might persuade Mark to take off his clothes, and he'd lie naked, lulled by the warmth and the firm sunny flesh of his friend. He'd ask himself, Am I happy, now, at this moment? Is this happiness, or merely self-indulgence?

'Mark.' Karl sounded nervous, this was unusual. 'Mark, I want to tell you something.'

'Something bad?'

'No, good. At least, I think so. I have a friend who is the editor of a big journal here in Berlin.'

'You have so many friends, Karl.'

'You have right, I mean you are right. He says he is looking for someone to write a weekly column, on politics, the arts. Someone who has a new perspective, someone perhaps who is not native to this country but knows it well. After all, you are here how long? Three years, isn't it, and you know me for two years? Two happy years, no? Even though you are still so embarrassed about me and will not introduce me to your sister.' Mark wished Karl would not go on stroking his stomach.

'That sounds very nice.'

'Of course I thought of you.'

'Of me?'

'Yes, you. You write very good, you have many connections, you are interested in politics and the arts, your German is *ausgezeichnet* and anyway I could always check your pieces to make sure the German is correct. It would be companionable, I would enjoy that.'

'But I couldn't do that, I wouldn't be allowed to.'

'It could be anonymous.'

'But I don't have time, Karlchen, I have to work very hard.'

'Yes, in your present position you do. But you don't have to stay in your present position, do you? You could do something different, become a professional writer. I think you would be happier if you were free. Then you would not always be worrying about being seen by someone from the embassy when you're with me. That is so annoying. For me, and also for you.'

Mark rolled over on the grass. 'God, it's hot,' he said. 'How long are we staying here?'

'Hah.' Angry silence. 'So shall I say no to my friend? It's a pity. He has a lot of money, and he is offering a good salary. You could also write books, and we could live together. Wouldn't you like that?'

'I must have another swim.' What he did not tell Karl was that a few days before he had received a letter from the editor of a London newspaper, offering him the position of foreign correspondent covering Germany and central Europe. It had been a flattering letter – 'the perfect person, offering all the qualities we need, an ability to write, a profound knowledge of the region, highly developed linguistic skills'. A salary had been mentioned, higher than his diplomatic salary.

'Well,' Karl continued, 'I think you are making a failure, I mean a mistake. You are obsessed by being a diplomat, but what is the point when you can do so many other things? Anyone can be a diplomat if they have good manners, but no one else can write your books.'

Mark leant over and tousled Karl's hair. Karl pushed his hand away, annoyed.

'So I say to him, no, my friend is not interested. Is that what I say?'

Mark lay in the sun, and did not reply. He liked Karl when he was annoyed, he looked aggressive, it was most attractive. He looked sideways at Karl, who indeed wore his most truculent air, flushed, manly. He pulled Karl's hair, Karl slapped away his hand.

Mark thought, And if I did leave the Service, where, after all, the work is not always interesting, would that be the end of the world? Must I be a diplomat? Could I really become a journalist and writer? And how odd to have two offers at the same time. I must consider. . . And I seem to be in love. It's hard to believe. I could live with Karl, well now. . .

'I'd be happy to talk to your friend. But everything must be anonymous, you understand.'

'You will? Dear Mark, you will? Ah, now you have made me so happy.' Karl leant over and kissed Mark on the lips. Mark remonstrated, feebly.

And meanwhile he calculated that with the salary mentioned by the editor in England, and the possible salary in Berlin, he would be paid more than twice what he earned at present.

33

Dorothea does not often mention her father. But one afternoon, seeing a photograph of him wearing a short-sleeved pullover and smiling at the camera, she laughs and says, 'I used to make fun of my father when I was a little girl. He was so serious, he would gaze into the distance and wave his arms around and explain his schemes. I would build my cities out of bricks and explain that this was a workers' city where the people – the people were my dolls, lined up to listen – would learn to lead a healthy life. I would lecture them: "No more beds, good dolls sleep on the floor, good dolls say no to cake, they like to eat brown rice, Herr Thomas says so." Father would laugh and laugh. "Ah, she is so naughty," he'd say. "I would never dare to make fun of my father like this." He'd say, "Will you be a great architect, my darling?" and I would answer, "Yes, Vati, or perhaps I will be a great artist like Mutti."'

'It sounds very happy.'

'And so it was. And it was particularly nice when Mark came to supper, as he often did. They would talk about all sorts of things, very freely, and Mark would relax. Living with them was more fun, I suppose, than living with your dull old parents was for you. Poor darling Vati, so many mistakes. . .'

And for a while she does not speak about him again.

34

Irene hugely enjoyed her exhibition opening. She had been working on her paintings until two days before, because Herr Goldstein had asked for forty pictures, and forty pictures there were, along with watercolours and prints (they held their value against inflation, he told her). The gallery, as redesigned by Thomas, suited her work: white walls, a wooden floor, fittings that might have been industrial but had been expensively designed. Herr Goldstein fed her delicious things to eat and drink during the installation, said the work was of exceptional quality and he was confident of selling well. 'Of course sales do not prove quality, but in your case, dear lady, the work's spirituality is combined with extreme visual attractiveness. Your landscapes are so full of meaning – they express spring, and youth, and hope, all the things we need.' Herr Goldstein said that since making money in modern Germany was a bubble in which all profits would vanish, one might at least enjoy the process. He wanted to help artists and to earn enough to dine out every evening.

The opening was due to begin at six but at half past five people were arriving. They drank oceans of beer and wine, ate mountains of pretzels (some of them not normally having much to eat), talked and flirted, and above all studied the works of art. Once the first red dot had gone up, more and more followed. Dodo busily told people they must buy a picture. The British ambassador and ambassadress arrived, expressed their admiration. Their friends came in crowds and two architects offered her the chance to collaborate on a public commission. Mark's German and Russian friends appeared, a varied crowd, standing shyly in a group at first but not for long. Alexander brought several art critics.

Irene wore a floating white dress. Around her neck hung her iron necklace, white roses wound through the metal. People noticed the necklace. Some considered it without speaking, some loudly admired it.

Puppi said, 'From the jewellery of old Prussia you make a pretty ornament.'

Irene was not sure that Puppi approved, and asked her, 'Do you think Schinkel would have liked to see the necklace interwoven with flowers?'

Puppi did not reply.

By seven more than half the paintings had been sold. By eight all had gone, as well as dozens of prints. Irene became more and more excited. At nine the gallery was still full. At ten Herr Goldstein remarked to Irene, 'Well, everything is sold now, even the prints, shall we go and have dinner?'

They had booked a whole restaurant. It cost Irene, paying in sterling, almost nothing. She enjoyed the dinner, sitting between her husband and her daughter, who refused to go home to bed. 'I have sold so many pictures for you, Mamma, I deserve a little reward,' she'd proclaimed. 'They danced to a Negro band.

While she was dancing, Irene loosened her blouse to reveal the full extent of the iron necklace, black against the whiteness of her skin. Alexander clapped his hands, gazed at her and when they danced caressed the necklace as though fascinated. He asked her to dance again and again, and she did not refuse, laughing, surprised. At one point, seeing Thomas standing nearby, a little morose, she stretched out her hand as though the three of them might dance together, but he stepped back, his face cold.

By four the crowd was thinning. People were lying in abandoned pairs on banquettes. The band still played, but raggedly, as though entertaining themselves. Irene had woven more flowers around her necklace so you could hardly see the iron. She'd danced with Herr Goldstein and with innumerable artist friends and with the critic of an important newspaper and several times with Alexander. But she'd not danced with Thomas for hours, she realised, nor even seen him since the moment when she'd wanted him to dance with her and Alexander. Where was he, she wondered. Normally he was punctilious about waiting for her. Could he have gone home?

She shook her head, mildly agitated. She kissed Herr Goldstein, who had become rather amorous, and Alexander, who in a blurry voice asked her to stay, and ran into the street.

35

When she opened the door of the apartment, she found Thomas's coat lying on a chair in the hall, his hat on the floor. That was not like him.

He must be in bed. It was five o'clock. He'd never left a party without her before. But it was very late. She'd been thoughtless, she supposed.

She went into the *Berliner Zimmer*. She did not turn on the light, she wanted to make as little disturbance as possible. She was not sure how steady she was on her feet. She moved stealthily across the room.

'You're back.'

She could not see him. From the sound of his voice, he was seated.

'Why are you here alone in the dark? It's sinister. If you wanted to leave without telling me, why didn't you go to bed?'

He turned on a light. It was a very modern light, he had just bought it, you could adjust it as you chose. He shone it into her face.

'I thought you might not come back. I thought you might go to another apartment.'

'What d'you mean, what are you accusing me of?' She lost her temper. 'Stop shining that light at me, it's unbearable, like a police interrogation.'

He adjusted the lamp upwards.

'I saw you this evening, I watched you. I saw the way you danced with Alexander.'

'The way I danced with Alexander? Alexander is my friend, our friend, nothing more.' She reflected that Alexander had been strangely excited and perhaps she had encouraged him. 'Honestly, Thomas. . . How dare you accuse me?'

He stood up. They faced one another, both red-faced, crumpled, furious. He looked her up and down. She could not read his expression.

'I can accuse you of many things, Irene.' He was drunk too, she realised. It was not the first time he had been angry after one of her openings.

He stepped forward, and put his arms around her, but it was not an embrace, he was trying to pull off the necklace. Tugging at the metal he hurt her, she gave a little scream, he moved his hands behind her neck as though he were going to strangle her, found the clasp of the necklace, pulled it off, scraped her skin, tore out the flowers.

'It's not your necklace to mock – it has a meaning for us, you know,' he said. 'You don't understand. . .' The aggression was ebbing away.

She fell onto the chaise longue, put her hands over her face. She could not see him, she did not know what he was doing until she realised he was sitting down, beside her. He put his arms around her. She did not want him to do this, she felt no affection for him at that moment, but she was so tired and weak she let herself sink into his body.

'I'm sorry, Irene, I'm sorry. . .'

36

Visiting Elizabeth – Aunt Elizabeth, officially – in her flat was very unlike arriving at Evelyn Gardens, Victoria reflected. There the process had been ceremonious, the front door opened with a mild flourish, the coat taken, greetings to Wilson, the walk upstairs, admission to the drawing room, where she would be sitting surrounded by piles of paper and perhaps a caller or two. Now she answered the door herself.

'Victoria, how nice. I thought you would be at that job of yours.'

No, she had some news.

'Good news?'

Not good news.

'Not Edward, you're not going to tell me darling Edward is ill. . .'

No.

'Not the boys?'

No.

'Then what could it be?'

It was curious how she never supposed that Victoria might be ill. But then Victoria never was ill, people relied on that. She sometimes wished people did not rely on her so much.

'It's about the bicycle company. It's collapsed. Mr White has absconded, he was a charlatan. It turns out everything was in his name, there's no money left. Every penny's gone, all Edward's capital, all yours.'

Victoria was prepared to staunch Elizabeth's tears, listen to angry questions, offer what comfort she could. But instead Elizabeth said, 'Is darling Edward all right?'

Darling Edward, indeed! Blind, obstinate Edward who'd refused to listen when she advised him against investing everything with White, Edward who was only kind to his mother when he wanted her money. Victoria pursed her lips. 'He is as all right as can be expected. He asked me to come in his place.'

'Poor darling. . .'

'I cannot say how upset he is.'

'He is not well, don't forget that.'

'I don't forget it, how could I? And I don't forgive him.'

Her hostess peered into the distance, as though fascinated by her new little sofa. 'I never offered you any tea, would you like some? Don't worry, my dear, I'll manage, I have the pension, really it is quite generous. I'm not ambitious as I used to be, it's one of the advantages of old age.' She seemed almost gratified by what had happened. 'Darling Edward, he must be so unhappy. Tell him to come and visit his old mother, tell him she's forgiven him, though really there's nothing to forgive, it's not as though he deceived me. . . Will you manage, yourselves?'

'Oh yes. Remember, I earn money. And when my parents sold up, something came my way, which I did not invest in Edward's enterprise.' Victoria gave a grimace. 'Imagine, the two of us talking about money, when we were brought up never to mention it.'

'Tell Edward that I do understand, that I respect him for having made such a brave effort. Tell him that what he can do to comfort me is come and visit me, I would like that more than anything.' She smiled beatifically and bustled out.

Victoria sat motionless. She supposed she should be relieved that Elizabeth was not angrier.

Well, she must make something better of her own life, and the boys'. That was the thing left to her.

37

REVIEW FROM GERMAN NEWSPAPER,
3 JULY 1924

A remarkable exhibition is on view at the premises of Goldstein Schmidt, Tiergartenstraße 14, Berlin. Irene Curtius shows forty canvasses, together with prints and drawings. Her subject matter is primarily landscape, a landscape that is recognisably north German in many instances, related to her long acquaintance with Mecklenburg. She invests her work with a powerful sense of colour, often seductive, sometimes harsh, and she infuses these landscapes with emotion. They are at the same time homely and threatening, the colours sometimes strident, sometimes reserved to the point almost of invisibility. But Frau Curtius is constantly exploring new ways of expressing herself. Among the landscapes are two portraits of a mother and child, quiet, gentle works, the figures hardly perceptible as individuals, to be apprehended rather as archetypes. They inhabit an enclosed world filled with light, but a light bounded by darkness.

Also striking is a small group of paintings that represent, it appears, the most recent of the artist's creations. These paintings depict Berlin, familiar scenes such as the Lehrter Bahnhof and a street in Charlottenburg. Monochrome and empty of people, they possess an unnerving intensity, the details strangely distorted, the proportions enlarged or diminished, so that one is reminded of the strangeness of some recent developments in modern cinema. Frau Curtius has a powerful imagination and a mastery of technique, constantly reconsidering her vision of the surrounding world. We salute a major talent.

38

Mark sat at his breakfast table overlooking the softly green Tiergarten, surveying the crisp white rolls and the rolled butter in a silver dish, the slices of cheese and ham and the plum jam, laid out by Frau Braun. Frau Braun came in every morning to prepare his breakfast and tidy his rooms. Sometimes he'd have liked to wander about in his pyjamas or lie on the sofa after near-sleepless nights, but at least her arrival and the smell of coffee made him get up and dress correctly. Frau Braun often asked him whether he had met a young lady and advised him that he could not do better than a nice German girl, there were so many to choose from these days. He would tell her about the parties he'd been to, and the charming girls he'd danced with, sometimes invented as he shaved. She adored these stories which became more fantastic every time he created one.

He had made an appointment to see the ambassador that week, to sound him out. If he left the Service, would he ever be able to return? What did the ambassador feel about a career as a writer? The ambassador himself was not a career diplomat, he would no doubt be sympathetic.

Frau Braun came into the room with some envelopes on a salver. One of the letters had an American stamp, and the handwriting seemed familiar.

It was from Margaret Salt. She hoped he would not be surprised to hear from her. She had completed her doctoral studies and was planning a European Grand Tour with her friend Barbara, for at least six months. She wondered if he would care to join them in Munich.

Mark decided at once to go. And ate three rolls stuffed with cheese and ham.

39

'You know, we've not met for six years. Six whole years, it's a long time, particularly when one is young, or youngish, or whatever we are.'

She was wearing a white dress and little green suede shoes and a straw hat, the ensemble looked modest but expensive. He was struck by her appearance, more settled than in the past. No flowing robes or unbound hair. She appeared a daughter of Old Philadelphia: wealthy, and comfortable with her wealth.

They had arranged to meet at the Hotel Bayerischer Hof, on the terrace if the weather was fine, and indeed it was brilliantly sunny, as spring merged into summer. He had never cared for Munich, irritated by the inhabitants' insistence that they lived in the most charming city in northern Europe. But that morning the city seduced him.

'It is so nice to see you,' she went on, rather fast. 'Tell me what I should eat. One never knows, in Germany, though that's an absurd thing to say because I never set foot in Germany before today. Let me rephrase: I do not know what to eat, here in Germany. Should I be eating sausage? Should I be drinking beer?' He smiled, faintly irritated. 'Well, I see you are not impressed by my stereotypes.' The waiter was hovering. 'Suppose you order some white wine, a German wine perhaps? I must say, I'm starving. How was your train journey? We slept like tops. Barbara went for a walk, you'll meet her this evening. I love arriving in a strange city in the morning. To be honest, I'm surprised how well looked-after everything is, one's heard such dreadful things. . .'

She was nervous. He was, too.

'Shall we go to Nymphenburg? I gather it's delightful. Can you really stay four days? That would be such fun. Barbara is very serious about history. She is very obliging, we can deposit her in a museum now and again, and spend some time together.' She looked at him quizzically. 'If you'd like that.'

'Yes, yes, very much so.'

A bottle arrived in a silver holder with a white napkin, inducing an elaborate serving ritual, which made Mark impatient again.

'My parents send their love, we weren't sure you'd be able to escape Berlin. . .'

He was glad she was not coming to Berlin, he thought, so much chatter.

'I wasn't sure whether you'd want to see me, I was so pleased when you telegraphed by return. Oh, Mark, it is nice to see you.' He said the same thing, reflecting that this was what people remarked when they met after a long interval and weren't sure what to say.

She raised her glass. 'What do you say in Germany?'

'*Zum Wohl.*'

'Well then, *Zum Wohl.* And to Germany.' She did not say 'To us', but he sensed the phrase trembling in her mind.

'By the way,' she was saying, 'I met an old friend of yours in Washington. A man called Harry Mansell, he spoke warmly of you. He says you're friendly rivals.'

And after a while, what with the wine, and three courses of rather good food taken in the shade of a white and green striped awning, they began to talk as easily as they had in that other world, back on the East Coast during the Great War.

40

'It's been so nice seeing you.'

'Yes, it certainly has. Though when I remarked that it was nice to see you on Saturday, you looked disapproving.'

'What d'you mean?'

'You clearly thought I was filling a pause with a banality. I was, but you were silent, I had to say something. The second time I said it, you curled your lip in that way you have. Don't worry, I'm not too serious.'

'I suppose I must be very difficult.'

'Only when you close yourself up. . . I do like the Englischer Garten, it's large and yet somehow intimate, and sitting on this shady bench we're quite private, at least until the next people walk past and examine us. It reminds me of sitting with you in the shade at Atholl one hot day.'

'Yes.'

'It was a happy afternoon, as I recall.'

'Yes.'

'Ah, I sense a retreat. Are there parks like this in Berlin?'

'There's the Tiergarten, but I prefer Charlottenburg.'

'And do you sit there in the shade with ladies?'

'No, I don't.'

'Don't look so alarmed. I do ask silly questions, don't I? Do you sit in the shade with gentlemen?'

'No – what do you mean?'

Long pause.

'Mark, I notice things. Like the direction of your gaze. . .'

'What are you saying?'

'Don't look so appalled, I'm not making an accusation, only an observation. Mark. . . Mark, lately I've spent a great deal of time in New York. . . I don't mind if you're attracted to men. I'm not shocked. But I'm right, aren't I?'

'About what?'

'Oh, you silly fellow. Mark, the important thing is that you like me too. I certainly hope so, because I've gone on thinking about you, even when you never wrote. But seeing you again, I feel just as I used to.' The shrubberies distracted him, reminded him of nocturnal adventures. 'Actually, if my rivals were to be men, that would be less threatening than other women – can you understand that? As long as I knew that the most important part of you was mine.'

41

It was raining hard. They sat in the car savouring their *Tomatenbrot* and salami and sipping cognac. The car was cold but they felt cosy under their rugs, Thomas and Irene in the front, Dodo and Alexander and Beate in the back. They were parked in a country lane, though it would not be a lane much longer. In the distance one could see colonies of allotments, and the shadowy grey bulk of an apartment building.

'What a truly depressing place,' remarked Alexander, who had one arm round Beate and the other round Dodo. 'Who would ever want to live here?'

'Don't be unpleasant,' said Beate, and gave him a playful slap. Alexander was in good spirits. They hardly recognised him since Beate had taken charge of his wardrobe and hair. He had been offered the editorship of a liberal political review, and a contract for his next book, about the rise and fall of the German Empire. He was visiting the United States shortly to lecture, and was chronically excited.

'It's depressing because of the rain,' explained Dodo. 'When Thomas builds his houses, it will be quite different, and everyone will want to live here.'

'Will it never rain, when Thomas builds his houses?'

'I suppose, Alexander, that in your new journal you will not say such stupid things, because otherwise I suppose the journal will be a great failure.'

'In my new journal there will be no jokes, only serious statements of an improving sort. As you know, Germans do not like jokes.'

'I like jokes.'

'Yes, but you're half-English, so you half-understand jokes. I am Jewish, so I do understand them, but in a Jewish way.'

'You're a very silly man. Beate, Alexander is a very silly man, don't you think?'

'I hope,' said Irene, 'that Henry is going to be quieter than his sister. I cannot imagine how Thomas and I produced such a noisy daughter.'

Thomas looked proudly at Dodo. 'Oh, she is a new woman, she will be an eminent public figure. Shall we go and look at the site?'

'Can't we examine the site from here?' asked Alexander.

'But I must explain the layout.'

Out into the pouring rain they went. 'We will walk up there, and there, and then we will come back.'

It took a while. He showed them where the community centre would be sited, and the assembly hall, and the row of shops beside the projected S-Bahn station. Churches? No, the churches could look after themselves. They stared at a rise in the ground, covered in scrubby pine trees.

'Around this hill the individual houses will stand, each with a garden extending to the communal path, and looking over the gardens of the houses opposite.'

They stared grimly at the pines. They longed to go home, but did not like to interrupt Thomas. Only Dodo doggedly asked questions.

Thomas looked at them all, and laughed. 'Well, here I am again, talking and talking when you are all getting wet. No more, dear friends. But don't you see, here we can perceive an allegory of our country's present and future. Today we stand in the rain, amid these battered fields and woods, just as we live among the ruins of the old Germany. Yet before us, in our minds and hearts, rises the vision of a new Germany, a place of white shining houses and leafy glades, where people will live in brotherhood and happiness, where opportunities will be shared by all. Can we imagine a day when the darkness will lift, and we shall live in the sunlit world of the modern age?'

They nodded, shivering involuntarily, and smiled at their dear Thomas.

He cried out the slogan for the new settlement: '*Unsere Stadt für morgen.* Our city of tomorrow,' and they all responded with enthusiasm.

42

It was easy to get tickets to the Bayerische Staatsoper, you merely waved a dollar bill at the hotel concierge.

They'd been told nobody dressed for the opera in Germany these days, but it was their last evening and they wanted it to be an occasion. When Mark went to collect them in their hotel, Barbara and Margaret walked arm in arm down the grand staircase, creating a palpable stir. They were wearing long dresses with bare shoulders and flowing sleeves, and subtly impressive jewellery. He was struck by their aura of confidence, reflected in the gratified deference of the hotel staff and the admiration of the other guests. They kissed him warmly, transferring something of the splendour that glowed around their naked shoulders.

'You are our guest this evening, my dear,' said Margaret, 'though nothing here costs us anything at all, or rather it costs meaningless millions. I ordered some supper in our suite after the opera, will that do?'

In front of the opera house stood flunkeys in what appeared to be the liveries of the Kingdom of Bavaria, but the liveries were old and faded, and no torches were burning, the building was almost in darkness. The audience mostly wore modest dark clothes: no uniforms, hardly any jewellery. The vestibule and the corridors were in near-darkness, and dankness lingered in the splendid halls. When Mark and his friends were ushered into their orchestra box by a footman who responded with an infinitesimal bowing of the head when they pressed a dollar upon him, they found the auditorium equally dimly lit, the audience large but subdued, the orchestra tuning up in worn-out evening dress. Only the velvet curtain recalled the old days. In the very best seats glittered elaborate clothes and jewels, though the people wearing them were not the people seen there before the war.

None of them had seen *Così Fan Tutte*. 'It's very little played, they say it's immoral,' remarked Margaret. 'A story of inconstant love and deceit, what could be more unsuitable?'

The conductor made his bow. The audience applauded faintly, but the music enwrapped them. The sunny Italian terrace and the Rococo costumes made their own world seem yet more dun.

In the intervals they watched the audience processing slowly in a square formation round the *Salon*. 'I suppose,' said Barbara, 'that folks in Boston would not approve of the opera. It's wicked of the young men to test their ladies in this way. In Boston, we like to think that once married or plighted we stay that way. Though of course it's not always like that: one's heart is not so obliging, nor are circumstances.' Barbara's fiancé had been killed in 1918, a young professor of history.

'Is it never like that?' Mark asked wistfully, thinking of his own parents.

'Oh sometimes, I believe. Margaret's parents are models of affection, wouldn't you agree, my dear? But as for my own parents, why, they lost interest in one another years ago, and my father's had a mistress for ages, she and her husband are close family friends of ours. Everyone knows, they often dine together and play bridge, but nobody ever – ever – refers to the situation.'

Taking their seats again, they bowed to the strangers sitting behind them. 'You know,' whispered Mark, 'they say the best seats are taken by the concierges from the big hotels – they can afford anything. If the aristocracy come at all, they sit in the gallery in disguise.'

The second act engaged them even more fully, so that Mark hardly noticed when Margaret brushed her hand lightly against his arm. As Fiordiligi sang '*Per pietà, ben mio, perdona*', he put his free hand close to hers. She did not move. A little while later, as Fiordiligi fell faithlessly into the arms of Ferrando, he turned his head to look at her. Nothing. He looked again, and the faintest smile moved her lips.

At the end they civilly saluted their companions in the box. '*Sehr unmoralisch*,' said one of the men, '*obwohl lustig*.'

'What did he say?' Barbara asked.

'Very immoral, but amusing. I don't know if he really disapproved.'

'I certainly disapproved.' Barbara was given to parody, and had remarked that if she could find the right man, she would become a pure Boston matron within minutes. 'Really, those girls behave disgracefully, and the men are no better. Only they all behave badly so beautifully, you can hardly find fault.'

'It's quite light-hearted,' said Mark. 'They are so frivolous about their emotions, it hardly matters.' He found himself blushing.

'But it seems to me they're not playing a game, or only at one level.' Margaret looked very serious. 'Of course they are inconstant, and swayed by outside appearances, and by the idea of love rather than real love itself, whatever that may be. But surely when they sing together, what they are meditating on is the sadness of the human condition, where love is fleeting even though we believe it will be constant. We recognise love's fallibility and incompleteness, but its beauty always deceives us, we are entranced, and there is virtue in that deceit.' She touched her eyes, and gave a half-laugh. 'To persist, love needs to compromise, no?'

'Well, that's ingenious,' Barbara replied, 'but I'm not persuaded.'

'The fact that the action of the opera is light-hearted doesn't mean that the emotions are superficial. To me the opera suggests that though love may be an illusion or at best an exaggeration, it can lift us to an almost divine state.' She waved her hand at the auditorium, where the lights were being extinguished, the doors of the boxes closed. 'Love is like a theatre, like this opera house, all illusion, but captivating. Of course, it can make one desperately unhappy.' An usher put his head round their door.

'*Wir kommen, wir kommen gleich*,' said Mark.

'It's been a delicious evening,' said Barbara.

'Oh yes.' And Margaret hid her shoulders in her soft white stole. 'What better way to spend the evening than contemplating the follies and vagaries of lovers?'

At the hotel an alluring supper had been laid out on silver and glass dishes in Margaret's sitting room, which was lit by half a dozen candelabra. How pleasant, Mark thought, to be able to afford – not just in the ludicrous conditions of modern Germany, but all the time – such comfortable ease. After a while Barbara announced that she was going to bed, 'Though I know that as a dutiful chaperone I should not be leaving you alone together. Mark, it's been such a pleasure. Why don't you join us in Vienna?'

Once she'd gone, it was hard to know what to say. Mark remarked that he would try to come to Vienna. They agreed that since they both had trains to catch in the morning, it was not wise to stay up too late. He stood up to leave.

'Well, if you must go. . .'

'Margaret, would you. . . it's probably ridiculous of me even to think of it. . . I suppose you wouldn't. . . think of marrying me?'

'Well there, thank you, how kind. But do you really mean it, aren't you seduced by the music and candlelight? It's very kind of you, Mark, but I don't think so, I really don't, but thank you for asking me, you dear thing. I don't see how, I mean. . .' She held out her hand.

He returned to the lesser grandeur of his own hotel. He was completely unsure of his own feelings. He was not sure whether he felt hopeful, or even whether he wanted to feel hopeful.

43

Margaret and Barbara travelled to Vienna and Prague and Budapest, and then Italy, from where regular postcards announced that they were seeing all the sights and attending all the opera houses. Mark was too busy to join them: he hardly wanted to leave Berlin, the sense of imminent political chaos enthralled him. And he spent a great deal of time with Karl, who was being particularly affectionate.

Finally a telegram arrived: 'SAILING CHERBOURG 18 OCTOBER STOP IN PARIS FROM 14 OCT STOP DO COME IF POSSIBLE STOP STAYING HOTEL DE SEINE STOP M'. He went.

They had three days in Paris. Barbara and Margaret were a little febrile, perhaps anxious to be on their way home. They ate meals in small restaurants off the Faubourg Saint-Germain. They walked along the Seine: 'It's a good place to say goodbye to Europe.' On the last evening they promenaded in the Jardin des Tuileries, admiring the precise gravel paths and the regimented hedges. Barbara suggested she might have dinner alone at the hotel, she was tired, but 'No', they said, they wanted her company. Her presence made things easier: the chaperone system had its advantages.

On their last morning he accompanied them to the Gare du Nord.

They stood on the platform to say their goodbyes, wondered when they would meet again. 'It's been delightful,' said Barbara, 'but I must go and check the luggage.' The platform seemed immensely long, stretching towards the Atlantic and the United States.

'You know,' said Margaret, 'that question you asked me. In Munich.'

'Yes.' She was certainly going to say no.

'You've never mentioned it again.'

'I didn't want to be a bore. I was waiting. . .'

'Yes, I see that. Have you changed your mind?'

'No. . . Have you decided?'

'Yes, yes, I have. At least – I think I have. You see it's so complicated. I mean, would we be happy? I'm not a very easy person, you know.'

'So it's no.'

'I've hesitated such a long time, because I would like to say yes. I think the things one fails to do are worse than the things one does do – I must get on this train. I think we should see how it goes. I mean, it may work, it may not work. . . If I'm going to marry anyone, I'd like it to be you.'

'Then. . . you mean yes?'

'Yes, I think I do, yes, I do.' The porters were slamming the doors, a late traveller hurried up the steps, friends of passengers made scrambled exits. 'I really must get on, d'you think that clock is right? I just didn't want to blub. . . I'll send you a telegram from the ship. Dear Mark, darling, I do mean yes.' The train doors were slamming, all but hers, she held onto the handle until a porter said, '*Madame part ou non?*'

'Oh my God,' she said, 'why is it always the wrong time to do anything?' And with a rapid kiss and a sobbing laugh she climbed into the train.

A moment later her face appeared at the window beside Barbara's. They waved their handkerchiefs as the train steamed past the blank ugly walls of the *Dixième Arrondisement* and towards the New World.

Mark stood for a long time in the station, unable to leave its comforting anonymity. His mind went back to Berlin, and to the man there whom – he had to admit it to himself, since he'd been forced to admit it to the person in question – he loved. He wandered into the street and walked through the squalid neighbourhood. There, at least, he would not meet anyone he knew.

It was natural, what he was going to do. It was natural, and right.

What was he going to say to Karl, who would be so pleased to see him when he went back to Berlin? Would he say, 'I am going to be married. We can no longer meet'? How would he bring himself to say that?

But then he loved Margaret. Yes, he loved Margaret. He would be happy with her. If he married Margaret – when they married – he would not have to lead a double life. He would stay in the Diplomatic Service, and with her at his side he would rise even faster. There would be no gossip about his being over-emotional. And he could do his writing later in life, there was no especial hurry.

He thought of Karl, and of the discussions with Karl's friend, who was indeed a rich and powerful man, though he'd annoyed Mark by taking it for granted from their first meeting that he was a homosexual. But the man had been impressed by Mark (or so Karl said later) and had offered him very generous terms. And *The Observer* remained interested in taking him on. Karl had become impatient. He'd said, more than once, that as soon as Mark had left the Diplomatic Service they would move in together, there'd be no need for all this secrecy.

Mark would smile and try to look enthusiastic. To live openly with another man. . .

Marriage was much the safer option. And Margaret was very special.

He stopped in front of a shop window that displayed an unappetising selection of breads and cakes. He saw himself in the glass. He was shocked to see that tears were running, very slowly, down his cheeks.

44

Irene sat in her studio in the Mommsenstraße. She did not want to paint more portraits or rural landscapes, she'd found her mind wandering as she painted a woodland scene. After a struggle with herself – most people would consider the picture highly proficient, even moving – she'd destroyed it. She wanted to continue to paint the scenes of Berlin that had been so well-received in her recent exhibition, and to take the approach further, making the paintings much larger. She wanted to give these paintings some of the apparent neutrality of the photograph: muted, subtle, almost monochrome. She planned to include many aspects of the city: the park at Charlottenburg, the confectioner's on her street, the courtyard of a *Mietskaserne*, the Potsdamer Platz empty of traffic in the early morning. They all had a meaning for her, a meaning she hoped she could communicate.

There was a practical problem. The paintings needed to be at least two metres high, possibly more. She surveyed the room, white and grey, perfect and domestic, and much too small. It would not do. Thomas liked to think of her at work in their house, but then he did not appreciate how hard it was to concentrate when at any moment Henry might run in.

Footsteps. Well, she was to be interrupted. But it was not Henry or Dodo, it was her husband. She was surprised.

'Are you not well?'

'Oh yes, I'm well. I wanted to tell you, I have made a decision, a big decision. I hope you will not be angry.'

'Only if you're leaving me for another woman.'

'I've been thinking, I shall be forty-five at my next birthday, and the truth is, my darling, when I look back at my career, I have achieved very little. The *Siedlung* seems as distant as ever. I do not have the reputation or the connections, I am very discouraged.'

'I am so sorry.'

'I have made a decision. Herr Ulrich and I will dissolve the practice. I have provisionally accepted a position with the city architects of Berlin. It is not quite what I had hoped for, but the job is secure, and they plan a series of housing colonies. . .' He looked at her uncertainly. 'All this is on condition, of course, that you approve.'

'But of course I approve, if it is what you want to do.'

'When one is young, one is idealistic, one thinks everything is possible. But as one grows older, one realises time is so short. What one can achieve is ridiculously limited, we have very little freedom unless we are heroic beings, we are bound by the circumstances of our birth and upbringing. All we can hope for is to be able to plough one little field, straight and well.'

She coaxed his unhappy mouth into a smile. 'I hope you won't speak like this to your new colleagues, they will not think you a cheerful addition to the office.'

'They say I can also work privately – if anyone wants me to work for them, that is.' He looked over her shoulder at her desk, where she had sketched a city street. 'Very fine, yes. Of course, what I say does not apply to you as an artist, you can escape these shackles. I thought I was an artist, but no – I shall be an official.'

She thought he might need a distracting shock. 'I think it is a wise decision. I should tell you, I am going to look for a studio of my own, away from here.'

'But your studio– don't you like this studio?'

'Indeed I do, but I need a space where I can execute large works. . . I need somewhere else.'

'But. . . it is quite irregular. . .'

She drew away from him. 'To be honest, Thomas, I don't mind that, it's what I choose to do. I would remind you, my dear husband, that I have had some success. . .'

'Whereas I am a failure.'

'No. . .'

They looked at one another for a long, silent moment.

'You must do as you wish,' he said.

'Yes,' she said, 'I must.'

45

Telegrams, telephone calls, Berlin to Philadelphia, Berlin to London, Philadelphia to Berlin.

The wedding would take place in spring 1925 in Philadelphia, and the honeymoon in Europe. It would be a large wedding, with a reception for several hundred at Atholl, but the service, attended only by family and close friends, would be held in a small old church. Margaret insisted on St David's; it dated back to the early eighteenth century, was built of white clapboard and stood among fields. She couldn't stand the idea of parading down the aisle of a fashionable church, wrapped in white satin and being gawked at by Old Philadelphia murmuring, 'My, I never thought that girl would get married. . .' But at St David's, where she'd gone as a child to sit beside her grandmother on a hard wooden pew and through the plain glass windows watch the clouds sailing by, she could feel at peace.

Who should be the best man? So many of his friends had been killed. Alexander would not enjoy the role. None of the Graf set would really do, and anyway the Salts would be dismayed by a German best man. There was no one in the embassy. Then a letter of congratulation arrived from Harry Mansell in Washington. Who could be more perfect? He sent Harry a telegram that day, and he accepted. 'Oddly enough,' Harry wrote, 'I'm going to be married myself at the end of the summer, a wonderful girl, you must both be at the wedding.' So like Harry, never to be outdone.

Mark began to see everything he did in Berlin in terms of last opportunities. 'I'll never see the lilac coming out in the Tiergarten again.'

He had a long and very painful conversation with Karl, who told him he was a traitor to himself.

46

Boston, 15 January 1925

Dearest Mark and I hope I may say 'Dearest Margaret', even though we have never met.

I have received the invitation to the wedding. What an exciting event, I am so delighted for you both. And to think that, like me, Mark is marrying an American. It's a very good thing to do, in my opinion.

I know it will be a wonderful occasion, and that you will be very happy. But I hope you will understand if I don't attend. I know it must seem odd, but running away to America (I'm sure that's how it seems to all of you) was such a difficult thing to do, and something I worried about so much before I did it – when I stayed with Irene in Berlin just before, I could hardly sleep, I was fretting so much – that I need a while to recover. A big family wedding, with everyone there, and people inspecting me and discussing how I look and assessing John and seeing that he is a bit older than me . . . I can't face it yet. Worst of all would be seeing Mamma and feeling guilty about leaving her, because I know I would.

I may seem absurd to you, though I hope I don't. I'm not yet ready. But I long to see you all, and we can meet in New York or Boston, or wherever. Just the four of us, I hope, that's what I would like. The next time you are in the States – you will be too busy this time.

I am very happy. And I think, in fact I know, that Mamma will be having an American grandchild in a little while.

Your ever-loving sister,

Sophia

47

There was so much to do. The Tiergartenstraße flat to clear. Furniture, lamps, bowls to give away. Hundreds of books to pack. Paintings by Irene – a faintly menacing view of forest surrounding a meadow, a study of an empty beach – to be sent to London. A farewell dinner at the embassy. A party with the Graf set in a club on Unter den Linden. A final Sunday morning walk through the Tiergarten to matins – he would be happy never to see St George's again. Goodbye, goodbye, goodbye. It was enough to make any man happy, particularly a man in his late-thirties, with brilliant prospects, surrounded by friends, and about to be married to the woman he loved.

It was interesting how people had changed since he'd announced his engagement. The Graf set had become subtly cooler; he realised some of them might have had designs on him. His colleagues were perceptibly warmer, he felt he was rising smoothly into the higher reaches of the Diplomatic family.

Outside, it was extremely cold, the snow was thick. He would not miss the cruel German winters. But he could hardly stay indoors during this final evening in Berlin: what should he do? There was nothing more to plan: the two weeks in London, formal visits to the Foreign Office, the search for a London house – it was all settled.

The family were following him across the Atlantic. Irene and Thomas were bursting with excitement at the thought of seeing New York, his mother was agog to visit the Salts' house and estate. Yes, everything was sorted out; including, it seemed, his career. At a private farewell lunch H. E. had indicated that Mark might expect promotion soon.

He looked round the flat, wondering what else needed doing. On the corner of his desk was a pile of letters he'd not bothered to open, no doubt notices of exhibitions he'd never see, invitations to buy things he'd never need. Most of the envelopes were tossed into the wastepaper basket. Only one stopped him. It was typewritten, to 'Mr Mark Benson Esq.' He smiled: Germans could never grasp 'Esq.'

> *Dear Mark,*
> *I know, that you are leaving Berlin soon. I hope, that in your new life you will be happy. It will be different in many ways. Though I do not see you any more, I have been glad to know, that you are living in the same city. Though sad, too.*

He put the letter down as though to throw it away. Then he thought, I owe Karl the courtesy. . .

> *Now I have a new position at the Hotel Esplanade, as a deputy manager. It is of course near to where you live, and I have seen you there once or twice, though I made sure, you would not see me. It is a fine hotel, I enjoy my position. I will soon be promoted.*
> *I have a new friend, he is a nice man though he does not like swimming in the lakes, he is too fat.*
> *I hope, that you will remember our days by the Schlachtensee, and think they were happy days, and that we loved each other in our way. I certainly loved you. Can love ever be bad? I don't think so, if it is real love that springs from the heart.*
> *You will think me sentimental, but I am sending you a dried flower, it is the Vergißmichnicht. I think it is the same in English, the forget-me-not.*
> *Dein Karl*

Mark turned out the light and sat for a moment in darkness. Then the light came on again, the letter was folded and put away, at least for the moment.

There was nothing more to do. He must say goodbye to Berlin. He set out on a final walk, past the Tiergarten and the embassies, down the Potsdamerstraße to the Potsdamer Platz. This evening, just for once, he was ready to let life lead him where it willed. He sat in the Café Josty, at a table where he'd often sat before. He and the waiter had once been on '*du und du*' terms, hardly to be avoided when one was lying on top of the other.

'*Wie geht es dem Herrn?*' asked the waiter, with a tinge of friendly irony.

'*Ich werde Berlin morgen verlassen, meine Zeit hier ist zu Ende.*'

'*Schade. Ich hoffe, daß Sie Berlin nicht vergessen werden.*'

'*Wie kann man Berlin je vergessen?*'

Mark gave him a particularly large tip. Then he set off home, to the flat that now seemed like a makeshift shelter. No more makeshift for him: their house in London would be their home when they were not abroad. No doubt, ironically, in one of the fashionable districts his mother had yearned to move to. They could afford almost anything, after all.

He walked home through the Tiergarten, distantly recalling the strolls he had often taken there on summer nights. It amused him, at a point where a path plunged into the trees, to see a figure standing by the bushes. What a night to be hunting, the poor fellow must be desperate. In the gaslight he glimpsed the face of a boy, vulnerable, hopeful, looking in Mark's direction. Mark swerved onto the grass, threw a glance behind him as he'd done so often, walked into the sheltering trees. The boy followed him.

Mark took hold of him, kissed him bruisingly, tore open his clothing. He felt disgusted with himself, and approved of his disgust, it was healthy. He thrust the boy onto the ground, dropped two dollar bills onto his body lying on the icy ground, kicked him.

Another last.

48

Grand Central Station, late afternoon, crowds and crowds and crowds of people, hurtling, hurrying, hastening through the great hall fit for Belshazzar's Feast, the clock urging the people on to catch their trains to distant suburban locations, time pressing ever onwards.

Thomas and Irene gaped at the magnificent uplifting space.

For one moment only they glimpsed her. Hurrying by, in a light coat and a headscarf, purposeful, as though catching a train.

Only a moment, and she – but was it her, how could they know, they could hardly see her, only the walk was so familiar – had gone.

They looked at each other, they had the same thought, they mouthed the same name, cried it aloud, set off after her though hardly knowing which direction to take, the crowd had grown thicker, the light coat had disappeared among so many, they pushed, they entreated, people looked at them in surprise and amusement. 'There'll be another train,' they said. She'd gone.

They went back to the station the next day at the same time, they thought she might be there again, perhaps she had a daily timetable, but no. They asked the station master to make an announcement, but no. They waited, but no.

Perhaps it had not been her.

49

'You can't imagine the excitement of going to New York. America was wonderful – the size of everything, the skyscrapers, the chewing gum, the drugstores, and at Atholl the ease and comfort and the lawns and the hounds, and all those children. I fell in love with one of Margaret's nephews, he must have been twelve, he seemed unutterably dashing, he taught me how to ride. This is the wedding album that Mark gave to his mother. There they are lined up in front of the big house – just like the album of my parents' wedding, but here everyone's laughing.'

'Yes, they're all in stitches. Except for the bride and groom, who look deadly serious.'

'That's me as a bridesmaid, very cheerful, I thought I was the prettiest girl in the whole world. Shall I turn over?'

'Yes, turn over,' says Pandora. 'Ah, just the two of them.' They consider a photograph of the bridal pair, caught as though unawares. 'It's an interesting picture, neither is smiling here either. They're not even looking at each other.'

'They're holding hands.'

Pandora peers at the photograph. 'His right hand is closed over her left hand, and her right hand is lying on his. As though. . .'

'As though they're making a pact?'

'Just what I was thinking. You know, when I stayed with them in Paris, I saw this photograph on her dressing table, it was the only photo she had apart from her children's.'

PART FOUR

1

Nervous, tired after the flight, hugely excited, Pandora gazes at the New York streets. 'Central Park' grunts the taxi-driver, jerking his head to the left. Central Park! In England they're always saying how dangerous New York is, she's sure she's going to be attacked, muggers on every corner. . .

'Wanna be careful, walking round here on your own,' says the driver.

'Oh yes, I will be. Is it dangerous everywhere in New York?'

He laughs. 'You'll be OK on Park Avenue. And up here on West End Avenue, shouldn't be a problem.'

He races down a cross street, turns to the left, pulls up at an enormous building. '118 Riverside Drive, ma'am. You have a good time. A pretty girl like you, no knowing what may happen to you in New York City.' He picks up her bags and carries them to the door. It's nice of him, she thinks. She gives him a large tip.

The doorman smiles at her. 'To see Mrs Clark?'

'Yes, how did you know?'

'Mrs Clark's been calling every ten minutes or so. She will be so pleased to see you. I'll put your bags in the elevator. You'll like the view.'

The hall is very grand. The elevator is even grander, all chrome and glass. Up she goes. She looks with dismay at her luggage, she wishes she'd not brought that bag with plastic sunflowers and travel labels all over it.

On the seventeenth floor she piles into a hallway lined with discreetly anonymous doors, but 1703 is open. Pandora sees a tall old lady, very upright, with sharp blue eyes, white hair in a bun, wearing a loose blue dress. She holds out her arms. 'Come in, come in.' Her voice is quite English, overlaid with the softest American tone. 'Let me look at you. You are very welcome, indeed you are. You are a darling, to come and see your great-aunt.'

2

On their way from Moscow to London to spend some leave in the summer of 1930, Mark and Margaret stopped off to visit Thomas and Irene. Their little boy, William Penn, had been taken straight to his grandmother in London.

The two couples edged round one another. Mark was yet more confident, was evidently becoming used to telling people what to do. He had also grown in weight, was indeed quite corpulent. Margaret talked about the Soviet Union and its merits and demerits. She was severely well dressed, wearing only greys and blacks, not showing her pregnancy. Irene wondered what it would be like, to be their child.

The Bensons thought Irene was braving her mid-forties with aplomb. Vivacious, self-confident, efficiently bohemian – she and Thomas did not even change for dinner – she was just back from a successful exhibition in New York. Yet she still insisted on going to her studio every morning because of a forthcoming exhibition in Cologne.

'Why do you never show in London, Irene?' Mark asked her.

'Oh, they are so conservative. Really, no one there is interested in my work...'

Thomas looked older and rather depressed. With the economic situation deteriorating again, his prospects were not promising. The daughter was awkward and quiet, though perhaps that was typical of a fourteen-year-old. Margaret spent a good deal of time talking to her, and Dodo unbent.

They went out to dinner, and visited the museums, and Irene's studio. They met Alexander, who talked and talked, was enchanted to see Mark and Margaret, asked at length about Moscow. He did not mention his own success as a newspaper columnist.

'If we ever have a National Socialist government,' said Irene, 'which happily seems unlikely even now, then life might become difficult for our dear Alexander.' She spoke playfully, yet a little anxiously.

'Yes,' said Alexander, 'if those pigs get into power, I suppose I shall have to leave the country.'

Thomas seemed annoyed. 'It is only a few members of the National Socialist Party, uneducated men, who can be described in such a way. I see no reason why Alexander should have to leave the country, he might just have to restrain his satirical flights.'

'I don't share your opinion, Thomas. You should look at their disgusting literature, not to speak of their disgusting members.'

Thomas did not reply.

Mark grew animated as they went round the city, recalling places he'd known. They inspected his apartment building on the Tiergartenstraße, and he showed Margaret the window where he had read her letter inviting him to join her in Munich.

'That letter made a great difference in your life, didn't it, Mark?' asked his sister. 'As I recall, at that moment you were all set to leave the Diplomatic Service and become a journalist. And it was Margaret who made you change your mind.'

Mark blushed. Margaret turned towards him. 'You never told me that.' The others regarded him.

Eventually, 'Yes, I was thinking of taking a job with a London newspaper, but it was nothing really.'

Irene was irritated by this. 'That's not what I remember, you talked about it endlessly. You were going to write for *The Observer* and earn much more money, weren't you? And write books, which I'm sure would have been very interesting. Instead of diplomatic papers which no one ever reads.'

Thomas laid his hand on her arm. She shrugged it off.

'Well. . .' said Mark, agitated, 'it's all in the past now. I am quite committed to the Service.'

Irene was not to be silenced. 'Won't you ever resign, Mark? Are you determined to be an ambassador? It's such a confining life. Margaret, do you want to be an ambassadress?'

Margaret shook her head. 'I never knew about this, Mark. You do write so well, it seems a shame. . . After all, in the few years we have, we may as well develop our talents, particularly if one can afford to do as one chooses. Forgive me, I'm preaching, Mark says I'm given to preaching.'

Mark looked furious. He walked away from them down the street. When he came back, he looked like a boy caught out in some trivial offence. They changed the subject.

There was another awkward moment on the last evening. They were having dinner at the Mommsenstraße, *en famille*.

Mark asked Thomas about his building project. Thomas seemed nervous, cast a look at Irene. She merely looked back as though curious about what he would say.

'There will be no project. The fact is, my position in the city architecture department has not been renewed. They said that in the present climate they had to economise, imaginative schemes are not feasible. I have only one more month's employment there. I wasn't going to tell you, but since you ask. . .'

'I'm so sorry,' said Margaret. 'You are too good for them, too creative.'

There was a silence. They embarked on the next course.

Mark tried to be cheerful. 'I suppose, Thomas, you will get another job soon, even in these difficult times.'

'The times are very difficult.'

'Do you insist on staying in Berlin? Would you think of working somewhere else? During the war you were in Cologne designing military installations, weren't you? Would you think of going back there, for example?'

Only Margaret's knife and fork on her plate interrupted the startled stillness.

Mark realised abruptly what he had said and coloured violently. He and Thomas had never spoken about what they'd done in the war, it was better not discussed, even twelve years after the Armistice. Mark tried to retrieve the situation.

'Didn't you tell me you'd been stationed in Cologne, when we were talking about the city, or is that my imagination?' He hurried on. 'It's so long ago, isn't it, perhaps I imagined it all.'

'I never realised these facts were common knowledge,' said Thomas. 'I must have spoken in my sleep.'

Irene did not look up. They finished dinner rapidly. The two women, trained from childhood to make conversation, did not have the heart for it. Coffee was refused. Margaret announced that she was tired and would go to bed. She looked at Mark enquiringly. He hesitated.

'I might go and have a smoke out of doors.'

Irene smiled. 'You can smoke indoors if you want.'

Margaret was already standing, gathering her things. 'Mark wants to take a walk in the streets, they remind him of his past.'

They all three looked at Mark.

'Yes,' he said, 'I have so many memories. Margaret, my dear, won't you come?'

Margaret did not want to wander the streets. Mark slid out of the apartment.

Thomas disappeared. The women lingered. 'Do stay and talk to me, Margaret,' Irene urged. 'We've hardly had a moment together.' Margaret laid down her shawl. She was wearing a dark grey dress, beautifully cut, her shoulders bare.

'Would you like to see my little home studio? I have a few drawings and things there. I'm working on a war memorial for Salitz – even there they lost eleven men. I offered to design a memorial, and we have a sculptor friend who'll carve it. It's my tribute to the village, for looking after me during the war. Thomas's aunt and uncle were so pleased. . . I decided against a Dance of Death, my original idea, it seemed too harsh. You see, it's a simple composition, just a boy seated on a mound, holding a sickle, a bale of wheat beside him. The sickle is for death of course, the wheat for life.'

'It's very strong,' said Margaret. 'In Moscow we never meet artists, only diplomats and official Russians. It's an isolated life but not at all private, what with the servants listening to everything we say. If we're friendly with Russians, it's dangerous for them. But you could hardly find a more interesting place to be.'

'Berlin, perhaps.'

'Yes, Berlin.'

A question hovered between them. Irene spoke.

'I hope you are happy.'

'Yes, I'm happy. You see. . . well, you love Mark too, don't you? You understand, though of course a sister is different. . . Sometimes I feel there's an unseen person always present between us. . . The thing is, I just love him. I don't think he's perfect, but that doesn't matter. And I feel he needs me, professionally of course. . .'

'Don't speak like that.'

'It's true. But he's vulnerable in his way, he depends on me, I think. His job requires so much of him, he is always having to be polite and correct. With me he can be quiet, he knows I won't mind.'

They stayed still on the sofa, they turned carefully towards one another, their eyes met.

'For me, it's best. I'm not easy. I don't like many men, not in that way. . . And as I remarked, I love this brother of yours.'

3

When Mark opened the door of their bedroom, the light was still on. Margaret lay with a book in her arms, asleep, her mouth open. Her suitcases were not immaculately ordered as was usual for her, but strewn with clothes. He had taken his shoes off when he came into the apartment, and he crept round the room, undressing as quietly as he could.

It was three in the morning.

He found his pyjamas and slipped them on. He went round to her side of the bed and turned off the light. He thought he'd managed not to wake her.

He slid gratefully between the sheets. Her presence beside him was comforting, but he did not touch her, he must not wake her. He probably smelt of tobacco, he hoped not anything else. She was always swift to sense such things.

'Is that you?'

'Shhh.'

'What time is it?'

'It's. . . it's one o'clock, I think. I had a drink, I met an old friend, it was fun. I'm sorry I disturbed you.'

'You didn't. You don't.'

There was a silence. He thought she'd fallen asleep. And when she did speak, it was as though from the bottom of a well of somnolence. 'Quite understand. . . Berlin is Berlin after all, not like Moscow. . . When we married. . . Do be careful, darling.'

'Careful?'

'Not everyone. . . so understanding. Do be careful. Good night, Markie.' And this time she did fall asleep, he could hear her steady breathing.

He lay in bed thinking, a long time. Careful – yes, careful was what he always had to be. How fortunate he was, such a wife. . .

He'd taken a taxi to the Cosy Bar. It was still there, hardly changed. He did not want to meet Karl, of course not, and happily Karl was not there. But the barman recognised him even though it was a long while since they'd met. He said, 'Ah, the friend of Karl. Are you visiting Berlin, dear sir?' Mark asked how Karl was, they'd lost contact. The barman said Karl had moved to Paris, he had an excellent job in a big hotel there. Which hotel, Mark wondered. The barman laughed, he did not remember. But he did recall Mark's favourite drink and gave him one on the house.

A young man sat down on the banquette next to Mark. Blond, well built, very German.

4

They like each other at once. Pandora sees in her great-aunt a woman like her own mother, but calmer. The apartment is large, all painted white, with fireplaces and wooden floors, and blinds over the windows, and many books, and solid oak furniture. The paintings must be by Irene, with a few by other hands. It is very light, and the view is everything the doorman promised. Sophia ('Please don't call me Aunt Sophia, it makes me feel so old') remarks that Pandora must not let herself feel sleepy until at least ten. 'Or so they say. I've never flown to New York from the east.'

Sophia sees again her sister at the time of her wedding.

Pandora catches her gaze. 'I know what you're going to say. I think.' Sophia laughs. 'But you do, you know, you really do look like Irene, except that you're a child of today, your hair's not like hers. . . I can't tell you what a joy. . . I've missed you all so much. . . Of course Irene was often over in New York. And Mark and Margaret.' A clock strikes. 'It's six thirty, would you like a cocktail?' Pandora hesitates. 'Oh you have to drink cocktails now you're in New York, people drink a lot here. I used to drink rather too much myself, it was not a good idea, but my friend Laura saved me, do you know Laura Caldecott? She's been so successful in the fashion business. . . Since you're making your first visit to Manhattan, why don't we have a Manhattan? They're delicious, though they're quite out of fashion.'

Pandora likes her Manhattan.

'Come and sit here, let me hold your hand. You don't mind? I find my grandchildren are quite easy about being touched. When I was young we were nervous about it.'

'You know, I don't know how many grandchildren you have?'

'I have two children of my own, and they have four children between them, and then there are my step-grandchildren, so seven in all. You will be meeting the youngest grandchild tomorrow – Tom, I think you'll like him.' She stretches and points to a framed photograph of a young woman. 'That's me, you know, in 1920 or so. I was half-crazy at the time and drinking, but I look all right, don't I?' She turns and looks directly at Pandora. 'By the way, your mother says you are thinking of writing a life of Irene.'

Pandora shifts around in her seat. 'Well, possibly. It's just an idea. There's nothing much written, as you know, and I admire her work and there are so many people to talk to. . .'

'You mean, people who won't be alive for long. I don't know whether Irene would have liked a biography. You know, when she was older she never gave interviews.'

'I would be writing a tribute, it would be very sympathetic. Surely it's best to have a biography written by someone who knew her and loved her?'

'She adored you, she told me all about you. When she was older, you know, she concentrated so much on her work, she hardly had any time for living. . . She told me, she preferred to be judged by her art – the character of the artist was irrelevant, she claimed. But as for papers, well, I only have a few things.' She hesitates. 'There's Margaret, she's back at Atholl, you know, now that Mark's died, but she's rather vague now. Something to eat?'

Pandora is extremely hungry and she enjoys the Maine lobster and potato salad. 'I thought you should have a very American dinner. After this, I'm giving you apple pie with a vanilla sauce.' They talk until Pandora droops and yawns, and her great-aunt takes her tenderly by the shoulders and leads her to her room.

5

Only a few hours after Mark's return from the Cosy Bar, he and Margaret made a disorganised rush for the train. Thomas left for work that hardly existed. Irene tried to work but felt uninspired. At dinner, they scarcely spoke except to their daughter. She looked at them anxiously from time to time. Thomas played a game with Dodo. They went to their room.

'Why does Mark know what I did in the war?'

'He doesn't know much. He only knows you were in Cologne.'

'And what I did there.'

'I must have told him, carelessly. What does it matter now?'

'It was a secret. From you, too. How did you know where I was? I was under instructions not to tell you anything, you were under suspicion as an enemy alien. I was very scrupulous, I even concealed my rail passes. All you knew was that I was out of Berlin.'

She sat at her dressing table looking into the glass, he stood in the middle of the room, looking in his shirtsleeves like a weary pugilist.

'You must have dropped some remark. Really, I don't remember.'

He took off his shirt. She looked at him in the glass, and thought, do I still find him attractive? He was rather red-faced this evening.

'How did Mark know I was in Cologne during the war, designing military installations?'

What was she to say? Mark had pulled her into this deception, all those years ago, Mark with his penchant for spying and deceit. Well, she was not going to deceive her husband, not on this occasion. Thomas met her eyes in the glass, accusing. She asked herself, how much does this all matter to me? I am a huge success as an artist, I have exhibitions all over the world, there are men wanting to sleep with me in every major capital, I have been faithful to this man because after Julian I vowed I would be, and because of Dodo, and because of my mother and her first child. I have nothing to apologise for. Except. . .

'How did you know?'

She had to tell the truth. Actually, she felt terrible. Yes, she must tell a version of the truth, at least.

'You left some papers on the desk in the office at Salitz. I read them. I was curious, I wanted to know what you were doing.'

He did not answer at once. He had become quiet and controlled.

'I don't remember ever leaving papers on the desk. I don't do such things, especially not in the midst of war.'

Must she go on lying? Or, at least, half-lying?

'I took them out of your case.'

'How did you do that? My case was locked.'

'I unlocked it. You always left a set of spare keys in your drawer.'

'You unlocked it?'

'Yes. One evening when you were out, with Dodo. Very late in 1917. One evening, it was snowing. You went to the big house, I stayed at home. I was ill. I said I was ill.'

'I remember, I think.'

'I unlocked the case and read your papers. They gave me the information I was looking for.'

'The information you were looking for?'

'You had a senior position, no? You were well informed about the plans of the High Command. I wanted to find out what I could.'

She could see him in the mirror. He was motionless and pale, as though facing a firing squad. She loathed herself. But since he wanted the truth, the truth he must have.

'It was Mark. Mark asked me to find out anything I could about German military strategy.'

'Mark? He asked you to spy on me?'

'If you put it that way. Oh God, Thomas, it's so long ago.'

'He asked you to spy on your husband, and you agreed?'

'He persuaded me. He said it would help shorten the war. I wanted that to happen, I knew Germany could not win in the long run. I wanted the war to end. I wanted you to come home.' This last statement struck a false note, she wished she'd not said it.

'Ah, you wanted me to come home, did you? That was not the impression you gave. And you did not think you were betraying your husband and your child, your German-born child, and the country that had become yours? At least, I thought it had.'

'I did, endlessly. But he persuaded me. You know well, in times of war one becomes a different person.'

'Yes, that is the reaction of weak people to difficult times. Of people who have no real values, who cannot hold to the truth.'

She saw he had sat down, that was at least better than having him glare at her in the glass.

'I don't think I am weak. I did not go back to England in 1914, I stayed in Germany. I put up with things.'

'You did not physically go back to England, but your heart was there, isn't that true? You wanted England to win the war, didn't you? '

'I didn't want the Germans to do to England what they did to Belgium.' As soon as she'd said this she felt ashamed, it was the sort of thing the *Daily Mail* was always saying. Nationality stood between them like a transparent, impenetrable barrier.

He laughed contemptuously. 'Yes, that old business of the fiendish Hun. Perhaps we should never have married. Perhaps we would have been happier, each living in their own country.'

'Do you believe that, Thomas?'

He did not answer. He took off his clothes, put on his nightshirt. She wondered if he was willing to share a bed with her. In silence she brushed her hair. In silence he left the bedroom. In silence she climbed into bed. She could not imagine feeling more miserable. She thought about Mark, resentfully for a moment. But it had been her decision in the end.

Thomas came back, smelling of the soap she'd bought him in Paris. He walked over to her dressing table, with its lines of photographs in silver and ebony frames, the English family on the right, the German family on the left, Dodo and Thomas in the centre under the looking glass. He peered at the English family. He looked at the German family. He raised his left arm, swept the whole gallery onto the floor. Tinkling glass, sounds of breakage, a jagged pile of abused affection.

And then he picked up the photograph he'd given her years ago, of him wearing the light suit she said she liked, wrenched it out of its frame, tore it in half, and dropped it into the wastepaper basket.

He got into bed, turned away from her. After a while she reached out a hand. He thrust it back, roughly.

6

Pandora wakes early. She lies in bed, alert but not energetic, looking at the shelves of books, the rag rug, the framed sampler, the semi-abstract watercolours of landscapes. Through the window she can see the brick mass of the next-door building, a glimpse of another apartment, someone moving, lives observed across yards of emptiness. She is hungry.

Sophia is sitting in the kitchen, the newspaper spread in front of her. She says her grandson is coming round at ten and will take Pandora anywhere she'd like. 'Tom's writing his PhD at Columbia on an aspect of neurology that I can never quite understand. Do you want to try waffles with maple syrup? English muffins – such curious things people have for breakfast here. You know, your room, that was where Irene used to stay. I asked her once how she felt in a room surrounded by her own work, she said she was used to it.'

'Are they all her pictures?'

'Well, one or two are by me. I paint a little, but it's not serious, I always felt overshadowed. And tomorrow I want to take you to MOMA, there's an exhibition about women artists of the twentieth century. Irene's there. Do you like bagels, part of the US experience?'

At ten, precisely, the house phone rings. Sophia goes to the door. A tall figure appears, dark against the light, and bends down and kisses her.

'Tom, Pandora. Pandora, Tom.'

Tom is even taller than she'd realised. A mass of black curly hair, a powerful smile. She's more aware of the smile than the face.

He takes two steps towards her. She has taken one step towards him. As they are to recall much later, they freeze for a moment. Sophia is standing in the darkness of the hall and they are aware of her benign presence as though of an officiant at some ceremony. They each experience a moment of recognition, as though they've always known each other.

'Hi, Pandora.' He puts out his hand.

'Hello,' she says, in her English way. But really it does not matter what she says.

The strangeness passes. They drink coffee, they talk about the family and about Irene, they discuss what Pandora would like to do, they invite Sophia to join them but she has things planned. 'Don't be late home for dinner, or I shall worry.'

'I'll take care of my cousin,' says Tom.

7

It fell on Victoria and Wilson to clear Lady Benson's flat after her death. Her children were all living abroad except for Edward, who refused to help and in any case his wife knew he would not have been much use. The work took longer than expected, the cupboards were crammed with theatre programmes and school reports and the minutes of long-defunct committees. In one drawer they found £1,000 in banknotes. This Victoria gave to Wilson. She shook her head but Victoria said, 'You deserve it, Wilson, truly you do. How long since you came to work for Mamma?' And when Wilson said it would be thirty-eight years in November, Victoria cried, 'Thirty-eight years deserves at least a thousand pounds.' Delicately Wilson suggested that the money might be useful to Victoria with her husband not working, but Victoria said she was well paid, that was not a problem. She was pleased at how open she could be with Wilson.

It was a hard few days. Looking around at the heaps of papers, Victoria cried at one point, 'Oh, Wilson, there is so much stuff here, shall we just throw it all away, what use is it to anyone?' But Wilson would not allow that, she would sort through the papers, it would give her an interest. And since she was close to tears, Victoria promised to take another week off work and help her.

They found many letters. But the most curious thing was a pile of photographs of Lady Benson's children, kept in a large red lacquered box. The children as babies, the children at school, the children in adulthood, alone or posed in groups. As time passed they were shown in increasingly informal Kodak prints.

They sorted the photographs into piles. The smallest was Sophia's. Some of her photographs were scuffed, one had been torn quite across and then replaced in the box. The next smallest was Irene's, and included photographs of her paintings. Mark's pile was much larger, and showed him at every stage of his life, including a fine image of him wearing the uniform of the Diplomatic Corps. But what most surprised them was Edward's pile, which was twice as high even as Mark's. It contained a series of little formal images of him as a young boy, each with a date pencilled on the back, evidently sent every year from Canada; and dozens of pictures of him as a married man, including a large set of wedding photographs and a wedding album; and views of him in military uniform; and more recent images.

Victoria and Wilson started this process as though it were a game. 'One for Sophia. Two for Edward,' they would say, pushing the photographs across the table. But as the piles rose, they ceased to laugh.

'Poor thing. She loved Edward so much,' remarked Victoria towards the end. 'And he was so unkind to her.'

'It's a shame, it's a great shame.'

'He never could get over her being his mother. He hated her for it, I think. I suppose we'd better give these photographs to the subjects, don't you think? Unless you'd like some for yourself, dear Wilson.'

'I would indeed. I have my eye on some, if I may say so, particularly Miss Sophia in her first nurse's uniform. Always such a dear girl, that Sophia, I almost brought her up, you know.'

They tied up the photographs in bundles. Later Victoria threw away many of the images of Edward. He was not to know of his mother's feelings. It would only make him feel even more guilty than he did already.

8

Thomas did not accompany Irene to her mother's funeral. Six months after their discussion about Cologne, they were on reasonable terms, though Irene was often away, and when she was in Berlin she went to parties and openings he did not care to attend. But they slept in the same bed and looked after the children together and were perfectly cordial. Irene hoped, when she had time to think about such things, that they might become close again.

He wanted to attend the funeral, believing in proper conduct and having fond memories of Lady Benson. But he had business in Berlin, an interview for a job which could not be postponed.

When she returned to Berlin – after a rapid visit to Paris, to discuss an exhibition – she found him in high good humour. He had been offered the position and had accepted. It was a successful practice, he said, which was flourishing even in these difficult times. He was to design housing and other social projects: even if they could not be built immediately, the principals were convinced that the projects would be realised as soon as the political and financial situation stabilised. And an immediate commission for a large private house on the Wannsee had been entrusted to him. When she asked who it was for, he said only that it was for a leading financier and confidential.

She was delighted to have a cheerful husband again, he was much pleasanter to live with. She thought, if only the political situation could resolve itself, how happy they might be.

9

Pandora has learnt to balance her time. Tom wants to spend all day, and every day together. But no, she has appointments with magazine editors, and above all she needs to talk to Sophia. I could just sit in the background, he says, not speak. Yes, you would say lots of things, you wouldn't be able to restrain yourself – on which he gives her a kiss, for no very good reason. It has to be a private dialogue, she says.

At a certain point every evening Sophia indicates it's time for Tom to go home. But on the seventh evening over dinner she talks about the First World War, and David. I've never told anyone about him, she says, only Irene and Victoria and Laura. She tells the story in detail because they ask her to, and so they hear about the dance of death with the young officers, and the Ritz, and Charles Street, and seeing him off at Victoria and the lady in the cloakroom. Then she retires into the kitchen, and they sit holding hands and she comes back. 'So you see, I know what it's like to fall in love. But I don't know whether we would have been happy. I met his mother later – an engagement ring had been ordered for me and she traced me and gave me the ring, and though she was very correct and kind, I thought I wouldn't have fitted into that family. But he was divine.' And abruptly she goes to bed, and there is no word about Tom leaving.

Once or twice Pandora feels she is being tested. Sophia encourages her to talk, nods as Pandora recalls her visits to Irene, is glad to hear she's moving into the studio. What a pity it is, Sophia says again, that she has so little material about Irene. She promises to show

Pandora what she has before she leaves. And she arranges treats.

'I have some people coming to dinner. We'll be five, you and me and Tom and two guests, I won't tell you who they are. They're rather old, I've invited them for six. Dinner at six, honestly, it's one of the things I've never got used to.'

They sit in the living room. Six o'clock passes, six thirty, seven. 'He's always late,' says Sophia.

The house phone rings. Sophia opens the door, kisses her guests, raises her arm towards the living room, indicates the young woman standing there. The two guests halt, as though bewildered. For a moment they say nothing, and then, simultaneously, 'Irene?'

Sophia comes forward. 'My little conjuring trick. This is Irene's granddaughter, Pandora. Pandora, these are friends from my girlhood. This is Alexander Steinbaum, who knew your grandparents in Berlin in the 1920s. And Beate Steinbaum. Alexander and Beate, this is Pandora Tempest, Irene's granddaughter.'

'The 1920s, that makes me sound so old.' Alexander takes Pandora's hand.

'You are old, my darling,' says Beate. 'We are both antique.' Actually she is rather rounded and cherubic.

'You mustn't mind my staring at you. I loved Irene with a passion, even though she was married to my closest friend. That is, until I met Beate, and realised that love did not have to mean disappointment. Allow me to kiss you, will you?' He holds her face between his hands for a moment. 'Why didn't you tell me, Sophia?'

They sit down and drink champagne. 'Here we are,' says Alexander, 'exiles in a land that has treated us well. Look at dear Sophia – why, she is almost American, she is a New England lady. And my Beate, she is so Americanised I sometimes forget she can speak German.' ('What nonsense you talk,' from Beate.) 'I remain a curiosity, one of those Jews who flooded this country in the thirties. But I survived.'

'He did more than survive, you know,' says Beate. 'He is a famous professor, he has published many books.'

'I am writing my memoirs. When a man has nothing left to say, he writes his memoirs.' There is a pause. They all look, for some reason, at Pandora. She blushes.

'I am thinking,' she says, 'of writing a book about my grandmother. I like to think I am a writer, you know. I've not written anything substantial yet, but. . .'

'In that case,' says Alexander, 'I will make sure I don't say too much about Irene in my book. But I will tell you what I remember, if you like. Sophia, of course, she is the person who can help you.'

'Do you think,' asks Sophia of nobody in particular, 'that Irene would have liked to have a book written about her? She was very private.'

'No, no, no,' cries Alexander. 'Someone will write a book about her one day, and it may be full of lies. But to have a book written by a young woman, her grandchild, who knew her and understands her work, that would be a great thing. Sophia, you must help this beautiful young woman, who makes me think of my youth in Berlin, and the memory of the lilacs blooming in the Tiergarten, and of my dear Irene, so calm on the surface, so determined underneath.'

Tom has been silent through all this. When he speaks, his manner is professorial.

'You all talk of Irene this and Irene that. But what I don't understand is why you never speak about Thomas. They were married for years and years, after all, and even when Irene went back to England, they stayed married, is that right? But he's never mentioned.'

They sit in silence.

'Thomas was an idealist,' says Alexander. 'He was a fine man, in many ways. He and Irene were happy for a long time.'

'I was very fond of him. But I never saw him after 1923,' says Sophia, as though it pains her.

Alexander continues. 'It hurt him to stay in Germany in the 1930s and through the war. After 1933 I never saw him either, but he wrote to me after the war, a sad letter, I would say. And he died quite early, in 1950, I think. There was no place for him in the new Germany.' His voice wavers. 'My dear friend Thomas. My foolish friend. But we must face the past, it's no good hiding it.'

10

It was eleven in the evening when the telephone rang. Thomas and Irene were in the sitting room. It was lit only by his lamp in one corner, hers in another. She was reading, he was sketching plans and elevations as he liked to do. It was March, very cold outside, a sliver of snow.

That evening they had talked about Edward Jenkinson, who had slid gradually into death. Neither of them pretended to miss him much, though Irene would be going to England for the funeral. But it was politics that engrossed them. Irene had watched the stormtroopers' torch-lit march through the Brandenburg Gate to celebrate Hitler's appointment as Chancellor, and had come home shaken. She was sure the National Socialists would not approve of her art. Thomas had tried to be reassuring. He had talked of the high ideals of the best of National Socialism, of their desire to create an equal society, to provide decent housing for all citizens, to seize the possibilities of technological progress and lead Germany into a strong future. 'All these marches and so forth,' he said, 'these are only theatre for the simple people. But Hitler will go, the true socialists will be able to get rid of him, he is merely a means to an end. The real people, the people at the highest levels of the party, will replace him, and they will enact the measures that Germany needs, I am sure of it.'

It was Alexander on the telephone. He needed to see them immediately, he could not speak freely over the phone, when could they meet?

'Calm down, calm down,' said Thomas. 'Not tonight. We could have dinner tomorrow.' Alexander said tomorrow would be good but no later, and in a restaurant – Dodo must not hear anything. Thomas suggested a restaurant on the Kurfürstendamm where they often went. Yes, that would be ideal. At eight.

11

The restaurant was a bustling brasserie. Thomas and Irene were well known there and the head waiter offered them one of the best tables even though the place was bursting with people, caught up in the strange mood of exhilaration and foreboding that characterised Berlin in those days. They preferred a quiet booth by the wall, red banquettes surrounding a smallish table, where they could see their faces in the mirrors. Irene was unwillingly reminded of that tea room in Copenhagen.

'Herr Goldstein thinks he will have to close his gallery,' she said.

Thomas poured himself a second glass of wine, to the brim. 'I don't think he needs to worry. He has a good reputation, many connections.'

'He is not so confident. He also thinks that my work may not be approved of, there have been rumours about the undesirability of any art that is not strictly representational.'

'Again, if you are discreet, that should not be a problem.'

She looked at him and said nothing. The head waiter advanced towards them, leading Alexander and Beate. He seemed rather cooler in his manner now, stopped some way from the table and pointed, then glided away.

As they approached, Irene exclaimed. Alexander's right eye was half-closed, as though he had been hit in the face. There was a bruise on his cheek. Beate looked as though she had not slept. Standing up in his most correct manner, Thomas invited them to sit down.

Irene leant forward, touched his forehead. 'What's happened to you, dear Alexander? Have you had an accident?'

A waiter appeared. Cognac, they ordered. The waiter gave a shadow of a smile and went.

'I need your advice. You are my closest friends. Urgently. . .'

'Don't get over-excited, my dearest,' said his wife, 'it's not good for you.'

'No, no, I'll tell you my story, tell me what you think. Yesterday evening I was in a bar, a bar I often go to. I was alone, waiting for a colleague. In this bar were two men in the uniform of the *Sturmabteilung*. They were quite drunk. As they were leaving, the waitress – she was only a young girl – told them they had not paid enough. They were rude to her, obscenely rude. I stood up, I said they should not speak to a woman in such language.' The brandy arrived. He drank it in one gulp.

'Yes?' said Irene. 'What happened then?'

'They beat me up. As you see. Not as severely as they could have done. The waitress and the other customers vanished, but it was still a public place. . . When they'd finished they said I had insulted the SA and was answerable for my behaviour. They demanded my identity card, took down my details. A letter was delivered this morning, telling me to report to the SA headquarters tomorrow at 0700 hours.'

Beate broke out. 'What should he do? What should we do? What does this mean?'

They all looked towards Thomas. He remained silent for a moment.

'This is very unfortunate, you should not have said anything. You should not go to the headquarters. By the time you arrive, the SA will have done some research. Your name will be well known to them.'

'And if I don't go, they will come and find me. What can I do?'

'You must leave Berlin this evening, on the late train for Paris. Your passport is in order, I assume? Take very little luggage, the barest essentials, as though you were leaving for a few days. Beate should join you later, you should not be seen to be leaving together. Take some money but not an enormous amount – you can make arrangements in due course. Take nothing that could arouse any suspicion.'

The others looked at him as though stunned. He seemed so authoritative; nervous, yet confident.

'How do you know all this, why are you so definite, Thomas?' asked his wife.

Thomas raised his eyebrows. From his jacket pocket he removed a small black wallet. He placed it on the table, facing upwards.

The others gasped.

'Alexander, it is not advisable to stay a moment longer than you must. I recommend Beate does not accompany you even to the station, there must be no scene of parting grief on the platform. If you are questioned, say that you have a work assignment in Paris. Do you understand?'

'Thomas, I can't believe it of you, my dear friend Thomas.'

'You have two and a half hours before the train leaves.'

Alexander kissed Irene, did not look at Thomas. With Beate behind him he tumbled out of the restaurant.

The waiter reappeared. 'Will the lady and gentleman be dining?' he asked.

'No,' said Irene.

'Oh yes,' said Thomas. 'Please bring us the menu.'

12

On her last full day in New York, Pandora finds Sophia looking particularly alert. 'Eat your breakfast as fast as you can, I have something to show you.'

Pandora follows Sophia into her bedroom, which is lined with paintings and watercolours. 'All mine,' she says, 'except for that portrait of a child, that is to say, Dodo. I keep my own work private. Now, in this little room through here, I have something that might interest you.'

The room is full. Books, sketchpads, a set of files on a table.

'This is my Irene archive. It's partly drawings and sketchbooks, but above all letters. Every time she came to New York she'd bring a bundle or two. She said your mother didn't understand her, apparently she asked once or twice about the financial value of an artist's relics. Of course I kept all her letters to me. Mark gave me his correspondence. So there's lots of material.'

'I'm astonished. . .'

'Yes, I wanted to know you better. . . You may look at anything you like.'

'You're very kind.'

'I've written to your mother, telling her that I think you should be permitted – encouraged – to write Irene's life. I don't know if she'll listen, but she may – we were good friends all those years ago. It means you'll have to come and visit New York again, can you do that?'

'Oh, I think so. One of the editors I met was very encouraging. . .'

'I'll pay your fare, gladly. But you must stay with me, that's the condition. Tom will be pleased, too.'

'Yes.' And a smile breaks out over Pandora's face. 'Oh, Sophia, I am so lucky. Just for once everything seems to be going right.'

'I hope so, but it won't be easy. It's a sad story, your grandmother's, in some ways, a story of lives blighted by warfare, politics, hatreds. . .'

13

He drank another glass of wine. She stared at the table.

'How can you tell your closest friend to leave the country and then stuff yourself with food? You may never see him again.'

'I need to eat something, I'm hungry, I've been visiting sites all day.'

'Thomas, how can you have joined the National Socialist Party? How is it possible? When did you join?'

'I joined in September 1930. Just after the elections, when many people joined.' He chewed aggressively on a piece of bread. 'Just after I had found out about your spying activities, as it happens.' The waiter reappeared. Thomas pointed at something on the menu. The waiter bowed, looked enquiringly at Irene, who shook her head.

'Are you suggesting that you joined the party because fifteen years ago I looked at your papers?'

'When I learnt what you'd done, I had to ask myself, what is more important to us: our country and our national duty, or our loved ones, our spouse, our children, our friends? Obviously for you, it is your country of birth that is important, more important than personal loyalties. That persuaded me that I must do the same, I must sacrifice my personal wishes for my country and my fellow countrymen. For me, a party that can restore the pride and the prosperity of my homeland is the party I must follow.'

'Have you read *Mein Kampf*? Do you know what it threatens?'

'The party is not perfect. There are wild ideas there, I know that. But it is a new party, young and vigorous. It is a party opposed to capitalism, the system that has failed us all, and also to Bolshevism. Essentially it is a party that upholds the socialist ideas I have always believed in. It puts the people, the working man, above the élite.'

'It is a party that hates Jews.'

The waiter came back with a bowl of soup. Thomas ordered another bottle of wine. The waiter looked at them with curiosity.

'This party can fight the hopelessness that we see all around us. Do you remember, twenty years ago, visiting Wedding with Alexander, and seeing those miserable *Wohnhäuser*? Those houses still exist but people are even poorer, living in even worse conditions than under the Emperor. The system has failed. We cannot afford the luxury of an impotent democracy, we must have strong leadership, leadership that will deliver to all the German people the way of life that they demand and deserve. And that is what we are doing, already – that is what I am working on at my architectural practice, designing fine apartment buildings, buildings that men and women and children can be proud to live in. I am not betraying myself—'

'Thomas, keep your voice down, we are being listened to.'

'Won't you have some wine? It is very good, now I can afford what I want.'

The waiter brought a plate of food. Thomas had ordered sausages and cabbage, though he never normally ate such food. Looking up, he saw his face in the mirror, flushed and furious. He put his hand over his eyes.

'I will catch the train for London, the day after tomorrow, for the funeral. I will take the children, they need to be there.'

'And when will you return?'

She sat with her eyes on the table, playing with her napkin. He took a forkful of food, and stole a look at her. He pushed the plate away from him, frowned at himself in the glass.

'I don't know,' she said. 'I don't know when I will return, or the children.'

'You do not want to be seen weeping, you know. You are a famous person, people will recognise you. Take my arm. Let's go home.'

'Home?' After a moment they stood up and made for the door, smiling and looking brightly forwards, greeting one or two friends. The head waiter asked when he would see them again. They shrugged.

They walked in silence along the hectic Kurfürstendamm. When they turned into a quieter street she stopped. 'Thomas, what is the architectural practice you've joined? Is it very sympathetic to the party? Is that why you've told me so little about it?'

'It is sympathetic to the party, and to the ideal of workers' housing. They have given me a great deal of work, I have never been so happy.'

'Thomas, couldn't you leave this country when I do? All of us could go back to England, I'm sure you would find work. We would be happy. There's enough money. . .'

'No. This is my country. This is where my life is, where it must always be.'

When they were back in the apartment, he asked her, always courteous, whether she wanted him to sleep on the couch in the studio. But she shook her head.

In bed they exchanged one kiss.

Tired though he was, he heard her sobbing into her pillow, late into the night.

As planned, Irene and the children left for England two days later, with no more than the usual amount of luggage. But Irene did take her painting equipment.

14

It is Pandora's last afternoon in New York. The morning has been interrupted by a telephone call from Pandora to Tom, to say she can't come on a bicycle ride in the park. She does not say she can't stop looking through the papers in her great-aunt's apartment. He is very disappointed. But he'll be driving her to the airport, she looks forward to that in a gloomy way.

'So that was that,' says Sophia. 'She left Germany, and she left him, in a way. It wouldn't be true to say she never went back – in the early years she returned quite often, later not.'

'And he never came to England?'

'No. It wasn't easy for Germans to travel abroad in the 1930s and he was in a difficult position, he'd been closely associated with the Social Democrats, he had many friends who were anti-Nazi. He was under surveillance, I'd say. So he kept his head down and worked.'

'I suppose that kept him out of trouble.'

'He was very successful, designing housing in the traditional German manner. But Irene told me his early enthusiasm for National Socialism soon evaporated. He remained a party member, he had to. His consolation, apparently, was Salitz. His parents died in the late 1930s but his aunt and uncle lived on in the big house, and he'd go there often to see them. Poor things.'

Pandora looks at her enquiringly.

'Oh, you don't know that story? One forgets how much the Germans suffered, it's not often discussed. The uncle died in 1944. The house was in the path of the Russian invasion, and the Russians were not well disposed towards aristocrats in big houses. When the Russian army was a day away, the aunt fled in an old farm cart with her maid and the gardener, who were as old as she was. But the Russians caught her. For some reason they were quite kind to her, I suppose her face told them she was a good woman. They took her back to her house, which by then was full of refugees, and gave her two little rooms. A day later she drowned herself in the lake – she knew where the water was deep. . . She was the sweetest lady. Oh, my dear, you are reviving so many memories. But if you must. . . well, you're determined, like your grandmother.'

Pandora shifts in her seat, and says she can't understand why Irene never found another man.

'Oh, we talked about that. She always saw herself as married to Thomas, you see. She thought it was her duty to be true to him, she thought she'd betrayed him and that was why. . . I don't think it made her very happy, but duty doesn't involve happiness, does it? When Thomas died she married herself to her art – it may sound clichéd but I think it was true. Now, I have something for you.'

Pandora is excited, speculates about what it could be. It is an unusual thing, she is told, not a present in the normal sense, but important. Sophia takes a black box from a drawer and hands it to Pandora.

The box contains a necklace, made of iron.

'Thank you,' says Pandora, mystified.

'That, my dear, is the Prussian necklace Irene was given by her mother-in-law. She wore it to a ball at the Berliner Schloß where she met the Emperor. It had a special meaning for her.'

'Yes?'

'Ah, you must decide that.' She lifts the necklace and holds it between her hands. 'She asked me to look after this necklace and give it to you one day. She did say, she hoped it might encourage you to go to Germany and look for the lost land of Prussia, where she had been so happy, and so unhappy too.'

ACKNOWLEDGEMENTS

For reading and commenting on the draft at various stages, I am most grateful to Dietlind Bock, Lucy Hughes-Hallett, Cassie Nash, Peter Mandler, Paul Ryan and most especially to Kate Hubbard who read it twice and commented expertly.

I received detailed advice, on matters ranging from international diplomacy and early twentieth century housing to Berlin lunches, women's dress and photography, from Nikolaus Bernau, Denise Bethel, Henning Bock, Nicolas Bock, Angela Bohrer, Karl Heinz Bohrer, Oriole Cullen, Peter Damrau, Caroline Evans, Odile Fraigneau, Charlotte Gere, Erik Goldstein, Elise Grauer, Sibylle Groß, Irene von Hardenberg, Stephanie Hesz, Guido Hinterkeuser, Thomas Kemper, Christine Kitzlinger, Marcus Koehler, Peter Lang, Steffen Løvkjær, Benjamin Moore, Thomas Otte, Judith Pillsbury, Julia Schewski, Samuel Wittwer and Barnaby Wright. Many thanks to all of them.

As always I am greatly indebted to my agent Felicity Rubinstein and to her colleague Sarah Lutyens. No writer could ask for better editors than Sam Redman and Clare Drysdale at Allen and Unwin.

My friends in Germany – mentioned above, and there are others – helped me to improve my knowledge of their language and guided me over many questions. It is hard to do justice to their kindness and the insights they gave me into the richness and strength of German culture.

GAW